STUDIEN ZUR PUBLIZISTIK

BREMER REIHE · DEUTSCHE PRESSEFORSCHUNG

HERAUSGEGEBEN VON ELGER BLÜHM

BAND 16

VOLKER MAUERSBERGER

Rudolf Pechel und die »Deutsche Rundschau«

Eine Studie zur konservativ-revolutionären Publizistik
in der Weimarer Republik
(1918–1933)

SCHÜNEMANN UNIVERSITÄTSVERLAG
BREMEN

FÜR RENATE

Satz und Druck: Carl Schünemann, Bremen
Buchbindearbeiten: Klemme & Bleimund, Bielefeld
Printed in Germany 1971
ISBN 3 7961 3023 2

INHALT

A. VORBEMERKUNG 1

B. RUDOLF PECHEL UND DIE ÜBERNAHME DER »DEUTSCHEN RUNDSCHAU« (1919) 5

I. DIE PERSÖNLICHKEIT DES HERAUSGEBERS UND SEIN PUBLIZISTISCHER WERDEGANG (1882–1918) 6

1. *Rudolf Pechel – Herkunft und Person* 6
2. *Erste literarische Versuche* 11
3. *Pechels Berufung zu publizistischem Wirken* 14

II. VERTIEFUNG JUNG-KONSERVATIVER GEDANKEN IN PECHELS IDEENWELT 19

1. *Die Ideen von 1914* 20
2. *Das Kriegserlebnis* 23
3. *Die Frage der Grenze* 27

III. PECHEL UND DIE JUNG-KONSERVATIVEN GRUPPIERUNGEN SEINER ZEIT 30

1. *Kreise um den Berliner Montagstisch* 32
2. *Der Juniklub um Moeller van den Bruck* 35

   Zielsetzung, Programm und Mitgliedschaft 36 — Zur Auflösung des Juniklubs im Jahre 1923 39

3. *Der Deutsche Schutzbund um Carl-Christian von Loesch* 41

   Die nationalpolitischen Forderungen des Deutschen Schutzbundes 42 — Angeschlossene Vereine und Verbände 45

4. *Rudolf Pechel und die Publizistik der Ring-Bewegung* 46

   Die Theorie der Propaganda 46 — Die Intensivierung des Ring-Gedankens 49

IV. DIE ÜBERNAHME DER »DEUTSCHEN RUNDSCHAU« (1919) 55

1. *Vorgeschichte der Übernahme nach dem Tod von Bruno Hake (1917)* 55
2. *Politische Aspekte der Übernahme im Jahre 1919* 57

   Vergleich mit der Gründung im Jahre 1874 (Julius Rodenberg) 58 — Die Frage nach dem politischen Standort 63

3. *Pechel als Herausgeber der »Deutschen Rundschau«* 65

   Die äußere Gestaltung der Zeitschrift 66 — Erstes Werben um Mitarbeiter 74 — Formen der publizistischen Aussage 84

C. DIE KONSERVATIV-REVOLUTIONÄRE PUBLIZISTIK DER »DEUTSCHEN RUNDSCHAU« VON 1919 BIS 1924 95

I. IM TRAUMLAND DER WAFFENSTILLSTANDSPERIODE 97

1. *Das Versagen des neuen Sozialismus* 97
2. *Friedrich Meinecke und die Ursachen der deutschen Revolution* 100

II. DER VERTRAG VON VERSAILLES IM URTEIL DER »DEUTSCHEN RUNDSCHAU« 103

1. *»Rundschau«-Autoren zur Analyse von Ursache und Verlauf des Ersten Weltkrieges* 103
2. *Die Forderung nach einem neuen Nationalismus* 106
3. *Pechels Werbung für das Grenz- und Auslandsdeutschtum* 108

III. PECHELS HINWENDUNG ZUM JUNG-KONSERVATIVISMUS SEINER ZEIT 112

1. *Moeller van den Bruck und seine Theorie vom Recht der jungen Völker* 113
2. *Der Begriff der Weltrevolution bei Eduard Stadtler* 115
3. *Volk und Volksrecht bei Max Hildebert Boehm* 118
4. *Der ständische Gedanke bei Heinz Brauweiler* 121

IV. APPELLE DER »DEUTSCHEN RUNDSCHAU« FÜR EINE ÜBERWINDUNG DES PARLAMENTARISCHEN SYSTEMS 125

1. *Die Kritik an den Parteien* 126
2. *Der Demokratiebegriff am Beispiel einzelner Autoren* 129
3. *Vorschläge zur Beseitigung des Klassengegensatzes* 132
   Innere Kolonisation und Aufbauwirtschaft 133 — Die Kammer der Arbeit 134
4. *Hoffnungen auf eine Diktatur im Krisenjahr 1923* 136

D. RUDOLF PECHEL IM POLITISCHEN KRÄFTESPIEL DER WEIMARER REPUBLIK (1921–1930) 141

I. DIE »DEUTSCHE RUNDSCHAU« IM MEINUNGSSTREIT 143

1. *Pechels Auseinandersetzung mit Stefan Grossmann* 143
   Die Kampagne gegen Mathias Erzberger 144 — Der Gang der Auseinandersetzung 146
2. *Die Affäre um Charles L. Hartmann* 148
   Dokumente der »Deutschen Rundschau« zur Kriegsschuldfrage 149 — Die Reaktion in der Öffentlichkeit 151 — In Sachen Hartmann gegen »Deutsche Rundschau« 158

II. Die »Deutsche Rundschau« und die »Arbeitsgemeinschaft für die Interessen des Grenz- und Auslandsdeutschtums« 160

1. *Arbeitsgemeinschaft und Deutscher Schutzbund* 163
2. *Erste Gründungsversammlung in Berlin* 164
3. *Mitglieder und Förderer* 165
4. *Die vertraulichen Anweisungen zur Propagandaarbeit* 168

Die Aktion für das besetzte Rheinland (1922) 169 — Die Kampagne gegen Polen 171 — Der Ruf nach einem Großdeutschland 173

5. *Die Propaganda der Arbeitsgemeinschaft und die »Deutsche Rundschau«* 175

6. *Die finanzielle Unterstützung der Arbeitsgemeinschaft durch die Berliner Ministerialbürokratie* 182

Zur Pressepolitik der Reichsregierung 183 — Die Subventionen bis zum Jahre 1930 186

7. *Die Arbeitsgemeinschaft und ihr Verhältnis zur Reichsregierung* 190

Erste Kontakte zu Gustav Stresemann (1925) 191 — Der außenpolitische Kurswechsel der »Deutschen Rundschau« in der Locarno-Frage 196 — Die Vertrauenskrise um den Vorsitzenden Rudolf Pechel 201

III. Rudolf Pechel und die Unabhängigkeit der »Deutschen Rundschau« (1924—1933) 204

1. *Pechels Trennung vom Verlag Gebrüder Paetel (1924)* 204
2. *Finanzschwierigkeiten der Gründerjahre* 206

Die Subventionen der Reichsregierung 207 — Die Zuwendungen aus Kreisen der deutschen Industrie 208 — Fusionspläne mit der Deutschen Akademie 211

3. *Pechels Kampf um die Erhaltung der Zeitschrift im Krisenjahr 1931* 215

Die Finanzlage der »Deutschen Rundschau« im Jahre 1931 217 — Die Übernahme der Zeitschrift in die Norddeutsche Buchdruckerei und Verlagsanstalt (1932) 218

4. *Die Erweiterung der Herausgeberschaft auf Paul Fechter und Eugen Diesel (1933/34)* 221

E. PECHELS RUF NACH EINER KONSERVATIVEN SAMMLUNGSBEWEGUNG IN DEUTSCHLAND (1925—1933) 225

I. Eigene Pläne im Kampf um die Macht 227

1. *Die Zusammenarbeit zwischen Pechel und Edgar Julius Jung* 229

Das Modell zur Bildung einer »Neuen Front« 231 — Hoffnungen bei der Spaltung der Deutschnationalen Volkspartei (1929/30) 233 — Die Unterstützung der Reichskanzlerschaft Heinrich Brünings 237

II. Die »Deutsche Rundschau« und ihre Appelle für einen autoritären Staat 240

1. *Von der Hindenburg-Wahl zum Bruch der Großen Koalition (1925—1930)* 240

Der Standortwechsel bei der Kampagne um den Young-Plan (1929) 244 — Die Rückwirkungen auf Vorstellungen zur Innenpolitik 248

2. *Der publizistische Angriff von Edgar Julius Jung* 250

Jungs Standort in der Vorstellungswelt des revolutionären Konservativismus 250 — Die Formel vom »ständischen Hoheitsstaat« 253 — Edgar Julius Jung und die Regierungen Brüning, Papen, Schleicher, Hitler (1930—1933) 254

3. *Karl Haushofer und seine Forderungen zur deutschen Außenpolitik* 261

Das Prinzip einer deutschen Geopolitik 264 — Der Meinungsstreit mit Edgar Julius Jung 268

III. Rudolf Pechel und die Auseinandersetzung zwischen revolutionärem Konservativismus und Nationalsozialismus (1922—1933) 271

1. *Pechels persönliche Fühlungnahme mit Nationalsozialisten von 1922 bis 1933* 272

Das Treffen mit Hitler im Juniklub (1922) 272 — Die Kontakte mit der »Arbeitsgemeinschaft für die Interessen des Grenz- und Auslandsdeutschtums« (1932/33) 275 — Pechel und die Gleichschaltung der Deutschen Akademie (1933) 280

2. *Die Diskussion über Grundprinzipien nationalsozialistischer Propaganda (1931—1933)* 282

Die »Deutsche Rundschau« und ihr Briefwechsel zur Judenfrage 283 — Forderungen zur Umgestaltung des Kunst- und Literaturbetriebes 292 — Stellungnahmen zu Adolf Hitler und der NSDAP 299

3. *Rudolf Pechel und der 30. Januar 1933* 308

Quellen und Literatur 315

Dokumentarischer Anhang 327

Personenregister 338

A. VORBEMERKUNG

Rudolf Pechel hat die »Deutsche Rundschau« in einer Epoche deutscher Geschichte übernommen, die von heftigen geistigen und politischen Auseinandersetzungen erfüllt gewesen ist: noch während die Verfassunggebende Nationalversammlung über einen grundlegenden Neuaufbau beriet, stellten sich politische Gruppen von rechts und von links in Opposition gegen den parlamentarisch-demokratischen Staat, der in Weimar geboren werden sollte. Spartakus-Aufstand in Berlin, Generalstreik im Ruhrgebiet, Räte-Republik in Bayern, Abwehr des Separatismus im Rheinland und der Kampf um die Annahme des Versailler Friedensvertrages: das war der politische Hintergrund, vor dem 1919 das Weimarer Verfassungswerk beraten wurde. [1] Gegenüber den politischen Ideenkreisen von links fanden sich bald die Anhänger der alten Ordnung unter dem Banner der konservativen Idee zusammen. Als einer der ersten hatte Rudolf Pechel zur konservativen Sammlung aufgerufen. Nach anfänglichem Schwanken wurden er und seine Zeitschrift bald zu Trägern jener politisch-geistigen Bewegung, die unter dem Stichwort »Konservative Revolution« für die innere Geschichte der Weimarer Republik kennzeichnend geworden ist.

Die sozial-strukturelle Position der »Konservativen Revolution« ist von Heide Gerstenberger ausführlich analysiert worden. [2] Die Verfasserin machte dabei den Versuch, in Anknüpfung an geistesgeschichtliche Traditionen die Bezüge dieser Ideologie festzustellen, wie sie sich im Verhältnis zu anderen Ideenkreisen und im Gang der zeitgeschichtlichen Ereignisse der Weimarer Zeit herausgebildet haben. [3] Damit übernahm die Autorin eine vermittelnde Position gegenüber anderen Arbeiten, die zum gleichen Gegenstand schon vorliegen und jeweils einen besonderen Aspekt der »Konservativen Revolution« behandeln. Die verschiedenen methodischen Ansätze, wie sie bei diesen Arbeiten erkennbar werden, spielen auch bei der vorliegenden Untersuchung eine Rolle. Denn diese Arbeit hat das Ziel, Erscheinung und Begriff einer Zeitschrift zu untersuchen, die gerade im Ideologien-Konglomerat der »Konservativen Revolution« eine entscheidende Funktion übernommen hat: die »Deutsche Rundschau« ist von 1920 bis 1933 ein Medium gewesen, in dem führende Theoretiker der sogenannten »jungkonservativen Bewegung« das Wort ergriffen und zur Klärung ihrer oft

[1] Huber, Ernst-Rudolf: Dokumente zur deutschen Verfassungsgeschichte, Band 3, Stuttgart, Berlin, Köln, Mainz 1966, Seite 81 ff.

[2] Gerstenberger, Heide: Der revolutionäre Konservatismus — Ein Beitrag zur Analyse des Liberalismus. Sozialwissenschaftliche Abhandlungen, Heft 14, Berlin 1969

[3] Gerstenberger, a. a. O. Seite 10

unterschiedlichen Positionen beigetragen haben. Im besonderen Maße hat Rudolf Pechel dem bürgerlichen Räsonnement seiner Zeit eine Publikation entgegengehalten, die ganz im Sinne der normativen Funktion einer politischen Zeitschrift die »öffentliche Meinung machen« wollte, statt nur deren Echo zu sein.[4]

Die Frage nach der Methode hat zunächst einen Aspekt, der sich speziell für das Medium Zeitschrift ergibt: im Rahmen der Wissenschaft von der Publizistik sollen sämtliche publizistischen Aussageträger gemäß ihrer gemeinsamen publizistischen Merkmale und der daraus resultierenden Wirkungen auf die Öffentlichkeit untersucht werden[5] — diese Begriffsbestimmung ist eng mit der Forderung verknüpft, wonach der Publizistikwissenschaft die Funktion einer »Hilfswissenschaft« zuzuweisen sei, die »ihre eigenen Kategorien, Einsichten und Ergebnisse anderen Disziplinen zur Verfügung zu stellen«[6] habe. Dabei ist besonders auf die Notwendigkeit einer engen Kooperation von Publizistik- und Geschichtswissenschaft verwiesen worden: in dem Maße, in dem sich die Geschichtswissenschaft publizistischen Materialien zuwende, aus denen sie Bewertungen eines politischen Phänomens zu erkunden sucht, habe sie sich die Frage zu stellen, »welchen politischen Standort, welche Intensität, welche Resonanz das jeweilige Medium zu seiner Zeit besaß.«[7] Aus der Erschließung dieses publizistischen Terrains könnten sich wertvolle Hinweise für die exakte Erforschung historischer Zusammenhänge ergeben.

Wer dieser Aufgabe gerecht werden will, kann auf den zeitgeschichtlichen Bezug nicht verzichten. Aus diesem Grund scheidet eine Untersuchung der »Deutschen Rundschau« unter vorwiegend geistesgeschichtlichen Aspekten[8] aus. Demgegenüber besticht auf den ersten Blick ein Gesichtspunkt, der die Erfahrungen des Nationalsozialismus als vorgegebenen Wert einer Analyse der Ideologie zugrunde legt und den 30. Januar 1933 als logische Konsequenz der konservativ-revolutionären Bewegung begreift.[9] Es wäre danach

4 vgl. die Definition über die politische Zeitschrift bei Haym: Friedrich von Gentz, in: Allgemeine Enzyklopädie der Wissenschaften und Künste, herausgegeben von J. S. Ersch/J. G. Gruber, 1. Sektion, Band 38, 1854, Seite 339

5 Haacke, Wilmont: Die Zeitschrift — Schrift der Zeit, Essen 1961, Seite 19

6 Knoll, Joachim H.: Das Verhältnis Österreich/Preußen zwischen 1848 und 1866 im Spiegel liberaler Zeitungen, in: Publizistik, 11. Jg. 1966, Festschrift für Fritz Eberhard, Seite 265 ff.

7 Knoll, Joachim H.: Das Verhältnis Österreich/Preußen zwischen 1848 und 1866, a. a. O. Seite 265

8 Dieser Ansatz findet sich bei Martin Greiffenhagen: Das Dilemma des Konservativismus; in: Gesellschaft in Geschichte und Gegenwart. Eine Festschrift für Friedrich Lenz. Sozialwissenschaftliche Abhandlungen, Heft 9, Berlin 1961, Seite 13 ff. Ebenso Armin Mohler: Die konservative Revolution in Deutschland 1918—1932, Stuttgart 1950

9 Siehe besonders Martin Broszat: Die völkische Ideologie und der Nationalsozialismus, in: Deutsche Rundschau, 1958, Heft 1, Seite 55 ff. Kurt Sontheimer: Antidemokratisches Denken in der Weimarer Republik, Studienausgabe, München 1962, Seite 16 ff. Hermann Rauschning: Die Revolution des Nihilismus, Zürich-New York 1938

sinnvoll, der vorliegenden Zeitschrift als einziges analytisches Kriterium die Idee der Demokratie nach den Normen der Weimarer Reichsverfassung zugrunde zu legen und ihre publizistische Aussage danach zu beurteilen, wie die neue Staatsform bekämpft und zugunsten völkisch-autoritärer Vorstellungen verworfen wurde. Pechels Angriff auf die Verfassung von Weimar war gewiß von keinem geringeren Ressentiment getragen, als es zum Beispiel die Attacken Hans Zehrers beflügelt hat.[10] Dennoch würde eine Untersuchung der »Deutschen Rundschau« allein nach antidemokratischen Gesichtspunkten dem Gegenstand nicht gerecht. Denn damit würde ein Prinzip verletzt, das inzwischen zum gesicherten Postulat der Zeitschriftenforschung geworden ist. Danach genügt es nicht, allein nach den Inhalten des Mediums zu forschen und diese mit dem politischen Horizont ihrer Zeit zu verknüpfen, sondern die Erkenntnis ist wichtig, daß eine Zeitschrift zuweilen durchaus eigenen, unvorhersehbaren Gesetzen unterliegt. Einen klaren Einblick gewinnt man erst, wenn man die Zeitschrift mit den Intentionen ihres Herausgebers verbindet, wenn man zugleich den Wandlungen seiner politischen Auffassungen zu folgen geneigt ist und seinen Absichten nachspüren will. Ähnlich wie Maximilian Hardens »Zukunft« wechselnde Einschätzungen im Verhältnis zur Reichspolitik zeigte[11], so war auch Pechels »Deutsche Rundschau« von jähem Gesichterwechsel geprägt. Denn zwischen ihren Zeilen war nur selten die volle Wahrheit, jedoch stets die volle politische Absicht zu erkennen: dies gilt besonders für Pechels Publizistik im Dritten Reich, in das der Anhänger Moeller van den Brucks in gewiß verhängnisvolle Weise verstrickt wurde. Dies gilt aber auch für Pechels Rolle hinter den Kulissen der Weimarer Republik, über die erst sein Nachlaß einigen Aufschluß gegeben hat. Den »seine Zeit erkennenden, sie deutenden Publizisten«[12] in den Mittelpunkt der Betrachtung zu rücken — so lautet der Anspruch, mit dem allein sich Pechels publizistisches Bemühen in seinen Intentionen, Inhalten und Wirkungen analysieren ließ. Erst auf diese Weise ließ sich die »Deutsche Rundschau« als ein Stück »lebendigen Daseins« erkennen und bewerten[13], das zu enträtseln und sinnvoll in die verfassungs- und ideengeschichtliche Zeit ihres Erscheinens einzuordnen war.

Für die Stellung der »Deutschen Rundschau« innerhalb der »Konservativen Revolution« ergibt sich damit eine Position, die die jung-konservative Publizistik Rudolf Pechels einerseits in ihrem zeitgeschichtlichen Bezug sieht, andererseits aber auch den Gesamtzusammenhang konservativer

[10] Sontheimer, Kurt: Der Tatkreis, in: Vierteljahrshefte für Zeitgeschichte, 7. Jg. 1959, 3. Heft (Juli), S. 229 ff.

[11] Haacke, Wilmont: Die politische Zeitschrift, Band I, Stuttgart 1968, Seite 6, vgl. auch die kritische Auseinandersetzung mit Kirchner in: Göttingische Gelehrte Anzeigen, 218. Jahrgang, Heft 3/4, Göttingen 1966, Seite 344 ff.

[12] Haacke, Wilmont: Studien zur Publizistik, in: Göttingische Gelehrte Anzeigen, a. a. O. ebenda

[13] Haacke, a. a. O. ebenda

Theorienbildung nicht aus dem Auge verliert.[14] Denn so oft Rudolf Pechel auch aus politisch-taktischem Bedürfnis die Ansprache seiner Zeitschrift wechselte, so stark war er doch wiederum dem alltäglichen Kleinkrieg enthoben — stets mit jenen Ideologien beschäftigt, die ihn gleich zu Beginn seiner Herausgeberschaft zu den Jung-Konservativen der Berliner Motzstraße gezogen haben —.

Diese Arbeit hat der Wirtschafts- und Sozialwissenschaftlichen Fakultät der Georg-August-Universität Göttingen als Dissertation vorgelegen. An dieser Stelle dem Direktor des Instituts für Publizistik der Universität Göttingen, Herrn Professor Dr. Wilmont Haacke, meinen Dank abzustatten, ist mir eine selbstverständliche Pflicht. Die Veröffentlichung dieser Monographie wäre nicht möglich gewesen, hätte sich Herr Dr. Elger Blühm von der Deutschen Presseforschung, Bremen, nicht in vorbildlicher Weise für sie eingesetzt. Der Gesellschaft für Deutsche Presseforschung e. V., Herrn Dr. Elger Blühm sowie dem Verlag Carl Schünemann drücke ich Dank und Verbundenheit aus.

Zum Schluß sei all jenen herzlich gedankt, die beim bibliographischen Sammeln geholfen haben. Wichtige schriftliche Hinweise erhielt ich u. a. von der Deutschen Akademie für Sprache und Dichtung und ihrem Generalsekretär Dr. Ernst Johann, Darmstadt, ferner von Frau Hanna Bothe (Güstrow), Korvettenkapitän a. D. Eberhard †, Werner Fiedler (Berlin), Dr. Fritz Grünfeld (Zahara/Israel), Frau Maria von Loesch (München), Alphons Nobel (Köln), Gottfried R. Treviranus †, Frau Hilda Woitge (Wolgast), dem Institut für Zeitgeschichte in München und Kurt Ziesel (München). Besonderer Dank für ihre unermüdlichen Hinweise gilt Frau Madleen Pechel-Mayser (Bern) und Herrn Dr. Peter Pechel (Berlin), der mir den Zugang zum Nachlaß Rudolf Pechels im Bundesarchiv, Koblenz, vermittelte. Erwähnt sei ferner, daß ohne die Hilfe der Bibliothek des Westdeutschen Rundfunks, Köln, diese Arbeit nicht hätte beendet werden können. Mein Dank gilt daher besonders den Bibliothekaren Frau Gudrun Bießmann-Ahl und Herrn Wolfgang Cremer. Die Unterstützung und freundliche Ermunterung meiner Vorgesetzten und Arbeitskollegen im Westdeutschen Rundfunk, insbesondere der Herren Dr. Fritz Brühl, Ulrich Gembardt, August Hoppe und Frau Hilde Theisen, seien hier gleichfalls dankbar vermerkt.

[14] Zur Abgrenzung vergleiche: Fritz Stern: Kulturpessimismus als politische Gefahr, deutsch: Bern/Stuttgart 1963, Klemens von Klemperer: Konservative Bewegungen zwischen Kaiserreich und Nationalsozialismus, deutsch: München/Wien 1967, ähnlich auch: Bussmann, Walter: Historische Ideologien zwischen Monarchie und Weimarer Republik in: Historische Zeitschrift, 1960, Band 190, Seite 55 ff. Für den Gesamtzusammenhang: Gerstenberger, Der revolutionäre Konservatismus, a. a. O. Seite 9 ff. Mit den verschiedenen Denkansätzen über die historische Rolle der »Konservativen Revolution« beschäftigt sich kritisch: Keßler, Heinrich: Wilhelm Stapel als politischer Publizist, Diss. Erlangen-Nürnberg 1967, S. 1 ff.

B. RUDOLF PECHEL UND DIE ÜBERNAHME DER »DEUTSCHEN RUNDSCHAU« (1919)

Die Vorgeschichte von Pechels Herausgeberschaft hat mit einem Porträt des Herausgebers und der Darstellung seines politischen und publizistischen Werdegangs zu beginnen: jeder journalistisch begabte Mensch hat irgendwann in seiner Jugend einmal damit angefangen, Notizen über sich und seine Umgebung niederzuschreiben [1] und seine Impressionen und Reflexionen der Umwelt mitzuteilen. Auch bei Rudolf Pechel war dies nicht anders. Aber es wird zu zeigen sein, wie zufällig Pechel im Grunde genommen zum Herausgeber der »Deutschen Rundschau« geworden ist: anders als sein verehrtes Vorbild Julius Rodenberg [2] und grundverschieden von den Lebensläufen späterer Kollegen [3] stand Pechel dem Journalismus eher mit betonter Distanz gegenüber. Erst sehr spät fühlte er sich von diesem Berufszweig angezogen – freilich nicht in dem Verlangen nach politischer Parteinahme, sondern als literarisch Ambitionierter aus der Berliner Germanistenschule um Erich Schmidt. Schon hier kann gesagt werden, daß jene nachträgliche Analyse über die Motive der Entstehung der jungkonservativen Bewegung in Rudolf Pechel eine fast exemplarische Bestätigung fand: Pechel war wie die meisten Anhänger der Ring-Bewegung zunächst ein Unpolitischer, dessen Ideen zu einem nicht geringen Teil Ausfluß eines »romantischen, irrationalen Verhältnisses zur Politik« [4] gewesen sind. Für die folgende Darstellung ist deshalb der Nachweis entscheidend, auf welchem Wege Rudolf Pechel die Verbindung zum jungen Konservativismus um Moeller van den Bruck und Heinrich von Gleichen gefunden hat.

[1] Haacke, Wilmont: Die Zeitschrift — Schrift der Zeit, Essen 1961, Seite 19 ff.
[2] für Rodenbergs Publizistik vergleiche: Haacke, Wilmont: Julius Rodenberg und die Deutsche Rundschau, Eine Studie zur Publizistik des deutschen Liberalismus (1870—1918), Heidelberg 1950 — Beiträge zur Publizistik, Band II, Seite 13 ff.
[3] Dafür die Beispiele Paul Fechter und Wilhelm Stapel, vgl. Fechter, Paul: Menschen und Zeiten, Begegnungen aus fünf Jahrzehnten, Gütersloh 1948, und Michael, Friedrich: Liebe zur Zeitung, in: Dank und Erkenntnis — Paul Fechter zum 75. Geburtstag am 14. September 1955, Hrsg. von Joachim Günther, Gütersloh 1955, Seite 46 ff. Für Stapels Werdegang vergleiche die Angaben bei Keßler, Heinrich: Wilhelm Stapel als politischer Publizist, a. a. O. Seite 14 ff.
[4] Sontheimer, Kurt: Antidemokratisches Denken, a. a. O. Seite 20

I. Die Persönlichkeit des Herausgebers und sein publizistischer Werdegang (1882–1918)

1. *Rudolf Pechel – Herkunft und Person*

Rudolf (Ludwig August Martin) Pechel wurde am 30. 10. 1882 in Güstrow in Mecklenburg als Sohn des Gymnasialprofessors Dr. Ludwig Pechel und seiner Ehefrau Elisabeth, geb. Firnhaber geboren. Von zahlreichen Deutern der jung-konservativen Bewegung ist im Rückblick die Gemeinschaft der Generation als gemeinsames Kennzeichen der späteren Träger eines revolutionären Konservativismus betont worden.[5] Dieser Hinweis ist begründet, auch wenn man nicht verschweigt, daß Moeller van den Bruck als der geistige Mittelpunkt jenes Kreises schon 1876 geboren wurde. Von denen, die später eine »konservative Revolution« oder einen ähnlich gearteten jungen Nationalismus vertraten, ist ein repräsentativer Teil zwischen 1880 und 1905 geboren: Wilhelm Stapel, der spätere Herausgeber des »Deutschen Volkstums« kam im gleichen Jahr wie Rudolf Pechel zur Welt, Max Hildebert Boehm, der nach 1919 zu einem engen Mitarbeiter Pechels geworden ist, wurde 1891 geboren, und Edgar Julius Jung, Jahrgang 1894, mag seine enge Freundschaft zu Pechel nicht zuletzt durch die Generationen-Gemeinschaft begründet haben.[6] In den zahlreichen Würdigungen, die Pechel bis zu seinem Lebensende erfahren hat, ist zwar oft auf seine Herkunft aus Mecklenburg verwiesen worden[7], indes dürfte dies für die Ausbildung seiner Persönlichkeit lediglich von untergeordneter Bedeutung sein: für Pechels spätere Wirksamkeit als Publizist ist entscheidend gewesen, in welcher Zeit er geboren wurde: Fritz Stern hat in seiner Studie über die Ursachen der Konservativen Revolution auf den geistigen Zusammenhang zwischen den Ideologien Lagardes, Langbehns und Moeller van den Brucks verwiesen und nach Gründen für deren Empfänglichkeit im deutschen Bürgertum gesucht.[8] Auch Pechel wurde in jene philosophische Tradition des neuzeitlichen Deutschland hineingeboren, dessen Idealismus kein formales philosophisches System mehr darstellte, sondern vielmehr eine Art »Lebensgefühl, ein Gefüge von Empfindungen und Werten, das die gebildeten Schichten aus gemeinsamen geistigen Traditionen

5 besonders von Bußmann: Politische Ideologien zwischen Monarchie und Weimarer Republik, a. a. O. Seite 64, und von Fritz Stern: Kulturpessimismus als politische Gefahr, a. a. O. Seite 14 ff.

6 vergleiche die Angaben bei Heide Gerstenberger: Der revolutionäre Konservatismus, a. a. O. Seite 65 ff, und Heinrich Keßler: Wilhelm Stapel als politischer Publizist, a. a. O. Seite 14 ff.

7 So rühmt Hermann Josef Schmitt Pechel als den »Sohn des Mecklenburger Landes«, Stephan Linhardt nennt ihn einen »preußischen Humanisten« und Hermann Kasack verweist sogar auf die »harte Gradlinigkeit« zwischen Pechel und Barlach, der gleichfalls in Güstrow gelebt hat.

8 Stern, Fritz: Kulturpessimismus, a. a. O. Seite 16

ererbt und allmählich ihrer Stellung innerhalb der Gesellschaft angepaßt hatten«.[9] Auch wenn Pechel über seine ersten Eindrücke in der Jugendzeit wenig Aufzeichnungen hinterlassen hat, so muß man doch den geistigen Horizont skizzieren, vor dem er aufgewachsen ist. Denn Pechel – dies zeigen seine späteren Arbeiten – war von einem Idealismus beflügelt, der sich aus den Werken der idealistischen Epoche ableitete, in Goethe, Kant und Schiller seine großen Vorbilder sah und auf diese Weise an den höheren Schulen gelehrt und in den Familien gepflegt wurde. Jene Intuition, die Vernunft im allgemeinen gering einschätzt, wird schon in den ersten Zeilen des Primaners Pechel deutlich, der seiner Tischdame auf die Karte kritzelte: »Den Ballast Vernunft in den Wasserschlund, und segle ich meinen Kahn auch in den Grund, oh, so ist doch herrlich zu fahren.«[10] Der unbedingte Glaube, daß der Geist oder die Idee letzter Ausdruck der Wirklichkeit sei, die Erinnerung an frühere Normen der Sittlichkeit und ästhetische Ideale, ja, die ganze Kultivierung des Ichs drückt sich am besten in jenen Zeilen aus, die Pechel später einmal geschrieben hat. »Er ist kein Müder, kein Gesättigter – immer noch ist er die gleiche, trotzige, starke, wilde Natur, die ihn als einen Unentwegten, als tapferen Neinsager zu konventionellen Werten erscheinen läßt«[11], so heißt es in einer Buchbesprechung über Carl Busse und dessen Gedichtband »Heilige Not«. Die hier implizierte moralische Forderung zur Neugestaltung des eigenen Lebens, die Ludwig Curtius als ein Prinzip des deutschen Humanismus beschrieben hat, mag Pechel zunächst beeinflußt haben: nach drei Jahren Vorschule und darauffolgender Ausbildung auf dem Gymnasium von Güstrow war er jedenfalls in einem Geist erzogen, der humanistischer Auffassung von Bildung nahekam.

Für diese umfassende Erziehung hat nicht zuletzt Pechels Vater gesorgt. Durch dessen Stellung als Gymnasialprofessor an der angesehenen »Domschule« zu Güstrow gehörte der Sohn einer Familie an, die im Denken jener Zeit gesellschaftliches Ansehen genoß. Ein Altersgenosse Pechels, der spätere Mitarbeiter bei der »Deutschen Allgemeinen Zeitung«, Karl Silex, hat in seinen Erinnerungen einmal die Umwelt beschrieben, in der ein Gymnasiast vor der Jahrhundertwende aufgewachsen ist. Wie Pechel gehörte auch Silex einer bürgerlichen Familie an und stand dank der akademischen Ausbildung seines Vaters in der sozialen Rangordnung des Kaiserreichs an bevorzugter Stelle: als der Lehrer des späteren DAZ-Journalisten für eine Statistik die Berufe der Väter anzugeben hatte, rangierten in der offiziellen Hierarchie des Ministeriums die Offiziere und Beamten an oberster Position, gefolgt von Großkaufleuten, mittleren Beamten und Kaufleuten. Die in jener Zeit bereits vorhandenen Erschütterungen durch die Industrielle Revolution

9 Stern, Fritz: Kulturpessimismus als politische Gefahr, a. a. O. Seite 16, vgl. für diesen Zusammenhang ferner Plessner, Helmuth: Die verspätete Nation, Stuttgart 1959, Seite 39 ff.

10 Schriftlich von Frau Hanna Bothe an den Verfasser, 26. 1. 1969

11 Rudolf Pechel: Neuere deutsche Dichtung, in: Literarische Rundschau, Deutsche Rundschau, 3. Jg., Band 147/Heft 2 Seite 154 (1911). (April-Heft)

hatten sich in dieser Hierarchie in der Tatsache niedergeschlagen, daß der Sohn eines Kranführers im Stettiner Freihafen unter dem Punkt »Verschiedenes« eingeordnet wurde.[12] Man kann vermuten, daß der spätere Herausgeber der »Deutschen Rundschau« auf diese höchst belanglose Weise mit den sozialen Problemen seiner Zeit konfrontiert wurde: der Idealismus, der Pechel vermittelt wurde, führte zur Kultivierung der Innerlichkeit und nicht zu politischer Anteilnahme, geschweige zu sozialem Interesse. Von der Wirklichkeit abgestoßen, neigte die deutsche Elite dazu, ihren Glauben nach innen zu orientieren und sich den Realitäten zu entfremden.[13] Pechels Vater Ludwig kam eben aus dieser Tradition: am 30. Juli 1850 geboren, hatte er in Leipzig, Berlin, Halle und Rostock Deutsch, Latein und Griechisch studiert und war nach mehreren Referendarjahren an den Gymnasien von Lübeck und Schwerin 1879 an die Domschule berufen worden. Als er im Jahre 1903 starb, wurde ihm – so berichtet die Chronik – »ein warmer Nachruf gewidmet.«[14]

Pechels frühe Neigung für literarische Studien mag durch den Vater geweckt und gefördert worden sein. Jedenfalls hat das Humanistische Gymnasium zu Güstrow alles getan, um den späteren Herausgeber der »Deutschen Rundschau« zu einem umfassend gebildeten Humanisten zu erziehen und ihm die klassischen Werte der Antike zu vermitteln. Dafür gab es zwei als gut und richtig anerkannte Erziehungswege: einmal sollte über die Brücke der Geschichte die Nachwirkung des Altertums auf die unmittelbare Gegenwart aufgezeigt, und zum anderen sollten den Schülern auf humanistischem Weg »die ewigen Werke der Antike immer von neuem lebendig« gemacht werden.[15] In diesem Sinne ist Rudolf Pechel erzogen worden: Shakespeare und Goethe, griechisch-römische Literatur und Geschichte – so lauteten die thematischen Schwerpunkte im Fach Deutsch; Caesar, Ovid, Vergil, Horaz und Cicero waren die bevorzugten Autoren im Fach Latein. »Die geistige und sittliche Größe der Männer zu erfassen«[16] – das war das Ziel des Unterrichts, der sich folgerichtig im Fach Griechisch mit Homer, Thukydides, Demosthenes und Sophokles beschäftigte, allerdings mit der ausdrücklichen Warnung, etwa »Thukydides für die Kenntnisse in der Stilistik ausbeuten zu wollen«.[17] Daß kaum ein Wertgebiet »deutschen Lebens« ohne »innere Beziehung zur Antike zu verstehen« sei – das war der Leitspruch, der hinter solchen Richtlinien stand und der sich in der Gewißheit ausdrückte, daß »Homer, die Tragödie, Thukydides und Platon ihre Wirkung nimmer verfehlen« würden.[18]

12 Silex, Karl: Mit Kommentar – Lebensbericht eines Journalisten, Frankfurt 1968, Seite 32
13 Stern: Kulturpessimismus als politische Gefahr, a. a. O. Seite 16 ff.
14 Siehe das Erinnerungsheft über die Güstrower Domschule, das zum 375jährigen Bestehen des Gymnasiums herausgegeben wurde: Die Domschule, 1903–1928, S. 21
15 Die Domschule, a. a. O. Seite 6
16 Domschule ebenda
17 Domschule ebenda
18 Domschule ebenda, vgl. ferner: Pennalia – 1553–1928, Domschule zu Güstrow

Ähnlich wie sein Altersgenosse Wilhelm Stapel hat auch Rudolf Pechel in seiner Knabenzeit noch das erlebt, was der spätere Mitstreiter für eine politische Renaissance als den überleuchteten Glanz des »großen Dreigestirns des alten Kaisers, Bismarcks und Moltkes« [19] genannt hat. Man weiß indes sehr wenig darüber, wie die großen politischen Zeitfragen auf den heranwachsenden Knaben gewirkt haben. Als Schüler des Güstrower Gymnasiums ist Pechel freilich wenig mit aktuellen politischen Problemen konfrontiert worden: der Geschichtsunterricht konzentrierte sich in der Sekunda auf die »alte Geschichte« und behandelte in den oberen Klassen die neuere Geschichte als Universalgeschichte bis 1871. Die Chronik vermerkt sogar mit einem Anflug von Kritik, daß im Fach Deutsch überaus selten ein Thema aus Gustav Freytags »Soll und Haben« aufgetaucht sei – immerhin ein Roman, der das deutsche Volk »dort aufsuchen wollte, wo es in seiner Tüchtigkeit zu finden ist« [20] und in dessen bürgerlich-tüchtiger Welt sich der Gegensatz zwischen verwerflichem Wuchertum und unzeitgemäßem Adelshochmut in eindringlicher Weise widerspiegelte. [21]

Nach dem Abitur tritt Pechel im Jahre 1901 als Seekadett in die kaiserliche Marine ein. [22] Zusammen mit seinem späteren Freund Hans Eberhard kommt er auf das Segel-Motorschiff »Stein« und unternimmt von Kiel aus eine neunmonatige Auslandsreise. Kaum zwanzigjährig lernt Pechel bereits die halbe Welt kennen: Rußland, Norwegen, England, Holland, Spanien und Portugal waren die Länder, die angesteuert wurden, zu denen später Venezuela, Laguyaira und Columbien hinzukamen. Wilhelminische Seefahrt war indes begreiflicherweise mit Drill und militärischem Ordnungsdenken verbunden. Somit wird verständlich, warum Rudolf Pechel, der nach Auskunft seines Freundes Eberhard »der Freiheit und dem Idealismus zuneigte« [23] von der kaiserlichen Marine bald seinen Abschied genommen hat. Zuvor wurde er als einer der Examensbesten zum Fähnrich befördert. Der Militärdienst ist bei Pechel gewiß nicht ohne nachhaltigen Eindruck geblieben. In seinen Briefen findet sich einmal der barsche Verweis an Alphons Nobel, der ihn im »Handbuch des Staatsmannes« porträtieren wollte: »Um Gottes willen lassen Sie die verfluchte Hansa-Bund-Geschichte und meine militärische Laufbahn fort.« [24] Trotz der offenkundigen Abneigung gegenüber militärischen Lorbeeren, die aus diesem Ausruf spricht, findet sich in den Heften der »Deutschen Rundschau« später oft genug der Hinweis auf die Tüchtigkeit der deutschen Marine, der Pechel seit 1914 erneut mit Hingabe gedient hat. Vielleicht sagt ein Bild-Horoskop, das über den jungen Pechel in jenen Jahren angefertigt wurde, einiges über Persönlichkeit und Charak-

19 Tagebuchnotiz Stapels, zitiert bei Keßler, »Wilhelm Stapel als politischer Publizist«, a. a. O. Seite 14
20 Krell, Leo: Deutsche Literaturgeschichte, 6. Auflage, München 1958, Seite 303 f.
21 Krell: Deutsche Literaturgeschichte, a. a. O. ebenda
22 Brief von Hans Eberhard an den Verfasser und Lebenslauf Pechels, BA, Mappe 24 a
23 Brief von Hans Eberhard an den Verfasser, 27. 1. 1969
24 Brief Pechel an Alphons Nobel, BA, 30. 12. 1925

ter des späteren »Rundschau«-Herausgebers aus: »Eine Lässigkeit einerseits. Starke ethische Triebkräfte. Große Sachlichkeit. Starke Kritik. Vornehme Gesinnung. Starke Zeichen des Sichzwingens. An sich tatkräftig. Starke moralische Kräfte. Versagen der Nerven und physischen Kräfte. Strebsamkeit, Gewaltsamkeit gegen sich selbst. Sehr viel Reife, sehr viel inneres Leiden. Ein Zusammentreffen gegen Schwermut und Pessimismus. Resignation. Ungeschminkter Kampf gegen das Niederziehende.« [25] Gewiß treffen einige dieser Eigenschaften auf den zwanzigjährigen Pechel zu, der sich nach dem Militärdienst anschickte, Germanistik, Philosophie und Kunstgeschichte zu studieren. [26]

Rudolf Pechel hat sich mit Leidenschaft dem Germanistik-Studium gewidmet. Im Jahre 1939 schreibt er einmal rückblickend an Wolfgang Goetz: »Es ist schon sonderbar; niemand ist ohne Strafe Germanist gewesen. Dieses Studium wird man ebensowenig los wie eine gute Schulbildung. Es bleibt etwas hängen, auch von wissenschaftlichem Pflichtgefühl.« [27] Das Studium der Germanistik hat Pechel vor allem den Weg in den literarischen Betrieb seiner Zeit geöffnet: in Berlin, wo er sich seit 1903 besonders dem Schülerkreis um Erich Schmidt verbunden fühlte [28], lernte er unter anderen Bruno Hake kennen, der nach Julius Rodenbergs Ausscheiden im April 1914 die Redaktion der »Deutschen Rundschau« übernommen hat. Hake, kaum ein Jahr jünger als Pechel, hat mit diesem die Freude am Germanistik-Studium geteilt, und in Pechels Nachruf auf den Freund klingt etwas von der Stimmung nach, mit der damals in Berlin studiert wurde. »Es war die Zeit, da in der Wissenschaft von der deutschen Sprache und Literatur eine gewisse Stagnation zu herrschen schien, als das Ringen um die neue Wirklichkeitskunst, das die Generation vor uns belebt und früh zu tätiger Mitarbeit in der Öffentlichkeit gerufen hatte, längst mit dem großen Sieg beendet war und uns Jüngeren oft der Unmut unsere Wissenschaft verleiden wollte, da mit dem Kampf unserem Streben das Recht zu fehlen schien und nur die Persönlichkeit unserer akademischen Lehrer uns bei der Stange hielt.« [29] Die Persönlichkeit seines Lehrers Erich Schmidt hat Pechel besonders fasziniert: er wurde bald zu einem seiner bevorzugtesten Schüler. [30] Im Jahre 1908 schloß er gemeinsam mit Bruno Hake seine Studien mit einer Arbeit über Christian Wernickes Epigramme ab. [31]

[25] Original im Bundesarchiv, Mappe 24

[26] Lebensweg nach einem selbstgeschriebenen Lebenslauf Pechels, Bundesarchiv, Mappe 24 a

[27] Brief Pechel an Wolfgang Goetz, BA, 2. 2. 1939, Mappe 65

[28] So die gleichlautende Meinung von Dr. Fritz Grünfeld in einem Brief an den Verfasser vom 27. 1. 1969 und Hans Eberhard, Brief an den Verf. v. 27. 1. 1969

[29] Rudolf Pechel: Bruno Hake — Ein Gedenkblatt aus dem Felde, in: Deutsche Rundschau 1918, Jg. 174, Heft 1, Seite 1 ff. vgl. auch den Nachruf Hakes auf Erich Schmidt, in: Deutsche Rundschau 1913, Band 155, Heft 2, Seite 386 ff.

[30] So das Munzinger-Archiv, Lieferung 17/62, Nr. 812, 28. 4. 1962

[31] Vollständiger Titel der Dissertation: Prolegomena zu einer kritischen Wernicke-Ausgabe, Einleitung, Abschnitt I und II, Phil. Diss. Berlin 14. 3. 1908, Referenten

2. *Erste literarische Versuche*

Pechels erste Berührung mit dem Journalismus fällt nachweisbar in das Jahr 1910 und wird durch den Freund Bruno Hake vermittelt. Dieser hatte zunächst nach Abschluß des Studiums noch geschwankt, ob er sich nicht weiterhin der Wissenschaft verschreiben solle, und war dann doch einem Ruf Julius Rodenbergs in die Redaktion der »Deutschen Rundschau« gefolgt. [32] Rudolf Pechel hingegen hat sich zunächst von der Literaturwissenschaft engagieren lassen: er wurde Mitarbeiter am Goethe- und Schiller-Archiv in Weimar und am Märkischen Museum in Berlin. Seinen ersten Kontakt mit der Zeitschrift, die er kaum neun Jahre später als Herausgeber übernehmen sollte, hat er in einem Rückblick sehr anschaulich beschrieben – von der Persönlichkeit ihres Herausgebers war der Achtundzwanzigjährige fasziniert: »Höchst lebendig ist in meiner Erinnerung der Nachmittag, als ich Julius Rodenberg zum ersten Mal sah. Mein Freund Hake, den ich während seines Dienstjahres in der Redaktion der ›Rundschau‹ vertreten sollte, brachte mich in die stille Wohnung in der Margarethenstraße, in der die Geister großer Vergangenheit lebendig waren ... Mir war eigen feierlich zumut, als der kleine Mann mit dem Musikerkopf mich mit seinen klugen und gütigen braunen Augen forschend musterte und in ruhiger Plauderei scheinbar absichtslos das Gespräch doch so lenkte, daß er in vielem erfahren konnte, welch Geistes Art ich sei. Mit dem Gefühl einer unverlierbaren inneren Bereicherung und dem beglückten Staunen, daß es so etwas in Berlin noch gäbe und ich es kennenlernen dürfte, ging ich heimwärts.« [33]

Das Zufällige, ja fast Willkürliche in Pechels bisherigem Lebensweg wird an dieser Stelle spürbar: er hat sich nicht vom Beruf des Publizisten angezogen gefühlt und war auch nicht – wie etwa Julius Rodenberg in seiner Jugend [34] – mit eigenen Arbeiten schon an die Öffentlichkeit getreten. Vielmehr hat erst Bruno Hake, den Treviranus »genialisch« genannt hat [35], in Pechel den Wunsch geweckt, zur Feder zu greifen und sich einem breiteren Publikum mitzuteilen.

Zunächst wurde von Pechel indes weniger journalistische Begabung als solide Fachkenntnis verlangt: für eine zeitweilige Redaktionsvertretung war der Musterschüler Erich Schmidts denkbar gut geeignet; denn man darf an-

waren Prof. Dr. Erich Schmidt u. Prof. Dr. Gustav Roethe. Im Nachlaß findet sich der Hinweis, daß Pechel gemeinsam mit »dem unvergessenen Bruno Hake zum Doktorexamen gepaukt hat«. Brief eines unbek. Verfassers an Wolfgang Goetz, BA, Mappe 65

[32] Pechel, Rudolf: Bruno Hake – Ein Gedenkblatt aus dem Felde, in: Deutsche Rundschau, a. a. O. Seite 2

[33] Pechel, Rudolf: Julius Rodenbergs literarische Sendung, in: Deutsche Rundschau, 1919, Band 180, Heft 3, Seite 120

[34] Dafür vergleiche die Schilderung bei Wilmont Haacke: Julius Rodenberg und die Deutsche Rundschau, a. a. O. Seite 12 ff.

[35] So in einem Nachruf auf Rudolf Pechel, abgedruckt in: Deutsche Rundschau, 88. Jahrgang, Januar 1962, Nr. 1

nehmen, daß sich Pechel in der literarischen Diskussion seiner Zeit gut ausgekannt hat. Rodenberg hat ihm sein Geschick bei der redaktionellen Gestaltung der berühmten Zeitschrift mit freundlichen Worten bestätigt: »Ich will nicht zögern, Ihnen zu sagen, wie sehr ich mit Ihren ›Erst-Eindrücken‹, ja überhaupt mit dem ganzen Heft einverstanden bin« [36], schreibt er aus dem Kurhaus Schloß Pieskow bei Fürstenwalde nach Berlin, wo soeben das erste »Rundschau«-Heft mit dem Impressum »Für die Redaktion verantwortlich – Dr. Rudolf Pechel« erschienen war. [37] Dennoch ist es einigermaßen verwunderlich, daß der Name des jungen Mitarbeiters in den nächsten Jahren relativ selten in den blaß-roten Heften zu finden ist. Schließlich war die Verbindung zu Rodenberg seit jener ersten Begegnung geknüpft und stieß auf freundliche Resonanz: »Empfangen Sie meinen verbindlichsten Dank für die mir gesandte literarische Notiz, mit deren literarischer Haltung ich durchaus einverstanden bin, wenn ich auch hier und dort einen kleinen Ruf-Ansatz, über den wir noch reden werden, mir erlaubt habe. Für das August-Heft ist die Anzeige zu spät gekommen, sie wird im September-Heft erscheinen.« [38] Pechel schreibt kürzere Rezensionen über belletristische oder kleinere Prosawerke und erscheint sogar einmal in der Rubrik »Literarische Rundschau« neben dem Signum des Herausgebers J. R. [39] Fortan bleibt der persönliche Kontakt zu Rodenberg erhalten. Es ist die artige, auf Respekt begründete Bekanntschaft, die aus den wenigen Briefen spricht, die aus jener Zeit erhalten sind. »Für Ihre liebenswürdige Notiz sage ich Ihnen meinen verbindlichen Dank, den ich am Abend des nächsten Mittwoch mündlich zu wiederholen die Freude haben werde« [40], schreibt der greise Herausgeber 1912 an jenen jungen Mann, den er zwei Jahre vorher für seine Zeitschrift entdeckt hat. Und wenn dieser wegen widriger Umstände der gewiß als ehrenvoll empfundenen Einladung nicht Folge leisten kann, dann kommt sogar ein tröstendes Wort des Gastgebers zurück: »Es hat uns allen recht leid getan, daß Sie gestern abend in unserer kleinen Tafelrunde fehlen mußten. So kann ich Ihnen den Dank für Ihren schönen Blumenstrauß nur schriftlich aussprechen, in der Hoffnung und dem Wunsch, daß Sie bald wiederhergestellt sein möchten und mir dann das Vergnügen bieten, Sie bei uns zu sehen.« [41]

Man wird die Wirkung nicht unterschätzen dürfen, die von dieser engen Beziehung zwischen Pechel und Rodenberg auf den späteren Herausgeber der »Deutschen Rundschau« ausgegangen ist. Ausdrücklich verweist er 1919 auf das Erbe, das ihm mit der traditionsreichen Zeitschrift in die Hand

36 Rodenberg an Pechel, ohne Datum, 1910, BA, Mappe 92

37 Pechels Name erscheint zum erstenmal im Jahre 1910, 4. Band: Für die Redaktion verantwortlich: Dr. Rudolf Pechel, Berlin. Vergleiche auch den Brief von Wilmont Haacke an Pechel, 30. 9. 1935, BA, Mappe 69

38 Rodenberg an Pechel, 9. 7. 1910, BA, Mappe 92

39 Zum Beispiel im Jahre 1911, Band 147, Heft 2 in der »Literarischen Rundschau«

40 Rodenberg an Pechel, BA, Mappe 92, 23. 6. 1912

41 Rodenberg an Pechel, 27. 6. 1912, BA, Mappe 92

gegeben wurde, und noch 1931 appelliert er eindringlich an jenes »geistige Bürgertum, dessen edelste Blüte Rodenberg in seiner Zeitschrift zu vereinigen verstand.«[42] Der Glaube an die guten Kräfte, die großen Ideen, den Sieg des Geistes, der ein Kennzeichen für den Idealismus am Vorabend des Ersten Weltkrieges gewesen ist, ist jedenfalls bei Pechel durch die geistige Ausstrahlung Rodenbergs verstärkt worden. »Wer noch, wie der Schreiber dieser Zeilen, den Zauber des persönlichen Dunstkreises von Julius Rodenberg und seiner beziehungsreichen Häuslichkeit kannte, die mit ihren Bildwerken, den Photographien, den Handschriften fast aller großen Geister seiner Zeit von Marschner und Dingelstedt bis zur Ebner-Eschenbach und Handel-Manzetti ein kleines Museum deutscher Geistigkeit war«[43], so hat Pechel selbst zwei Jahrzehnte später den Reiz der Umgebung Rodenbergs beschrieben.

Während Pechel auf diese sehr einprägsame und nachhaltige Weise mit der Zeitschrift und den Intentionen ihres Herausgebers konfrontiert wurde, sorgte ein anderes Blatt dafür, daß sich der nunmehr Dreißigjährige seine ersten journalistischen Sporen verdienen konnte. Zwischen der »Deutschen Rundschau« und dem »Literarischen Echo«, einer Halbmonatsschrift für Literaturfreunde[44], bestand damals ein enges Redaktionsverhältnis: bekannte Autoren der Rundschau – wie Anton Bettelheim, Erich Schmidt, Max Brod, Arthur Eloesser, Monty Jacobs, Paul Ernst oder Bruno Hake – schrieben gleichfalls in dieser Zeitschrift und man darf annehmen, daß Pechel über solche Kontakte in die Redaktion des »Literarischen Echo« gelangte. Im Jahre 1912 taucht zum ersten Mal sein Name in den Literaturspalten der Zeitschrift auf: er bespricht Friedrich Schlegels »Wiener Vorlesungen« und rezensiert unter der Sparte »Kurze Anzeigen« z. B. zwei Einakter von Wolfgang Goetz, die Werke Achim von Arnims, eine Autobiographie Gustav Falkes oder den Briefwechsel zwischen Gustav Freytag und Stosch. Zeitweise gehört er sogar zu denjenigen Rezensenten, die in der Zeitschrift am meisten vertreten sind: im Jahrgangsband 1913 findet sich von ihm der erste Bühnenbericht, freilich über eine Premiere der Provinz. »Das Urteil von Salomo, Schauspiel von Else Torge im Neuen Volkstheater Cottbus«, lautet der Titel des Drei-Akters, der bei dem Kritiker Pechel auf wohlwollendes Interesse stößt. Während seiner Mitarbeit in der Redaktion des »Literarischen Echo«, die 1914 durch den Kriegsbeginn unterbrochen und vier Jahre später zunächst wiederaufgenommen wurde[45], hat sich für

[42] Rudolf Pechel: Julius Rodenberg zum 100. Geburtstag, in: Deutsche Rundschau, 1931, Band 225/226, Seite 175

[43] Rudolf Pechel/Julius Rodenberg zum 100. Geburtstag, in: Deutsche Rundschau, a. a. O. Seite 175

[44] Der vollständige Titel dieser Zeitschrift lautete: Literarisches Echo – Halbmonatsschrift für Literaturfreunde, begründet von Josef Ertranger, Hrsg. von Ernst Heilborn

[45] Pechels Mitarbeit beginnt im Jahrgang 14, 1911/1912, Seite 757 ff. Sie endet im Jahrgang 16 (1913/14) und wird dann 1918/1919 im Jahrgang 21 wiederaufgenommen

Pechel nicht nur die Berufsfrage endgültig entschieden, sondern damit hat er auch das Metier des literarischen Journalismus kennengelernt. Vor allem resultieren aus dieser Zeit zahlreiche Bekanntschaften, die 1919 bei der Übernahme der »Deutschen Rundschau« von Nutzen gewesen sind: Autoren wie Bettelheim, Eloesser, Theophile von Bodisco, Marie von Bunsen, Monty Jacobs, Harry Mayne, Helene Raff oder Hanns Johst gehörten zum Mitarbeiterstamm beider Zeitschriften. Sie griffen 1919 bereitwillig zur Feder, als der neue Herausgeber zur Mitarbeit an der »Deutschen Rundschau« ermunterte. Soviel sich aus Pechels Nachlaßakten rekonstruieren läßt, war der Nachfolger Rodenbergs vor allem ein Mensch, der Freundschaften nicht so rasch verkümmern ließ. Beispielsweise gehörte Monty Jacobs, der fünfundzwanzig Jahre in der Feuilleton-Redaktion der »Vossischen Zeitung« gearbeitet hat, seit den Studentenzeiten Pechels zu dessen Freunden. Von Paul Fechter, der später zu einem engen Mitarbeiter und zum Mitherausgeber der »Deutschen Rundschau« wurde, läßt sich das gleiche sagen.[46] Zu solch freundschaftlichen Beziehungen kamen bald Kontakte mit Verlegern hinzu. Am 25. 1. 1912 schließt Pechel zum Beispiel einen Vertrag mit Felix Poppenberg und dessen Verlag Bong & Co. über die Herausgabe eines kleinen Werkes über das deutsche Rokoko. Er bekommt dafür ein Honorar von 2000 Mark gezahlt.[47] Aus einem gemeinsamen Nachruf von Pechel und Dr. Georg Paetel auf Justina Rodenberg im Jahre 1924 geht ferner hervor, daß sich der Verleger der »Deutschen Rundschau« und sein späterer Herausgeber bereits aus dem Hause Rodenberg gekannt haben.[48] Kein Publizist kann ohne intimen Kontakt zur Außenwelt bestehen – eben deshalb sind diese persönlichen Beziehungen für die spätere Laufbahn bedeutsam geworden.

3. Pechels Berufung zu publizistischem Wirken

Freilich wird man schon an dieser Stelle von Pechels Lebensweg, wo er vom »Zauber des ›schwarz auf weiß‹« allmählich gefangengenommen wird[49], die Frage aufwerfen müssen, ob er überhaupt zum politischen Publizisten berufen war – in jenem normativen Sinne, wie ihn Robert Prutz lange vorher im Meinungsstreit des deutschen Vormärz definiert

[46] Die Freundschaft zwischen Pechel und Fechter brach freilich 1941 endgültig ab, nach Darstellung von Madleen Pechel, »weil Fechter lau, sehr lau« gewesen sei (Brief an Gerhart Pohl vom 16. 11. 63, BA, Mappe 59). Dennoch würde zu einer exakten historischen Erforschung von Pechels Widerstandstätigkeit die Beleuchtung des Verhältnisses zwischen Fechter und Pechel gehören, in dem sich viel Gemeinsames widerspiegelt (vgl. den Briefwechsel zw. P. u. F. im BA, Mappe 59), auch: Fechter, Sabine: Paul Fechter – Wege und Formen der Opposition im Dritten Reich, Publizistik, 9. Jg. 1964, Heft 1

[47] Vertrag zwischen Pechel und Poppenberg vom 25. 1. 1912, BA, Mappe 24

[48] Justina Rodenberg, in: Deutsche Rundschau, Band 198/1, 1924, Seite 112

[49] vgl. für Rodenberg: Wilmont Haacke: Julius Rodenberg und die Deutsche Rundschau, a. a. O. Seite 13

hatte, »die theoretische Beteiligung des Publikums an den Ereignissen der Geschichte« zu provozieren, ihre »Neugier für die Geheimnisse des Staats, ihr Interesse für alle Zustände und Begebenheiten« [50] zu wecken. Pechels spätere Tätigkeit ist in ihrem sachlichen und persönlichen Bereich allzusehr mit den Kreisen der Berliner Jung-Konservativen verknüpft gewesen, die seine Berufung zu publizistischem Wirken zum Teil verdunkeln. Vor allem verstellt das oft unkritische Urteil über Pechels Widerstands-Publizistik im Dritten Reich nur allzuleicht den Blick auf die wahren Fähigkeiten, mit denen Pechel 1919 die Zeitschrift »Deutsche Rundschau« übernahm. [51]

An Pechels ersten literarischen Versuchen überrascht die Entschiedenheit, mit der er an die Beurteilung eines Werkes herangeht. »Das ist nicht Eros, der Allerzeuger, ... sondern eine überhitzte oder blasse Brunst, die nicht wärmt, sondern nur fatal anmutet« [52], heißt es einmal in den »Kurzen Anzeigen« des »Literarischen Echos«. Oder er kreidet einem Herausgeber unverblümt Befangenheit an, wenn er zum Beispiel das ergänzende Schlußkapitel von Wilhelm Kosch zu Schlegels Wiener Vorlesungen rezensiert: »Das Halbdunkel können wir getrost dem Dichter überlassen. Pflicht des Literaturhistorikers ist es, klar, kritisch und unbefangen zu werten.« [53] Fast in jeder Rezension, die Pechel geschrieben hat, findet sich am Schluß eine klare Stellungnahme: »Alles in allem – wer als erste Publikation so lesens- und beachtenswerte Werke mit strenger und nobler Selbstbescheidung bühnengerecht herausgehen läßt, dessen Reifen darf man mit Spannung entgegensehen – er ist ein Dichter und vielleicht ein Könner.« [54] Zuweilen beginnt er eine Rezension sogar mit einer Prise Ironie: »Unter den vielen

50 Prutz, Robert: Geschichte des deutschen Journalismus, Band I, Hannover 1845, Seite 19 ff.

51 Dafür nur einige Beispiele: »Seinen Standort bestimmt man am besten als den eines radikalen Deutschen Volksparteilers (ein Don Quichoteskes Paradox an und für sich) im Grunde als den eines aristokratischen, an politische Eliten glaubenden Demokraten«, W. E. Süskind in der Süddeutschen Zeitung. »Wir trauern um einen Publizisten großen Ranges, dessen Lebensbild getragen ist von dem unerschütterlichen Kampf um Wahrheit und Recht«, Emil Dovifat (Berlin), Stephan Linhard nennt ihn unter anderem einen »Warner vor den apokalyptischen Lausbuben« (Saarbrücker Zeitung vom 30. 10. 57). »Ungebrochen kämpft er auch heute noch in einer Welt der Unvernunft für den Sieg des Geistes, in einer Welt des Hasses für den Sieg der Liebe, ein hoch über die Menge emporragender Vertreter jenes ewigen Deutschland, das nicht untergehen kann, solange die Welt besteht« (Stegemann zum 65. Geburtstag Pechels, BA, Mappe 11). Adolf Grimme nannte Pechel »das große Beispiel eines deutschen Journalisten von politisch-ethischem Charakter« (Brief an Pechel, 30. 10. 1957, BA, Mappe 20), und Annemarie Doherr sah in Pechel das »Vorbild eines unabhängigen, nur seinem Gewissen verantwortlichen Publizisten« (Brief an Pechel 10. 11. 57, BA, Mappe 19).

52 Über »Spiegel-Fechter Eros«, in: Literarisches Echo, Jahrgang 16, 1913/14, Seite 430

53 Friedrich Schlegels Wiener Vorlesungen, in: Literarisches Echo, Jg. 14, 1911/12, Seite 757

54 Kreuzerhöhung – zwei Einakter von Wolfgang Goetz, in: Literarisches Echo, Jg. 14, 1911/12, Seite 654

freundlichen Versuchen, altes Gut verständlich zu machen ...« [55], so lautet der erste Satz zu einer Rezension von Friedrich Wolters und dessen Übertragung lateinischer Dichter aus dem 4. bis 15. Jahrhundert.

Mit der Menge zu sprechen, ihr »Lust und Mut zur Meinungsäußerung zu geben und sie über ihre Rechte und Pflichten aufzuklären« [56], das ist nach Sieburg das wahre Amt des Journalisten. Insofern waren Pechels Wunsch zur Kritik und sein Mut zum eigenen Urteil zwei Eigenschaften, die ihn für das neue Metier befähigt haben. In seinen eigenen Äußerungen finden sich darüber hinaus Beweise für die Ernsthaftigkeit, mit welcher der junge Pechel über seine Berufsrolle nachgedacht hat. Sie zeigen auch, mit welchem Anspruch der spätere Rundschau-Herausgeber an seine neue Aufgabe heranging. In einer Rezension des Briefwechsels zwischen Gustav Freytag und Stosch heißt es beispielsweise an einer Stelle: »Vielen ist er ein Verführer geworden – zum Journalismus. Denn Freytag, der aus Sendung heraus Journalist war, schien durch seine ehrenhafte Gesinnung, sein unbestechliches Wirken, seine unermüdete Tatkraft dem ganzen Stand Ehre gegeben zu haben.« [57] Vor allem das Gefühl, unabhängig bleiben zu müssen, hat der dreißigjährige Pechel damals nachdrücklich artikuliert: »Er war zum Journalisten geboren, wenn anders das Bedürfnis, zu Fragen des Tages Stellung zu nehmen, das Gefühl, mehr als die anderen zu sagen zu haben, Unbestechlichkeit des Urteils, persönliche Integrität und eine pflichtvolle Liebe zur Sache den Journalisten ausmachen.« [58] Ausdrücklich verweist der Rezensent dabei auf eine Stelle des Briefwechsels, an der Freytags Beziehung zu den staatlichen Instanzen zum Ausdruck kommt: »Wozu will Manteuffel wissen, wer jenen Artikel geschrieben hat? Will die alte Kokotte jetzt vielleicht einen Journalisten als Leus haben?« [59] Später hat sich Pechel im sicheren Gefühl dafür, als Angehöriger dieses Berufsstandes der festen »sozialen Klassifikation« entraten und damit eine geringere gesellschaftliche Einschätzung in Kauf nehmen zu müssen [60], in deutlichen Worten zu seinem neuen Beruf bekannt. Kaum Herausgeber der »Deutschen Rundschau« geworden, wetterte er in einem Aufsatz über Rodenberg gegen alle seine Kollegen, die sich gewissen Einschätzungen ihrer Rolle in falsch verstandener Eitelkeit entziehen zu müssen glaubten: »Hier sei bemerkt, daß Rodenberg sich stets in ruhiger Sicherheit als Angehöriger der Zunft bekannt und gefühlt hat ... in wohltuendem Gegensatz zu manchem, der zwar keine

[55] Wolters: Übertragungen aus den lateinischen Dichtern, in: Literar. Echo, Jg. 21, 1918/19, Seite 1147
[56] Sieburg, Friedrich: Schwarz-weiße Magie – Über die Freiheit der Presse, Tübingen-Stuttgart 1956, Seite 99
[57] Briefe Freytags an Stosch, in: Literarisches Echo, 1913/14, Jg. 16, Seite 86
[58] Freytag an Stosch, a. a. O. ebenda
[59] Freytag an Stosch, a. a. O. ebenda
[60] Für diesen Zusammenhang vgl. die Rede Max Webers vor Heidelberger Studenten im Winter 1919: Politik als Beruf, Dritte Auflage, Berlin 1958, Seite 29

Zierde des Berufs, aber seiner Begabung nach Nichts-als-Journalist ist und doch die Zugehörigkeit zum Handwerk zu vertuschen sucht.« [61]

Auf dem Forum der Öffentlichkeit kann ein Publizist seinen Gegnern nur seine Persönlichkeit entgegenstellen, »die Leser folgen ihm, wenn sie Persönlichkeit spüren«. [62] Nichts unterstreicht diese Behauptung besser, als der klare Anspruch, mit dem Pechel seine berufliche Aufgabe definierte. Dieser moralische Anspruch schließt indessen die Verpflichtung ein, seine persönliche Unabhängigkeit zu behaupten und auf die Kraft des eigenen Wortes zu vertrauen: jene von Pechel zur Maxime erhobenen Eigenschaften, wie »Unbestechlichkeit des Urteils«, »persönliche Integrität«, »Liebe zur Sache« oder »Verantwortungsgefühl«, entstammten immerhin einer Berufsauffassung, die in bester demokratischer Gesinnung entworfen und von publizistischen Einzelkämpfern durchgefochten worden war. Dahinter stand die liberale Auffassung, daß man sich gegenüber staatlicher Allmacht zu schützen und gegen staatlichen Zugriff mit der Waffe des freien Wortes zu wehren habe. [63]

An dieser Stelle ist deshalb eine Antwort auf die Frage zu finden, ob Pechel nicht allzu rasch seinen früheren Idealen untreu wurde, als er im Kreise der Jung-Konservativen zum Kampf gegen Weimarer Verfassung, Parlamente und Parteien aufrief und damit gerade diejenigen Institutionen beseitigen wollte, die eben die Presse- und Meinungsfreiheit garantierten. Wir kommen hier an ein Dilemma, das uns in der folgenden Untersuchung noch häufig begegnen wird und dessen Problematik ein vorschnelles Urteil verbietet. Es liegt in der Forderung zur einheitlichen Weltanschauung begründet, mit der Pechel später an seine Leser herantrat. Es hat seine Wurzeln in jener Gesinnungsgemeinschaft um Moeller van den Bruck, deren Ziele die »Deutsche Rundschau« propagierte. Daß die Presse nicht »Wahrhaftigkeit üben könne«, wie man sie im bürgerlichen Leben bisher verlangt habe – dieser Auffassung eines seiner politischen Mitstreiter [64] hat sich Rudolf Pechel untergeordnet, als er seine Zeitschrift speziellen Interessen preisgab. Die Auffassung, daß die Presse und damit das Medium Zeitschrift ein »Instrument der Politik« [65] zu sein habe – einer Politik, »die sich selbst und ihr eigenes Volk nicht belügt über das Ausmaß der Kräfte, den Ernst der Situation und die Konsequenz ihrer Handlungen« [66] – diese Auffassung hat die Wandlung in den publizistischen Bemühungen Pechels bestimmt. Es bedeutet daher keine Abschweifung, wenn versucht wird, eine

61 Pechel: Deutsche Rundschau, 1919, Jg. 180, Bd. 3, Seite 120
62 Sieburg: Schwarz-weiße Magie, a. a. O. Seite 110
63 vgl. dafür Haacke, Wilmont: Die politische Zeitschrift, Band I, Stuttgart 1968, Seite 85 ff., und Schneider, Franz: Pressefreiheit und politische Öffentlichkeit, Neuwied 1966, Seite 218 ff.
64 Schotte, Walther: Die deutsche Presse und das Ausland, in: Die Neue Front, hrsg. von Moeller van den Bruck, Heinrich von Gleichen, Max Hildebert Boehm, Berlin 1922, Seite 255
65 Schotte, a. a. O. ebenda
66 Schotte, a. a. O. ebenda

der Positionen aufzuzeigen, die später im politischen Denken Pechels dominierte. Sein publizistisches Ziel war, die »Deutsche Rundschau« in einer Weise zu gestalten, daß sich in ihr Bekenntnis, Kritik und Forderung als geschlossene Weltanschauung widerspiegelten. Sein politisches Streben zielte darauf, selbst handelnd in den politischen Tageskampf miteinzutreten. Diese Intentionen ihres Herausgebers sind stets zu beachten, wo man die publizistische Aussage der »Deutschen Rundschau« untersucht. Anders als sein konservativer Vorläufer Victor Aimé Huber, der 1845 den Ideologien des Liberalismus und Sozialismus mit seinem »Janus« auf eigenem Feld entgegentrat[67], befand sich Pechel 1919 nicht in der Verteidigungsposition, sondern eher in der Angriffsstellung: die eigenen politischen Anschauungen durchzusetzen, bedeutete nun nichts anderes als den Versuch, radikale Veränderungen auf außerparlamentarischem Wege herbeizuführen. Gerade die Erschütterung aller bisher gültigen Werte wurde von ihm als die große Herausforderung empfunden, der sich die eigene publizistische Zielvorstellung zu fügen hatte. Pechels Berufung zu publizistischem Wirken läßt sich deshalb nicht mehr mit liberal-demokratischen Kriterien messen, sondern sie muß eingebettet werden in den Gesamtzusammenhang seiner konservativrevolutionären Theorie. Dafür genüge zunächst der Hinweis auf die praktisch-politische Konsequenz, die aus Pechels eigener Ortsbestimmung resultierte. Am Ende seiner Bemühungen standen jene Würdigungen seiner politischen Mitstreiter, in denen sich mancherlei vom persönlichen Dilemma des Publizisten Pechel offenbart. »In Rudolf Pechel steht ein neuer Typus des politischen Menschen da, der Mann, der für das Notwendige und Vernünftige nicht schreibt noch redet, sondern in der Stille handelt. In ihm und den Männern seines Kreises ... wird eine spätere Zeit vielleicht einmal diejenigen sehen, die den Grund gelegt haben für den inneren Wandel der Nation, den wir in den letzten Jahren erlebt haben.«[68] So schrieb die »Deutsche Allgemeine Zeitung« zu Pechels 50. Geburtstag am 30. Oktober 1932. Die Zeitschrift »Der Ring« fügte der Laudatio hinzu: »Auch in Rudolf Pechel steht der neue Typus des politischen Menschen im Umriß da – der Mann, der weiß, daß die wirklichen politischen Dinge weder in Leitartikeln abgehandelt noch in Parlamentsanträgen eingebracht, sondern unausgesprochen in der Stille bewußt gemacht, verwirklicht, ins Leben gerufen werden. Der politische Aktivismus der jüngeren Generation, der nicht zu verwechseln ist mit öffentlicher Agitation oder mit denen, die von politischem Aktivismus in langen Artikeln reden, hat schon heute seine wirksamsten Vertreter.«[69] Den Anfängen des politischen Bekenntnisses, wie es in diesen Sätzen definiert wird, gilt es sich nunmehr zuzuwenden.

[67] vgl. dafür Elvers, Rudolf: Victor Aimé Huber – Sein Werden und Wirken, Band I und II, Bremen 1872/74

[68] Deutsche Allgemeine Zeitung, 30. 10. 32 (Morgenausgabe), Aufsatz: Rudolf Pechel 50 Jahre – Verfasser vermutlich Paul Fechter?

[69] Der Ring – Konservative Wochenschrift, 28. 10. 1932, Rudolf Pechel 50 Jahre

II. Vertiefung jung-konservativer Gedanken in Pechels Ideenwelt

In ihrer nachträglichen Theorie der »Konservativen Revolution« haben sich die meisten Autoren auf bestimmte geistes- und zeitgeschichtliche Bezüge geeinigt. Dies gilt vor allem für die Ring-Bewegung, der Rudolf Pechel angehörte und die eine vergleichsweise geschlossene Ideologie entwickelt hat. [1] Während Mohler [2] und von Klemperer [3] das Neuaufleben des deutschen Konservativismus vor allem in der Jugendbewegung und im Ersten Weltkrieg begründet sehen, hebt Heide Gerstenberger die Ideen von 1914, den Sozialdarwinismus und die Geopolitik als diejenigen Theorienkomplexe heraus, die das politische Denken zu Beginn der Weimarer Zeit am nachhaltigsten beeinflußt haben. [4] Demgegenüber ist diese scharfe Begrenzung auf drei Aspekte sowohl bei Sontheimer [5] als auch bei Broszat [6] zugunsten einer Betrachtungsweise aufgehoben, in der alle anderen nationalistischen Gruppen der Weimarer Zeit mit der Ring-Bewegung unter die Begriffe »Antidemokratisches Denken« und »Völkische Ideologie« subsummiert werden. In seiner Studie »Kulturpessimismus als politische Gefahr« schließt sich Fritz Stern gleichfalls dieser analytischen Methode an. [7]

Im Vergleich zu den genannten Arbeiten, die jeweils das gesamte Gedankengut der nationalistischen Rechten berücksichtigen wollen, hat es die vorliegende Untersuchung relativ einfach: um die Vertiefung jung-konservativen Gedankenguts in Pechels Ideenwelt herauszuarbeiten, ist zunächst eine Analyse seiner Veröffentlichungen zwischen 1912 und 1918 nötig, also gerade eine Betrachtung jener Zeit, in der für die meisten jung-konservativen Anhänger die Grundsteine für ihr späteres politisches Bekenntnis gelegt wurden. Dabei schälen sich für Rudolf Pechel drei beherrschende Erfahrungsinhalte heraus: die Ideen von 1914, in deren Faszination auf die Gesamtheit der spätere Herausgeber der »Deutschen Rundschau« einen Ansatz für seine konservativ-revolutionäre Arbeit gesehen hat; unmittelbar damit verbunden das Kriegserlebnis und dessen Wirkungen und schließlich die sogenannte »Grenzfrage«, die ebenfalls zum beherrschenden Moment der Publizistik Pechels geworden ist. An diesen drei Komplexen läßt sich

1 vgl. Gerstenberger: Der revolutionäre Konservatismus, a. a. O. Seite 9
2 Mohler, Armin: Die konservative Revolution, a. a. O. Seite 43 ff.
3 Klemperer, Klemens von: Konservative Bewegungen, a. a. O. Seite 51 ff.
4 Gerstenberger: Der revolutionäre Konservatismus, a. a. O. Seite 16
5 Sontheimer, Kurt: Antidemokratisches Denken, a. a. O. Seite 54 ff.
6 Broszat, Martin: Die völkische Ideologie und der Nationalsozialismus, a. a. O. Seite 53 ff.
7 Stern, Fritz: Kulturpessimismus als politische Gefahr, a. a. O. Seite 149 ff., vgl. auch die Ausführungen bei Heinrich Keßler: Wilhelm Stapel, a. a. O. Seite 4 ff.

die Vertiefung jung-konservativen Gedankenguts bei Pechel exemplarisch belegen.[8]

1. Die Ideen von 1914

Die »Ideen von 1914« sind durch jenes, überwiegend als »überwältigend« beschriebenes Erlebnis im Sommer 1914 entstanden, als der Kaiser keine Parteien und keine Untertanen mehr kennen wollte, sondern nur noch deutsche Volksgenossen, die in geeinter Begeisterung für die einzige große Aufgabe bereit waren.[9] Rudolf Pechel und sein Freund Bruno Hake haben jene Tage der Spannung, die dem Ausbruch des Weltkrieges vorausgingen, mit eindringlicher Bereitschaft in der Reichshauptstadt Berlin erlebt. »Wir zogen mit vor die österreichische Botschaft an jenem denkwürdigen Juli-Abend und erbebten in unserem Innersten in den Tagen vor der Entscheidung. Und als die Würfel gefallen waren, saßen wir selbdritt, die alle der nächste Morgen zu den Fahnen rief, mit einem in der Skagerrak-Schlacht gebliebenen Freund zusammen und tranken Abschied, und er spielte (gemeint ist Bruno Hake, Anmerkung des Verf.) unvergeßlich uns unsere nun heiligen Soldatenlieder. Aus uns ›guten Europäern‹ waren, ach, so schnell bessere Deutsche geworden.«[10]

Stellt man die Frage, auf welchem Wege diese Begeisterung den beiden Freunden vermittelt worden war, dann ist man zunächst auf jenes »Drängen der Nation«[11] verwiesen, das dem Überschwang der Begeisterung im August 1914 vorausgegangen ist. Denn hinter jener Mischung von nationaler Emotion und zielbewußtem politischem Denken, wie sie auch in Pechels Schilderung deutlich wird, hatte eine geistige Bewegung gestanden, die insbesondere von der deutschen Professorenschaft getragen wurde und die ihre Aufgabe darin sah, dem Krieg eine positive Sinngebung zu verleihen.[12] Seitdem die »Ideen von 1914« als fester Begriff in die Geschichtsschreibung eingegangen sind, hat man ihnen den Bedeutungsinhalt zugeordnet, wonach der Krieg nicht mehr nur ein Verteidigungskampf zu sein hatte, sondern darüber hinaus eine höhere, schicksalhafte Notwendigkeit erhielt: diese war in der Gegensätzlichkeit deutschen Geistes, deutscher Kultur und deutschen Staatslebens zu den entsprechenden Lebensformen des feindlichen Auslandes begründet.[13] Für solche Auffassung fehlt es nicht an Beispielen. Werner

[8] Dies schließt nicht aus, daß bei Pechel nicht obendrein Gedanken der Jugendbewegung oder eines allgemeinen Sozialdarwinismus eine Rolle gespielt haben. Doch dafür fanden sich im untersuchten Schrifttum keine Anhaltspunkte.
[9] vgl. Gerstenberger, a. a. O. Seite 16
[10] Pechel, Rudolf: Bruno Hake, ein Gedenkblatt aus dem Felde, a. a. O. Seite 4
[11] Fischer, Fritz: Griff nach der Weltmacht, Düsseldorf 1961, Seite 178
[12] vgl. Fischer, Fritz: Griff nach der Weltmacht, a. a. O. Seite 179
[13] Neben Fischer vergleiche insbesondere: Schwabe, Klaus: Wissenschaft und Kriegsmoral — Die deutschen Hochschullehrer und die politischen Grundfragen des Ersten Weltkrieges, Göttingen/Zürich/Frankfurt 1969, ferner: Schwabe, Klaus: Ursprung

Wirths, der ebenso wie sein späterer Mitarbeiter Rudolf Pechel als Freiwilliger zu den Waffen eilte, gab dieser Meinung zum Beispiel prägnanten Ausdruck, als er schrieb: »Der Instinkt des deutschen Volkes war untrüglich, als es zum Kampfe antrat. Es wagte den Weltkampf aus der instinkthaften Überzeugung, daß ihm nicht ausgewichen werden konnte, nachdem die Westvölker seine Isolierung durchgeführt hatten. Es bejahte den Fluch seiner Bestimmung und tat gut daran, seine natürliche Schwäche durch den Machteinsatz seiner natürlichen Kräfte zu stützen.« [14]

Ein anderer Autor ordnete den 1. August 1914 rückblickend als den Beginn einer neuen politischen Entwicklung ein: »Das plötzlich hereinbrechende Gewitter des 1. August 1914 war dann auch tatsächlich mehr als nur die Explosion eines diplomatischen Pulverfasses; es wurde zur Feuerprobe für die damalige und zur Feuertaufe für die zukünftige Zeit.« [15] Als den Auslöser aller späteren politischen Entwicklungen [16] hat Pechel den Weltkrieg und seine Ideengehalte gesehen – er feierte den Kampf der Deutschen als eine »Heldenleistung, wie die Welt sie nie gesehen hat.« [17]

Für viele Deutsche und sicherlich für Rudolf Pechel mag der Krieg die Erlösung aus einer unerträglichen Gegenwart bedeutet haben – eine endlich möglich gewordene Flucht aus der Langeweile des bürgerlichen Daseins. Zwar hatten die traditionellen Widerstände der Vergangenheit ihm bis dahin einen Halt gegeben gegen den Rationalismus und Positivismus, der seit Jahrzehnten das geistige Leben beherrscht hatte, aber diese geistigen Gegengewichte wurden hinweggespült, als der Kriegsbeginn einen möglichen Ausweg aus dieser Zivilisation eröffnete. [18] Wie Thomas Mann, Werner Sombart, Johann Plenge, Georg Simmel, ja selbst Ernst Troeltsch und Friedrich Meinecke wollte der Intellektuelle Pechel sich »befreien« aus früherer Ratlosigkeit, wollte er sich Sinn und Bedeutung dieses Krieges definieren. Einige Briefe aus jener Zeit legen Zeugnis darüber ab, mit welcher Stimmung Pechel in den Krieg gezogen ist – und sie beweisen, daß er in seinem Patriotismus von der engeren familiären Umgebung unterstützt

und Verbreitung des Alldeutschen Annexionismus in der deutschen Professorenschaft im Ersten Weltkrieg, in: Vierteljahrshefte für Zeitgeschichte, 14. Jg., 1966, Heft 2, Seite 106 ff. Einen guten Überblick vermittelt auch Klaus W. Wippermann: Die Hochschulpolitik in der Weimarer Republik, in: Politische Studien, Jg. 20, 1969, Heft 184, Seite 143 ff.

[14] Wirths, Werner: Das Erlebnis des Krieges, in: Die neue Front, a. a. O. Seite 77

[15] Lutz, Günther: Das Gemeinschaftserlebnis in der Kriegsliteratur, Phil. Diss. Kiel 1936, Seite 15

[16] So zum Beispiel Hans-Henning Freiherr Grote: Nationalismus wider Liberalismus, in: Aufstand – Querschnitt durch den revolutionären Nationalismus, Berlin 1931, Seite 17 ff.

[17] Pechel, Rudolf: Deutschlands Tragödie, in: Deutsche Rundschau, 1922, Bd. 193, Teil 1, Seite 306

[18] vgl. dafür den Aufsatz von Rudolf Jardon: Geistige Strömungen der Nachkriegszeit, in: Die Tat, 21. Jahrgang 1929/30, 1. Halbband, Seite 95 f., ebenso Zehrer, Hans: Die Revolution der Intelligenz, in: Die Tat, 2. Halbband 1929/30, Seite 486 ff. Für den Gesamtzusammenhang der »Ideen von 1914« vgl. auch Klemperer, a. a. O. Seite 57 ff., und Gerstenberger, a. a. O. Seite 16 ff.

wurde. Max Osborn, damaliger Mitarbeiter der »Vossischen Zeitung« und seit 1905 in enger Bekanntschaft mit Pechel, schrieb dem Ausgezogenen ins Feld: »Ich weiß es, es kommt nicht nur auf uns an, sondern auf die Größe der Aufgabe, die jedem gestellt ist. Du schreibst, Du wolltest Dich bewähren – ich weiß: Du wirst Dich bewähren, wie Du Dich jetzt bemühst in selbstverständlicher Tapferkeit, in entschlossener Bereitschaft ... guten Mut, zum fröhlichen, glücklichen Sieg.« [19] Osborn schickte dem Soldaten wenig später einen Aufsatz nach, in dem sich die Bewunderung für Tapferkeit und gepriesenes Heldentum der Frontsoldaten dokumentiert: »Jeder hat seine Erlebnisse, die so unfaßbar sind, daß man immer aufs neue vor der nicht erklärbaren Energie staunt, mit der diese Männer, früher mit uns in einem Strome treibend und nun in eine völlig andere Welt des Seins entrückt, das sieghaft bestanden haben, was Pflicht ihnen gebot.« [20] Der Reserveoffizier Pechel, der als Angehöriger der kaiserlichen Marine die Eroberung von Antwerpen mitmachte und dann im Alter von fast 35 Jahren zur Marinefliegerei überwechselte [21], bekam aus der Heimat sogar ungeduldige Anfragen über den gegenwärtigen Stand geplanter Offensiven: »Wir warten auf den Fall von Antwerpen, der ja in diesen Tagen kommen muß« [22], lautete eine Nachfrage von Martha Osborn am 5. 10. 1914, kaum nachdem Pechel den ersten Soldatenschritt getan hatte.

In einer Begeisterung, die kaum zu übertreffen war, hatte sich Pechel freilich schon früh für den Krieg als des »reinen Mannes edelstes Handwerk« ausgesprochen. Dies klingt in einer Besprechung an, die er bereits im Jahre 1912 im »Literarischen Echo« erscheinen ließ und die mit Deutlichkeit die geistigen Antriebskräfte offenbart, mit denen Pechel dem allgemeinen Ruf zu den Waffen folgte. Mit unmißverständlichen Worten hält er dem Autor, der die Schrecken des Krieges in düsteren Farben gemalt hatte, die idealistisch verbrämte Erkenntnis vor: »Den Wahnsinn des Krieges will der Schwede geißeln – und erweist dessen eiserne Notwendigkeit. Daß der Krieg – einst des reinen Mannes edelstes Handwerk, seinen Charakter völlig verändert hat, wissen wir. Mit Grauen und ehrlichem Bedauern, weil wieder ein Stück von Mannesschönheit, von ehrlicher Kraft versunken ist ... Wir wissen ferner, daß bei der unerhörten technischen Vervollkommnung, die den Kampf zum entsetzenerregenden, tückischen Vernichter gemacht hat, die ritterliche Bestätigung persönlichen Mutes mehr und mehr unmöglich geworden ist – und dennoch!« [23] Die Folgerungen des Autors halten für Pechel nur Stich, wenn man bei der »töricht-widerwärtigen« Lehre bleibe, daß alle Menschen »gleich und gleich wertvoll« seien – zu solch »schönen

19 Brief von Max Osborn an Pechel, 30. 8. 1914, BA, Mappe 87

20 »Die von der Front kommen«, Aufsatz von Osborn in der Berliner Zeitung am Mittag, 29. 11. 1914, Nr. 294 Beiblatt

21 Brief von Hans Eberhard an den Verfasser

22 Brief von Martha Osborn an Pechel, 5. 10. 14, BA, Mappe 87

23 Pechel, Rudolf: Lügengeschichten vom Kriege, in: Literar. Echo, Jg. 15, 1912/13, Seite 202 ff.

Unklarheiten« könne sich der Rezensent allerdings nicht bekennen: für ihn bleibe die unveränderliche Eigenschaft des Mannes die Kraft und er müsse sich deshalb nachdrücklich zur Berufung des Fliegeroffiziers bekennen.

Während solche Zeugnisse den Stimmungsgehalt widerspiegeln, von dem Pechels Begeisterung im August 1914 getragen war, zeigen spätere Darstellungen die Konsequenzen auf, die der Herausgeber der »Deutschen Rundschau« aus den Ideen von 1914 gezogen hat. Ähnlich wie Moeller van den Bruck wenig später in seinem viel beachteten Aufsatz »Schicksal ist stärker als Staatskunst« [24] und Werner Wirths in seiner Schilderung über das »Erlebnis des Krieges« [25] sieht Pechel in jenem historischen Datum die entscheidende Zäsur, an der zum ersten Mal die Realität einer organischen, durch keinerlei Parteilichkeit zerstrittenen »Volksgemeinschaft« erlebt wurde: »Das Gedenken an jene bewegten Tage, die jetzt vor zehn Jahren heraufzuziehen begannen, in denen die nationale Volksgemeinschaft lebendigste Wirklichkeit war, ist eine heilige Pflicht gegen unsere tapferen Toten und gegen die künftigen Generationen, die von uns Rechenschaft fordern werden, wie wir das große Vermächtnis verwaltet haben.« Derartige Beispiele ließen sich beliebig vermehren: ähnlich wie seine Mitstreiter für eine konservative Renaissance im Nachkriegsdeutschland hat Rudolf Pechel in den »Ideen von 1914« einen Ansatzpunkt für den Versuch gesehen, die Probleme des Konservativismus neuerlich zu durchdenken und in kritischer Weise zu überprüfen. Damit ist in aller Knappheit bereits ein Erfahrungsinhalt herausgearbeitet worden, der Pechel nach dem Krieg zu seinem Eintritt in das Lager der »Konservativen Revolution« bewogen hat. Das Stichwort hieß »Volksgemeinschaft«, und es definierte für Pechel sowohl die »heroische Festivität« (Thomas Mann) der ersten Augusttage 1914 als auch die Realität jener kampfesfreudigen Einheit der Nation, deren abermaliges Zustandekommen später sein erklärtes politisches Ziel geworden ist. [26]

2. *Das Kriegserlebnis*

Der Gedanke der Volksgemeinschaft ist auch für jenes eigentliche Kriegserlebnis leitend gewesen, das aus der gemeinsamen Erfahrung in den Schützengräben des Stellungskrieges und aus dem Trommelfeuer der Materialschlachten resultierte. Der »Glanz von 1914« wird im Rückblick als die Vorbedingung für das Gemeinschaftserlebnis der Front angesehen, weil in ihm die erste Bezogenheit des »bisher vereinzelten Ich« auf die Gesamtheit des Volkes neue Geltung erhält. Das »Gefühl unzertrennbarer Gemeinschaft«, welches der kämpfende Soldat in den Schützengräben des Kriegs zweifellos fast täglich erlebte, wird der erste Schritt zur »Erkenntnis der

[24] Deutsche Rundschau, 1916, Band 169, Seite 161 ff.
[25] in: Die neue Front, a. a. O. Seite 78
[26] Zehn Jahre, in: Deutsche Rundschau, 1924/Bd. 200, Teil 3, Seite 206

Gemeinschaft als Vorgegebenheit jedes menschlichen Daseins.« [27] Aus dieser Gleichheit der Lage entsteht die Gemeinschaft als »Schicksalsgemeinschaft«, die, zunächst als »Notgemeinschaft« gegründet, später den Charakter einer »Bekenntnisgemeinschaft« zum auferlegten Schicksal erhält. »Langsam und um so tiefer kam bei denen, die draußen ausgeharrt hatten, die Würde des Unglücks, die Größe des Gemeinschaftserlebnisses, die Erinnerung an die Kameradschaft, an stilles Heldentum und Kraft des Opferwillens zum Bewußtsein als Pflicht der Treue gegen die Gefallenen, die für Volkwerdung sich geopfert hatten. Sehnsucht nach neuem, stahlhartem Führertum stieg auf.« [28] In dieser heroischen Beschreibung von Julius Petersen, der in Berlin Pechels Lehrer gewesen ist, verkörpert sich die »Volksgemeinschaft des Schützengrabens« bereits als Modell für einen deutschen Volksstaat der Zukunft. Die verschiedenen Stationen dieses Erlebnisses klingen in mannigfachen Beschreibungen an: »Das Fronterlebnis war... ein unmittelbares letztes Innewerden der naturgegebenen Grundlagen jeden menschlichen Zusammenlebens, das sich gerade an der Front in seinen primitivsten und ursprünglichsten Gesetzen offenbarte wie sonst nirgends.« [29] Daß das Erlebnis der somit beschriebenen Opferbereitschaft ein Erlebnis der Kameradschaft sei und daß deshalb die Kameradschaft zum letzten Sinn und Inhalt der Frontgemeinschaft, ja zum Gewinn des Kriegserlebnisses überhaupt geworden sei – diese Erkenntnis ist auch zum sicheren Erfahrungsgut Pechels geworden, der aus dem Krieg als ein »Geläuterter« zurückkehrte. »Unser Soldatenleben hat aus dem Felde den Segen beglückender Kameradschaft mitgebracht. Wir wollten mitsprechen in Fragen der Staatsordnung, der politischen Führung, des Ausgleichs im Volke« [30], so hat der Freund Treviranus jenen Wandlungsprozeß Jahrzehnte später im Nachruf auf Pechel beschrieben.

Tatsächlich hat der Krieg für Pechel – wie wohl für fast alle Schichten der deutschen Gesellschaft – in seiner geistigen Entwicklung einen entscheidenden Wandlungsprozeß eingeleitet. Er war für ihn der Anlaß, seine ursprünglichen, ästhetischen Interessen zurückzustellen und sich mehr und mehr der Politik zuzuwenden – in der Erkenntnis, daß man nicht weiter »unpolitisch« und »wirklichkeitsfremd« bleiben könne, wenn sich alle politischen und wirtschaftlichen Probleme des Krieges direkt auf die individuelle Existenz auszuwirken begännen. [31] Das Kriegserlebnis hielt später den Herausgeber der »Deutschen Rundschau« mit den jung-konservativen

[27] Lutz, Günther: Das Gemeinschaftserlebnis in der Kriegsliteratur, a. a. O. S. 20
[28] Petersen, Julius: Die Sehnsucht nach dem Dritten Reich in deutscher Sage und Dichtung, Stuttgart 1934, Seite 61, vgl. für diesen Zusammenhang auch Sontheimer: Antidemokratisches Denken, a. a. O. Seite 98
[29] Lutz, Günther: Das Gemeinschaftserlebnis, a. a. O. Seite 80
[30] Treviranus im Nachruf auf Pechel, Deutsche Rundschau, Jan. 1962, 88. Jg. Nr. 1
[31] Über diesen Wandlungsprozeß nähere Einzelheiten im Kapitel über Pechels Herausgeberschaft. Für den Zusammenhang, insbesondere mit Moeller van den Bruck, vgl. Stern, Fritz: Kulturpessimismus, a. a. O. Seite 250 f.

Kreisen in Berlin zusammen: »Uns verbindet als geistiges Band das Erlebnis dieses Krieges, den wir als nationale Bewährungsprobe empfanden und als solche bejahten« [32], mit diesen Worten hat Max Hildebert Boehm jene Bindung definiert. Über diese Funktionen hinaus wird bei Pechel frühzeitig ein Standpunkt deutlich, der viel von der lodernden Feindschaft erklärt, mit der er später dem Weimarer Staat gegenübertrat: aus der bewußten Isolierung des Kriegserlebnisses vom Schicksal des gesamten Volkes und aus der Trennung von Front und Heimat erwuchs im Herausgeber der »Deutschen Rundschau« jene tiefe Kluft gegenüber der neuen Republik, die sich in oft gehässigen Tiraden offenbarte. Diese politischen Folgerungen sind in einer Rezension deutlich, die Pechel 1918 im »Literarischen Echo« publizierte: »Musterhaft ist das wütende Entsetzen geschildert, das niemand vergißt, der es durchgemacht ... jedes Kriegserleben liegt unüberbrückbar zwischen dem Kämpfer der Front und der Heimat. Der Krieg ist das, was er ist, ganz etwas anderes, als die Nichtkämpfer es je erfühlen können: eine grausige Pflicht, kaum zu tragen, für den Denkenden sinnlos, entkleidet aller der Heimat wohl notwendigen Phrasen, die im Wissenden nur verachtungsvollen Zorn erregen.« [33] Gewiß liegt in solcher Einstellung ein Schlüssel für Pechels erbarmungslose spätere Anklage gegen alle »defätistischen« Gruppen, die sich nach der Niederlage der Regierung in vermeintlichem Selbstzweck bemächtigt hatten.

Der Krieg ist während der Weimarer Republik auf zwei grundverschiedene Weisen interpretiert worden: als »Geißel der Menschheit, als sinnloser Einsatz von Menschenleben für eine Sache, die nicht die eigene ist« [34], oder aber als ein selbstverständliches, wenn nicht freudig hingenommenes Schicksal, das die »soldatische Existenz als Basis einer neuen Menschwerdung begreift«. [35] Pechel selbst hat den Krieg niemals als einen Ort des Grauens, sondern meist als Walstatt des Heroismus und der eigenen Bewährung gesehen. Kaum aus dem Feld zurückgekehrt, schrieb er in einer Rezension mit dem Titel »Heereszeppeline im Angriff«: »Lampels Schilderungen geben einen ahnenden Begriff von der Leistung des Luftfahrers, von dem unerhörten Glücksgefühl, scheinbar frei von allen Hemmungen als Mittelpunkt allen Geschehens im Raum zu stehen, ein Herr der Luft, in gesteigerter Kraft und zu Füßen die Herrlichkeiten der ganzen Welt und alle ihre Reiche – anständiges Manneswerk, wenn in den Zeiten der Deserteurräte solche Begriffe noch Klang haben.« [36] Aus solch heroischer Gesinnung heraus ist der Ingrimm Pechels gegen den Aufstand der Matrosen

[32] Boehm, Max Hildebert: Ruf der Jungen, Freiburg 1933, Seite 32

[33] Unser Feind im Kriege, in: Literarisches Echo, Jg. 1918/19, Band 21, S. 554 ff., vgl. auch Sontheimer: Antidemokratisches Denken, a. a. O. Seite 98

[34] Sontheimer: Antidemokratisches Denken, a. a. O. Seite 95

[35] Sontheimer a. a. O. ebenda. Eine Fundgrube für Erfahrung und Erlebnisse im Kriege bietet Franz Schauwecker: Das Frontbuch – die deutsche Seele im Weltkrieg, 6. Auflage, Halle 1927

[36] Heereszeppeline im Angriff, in: Literarisches Echo, Jg. 21, 1918/19, Seite 567

in den Novembertagen 1918 zu verstehen, in deren Tun er die »Freude an den Taten der Marine« [37] zutiefst verdunkelt sieht.

Der Gegensatz zwischen den beiden skizzierten Typen des Kriegserlebnisses, der besonders 1928 anläßlich der Diskussion um Remarques Buch »Im Westen nichts Neues« entbrannte, hat eine Episode provoziert, die um ein weiteres den Charakter des von Pechel erlebten Krieges als eines »Prüfsteins für Männlichkeit« beleuchtet. Im April 1929 bekam der Herausgeber der »Deutschen Rundschau« eine Entgegnung zu Remarques Buch mit der Bitte um Abdruck in seiner Zeitschrift zugesandt. Es handelte sich dabei um die Eindrücke eines jungen Frontsoldaten, der sich nicht an der nationalen Glorifizierung des Krieges beteiligte, sondern ihn eher im Sinne Remarques als eine Sinnlosigkeit mit allen Gefahren für Leib, Seele und Familie beschrieb. »Ich litt grenzenlos. Nicht für mich. Ich war ja jung und glaubte damals an das, was mir vorgehalten wurde. Aber ich litt für die, die neben mir standen. Für die viel älteren Kameraden mit Frau und Kind. Und ich litt unter der Unwahrhaftigkeit so vieler Anordnungen ... während der furchtbaren Niederlage in der Frühjahrsoffensive im April 1917 vor Amiens wurden wir nach schweren Verlusten zurückgenommen. Wir wanderten, schleppten uns einen Tag lang nach rückwärts. Doch am anderen Tag kam bereits der Befehl: wieder nach vorn. Wir hatten uns eben mal wieder gewaschen, frische Wäsche angezogen und freuten uns der Ruhe. Nun dieser Schlag! Lautlose Niedergeschlagenheit. Zwei Mann zusammen bekamen eine Flasche französischen Rotweins. Aber kein einziger des ganzen Bataillons ... hat die Flasche angerührt. Jeder fühlte instinktiv die innere Unwahrheit dieser Geste. Leute, die sich am Morgen noch gierig nach einem Trunk sehnten, sie spuckten aus vor diesem Köder.« [38]

Pechel wurde durch diese eindringliche Schilderung zunächst dazu angeregt, eine Diskussion über die damalige Interpretation von Kriegsliteratur in seiner Zeitschrift zu beginnen. Nach Rücksprache mit Werner Wirths gab er die Entgegnung dem Autor jedoch mit dem Hinweis zurück, sie böten »nicht Substanz genug«, um eine solche Diskussion darauf aufzubauen. [39] Dies zeigt nur, daß noch zehn Jahre nach Beendigung des Krieges das eigene Erlebnis im Krieg immer noch die gültige Legitimationsformel geblieben war, nach der sich national-konservative Gesinnung auszurichten hatte. Selbst an der Bahre seines Freundes Bruno Hake hatte Pechel jenen »Kampf als inneres Erlebnis« (Ernst Jünger) in einer Weise interpretiert, die im Grunde genommen eine rationale, durch keinerlei idealistische Überhöhung verbrämte Betrachtungsweise ausschloß: »Manneswerk dürfen wir vor allem im Kriege nicht messen an dem, was vollbracht wird«. [40] An diese Formel schloß sich

[37] Auf Kreuzfahrt mit Möwe und Geier, in: Literarisches Echo, Jg. 21, 1918/19, Seite 1070. Pechel selbst hat zufolge einer Nachlaßnotiz als Mitglied eines Freikorps gegen einen Aufstand der Spartakisten teilgenommen, BA, Mappe 87

[38] Entgegnung: Im Westen nichts Neues, BA, Mappe 32.

[39] Brief Pechel an Friedrich Ege, 20. 4. 1929, BA, Mappe 32.

[40] Pechel, Rudolf: Bruno Hake — Ein Gedenkblatt, a. a. O. S. 5.

die Erkenntnis an, daß dem Manne in dieser Zeit allein ein Ziel genügen müsse: »Ein Kämpfendürfen in einem guten Verband und ein ehrlicher Soldatentod.«[41]

Daß Pechel selbst das Kriegserlebnis als Ansatzpunkt für eine neue geistige Umgestaltung der Nation empfunden hat, wird in Redewendungen deutlich, in denen davon gesprochen wird, daß man »dem neuen Deutschland Wege weisen« müsse, oder in denen der Glaube beschworen wird, daß »das, was kommen muß«, schließlich kommen werde.[42]

Diese Hoffnung auf das Neue hat sich später bei Pechel in konkreten Vorschlägen niedergeschlagen, aus denen sich deutlich die in jung-konservativen Kreisen verfochtene Idee eines »deutschen Sozialismus« offenbarte – eines Sozialismus, dem es nicht um die Verfügungsgewalt über die Produktionsmittel ging, sondern in erster Linie um die Einheit der Nation, die Überwindung der Parteien, Klassen und Verbände und die Eingliederung aller Volksschichten in ein hierarchisch geordnetes, organisch gegliedertes Staatsgefüge. Die späteren Vorschläge Pechels zum Aufbau der Nation über eine »innere Colonisation« oder eine nationale Arbeitsgemeinschaft, in der das »Positive und Produktive des Rätegedankens zur Tat«[43] gemacht werde, sind undenkbar ohne jene im Krieg gemachten Erfahrungen, wonach sich die gemeinsame Verbundenheit aller als »Werk- und Tatgemeinschaft« auszudrücken habe. Pechels Losung eines nationalen Sozialismus als Gestaltungsprinzip von Staat und Gesellschaft muß jedenfalls stets auf diese Erfahrungen innerhalb der »Frontgemeinschaft« zurückgeführt werden, will man ihren Stellenwert innerhalb der konservativ-revolutionären Theorie begreifen.

3. Die Frage der Grenze

Als dritter und wichtiger Komplex schält sich in Pechels früher Publizistik ein Erfahrungsinhalt heraus, der sich um die »Frage der Grenze« gruppiert und zum Ausgangspunkt zahlreicher späterer publizistischer Appelle in der »Deutschen Rundschau« geworden ist. Denn Pechels Zusammenarbeit mit dem Deutschen Schutzbund, die sofort nach Übernahme der Zeitschrift aufgenommen wird, ferner seine engen Beziehungen zu Karl Haushofer als einem prononcierten Verfechter der sogenannten »Geopolitik« sind ohne diese frühen Beweggründe nicht denkbar. Die »Grenzfrage« umschließt dabei einen Begriff, der unter der populären Umschreibung »Auslandsdeutschtum« oder »volksdeutsche Bewegung« für die innere Geschichte der

41 Pechel: Bruno Hake, ebenda.
42 Bruno Hake, a. a. O. ebenda.
43 Siehe Pechels Aufsatz: Der Weg zum Aufbau, Deutsche Rundschau, 1920, Bd. 183, II. Teil, S. 291. Vgl. auch Sontheimer: Antidemokratisches Denken, a. a. O. S. 274 ff., und Klemperer, Konservative Bewegungen, a. a. O. S. 65 ff. Zur »Arbeitsgemeinschaft im Kriege«, Lutz: Das Gemeinschaftserlebnis, a. a. O. S. 86.

Weimarer Zeit nicht minder charakteristisch geworden ist wie die jung-konservativen Strömungen selbst. Zwar erscheinen sie von der »Idee her als abgeleitet« [44], doch ihre politische Wirklichkeit war vielleicht in mancher Hinsicht von größerer Bedeutung. Pechels Bemühungen als politischer Publizist sind jedenfalls aufs engste mit dem Kampf um Selbstbehauptung und Bewahrung des Auslandsdeutschtums verknüpft, in dem der Herausgeber der »Deutschen Rundschau« an vorderster Stelle stand. Hinter der »Grenzfrage« verbirgt sich zunächst der Gedanke der unauflöslichen Volkseinheit: das Volk wird nicht in sozialen oder wirtschaftlichen Kategorien differenziert, sondern entscheidend ist allein das Verhältnis zum geschlossenen Siedlungsgebiet. Danach gibt es Auslandsdeutsche, die für sich allein gestellt zwischen fremden Völkern wohnen, ferner Grenzdeutsche, die den Gürtel des Reiches in mehr oder weniger naher Berührung zu den Nachbarvölkern besetzen, und schließlich Binnendeutsche, die innerhalb des Reiches zu Hause sind und denen in der Regel die Probleme einer Berührung mit fremden Nachbarvölkern unbekannt sind. Die Bedeutung und das Problem der Grenze liegt darin, daß sich die »Grenzstämme ... zu einer Art Panzer, zu einer Art Mauer von Zyklopenblöcken« um den gesinnungsmäßig »weichen Kern des Binnenvolkes« zusammenschließen, um diesen vor Zersplitterung zu bewahren. Diese Abwehrhaltung der Grenzdeutschen hat keinen militärischen, sondern allein einen »geistigen, wirtschaftlichen und vor allen Dingen gesinnungsmäßigen« Ursprung. [45] »An den Volksgrenzen weht ein deutscher Geist, der im Kampf mit dem Gegner gestählte Gesinnungen verbreitet, ein Geist, der geboren ist aus dem Erlebnis des Volkstums.« [46]

Der damit angedeutete Geist eines »völkischen Bewußtseins«, der sich nach 1918 in zahllosen programmatischen Schlagworten artikulierte [47], spiegelte sich früh in einer Schilderung Pechels wider. Mag sein, daß Pechel auf seiner langen Auslandsreise im Jahre 1901 zum ersten Mal mit der Problematik der Auslandsdeutschen konfrontiert wurde – jedenfalls spricht aus seiner Beschreibung ein deutlich akzentuiertes nationales Empfinden. »Ohne eigentlichen Helden entwickelt sich vor uns in farbigen Bildern das Streben und Tun der Banater Schwaben, die trotz jahrhundertelanger Entfernung vom Mutterland ihre Sitten, Sprache, ihren Glauben, ihre Gebräuche rein und treu bewahrt haben ... ihr Deutschtum, ihre Treue zu ihrem Volksstamm kann ihnen niemand nehmen, ebensowenig wie ihren Glauben und die Liebe zur neuen Heimat. Möchten doch die Glocken der Heimat den Reichsdeutschen ebenso voll und eindringlich mahnend in den Ohren und das Gewissen klingen wie dem tapferen Häuflein dort in Ungarn, daß auch sie sich besinnen, was es heißt, Deutsche zu sein.« [48]

44 Mohler: Konservative Revolution, a. a. O. S. 77.
45 Carl-C. Loesch: Die Grenzfrage, in: Die neue Front, a. a. O. S. 261.
46 Loesch: Die Grenzfrage, a. a. O. S. 265.
47 Vgl. Broszat, Martin: Die völkische Ideologie und der Nationalsozialismus, a. a. O. S. 59 ff.
48 Rudolf Pechel: Die Glocken der Heimat, in: Deutsche Rundschau, Band 148, 1911, Teil 3, S. 155.

Solch nachdrückliches Werben für eine geistige Unterstützung der Auslandsdeutschen ist später von der »Deutschen Rundschau« mit freilich schärferen Tönen abermals aufgenommen worden: provoziert wurden Pechels patriotische Appelle durch die Niederlage im Jahre 1918 und durch die als »schmählich« empfundenen Zerstückelungen des Deutschen Reiches in der Folge des Versailler Vertrags. Der publizistische Kampf für ein »volksdeutsches Erwachen« und der oft unnachgiebige Ruf nach einer Zusammenführung aller versprengten Deutschen in das »Mutterland« ziehen sich indes wie ein roter Faden durch die konservativ-revolutionäre Publizistik der »Deutschen Rundschau«. Er wurde organisatorisch sowohl in Institutionen der »Ring-Bewegung« als auch in anderen Gruppierungen, wie dem »Verein für das Deutschtum im Ausland«, abgestützt. Mit sämtlichen Interessengruppen war Rudolf Pechel in zuweilen komplizierter, nicht leicht durchschaubarer Weise verbunden: Es gilt nunmehr, sich seiner Stellung innerhalb der jung-konservativen Gruppierungen jener Zeit zuzuwenden.

III. Pechel und die jung-konservativen Gruppierungen seiner Zeit

»Was heute als revolutionärer Wind durch alle Gassen weht, was den Linksliberalismus nicht nur mit schlotternder Angst erfüllt, sondern auch geistig in die Knie gezwungen hat, was anfängt, das gewiß hartnäckige Denken der deutschen Bürokratie zu durchtränken, was die offizielle Politik ebenso in ihren Bann zieht wie den sprödesten Generalanzeiger, das ist ein geistiges Leben und ein geistiger Wille, der ohne eine Berührung mit den drei oben erwähnten Kreisen nicht gedacht werden kann.«[1] Edgar Julius Jung, enger Freund Rudolf Pechels, schrieb solche Worte im August 1932 in der »Deutschen Rundschau«. Damit skizzierte er drei institutionelle Zentren, die für die innere Entwicklung der »Konservativen Revolution« von entscheidender Bedeutung geworden sind. Mit den »drei oben erwähnten Kreisen« waren der Verein deutscher Studenten (VDST), der Deutsche Schutzbund für die Grenz- und Auslandsdeutschen und der Juniklub gemeint.

Das Gemeinsame und die verbindende Idee dieser drei auf den ersten Blick voneinander verschiedenen Vereinigungen ist nach einem Vorschlag von Max Hildebert Boehm als Geschichte der Ring-Bewegung dargestellt und untersucht worden.[2] Von den inzwischen zahlreich vorliegenden Arbeiten und Studien zur Ring-Bewegung interessieren für die vorliegende Untersuchung lediglich diejenigen Aspekte, in denen geistige und politische Bezüge zur »Deutschen Rundschau« und ihrem Herausgeber deutlich werden. Die Darstellung Pechels konservativ-revolutionärer Publizistik wäre ohne Kenntnis solcher Zusammenhänge kaum möglich; denn nach einer Definition von Armin Mohler gehört es zum Wesen der »Konservativen Revolution«, daß in ihr Zeitschriften und Verlage gemeinschaftsbildende Kraft hatten.[3] Die Bezeichnung »Ring-Bewegung« unterstreicht diese These: Für den Ring war zwar stets die Persönlichkeit wichtig, die »trotz aller Bindungen des politischen und beruflichen Lebens ihrer inneren Unabhängigkeit sich bewußt blieb«.[4] Gerade die persönlichen Kontakte und Fühlungnahmen untereinander, die vielfältigen Beziehungen zu Persönlichkeiten des öffentlichen Lebens, zu Interessengruppen und Parteien provozierten auch jenes »ver-

[1] Edgar Julius Jung: Das eigenständige Volk, Bemerkungen zu Boehms Volkstheorie, in: Deutsche Rundschau, 58. Jg., August 1932, S. 86.

[2] So in ausführlicher und kenntnisreicher Form von Hans-Joachim Schwierskott: Arthur Moeller van den Bruck und die Anfänge des Jung-Konservativismus in der Weimarer Republik, Diss. Erlangen 1960. Neben der Arbeit von Mohler ist die Studie von Fritz Stern, Kulturpessimismus als politische Gefahr a. a. O., zit. als Fundgrube für Einzelheiten und Zusammenhänge nochmals zu nennen.

[3] Mohler, Armin: Die konservative Revolution, a. a. O., S. 95.

[4] Werbeblatt über den »Jung-Konservativen Klub«, zitiert bei Schwierskott: Arthur Moeller van den Bruck, a. a. O. S. 71.

schwörerisch Gemeinsame«, das der komplizierten Vielfalt dieser Vereinigung ihren Stempel aufdrückte. Und gerade Pechels Losungswort »Geselle Dich zur kleinsten Schar« [5] wurde für sämtliche jung-konservativen Gruppen zur Leitidee. Was die Publizistikwissenschaft später als eine wichtige Funktion des Mediums Zeitschrift herausgearbeitet hat, nämlich die Fähigkeit, Gemeinschaften politischer Anhänger um sich zu scharen [6], wird am Beispiel der Ring-Bewegung sinnvoll dokumentiert: ihre Eroberung neuer geistiger Welten geschah zunächst mit Hilfe des Mediums Zeitschrift, und ihre gemeinschaftsbildende Kraft resultierte aus der Autoren- und Leserschaft bestimmter Zeitschriften. Deshalb könnte die Geschichte der Ring-Bewegung ebenso als Geschichte von Zeitschriften oder Verlagen [7] geschrieben werden, auf jeden Fall ist sie in ihrem lockeren organisatorischen Gefüge ein nachdrücklicher Beweis für die Sozialisations-Funktion politischer Publizistik. Sie betraf zunächst die Kontakte der Ring-Mitglieder untereinander und wurde dann in ihrer publizistischen Wirkung auf die Außenwelt zu einem Faktor, der in der Geistesgeschichte der ersten Hälfte des 20. Jahrhunderts »deutliche Spuren hinterließ«. [8] Aus diesem Grunde stellt sich in allen vorliegenden Arbeiten die Ring-Bewegung zunächst als eine publizistische Erscheinung dar: was die Männer um Moeller van den Bruck und Heinrich von Gleichen bewegte, was sie politisch ändern und bewirken wollten, läßt sich in der Tat nur aus Zeitschriften, Flugblättern und kleinen Einzelschriften rekonstruieren. [9] Die vorliegende Arbeit kann die Zusam-

5 Pechel, Rudolf: Das Wort geht um, in: Die Neue Front, a. a. O. S. 75. Vgl. auch den Hinweis bei Bußmann, Walter:Politische Ideologien, a. a. O. S. 71 f.

6 Ferner der theoretische Ansatz bei den Arbeiten von Wilmont Haacke: Die Zeitschrift — Schrift der Zeit, Essen 1961, S. 223, »Die politische Zeitschrift«, a. a. O. S. 40 f.

7 Dies versucht z. B. Armin Mohler, Konservative Revolution, a. a. O. S. 95 ff. Eine eingehende Darstellung der Ring-Publizistik, insbesondere des »Gewissen« findet sich auch bei Stern, Kulturpessimismus, a. a. O. S. 273 ff.

8 Siehe die Meinung von Schwierskott: Moeller van den Bruck, a. a. O. S. 125.

9 Mit der Publizistik der Ring-Bewegung haben sich überwiegend Historiker beschäftigt — was die Publizistikwissenschaft darüber hinaus an Erkenntnissen beigetragen hat, hat bisher leider mehr zur Verwirrung als zur Klärung des Sachverhalts beigetragen. In seiner Dissertation über Pechels publizistischen Widerstand im Dritten Reich verzichtete Karl-Wolfgang Mirbt völlig auf die Darstellung konservativer Ideologie-Gehalte: Die Folge ist, daß er mit Begriffen wie »national«, »nationalistisch«, »deutschbewußt« oder »volksdeutsch« jongliert, die einer wissenschaftlichen Nachprüfung kaum standhalten. Die vom Autor gewählte Auseinandersetzung zwischen Konservativismus und Nationalsozialismus wird dem Gegenstand nur unbefriedigend gerecht. Mirbts Arbeit sollte ein abschreckendes Beispiel für jeden Versuch sein, publizistische Einzelforschungen ohne Bezug zu sozialwissenschaftlichen Disziplinen zu betreiben. Beachte auch die temperamentvolle Kritik von Heinrich Keßler (Wilhelm Stapel, a. a. O. S. 11) gegenüber Harry Pross und dessen Betrachtungsweise. Was in seinem Sammelband über die »Zerstörung der deutschen Politik« (Fischer-Bücherei Nr. 264) summarisch aufgeführt wird, vermittelt kaum einen Einblick in historische Zusammenhänge. Vor allem wird auf eine exakte Abgrenzung ideologischer Grundbegriffe weithin verzichtet. Gerade diese ist aber für das Verständnis der verschiedenen Ideologien-Konglomerate innerhalb der konservativen Rechten von Wichtigkeit.

mensetzung des Juni-Klubs am Beispiel einer langgesuchten Mitgliederliste illustrieren [10], ferner ließen sich auch zur Auflösung des Juni-Klubs im Nachlaß Pechels einige noch unbekannte Einzelheiten finden. Von Wichtigkeit war jedoch der Einblick in die vertraulichen Dokumente zur Arbeitsgemeinschaft für die Interessen des Grenz- und Auslandsdeutschtums: dort werden nicht nur die persönlichen Verbindungen zwischen Mitgliedern des Juni-Klubs und prominenten Politikern der Weimarer Republik offenkundig, sondern darüber hinaus wird der Blick auf ein geheimes Propagandainstrument freigegeben, das das Wohlwollen und die Unterstützung von Reichsregierung und Industrie genoß.

1. Kreise um den Berliner Montagstisch

Max Hildebert Boehm hat darauf verwiesen, daß es die Ring-Bewegung ihrem künftigen Historiographen nicht leicht gemacht habe: alles Programmatische und Dokumentarische, alles quellenmäßig Faßbare liege weit vom »wirklich Wesentlichen« ab, von allem, was geschichtlich wirksam und bedeutsam geworden sei. [11] Gleiches gilt für Rudolf Pechel und seine ersten Fühlungnahmen mit den kleinen Kreisen, die später unter der Bezeichnung »Ring-Bewegung« ihre organisatorische Ausprägung erfahren haben. Einen Anhaltspunkt für erste Kontakte Pechels mit den Jung-Konservativen gibt zunächst der Montagstisch, der zur Keimzelle des späteren Juni-Klubs geworden ist. In Zirkeln wie dem Montagstisch »lebte das eigentlich geistige Berlin, entstand die Atmosphäre, aus der Sezession und erste Reinhardt-Bühnen, Überbrettl und modernes Kunstgewerbe, alles Unzünftige in Literatur und Kunst seine Kräfte zog«. [12] Der Montagstisch war ein Kreis, der von Anbeginn den Bogen seiner Bekanntschaften weit gespannt und sich nicht nur auf Menschen aus Dichtung und Kunst beschränkt hat: zu ihm gehörten Verleger und Ärzte, Biologen und Politiker, Anwälte, Gelehrte und Journalisten. Gemäß der Schilderung von Paul Fechter handelte es sich um einen Kreis von Menschen, die »oft einander nur von weitem kannten, jahrelang den Zusammenkünften fernblieben, dann von draußen kommend wieder auftauchten, eine Weile erschienen und von neuem verschwanden«. [13] Es ist somit denkbar, daß Pechel bereits während seiner Tätigkeit am »Literarischen Echo« den Kontakt zu diesem Kreis gefunden hat und ihn während des Krieges erneuerte: Pechel selbst hat den Weltkrieg vorzeitig beenden müssen, weil er wehruntauglich wurde. [14] Somit hätte er die Mög-

[10] Sowohl Stern als auch Schwierskott haben auf das Fehlen einer solchen Liste hingewiesen.

[11] Boehm, Max Hildebert: Ruf der Jungen — Eine Stimme aus dem Kreise um Moeller van den Bruck, Freiburg 1933, S. 13 f.

[12] Fechter, Paul: Menschen und Zeiten, Begegnungen aus fünf Jahrzehnten, Gütersloh 1948, S. 325 ff.

[13] Fechter: Menschen und Zeiten, a. a. O. ebenda.

[14] Diesen Hinweis verdankt der Verfasser Dr. Fritz Grünfeld (27. 1. 1969).

lichkeit gehabt, das Ende des Krieges in der gewiß kritischen Runde des Montagstisches zu erleben. Auf jeden Fall sind in jenem illustren Kreis die Wurzeln seines späteren politischen Engagements gelegt worden. Denn eben dort, wo das Auslandsdeutschtum einen Treffpunkt und politisch interessierte Männer eine »wesentliche Quelle der Information« gefunden haben, entstanden die später für den »Rundschau«-Herausgeber gewichtigen Kontakte zu Autoren und Informanten aus Politik, Presse und Industrie. »Aus Begegnungen am Montagstisch hat sich aus Büchern, Aufsätzen, Aktionen, Vorträgen viel mehr ergeben, als die Öffentlichkeit und die Geschichte dieser Jahre ahnte.« [15] Für die Feststellung Fechters spricht zunächst einmal der Teilnehmerkreis, der sich wöchentlich einmal um den Diskussionstisch am Olivaer Platz oder später im Erdener Treppchen an der Motzstraße versammelte. [16] Hauptfiguren waren Franz Evers und dessen Freund Moeller van den Bruck, der später zum spiritus rector des Juni-Klubs in der Motzstraße geworden ist. Über die Freundschaft zwischen Evers und Moeller, über dessen geistige Entwicklung nach den Wanderjahren in Frankreich und Italien hat Paul Fechter in seinem Erinnerungsband über Moeller van den Bruck ausführlich berichtet. [17] Leider geht aus seinen Ausführungen nicht exakt hervor, wann Franz Evers den Montagstisch in Berlin zum ersten Mal organisiert hat: nach Fechters Schilderung wurde dort jedoch ausschließlich über literarische Probleme diskutiert. Evers hatte den Montagstisch zunächst mit Clarence Sherwood, dem Leiter der englischen Abteilung der Königlichen Bibliothek in »der alten Bodega« am Kurfürstendamm gegründet. Die beiden übersetzten gemeinsam aus dem Alt-Englischen, wobei Sherwood übertrug und Evers das Übertragene stilistisch verbesserte. Weil solche Arbeit am besten am Kneiptisch vonstatten ging, wurde diese Art der Zusammenkunft gewählt. Zu den Treffen zwischen Evers und Sherwood kamen ein wenig später Conrad Ansorge, der Bildhauer August Peterich und vor allem Moeller van den Bruck hinzu, der wiederum andere Interessierte mitbrachte. [18] Zweifellos wurde Moeller, der nach übereinstimmender Auskunft von Augenzeugen die Zusammenkünfte stets in schweigender Aufmerksamkeit verfolgte, bald zu einer Hauptgestalt am Montagstisch. Um ihn gruppierten sich Personen, deren Namen später zur Mitgliederliste des Juniklubs und anderer Vereinigungen sowie zum Autorenverzeichnis der »Deutschen Rundschau« um Rudolf Pechel gehörten. Dies gilt zum Beispiel für Wolfgang Goetz, »aus dem Reinhardt immer einen Schauspieler machen woll-

[15] Fechter, Paul: Menschen und Zeiten, a. a. O. S. 326.

[16] Die Standorte waren zunächst Olivaer Platz, dann Uhlandstraße, Klause an der Kantstraße, Motzstraße bei Vater Gestrich und Erdener Treppchen an der Motzstraße. Über die Diskussionen in der Motzstraße berichtet Fechter u. a. »Im vorderen Teil tagte Mahraun mit seinem Jungdeutschen Orden, am Ende saßen wir« S. 355.

[17] Fechter, Paul: Arthur Moeller van den Bruck — Ein politisches Schicksal, Berlin 1934.

[18] Vgl. Fechter, Paul: Arthur Moeller van den Bruck, a. a. O. S. 28.

te«[19], weiter für Robert Spörry, Paul Bruns, Hans Blüher, Carl Haensel, der den Roman »Kampf ums Matterhorn« geschrieben hat, ferner für Hans Röseler und Werner Hasselblatt, ein Balte, »der um das Auslandsdeutschtum kämpfte«. Kaum zwanzig Jahre alt war Albrecht Haushofer, als er zum ersten Mal an den Montagstisch kam: er war der ältere Sohn von Karl Haushofer, dem Pechel bald seine Zeitschrift für Aufsätze über geopolitische Themen öffnen sollte. Seit Beginn der zwanziger Jahre saß auch Edgar Julius Jung, Rechtsanwalt aus München, in der Berliner Runde, der später zum geistigen Berater Franz von Papens geworden ist. Er zählte wenig später schon zu einem der meistbeschäftigten Autoren der »Deutschen Rundschau«. Neben Evers und Moeller nennt Fechter Theodor Däubler eine »dritte Hauptgestalt« am Montagstisch: der Dichter des dreibändigen Werkes »Nordlicht« sei später von Otto Dix gemalt und von Ernst Barlach modelliert worden. Neben Däubler finden in Fechters Erinnerungen die Namen Franz Dülberg, »Dramatiker und Kenner der holländischen und belgischen Kunst«, Jacob Uexküll, der sich mit einem Aufsatz gegen Darwin in der »Deutschen Allgemeinen Zeitung« hervorgetan hatte, sowie Max Scheler und Karl Ludwig Schleich nähere Erwähnung. Sie alle bildeten jenen Kreis von nicht »Unberufenen«, wo in der Rückbesinnung Pechels »die Dinge dieser Welt und ihre irrationalen, transzendentalen und mystischen Hintergründe«[20] untersucht wurden. Für Pechels geistige Entwicklung ist besonders die Bekanntschaft mit Moeller van den Bruck bedeutsam gewesen; denn dessen Ruf nach einer konservativen Erneuerung im Nachkriegsdeutschland fand wenig später bei dem Herausgeber der »Deutschen Rundschau« ein offenes Ohr. Wie andere zahlreiche Zeitgenossen war auch Pechel von dessen Persönlichkeit fasziniert. »Für mich ist Moeller neben wenigen anderen Freunden die stärkste Verkörperung des Seins-Prinzips gewesen. Er war und darum wirkte er; er war da und beherrschte irgendwie die Diskussion, ohne daß er sie mit einem Worte unterbrochen hätte... Er war der wahrhaft leidenschaftliche Politiker des ganzen Kreises, und die Kraft dieser Leidenschaft gab ihm den Vorrang.«[21]

Der Montagstisch ist nach Auskunft von Fechter am 30. Juni 1934 aufgehoben worden – genau an jenem Tag, an dem Edgar Julius Jung im Zusammenhang mit dem Röhm-Putsch ermordet wurde. Für Rudolf Pechel war die Runde um Franz Evers und Moeller van den Bruck die erste wichtige Schaltstelle für seinen späteren politischen und publizistischen Werdegang: aus diesem Kreis haben sich nicht nur seine Kontakte zu bekannten Autoren, sondern auch seine einflußreichen Beziehungen zu den Männern

19 Fechter, Paul: Menschen und Zeiten, a. a. O. S. 354 ff.
20 Rudolf Pechel: Moeller van den Bruck, Zu seinem 10. Todestag. In: Deutsche Allgemeine Zeitung, 30. 5. 1935 (Aus Beständen des Instituts für Zeitungsforschung der Stadt Dortmund).
21 Pechel, Rudolf: Moeller van den Bruck, a. a. O. ebenda.

des Juniklubs und des Deutschen Schutzbundes ergeben. In jenem Kreis ist das spätere Gesicht seiner Zeitschrift geprägt worden. [22]

2. Der Juniklub um Moeller van den Bruck

»Von Gerüchten über diese Dinge weiß ich übrigens nichts. Es wird sich wahrscheinlich nur um den üblichen Klatsch der Motzstraße 22 handeln, die ich – der Himmel sei gelobt und gepriesen – gestern verlassen habe.« [23] Dieser Stoßseufzer Pechels steht am Ende einer langen und intensiven Bekanntschaft mit jener Organisation, die unter dem Namen Juniklub in die Geschichte der konservativen Bewegung zwischen Kaiserreich und Nationalsozialismus eingegangen ist. An ihrer Entstehungsgeschichte bleibt bemerkenswert, daß sie einmal aus den Freunden des Montagstisches resultierte und ihren Namen zunächst einem Zufall verdankte. Moeller van den Bruck hatte nämlich persönliche Anhängerschaft des Montagstisches, zu der neben Conrad Ansorge, Franz Evers, Carl Ludwig Schleich und Paul Fechter Rudolf Pechel gehörte, der von Heinrich von Gleichen gegründeten »Vereinigung für nationale und soziale Solidarität« zugeführt. Für die ersten Zusammenkünfte stellte Heinrich von Gleichen zunächst seine Wohnung in der Potsdamer Privatstraße 121 i zur Verfügung. Da man für die neue Vereinigung noch keinen Namen wußte, nannte man sich zuerst nach der originellen Hausnummer des Treffpunktes: »I-Klub«. Im Monat der Unterzeichnung des Versailler Vertrages kam man überein, den Namen in Juniklub zu ändern, um damit seinen ständigen Protest gegen Versailles zu dokumentieren und ein Gegengewicht gegen den »Novemberklub« Berliner linksorientierter Intellektueller zu schaffen. [24]

[22] Der Treffpunkt Montagstisch war freilich nicht Pechels einzige Kontaktstelle. Dafür zeugen seine zahlreichen Mitgliedschaften bei verschiedenen Organisationen: Deutsche Gesellschaft 1914, Deutsch-Schwedische Vereinigung (Mitglied bis 1926), Deutsche Liga für Völkerbund, Literarische Gesellschaft, Mitglied des Verwaltungsrats im Jungakademischen Klub (seit 25. 2. 1926), Außenpolitische Gesellschaft (seit 19. 12. 1929), Verband deutscher Zeitschriftenverleger (1925–1942), Buchhändler-Börsenverein (1925–1942), Deutsche Arbeitsfront (1934–1942), Juniklub (1919–1925), Volksdeutscher Klub (1925–1934), Verein Berliner Presse (1925 bis 1933), Verein Berliner Theaterkritiker (1925–1933), Deutscher Verlegerverein (1925–1942) u. a. m. Siehe: Fragebogen des Military Government of Germany, BA, Mappe 24 a.

[23] Brief Pechel an Edgar Julius Jung, 29. 1. 32, BA, Mappe 78.

[24] Vgl. Schwierskott, Hans-Joachim: Arthur Moeller van den Bruck, a. a. O. S. 96 ff. Zur Geschichte des Juniklubs vergleiche ferner: Boehm, Max Hildebert: Ruf der Jungen, a. a. O. Klemperer, Klemens: Konservative Bewegungen, a. a. O. Stern, Fritz: Kulturpessimismus als politische Gefahr, a. a. O. Sontheimer, Kurt: Antidemokratisches Denken, a. a. O. Gute Einblicke vermitteln auch: Friedländer, Otto: Die ideologische Front der nationalen Opposition, in: Sozialistische Monatshefte, Jg. 35, 1929, Band 68, S. 207 ff. Wunderlich, Wilhelm: Die Spinne, in: Die Tat, 23. Jg. 1931/32, Band II, S. 833 ff., ferner: Heinrich von Gleichen: Das politische Kolleg, in: Deutsche Rundschau, 1921, Band 187, 2. Hbbd., S. 104 ff.

a) Zielsetzung, Programm und Mitgliedschaft

Gemäß Auskünften von Boehm hat die junge Vereinigung zwar in langen und eifrigen Diskussionen eine Art von Manifest mit dreiunddreißig Punkten entworfen, doch diese Plattform gilt nach seiner Ansicht als verschollen. Somit folgert Schwierskott, daß feste Satzungen im Juniklub sogleich nicht ausgearbeitet worden sind.[25] Dennoch zieht Stern in seiner Arbeit ein Grundsatzdokument von dreiunddreißig Punkten heran, und selbst im Nachlaß Pechels ließ sich ein Original dieser wichtigen Verlautbarungen finden. Sie geben deutlich Aufschluß über die geistigen und politischen Motive, mit denen sich damals die Männer um Heinrich von Gleichen und Moeller van den Bruck zur Bestandsaufnahme zusammenfanden.

Oberstes Ziel des Juniklubs sollte die Sammlung sein, eine Sammlung, die sich auf Menschen und gleichzeitig auf Meinungen konzentrierte: danach galt es, diejenigen Deutschen heranzuziehen, die aufbauend wirken könnten, hingegen sollten alle Deutschen ausgeschaltet werden, die »zersetzend« wirken würden. Mitglied könne jeder werden, der das Vertrauen aller genieße: auf diese Weise würden alle Ängstlinge ferngehalten, alle Kompromißnaturen und »geistige Schieber« sowie alle Leute, die ihre Mitgliedschaft zu Konjunktur und Karriere benützen könnten. In Punkt 11 seiner Satzung definiert der Klub das Ziel, im Laufe der Zeit in eine Beziehung zu allen Deutschen »von Wert« zu kommen. Wert könne sich dabei entweder auf den Charakter gründen, auf öffentliche Wirksamkeit oder auf ein persönliches Werk. Daraus ergebe sich die Pflicht, nach all jenen Deutschen Ausschau zu halten, die aus dem Krieg mit der Anwartschaft der »Persönlichkeit« hervorgegangen seien. In Punkt 14 bekennt sich der Klub zu einer Jugend, die nicht so sehr Frage des Alters, sondern der Einstellung, der Anteilnahme an den Wandlungen der Zeit und des Vertrautseins mit ihren Problemen berühre.

Sieht man die programmatischen Formulierungen des Juniklubs im Zusammenhang mit der Frage, warum sich Rudolf Pechel von dieser Sammlungsbewegung angezogen fühlte, dann ist man auf Punkt 15 der dreiunddreißig Sätze verwiesen. Dort wird nämlich das Kriegserlebnis als derjenige Erfahrungsinhalt bezeichnet, der die Menschen auf eine »neue Ebene der Anschauung« stelle und sie mit Problemen über die parteimäßig festgelegten Meinungen hinaus konfrontiere. Alle diese Menschen wolle man heranziehen, so sehr die Verschiedenheit der Anschauung in Einzelfragen einen solchen Kontakt auch zunächst belaste; aber man sehe voraus, daß diese Grundüberzeugungen schließlich zu einer Gemeinsamkeit der Auffassung bis in Einzelfragen führen werde. Zur Verwirklichung gehöre eine neue Generation, eine dritte Generation, eben jene, die vom Erlebnis des Krieges herkomme und der man als Gruppe der Bahnbrecher sein wolle. Was man als Gruppe verwirklichen wolle, sei »Korporativismus«: Mit-

[25] Schwierskott: Moeller van den Bruck, a. a. O. S. 96, und Boehm: Ruf der Jungen, a. a. O. S. 23.

gliedschaft heiße Gliedschaft, Gliedschaft bedeute Einordnung in die Gemeinschaft, und Gemeinschaft verlange Führertum. Für Rudolf Pechel, der während der Niederschrift jener Punkte in Vertragsverhandlungen wegen einer Übernahme der »Deutschen Rundschau« gestanden haben muß, war besonders Punkt 28 der Leitsätze von Bedeutung: immer und überall, wo und wie die Mitglieder zu wirken hätten, müßten sie für die Ideen der Gruppe eintreten, müsse die Gemeinschaftslehre verlangen, daß man Gemeinschaftsgefühl verwirkliche. Dies bedeutete nichts anderes als die Unterordnung unter ein konkretes politisches Programm. Wenn journalistische Unabhängigkeit die individuelle Fähigkeit beinhaltet, nach eigenem Gutdünken und Ermessen zu urteilen und zu entscheiden, dann hatte Pechel diese Unabhängigkeit als Publizist schon aufgegeben, noch bevor er die »Deutsche Rundschau« übernommen hatte. An dieser Feststellung ändert die Tatsache nichts, daß nach allgemeiner Auffassung der Klub-Mitglieder nur die einzelne Persönlichkeit den Gesamtkomplex prägen und den Zusammenschluß bewirken sollte: die Losung hieß nicht Verschiedenartigkeit, sondern Geschlossenheit. »In der Geschlossenheit liegt unsere Stoßkraft – in der Leistung liegt unsere Werbekraft« [26] – so lautete die Aufforderung, die an jeden Beitrittswilligen gerichtet wurde. Pechel hat sich eben dieser Aufforderung nur allzu bald gebeugt: gemäß einer Notiz im Nachlaß ist er sogar einmal für kurze Zeit Vorsitzender des Juniklubs gewesen. [27] Somit hat er sich sehr intensiv für die neue Vereinigung eingesetzt.

Die Konsequenzen, die sich hieraus für seine Publizistik ergaben, liegen auf der Hand. Zunächst gibt ein Blick auf die Mitgliederliste Aufschluß über die Anziehungskraft, die der Juniklub auf einflußreiche Leute aus Industrie, Politik und Presse gehabt hat. Als gegen Ende 1920 der Juniklub in das Schutzvereinshaus Motzstraße übersiedelte und dort eine neue geräumige Arbeitsstätte fand, wurde das Klubleben straffer organisiert. Es wurden Mitgliedskarten ausgestellt und die wöchentlichen Informations- und Ausspracheabende zu festen und gut vorbereiteten Einrichtungen organisiert. Nach Mitteilung Pechels nahmen an den wöchentlichen Zusammenkünften, die jeweils mit einem Referat über die politische Lage eingeleitet wurden, gewöhnlich 120 bis 150 Mitglieder und geladene Gäste teil. [28] In den Vorsitz teilten sich Moeller und von Gleichen, denen ein sogenannter »Dreizehner-Ausschuß« zur Seite stand. Als sicher ist anzunehmen, daß Pechel dem »Dreizehner-Ausschuß« als gewähltes Mitglied angehört hat. Dafür spricht zunächst der Hinweis, daß Pechel eine Zeitlang sogar Vorsitzender des Klubs gewesen ist und deshalb bereits an exponierter Stelle stand. Darüber hinaus war in räumlicher Hinsicht ein ständiger Kontakt zum Juniklub gewährleistet: die Redaktion der »Deutschen Rundschau«

[26] Juniklub, Die Dreiunddreißig Sätze, BA, Mappe 144.
[27] Brief Pechel an Graf zu Stolberg, 27. 10. 23, BA, Mappe 144.
[28] Vgl. Schwierskott: Moeller van den Bruck, a. a. O. S. 102, und Pechel: Deutscher Widerstand, Zürich 1947, S. 279.

lag auf dem gleichen Flur wie die Klubräume im Hause Motzstraße 22. [29] Ein denkwürdiger Brief Heinrich von Gleichens an Pechel läßt die Vermutung zu, daß neben Pechel Max Hildebert Boehm und Eduard Stadtler dem »Dreizehner-Ausschuß« angehörten: am 30. Mai 1921 ließ von Gleichen den Klub-Mitgliedern Moeller van den Bruck, Boehm, Evers, Pechel und Stadtler die Nachricht zugehen, daß der Nationalsozialist Adolf Hittler (!) auf Veranlassung Pechels in Berlin zu sprechen wünsche. [30] Über diese Begegnung hat Pechel später ausführlich berichtet, ist sie doch zu einer der wichtigsten Episoden in der Geschichte des Juniklubs geworden. [31]

Eine »breite und zu jeder Ausweitung fähige Basis in sozialer, konfessionaler und weltanschaulicher Hinsicht« [32] ist als ein kennzeichnendes Merkmal des Juniklubs der Jahre 1919 bis 1923 definiert worden. Ehemalige Mitarbeiter bestätigten, daß soziale, konfessionale und auch weltanschauliche Schranken im Klub gefallen seien, so daß sich Männer der verschiedensten gesellschaftlichen Stellung und Gesinnung zu angeregten Gesprächen treffen konnten. Der Bereitschaft zur Diskussion brauchte die oben definierte Zielvorstellung des Juniklubs nicht unbedingt zu widersprechen: angestrebt wurde die Sammlung. Dieser Appell zur Solidarität setzte zunächst die Fühlungnahme mit neuen Interessenten voraus. In seiner praktisch-politischen Konsequenz verband die Klub-Mitglieder jedoch eine einheitliche, wenngleich nicht straff ausgerichtete Ideologie. Das einigende Band war zunächst die außerparlamentarische Plattform, auf die man sich geeinigt hatte: die Doktrin der liberalen Gedankenwelt war im allgemeinen zugunsten eines korporativen Gedankens aufgegeben worden, an die Stelle des freien Spiels der Kräfte war das Problem Führertum und Volksgemeinschaft getreten. Stufenmäßiger ständischer Aufbau und die stärkere Anwendung des Führer-Gefolgschafts-Prinzips, begründet auf geeinter nationaler Solidarität, hießen die Stichworte. [33] Aus diesem Grunde vermittelt die Liste der stimmberechtigten ordentlichen und außerordentlichen Mitglieder des Juniklubs nur einen Einblick in die soziologische Zusammensetzung dieser Vereinigung. Sie verrät nichts über die wahren politischen Absichten, aus denen der Juniklub gegründet wurde. Vor allem bleiben die Finanziers des Juniklubs unerkannt im Hintergrund. [34]

Nach der im Nachlaß Pechels aufgefundenen Mitgliederliste hat der Juniklub über neunzig stimmberechtigte und sechsundvierzig nicht-stimmberechtigte Mitglieder verfügt. Es ist höchst aufschlußreich, welche Namen sich später im Autorenverzeichnis der »Deutschen Rundschau« wiederfinden: damit ist bereits ein gewichtiges Bindeglied zwischen der Zeitschrift und einem einflußreichen Zirkel der Ring-Bewegung dokumentiert. Die

29 Brief von Werner Fiedler an den Verfasser, 30. 11. 69.
30 Brief von Gleichen an Pechel, 30. 5. 1921, BA, Mappe 144.
31 Pechel, Rudolf: Deutscher Widerstand, Erlenbach-Zürich 1947, S. 278 ff.
32 Schwierskott: Moeller van den Bruck, a. a. O. S. 101.
33 Friedländer, Otto: Die ideologische Front, a. a. O. S. 211 f.
34 Vgl. dafür die Schilderung bei Schwierskott: Moeller van den Bruck, a. a. O. S. 115 ff.

Aufstellung beweist, daß Pechel mit Erfolg unter der Anhängerschaft Moeller van den Brucks geworben hat; denn fast alle journalistisch ambitonierten Klub-Mitglieder finden sich an irgendeiner Stelle der Zeitschrift als Autoren wieder. Dazu gehören die Namen Beumelburg, Boehm, Böhmer, Bruns, Dietrich, Eucken, Evers, Fechter, von Gleichen-Rußwurm, Goesch, Herrfahrdt, von Kries, von Loesch, Moeller van den Bruck, Röhr, Roeseler, Schotte, Spahn, Szagunn, Stadtler, Ullmann, Weber, von Willisen und Wirths.[35] Auch Werner Fiedler, der die Redaktion der »Deutschen Rundschau« ab 1920 zusammen mit Pechel geleitet hat, war außerordentliches Mitglied des Juniklubs. Neben Intellektuellen und Journalisten dominierten in der Mitgliedschaft des Juniklubs Angehörige des Militärs, der höheren Beamtenschaft und der Industrie. Demgemäß finden sich die Namen von Oberst a. D. Bode, Polizeioberleutnant Brettner, Oberstleutnant Fleck, Kapitän von Jorck neben denen des Gesandten von Hentig, von Landrat a. D. von Oettingen oder von Staatsminister a. D. von Warmbold, während die Repräsentation der Industrie durch Mitglieder wie Syndikus Tänzler, Direktor Paul Schmidt oder Direktor Erich Lilienthal in Erscheinung tritt. An der Spitze der nicht-stimmberechtigten Mitglieder findet sich der Name Bischoff vom Auswärtigen Amt, mit dem Pechel kurze Zeit später in Kontakt wegen Finanzierung der von ihm geleiteten Zeitschriften-Arbeitsgemeinschaft getreten ist. Die enge Beziehung zwischen Juniklub und offiziellen Regierungsstellen kam ferner in der Mitgliedschaft von Peter Weber, Reichszentrale für Heimatdienst, zum Ausdruck. Jene personellen Querverbindungen illustrieren in deutlicher Weise die Kräfte und Tendenzen, die auf irgendeine Weise die Intentionen des Herausgebers beeinflußt haben. »Ich denke an so manchen Abend im Juniklub zurück«, bekannte Pechel später, »an dem mit heißem Herzen und klarem Kopf um die Musterung der deutschen Probleme gerungen wurde und wo die wirklich lebendigen Geister – unter den Männern, die die geistige Entwicklungslinie mitbestimmten, ist noch jeder in unmittelbare oder nur mittelbare Fühlung zum Juniklub getreten – in gründlicher und anständiger Beweisführung die gegenwärtige Lage und die kommende Entwicklung beleuchteten.«[36]

b) Zur Auflösung des Juniklubs im Jahre 1923

Pechels Austritt aus dem Juniklub zeigt zugleich einiges von jenen »Unzulänglichkeiten, persönlichen Interessen und kleinem Hader«, die er später als Ursache des Auseinanderfallens der mit Schwung und Enthusiasmus gegründeten Vereinigung bezeichnet hat. Er selbst ist in derartige Zwistigkeiten oft genug verwickelt worden: aus einem Briefwechsel zwischen Moeller

[35] Liste der stimmberechtigten ordentlichen Mitglieder und der nicht-stimmberechtigten außerordentlichen Mitglieder des Juniklubs, ohne Datum, BA, Mappe 144. Vgl. auch Anhang.
[36] Rudolf Pechel: Moeller van den Bruck, Zu seinem zehnten Todestag, in: Deutsche Allgemeine Zeitung, a. a. O.

und Hans Grimm [37] geht hervor, welche Konflikte zwischen dem Juniklub und dem ihm angeschlossenen »Politischen Kolleg« (Pechel saß dort neben Friedrich Brunstädt, Albert Dietrich, Paul Fechter, Heinrich Klinkenberg, Ernst Krieck, Karl Bernhard Ritter, Werner Wirths und Kurt Zisché in der »Arbeitsstelle für Kulturpolitik«) [38] geschwelt haben. Es handelte sich dabei um Streitereien zwischen Heinrich von Gleichen und Wilhelm von Kries, welche fast bis zur Auflösung des Klubs geführt haben. Die Differenzen zwischen Gleichen, hinter den sich Moeller stellte, und Kries, der von Pechel unterstützt wurde, schwelten jedoch weiter. Aus einem Brief Moellers an Grimm geht hervor, daß eine neuerliche Krise sogar bis zu einer Duellforderung auf Pistolen gediehen sei, mit der jedoch ein sofort einberufenes Ehrengericht aufgeräumt habe. Am 2. 8. 1923 teilte Grimm von Moeller mit, daß die Opposition – nämlich Kries und Pechel – nun ganz aus dem Klub ausgeschieden sei.

Nach Pechels Meinung fiel zu jenem Zeitpunkt der Klub durch das »Verhalten der Herren Stadtler und von Gleichen« [39] in München auseinander. In einem Brief an Graf zu Stolberg deutete er an, daß danach ein »fester Kern derjenigen zurückbleiben werde, die sich von den Obengenannten trennen« [40] würden. Diese Absicht ist in einem Schreiben Pechels an Oswald Spengler unterstrichen, wo von Gleichen als ein nicht durchaus sympathischer Mensch geschildert und zugleich der Wille bekundet wird, aus dem Juniklub in nächster Zeit auszutreten, sobald eine klärende Unterredung mit Professor Spahn stattgefunden habe. [41] Die Vorgänge in München, wie sie sich aus einem Briefwechsel zwischen Spengler und Pechel rekonstruieren lassen, werfen allerdings ein bezeichnendes Licht auf die Intentionen der Klubmitglieder Gleichen und Stadtler. Hatte man im Juniklub bereits an den Kapp-Putsch hoffnungsvolle Erwartungen geknüpft [42], so offenbaren die von Spengler dargelegten Pläne alle Merkmale einer militant vorgetragenen Desperado-Politik. 1921 existierte auch in München ein Juniklub, dessen Veranstaltungen (fast immer im Union-Hotel, Barerstraße 7) regelmäßig in der Zeitschrift »Das Gewissen« angezeigt wurden. Wichtigster Verbindungsmann war offensichtlich Oswald Spengler. Im Frühling 1923 sei Herr von Gleichen – so berichtet Spengler in einem Brief an Pechel – im Union-Hotel aufgetaucht und habe ihm mitgeteilt, daß binnen achtundvierzig Stunden in München ein Rechtsputsch stattzufinden habe, worauf man in Berlin »nachschlagen« werde. Begründet wurde diese Aufforderung mit Informationen, wonach sich die englische Regierung mit einer aus einem Rechtsputsch hervorgegangenen deutschen Regierung verbünden werde. Zu diesem Zweck waren mehrere Herren ins Hotel beschieden worden, darunter

37 Zitiert bei Schwierskott: Moeller van den Bruck, a. a. O. S. 110.
38 Vgl. Schwierskott, a. a. O. S. 107.
39 Brief Pechel an Otto Graf zu Stolberg, 27. 10. 1923, BA, Mappe 144.
40 Pechel an Stolberg, ebenda.
41 Pechel an Oswald Spengler, 19. 11. 1923, BA, Mappe 144.
42 Schwierskott, Moeller van den Bruck, a. a. O. S. 143.

Forstrat Escherich[43] und Konsul Mezger, denen man bedeutete, daß sie sich sofort zu entscheiden hätten, weil man nur mit »ganzen Kerlen« arbeiten könne. Die Herren hätten sich darauf stillschweigend zurückgezogen. In den letzten Wochen der Regierung Lerchenfeld sei Stadtler jedoch erneut bei Spengler erschienen und habe folgenden Plan entwickelt: Es müsse sofort eine Drei-Männer-Diktatur eingerichtet werden. Stinnes am Rhein, Seeckt in Berlin und Escherich in München.[44] Stadtler schien sich dabei als die Spitze der ganzen Unternehmung zu betrachten. Gleichen empfahl sich selbst als Innenminister und zwar mit der Begründung, daß Deutschland nie einen besseren Innenminister gehabt haben würde. Auch anderen Münchner Herren, sowie Forstrat Escherich, sei dieser Plan mitgeteilt worden, wobei Escherich im Hinblick auf Stadtler die Äußerung getan haben soll: »Wenn ich doch bloß diesen Narren loswerden könnte.«

Die Folge solcher Episoden war, daß der Berliner Juniklub in München als ein »Sammelherd unklarer Phantasten und Putschisten« galt.[45] Pechel hat diese Ereignisse wenig später zum Anlaß genommen, um sich von seiner engen Bindung an die »Gesellschaft der Freunde des Gewissens« und damit an Heinrich von Gleichen sowie von seiner Beziehung zum Berliner Juniklub zu lösen. Dennoch behielt er in der politischen Auseinandersetzung seiner Zeit weiterhin die Hände im Spiel: besonders der »Deutsche Schutzbund« und die ihm angeschlossenen Organisationen dienten ihm als Plattform für seine politischen und publizistischen Aktionen.

3. Der Deutsche Schutzbund um Carl-Christian von Loesch

Neben Montagstisch und Juniklub muß der Deutsche Schutzbund als eine weitere Gruppierung bezeichnet werden, die ihre Spuren in den Heften der »Deutschen Rundschau« hinterließ. Die Entstehungsgeschichte des Schutzbundes[46] ist ähnlich kompliziert und verwickelt wie diejenige der anderen Organisationen. Oft spielen dieselben Personen eine Rolle. Hinzu kommt, daß der Deutsche Schutzbund ebenfalls in der Motzstraße 22 residierte und somit Redaktionsarbeit und Vereinspflege von Rudolf Pechel gewissermaßen

43 Escherich hatte sich im Sammelband »Die Neue Front«, a. a. O. zit., bereits zu den Zielen der Ring-Bewegung bekannt.

44 Stadtler hat in seinen Erinnerungen Stinnes, diesen »genialen Typ«, als kommenden »nationalen Diktator der sozialen Revolution« ersehnt. Vgl. Stadtler, Eduard: Als Antibolschewist 1918/19, Lebenserinnerungen Band III, Düsseldorf 1935, S. 71. Stadtler, Eduard: Die Diktatur der sozialen Revolution, Leipzig 1920.

45 Vgl. den Briefwechsel zwischen Pechel und Spengler, BA, Mappe 144. Nach Auflösung des Juniklubs wurde Pechel Mitglied des Volksdeutschen Klubs, der sich nach Moellers Ausscheiden konstituierte. Mit Heinrich von Gleichen söhnte er sich später aus, blieb indes den Zusammenkünften des neugegründeten Herrenklubs meistens fern. Siehe Brief Gleichen an Pechel, 24. 10. 1929, BA, Mappe 63. Zum TAT-Kreis um Hans Zehrer hatte Pechel keine Beziehung, wie aus einem Brief an Gleichen hervorgeht (19. 11. 1929), BA, Mappe 63.

46 Vgl. dafür Schwierskott: Moeller van den Bruck, a. a. O. S. 93 ff.

unter einem Dach absolviert werden konnten. Bei der Taufe des Schutzbundes tauchen jedenfalls bereits bekannte Namen abermals auf: Generalmajor von Willisen, der zunächst den »Verein Kriegerhilfe – Ost« gegründet hatte, Carl-Christian von Loesch, der als ehemaliger Führer des kurzlebigen »Nationalbundes« den Schutzbund als Geschäftsführer übernahm, Max Hildebert Boehm, der sich als Leiter der Arbeitsstelle für Nationalitätenprobleme am Politischen Kolleg sogleich für die neue Arbeit zu interessieren begann, und schließlich Hermann Ullmann, der dem Verein Deutscher Studenten angehörte und die »Österreichische Mittelstelle« des Schutzbundes übernahm.

Das Protokoll einer Vorstands-Sitzung vom 10. 6. 1921 bezeichnet als die Mitglieder im geschäftsführenden Ausschuß von Willisen, von Loesch und Fleck, sowie als Teilnehmer im Elfer-Beirat die Namen Breckner, Frobenius, Ginschel, Kreutz, Kroll, Seebohm, Schreiber, Spiecker, Tiedje, Ullmann und Wacker. Pechel ist später ebenfalls Mitglied des Vorstandes gewesen, wie aus seiner Austrittserklärung am 20. 3. 1929 hervorgeht.[47] Jedenfalls hat der Herausgeber der »Deutschen Rundschau« einen großen Teil seiner Kraft der Propagierung des Schutzbund-Gedankens gewidmet. Das Auslandsdeutschtum hatte in ihm wohl einen seiner glühendsten Verfechter. Genaugenommen ist die »Deutsche Rundschau« sogar während ihres Erscheinens in den Jahren der Weimarer Republik zum offiziösen Hausorgan des Schutzbundes geworden. Unter dem Pseudonym Sylvanus, das stets unter der Rubrik »Vom Grenz- und Auslandsdeutschtum« wiederkehrt, verbirgt sich nämlich das Vorstandsmitglied des Deutschen Schutzbundes, Carl-Christian von Loesch.[48] Zu den Autoren über Deutschtumsfragen gehörten ausnahmslos die in Berlin oder an den übrigen Zweigstellen ansässigen Vertreter des Deutschen Schutzbundes. Daher ist es notwendig, Programm und Ziel des Deutschen Schutzbundes im Abriß vorzustellen.

a) Die nationalpolitischen Forderungen des Deutschen Schutzbundes

Die innere Entwicklung des Deutschen Schutzbundes war lange Zeit durch eine schwelende Auseinandersetzung mit dem »Verein für das Deutschtum im Ausland« gekennzeichnet.[49] Dieser verfolgte seit seiner Gründung im Jahre 1881, die noch unter dem Namen »Allgemeiner deutscher Schulverein zur Erhaltung des Deutschtums im Ausland« erfolgte, den Zweck kultureller Betreuung aller Deutschen in den Gebieten des Auslands. Man wollte »durch Wort und Schrift im Deutschen Reiche die Erkenntnis der Bedeutung des Auslandsdeutschtums für unser ganzes Volk« wecken und

47 Brief Pechel an den Deutschen Schutzbund, 20. 3. 1929, BA, Mappe 123.
48 Dies geht aus einem Brief Pechels an Müldner, Oktober 1924, hervor, BA, Mappe 69.
49 Wir folgen hier im wesentlichen einer streng vertraulichen Denkschrift, die das Verhältnis zwischen Schutzbund und VDA dargestellt hat (Juli 1927, BA, Mappe 121).

vertiefen. Diese Aufgabe schloß politische Ziele von vornherein aus. Das großdeutsche Bekenntnis, das in dieser Aufgabenstellung zum Ausdruck kam, konnte sich nach 1918 auf die Billigung der Mehrheit der Reichsbewohner stützen. Bei diesen blieb die Idee der Nation, die Idee der Selbstbestimmung der Völker eine legitime Idee, eine geschichtliche Kraft. Sie drückte sich in nachdrücklichen Bekenntnissen zur Verbundenheit der deutschen Stämme aus. »Großdeutsch – das bedeutete noch nicht Machtexpansion, das war eine überparteiliche Sache, der man in Deutschland wie in Österreich von den Sozialisten über das Zentrum bis zu Christlich-Sozialen und Deutsch-Nationalen anhing.«[50] Diese großdeutsche Orientierung drückte sich praktisch in einer Weise aus, daß man sich mit Sitte und Brauchtum der volksdeutschen Gruppen beschäftigte und an der Erhaltung deutscher Kultur im Ausland mitzuarbeiten bemüht war. War die Arbeit des »Vereins für das Deutschtum im Ausland« und seiner 65 000 Mitglieder betont kulturell ausgerichtet, so erhielt die Gründung des Deutschen Schutzbundes von Anfang an einen eindeutig politischen Akzent. Ausdrücklich wird darauf verwiesen, daß der Herbst des Jahres 1918 mit der drohenden Gefahr der Absplitterung von Grenzgebieten eine neue Aufgabenstellung erzwungen habe. Nunmehr handelte es sich nicht mehr um Betreuung, sondern um Selbsthilfe. »Eine neue Ideologie war zu schaffen, neue Tatsachenkomplexe zu ermitteln.« Jene Ideologie ist 1919 im wesentlichen von Max Hildebert Boehm entwickelt worden: er war sowohl Gründungsmitglied des Deutschen Schutzbundes als auch des Juniklubs und ist in der Folgezeit ein unübersehbares Verbindungsglied zwischen beiden Gruppen geworden.[51] Die Zielvorstellung des Deutschen Schutzbundes war demnach bei der Gründung zweifacher Art: einmal sollte eine weitreichende Vereinigung zustande gebracht werden, unter Einschluß aller kleineren Orts- und Heimatvereine im Reich und außerhalb, zum anderen sollte eine neuartige ideologische Begründung für die volksdeutsche Arbeit geliefert werden. Diesem Ansinnen schloß sich der »Verein für das Deutschtum im Ausland (VDA)« damals bereitwillig an. Für beide Organisationen galt eine gemeinsame »Gesinnungsgrundlage«. »Beide Körperschaften fußen auf dem deutschen Idealismus. Aus dem Bewußtsein eines gemeinsamen, über die Grenzen hinausgehenden Volkstums gehen beide an die Arbeit, treten für den Anschluß Deutsch-Österreichs ein, wünschen eine Vereinigung der deutschen Grenzgebiete mit dem Reiche und eine angemessene Lage für das Auslandsdeutschtum.«

In die betont nationale Haltung der neugegründeten Organisation strömte freilich von Beginn an eine gefährliche Expansionsstimmung ein, die auf Machtstreben und Wiedergewinnung des Verlorenen aus war. Vor allem die Leitsätze des Deutschen Schutzbundes spiegeln deutlich eine natio-

50 Vgl. Nipperdey, Thomas: Die deutsche Studentenschaft in den ersten Jahren der Weimarer Republik, in: Kulturverwaltung der Zwanziger Jahre, 1962, S. 37 f.
51 Vgl. zur Theorie von Max Hildebert Boehm die gedankenreiche Fallstudie bei Heide Gerstenberger: Der revolutionäre Konservatismus, a. a. O. S. 65 ff.

nalistische, militante Anti-Versailles-Stimmung wider. Deutlich spürt man die geistige Verwandtschaft zwischen Schutzbund und der jungkonservativen Bewegung um Moeller van den Bruck. »Der Staat ist eine Form. Sie ist für uns wohl von entscheidendem Werte; sie ist jedoch Zweckform, aber nach unserer Auffassung nicht Selbstzweck. Der deutsche Staat sollte die Form der Selbstregierung sein, die das deutsche Volk seinem Bedürfnisse nach sucht, findet und erreicht.« [52] Das verletzte Nationalgefühl der Besiegten kommt dort zum Ausdruck, wo davon gesprochen wird, daß das »eigene Ziel erst erreicht sein wird, wenn das deutsche Volk in allen seinen Gliedern... so gefestigt ist, daß Abbröckelungsgefahr nicht mehr besteht«. Der Schutzbund wollte seinen Kampf auf geistigem Gebiet ausfechten. Er sah eine doppelte Front: nach außen gegen fremde Völker, »ihre Propagandalügen und ihre entdeutschenden Staatswesen«, nach innen gegen Gleichgültigkeit, Unverständnis und Trägheit im Fühlen und Handeln. Die Rechtfertigung für seine Arbeit sah er in der Vertiefung des nationalen Gedankens, wie er im Grenz- und Auslandsdeutschtum sichtbar sei. Das betonte Nationalgefühl der Deutschen im Ausland und an der Grenze erschien als Legitimation, um das Nationalgefühl und Einheitsbewußtsein im Binnendeutschland zu beschwören. »Noch herrscht Zersetzung, wohin man blickt«, hieß die anklagende Formel für diesen Zustand, den man nur durch ein neues deutsches Gemeinschaftsgefühl beheben zu können glaubte. »An der Gesundung des nationalen Instinktes und Gedankens zu arbeiten, ihn zu reinigen, verschüttetes Gedankengut und Gefühlsgut wieder ans Tageslicht zu bringen... das ist das große Ziel, an dem gerade das Grenz- und Auslandsdeutschtum mitzuarbeiten berufen ist.«

Der Grundgedanke des Deutschen Schutzbundes war die »innerliche Einheit des ganzen über die Welt zerstreuten Deutschtums«. [53] Deshalb verwies er bei seiner Arbeit stets auf das Recht zur Selbstbestimmung und vertrat überall die Forderungen des Minderheitenrechtes und des Minderheitenschutzes. Seine praktische Hilfsarbeit bestand zum Beispiel darin, bei Volksabstimmungen aufzuklären und zu Spendensammlungen für bedrohte Grenzgebiete aufzurufen. Daß damit von Beginn an eine starke publizistische Aktionsmöglichkeit verbunden war, versteht sich von selbst. Aus einem Arbeitsplan des Deutschen Schutzbundes geht hervor, wie man sich diese Aufklärungsarbeit vorstellte. »Es liegt in der Natur der freien Deutschtumsarbeit, daß sie bei einem einmal aufgestellten Arbeitsschema nicht beharren, sondern sich der jeweiligen politischen Lage anpassen und neu auftauchende Fragen erfassen und ergreifen muß.« [54] Danach waren besonders die »Abhaltung von Tagungen aller Art« und eine »einschlägige Pressearbeit und Publizistik« notwendig. Zu den publizistischen Aufgaben gehörten u. a. die Darstellung »aller Tatsachen und Probleme des Grenz-

52 Zitiert nach einer Denkschrift über Schutzbundarbeit, BA, Mappe 121.
53 Boehm, Max Hildebert: Der Große Brockhaus, Stichwort Schutzbund, 15. völlig neubearbeitete Auflage, Band 14, Leipzig 1933, S. 395.
54 Arbeitsplan des Deutschen Schutzbundes, BA, Mappe 121.

und Auslandsdeutschtums unter Einschluß des Verhältnisses von Volk und Staat«, die »methodische Untersuchung der Ursachen des völkischen Zusammenbruchs in den vom Reiche und Österreich abgetrennten Gebieten, unter besonderer Berücksichtigung von Posen und Westpreußen« sowie die »Stellungnahme zu den europäischen Staatenbundproblemen, ausgehend von der Lage und den Interessen der deutschen Minderheiten und unter Berücksichtigung der gesamten Minderheitenpolitik«. Aus dergleichen vertraulichen Propagandaanweisungen wird deutlich, daß sich der Herausgeber der »Deutschen Rundschau« spezifischen politischen Einflüssen zu beugen begann. Wie es zur Aufgabe des Schutzbundes gehörte, das Gemeinschaftsgefühl aller Deutschen ohne Rücksicht auf die Staatsgrenzen zu pflegen, so hat auch Pechel oft genug in dieser Frage zur Überwindung aller parteipolitischen, religiösen und sonstigen Klassengegensätze aufgerufen. Er ist dabei nur allzuleicht in die überhitzte Atmosphäre des Volkstumskampfes in Ost- und Südosteuropa geraten. Wenn er später in nimmermüdem Eifer vor der »Vergiftung der Volksseele durch die Nationalisten« [55] gewarnt hat, dann hat darin vielleicht die Selbsterkenntnis mitgeschwungen, daß er selbst an der Züchtung jenes gefährlichen Nationalismus bis 1933 maßgeblich beteiligt war.

b) Angeschlossene Vereine und Verbände

Zum Schluß sei ein Blick auf die dem Deutschen Schutzbund angeschlossenen Vereine und Verbände geworfen. Die Zusammenarbeit mit der zweifellos größten Organisation des damaligen Auslandsdeutschtums, dem Verein für das Deutschtum im Ausland, wurde am 23. Dezember 1927 nach heftigen internen Streitigkeiten eingestellt. [56] Anlaß für den Bruch war neben persönlichen Meinungsverschiedenheiten vor allem das Unvermögen, eine exakte Arbeitsteilung zwischen beiden Organisationen zu garantieren: der VDA sollte sich ausschließlich an kulturellen Aufgaben orientieren, während der Schutzbund sich volksdeutsch-politischen Zielen zuzuwenden hatte. Zweifellos hat der Streit zwischen beiden Vereinigungen der mit Enthusiasmus betriebenen Sache schwer geschadet – aus den Korrespondenzen und Dokumenten jener Zeit schwingt das Bedauern nach, daß man sich nicht auf ein einheitliches Ziel hatte einigen können.

Gemäß der Darstellung im »Politischen Handwörterbuch« [57] hat der Deutsche Schutzbund zeitweise siebzig völkische Verbände unter seiner Organisation vereinigt. Er konkurrierte mit dem Alldeutschen Verband und dem Deutschen Ostmarkenverein, also Organisationen, die sich für ähnliche

55 Davon zeugen besonders Pechels zweiwöchentliche Ansprachen im Südd. Rundfunk von 1953–1956, vgl. das Manuskript: Die sog. Nationale Sammlung, 16. 8. 1953, 20.05 Uhr.
56 Vgl. dafür die vertrauliche Denkschrift über Schutzbund u. VDA, a. a. O. zit.
57 Stichwort Auslandsdeutschtum: Pol. Handwörterbuch, Hrsg. Jagow/Herre, Leipzig 1923, Band I, S. 121.

betont völkische Ziele eingesetzt haben.[58] Die Anwesenheitsliste einer Sitzung des Schutzbundes vom 23. Februar 1926 gibt einen Eindruck von der Art derjenigen Gruppen, die im Schutzbund organisiert waren und sich somit dessen politischer Maxime einzuordnen hatten. Dort finden sich die Namen: Vereinigung Deutsch-Evangelisch im Ausland, Memellandbund, Rheinischer Verein für ländliche Wohlfahrt, Arbeitsgemeinschaft für Volksgesundung, Centralausschuß für Innere Mission, Ostdeutscher Heimatdienst Allenstein, Katholischer Deutscher Frauenbund, Verein volkstümlicher Schriften, Deutscher Sängerbund, Deutscher Ostbund, Gesellschaft zur Förderung der inneren Kolonisation und andere mehr. Sie alle repräsentierten jene Unzahl von Vereinigungen, deren Apppelle an »Deutschtum«, »Volkstum« oder »Völkisch« in zunehmendem Maße das popuäre Nationalbewußtsein der Weimarer Zeit reflektierten.

4. *Rudolf Pechel und die Publizistik der Ring-Bewegung*

Es ist an der Zeit zu fragen, welche Position Pechel innerhalb der Ring-Bewegung eingenommen hat, welchen Einschätzungen er unterlag und wie er selbst seine publizistischen Aufgaben definierte. Auf welche Weise war er mit dem Juniklub und dem Schutzbund verbunden, wie stark war die Abhängigkeit von so einflußreichen Vereinigungen, und wieweit war er selbst bereit, sie publizistisch zu unterstützen? Die Suche nach einer Antwort führt zunächst zu einem Begriff, der durch Moeller van den Bruck in die konservativ-revolutionäre Theorie eingeführt und von Pechel später auf praktische Weise realisiert wurde. Dabei geht es um das Prinzip der »Propaganda«, das zu einem wichtigen Bestandteil aller jung-konservativen Politisierungsversuche geworden ist.

a) Die Theorie der Propaganda

»Schon Friedrich der Große machte die Erfahrung, daß die ›Gazetten‹ wenig günstig für seine Sache waren, Napoleon bediente sich der Presse namentlich im Kampf gegen England auf die ausgiebigste Weise. Und wenn wir uns unserer Geschichte erinnern wollen, dann ist die rastlos betreibende Tätigkeit, die Ernst Moritz Arndt und der Freiherr vom Stein am russischen Hofe ausübten, eine durchaus propagandamäßig gerichtete gewesen.«[59] Mit derartigen Thesen beginnt ein Aufsatz, den Moeller van den Bruck für das »Politische Handwörterbuch« geschrieben hat, das man nach wie vor als Fundstelle für konservatives Gedankengut in der Weimarer Republik bezeichnen kann. Die Ursprünge des Artikels sind zu einem guten Teil in Moellers eigenen Erfahrungen zu suchen: immerhin resultierten die

[58] Vgl. Broszat, Martin: Die völkische Ideologie, a. a. O. S. 60 ff.
[59] Moeller van den Bruck: Propaganda, in: Politisches Handwörterbuch, herausgegeben von Jagow/Herre, Leipzig 1923, Band II, S. 386.

Anfänge der jung-konservativen Politik in der Kriegspropaganda, also in jenen zögernden Versuchen der Berliner Reichsregierung, dem propagandistischen Angriff der Alliierten eine publizistische Zentralstelle entgegenzusetzen.[60]

In die genannte Zentralstelle, die zunächst »Militärische Stelle des Auswärtigen Amtes (MAA)« hieß, wurde Moeller im Herbst 1916 berufen. Er arbeitete dort zusammen mit Waldemar Bonsels, Herbert Eulenberg, Hans Grimm, Friedrich Gundolf, Börries von Münchhausen und anderen. Obwohl Moellers Tätigkeit im Dienste der Kriegspropaganda nur von kurzer Dauer war, scheint die Tatsache seiner Tätigkeit doch von nicht zu unterschätzender Bedeutung zu sein. Schwierskott folgert mit Recht, daß sie Moellers »agitatorischen Stil« und die Publizistik des Juniklubs entscheidend beeinflußt hat.[61] Neben Moeller stand Heinrich von Gleichen während des Krieges in enger Beziehung zur deutschen Kriegspropaganda: der von ihm geleitete »Bund deutscher Gelehrten und Künstler«, welcher rund tausend Persönlichkeiten des geistigen und politischen Lebens für die psychologische Kriegsführung heranzog, arbeitete nach Anregungen der späteren Berliner Zentralstelle. Außerdem war Max Hildebert Boehm im Auftrag der »Auslandsabteilung der Obersten Heeresleitung (OHLA)« 1918 in der Schweiz gewesen, um dort vor allem die lettische Propaganda zu beobachten und entsprechende Gegenmaßnahmen vorzubereiten.[62]

Drei profilierte Männer des Juniklubs haben demnach während des Weltkrieges im Dienst der deutschen Propaganda gearbeitet. Wer die agitatorische Ansprache der Ring-Publizistik verstehen und interpretieren will, wird stets auf diese Tatsache zurückgreifen müssen; denn die Konservative Revolution ist als publizistische Erscheinung ein Produkt jener »Ideen von 1914« oder des Kriegserlebnisses gewesen. Moeller läßt daran keinen Zweifel: »Als der Weltkrieg ausbrach, war Deutschland in der Lage eines Volkes, das seine Sache für so gut hielt, daß es deren Austragung ruhig den Waffen überlassen zu können glaubte ... erst durch die Notwehr wurden wir von der Notwendigkeit überzeugt, für unsere Sache auch zu sprechen.«[63]

Moeller kommt zu dem Ergebnis, daß die Presse während der Kriegszeit ohne »Psychologie« gearbeitet habe – und deswegen nichts habe erreichen können. Das Verdienst, eine psychologisch redigierte Presse ausgebildet zu haben, bleibe allein den Gegnern vorbehalten, insbesondere Großbritannien und dessen Zeitungsimperium Northcliffe. Besonders in dessen praktischer Systematik habe die Erfolgskraft der Presse gelegen: »Aufgabe der Presse sei, so heißt es, eine Sache so darzustellen, daß andere durch

60 Vgl. für das Folgende: Schwierskott: Moeller van den Bruck, a. a. O. S. 72 ff.
61 Schwierskott: Moeller van den Bruck, a. a. O. S. 77.
62 Leider ließ sich nicht ermitteln, ob auch Pechel im »Bund deutscher Künstler« Propagandadienste getan hat. Die Vermutung spricht fast dafür: er ist vorzeitig aus dem Krieg entlassen worden, besaß in Berlin damals schon zahlreiche Kontakte und war Mitglied in der »Gesellschaft 1914«, die ähnliche Ziele verfolgte. Vgl. Klemperer: Konservative Bewegungen, a. a. O. S. 57 f.
63 Moeller van den Bruck: Propaganda, a. a. O. ebenda.

diese Darstellung in ihrem Urteile beeinflußt werden.« Bedeutsam klingen Moellers Auseinandersetzungen mit dem Dogma liberaler Publizistik: der Wahrhaftigkeit und Unbestechlichkeit der Presse. Deutlich ist zu beobachten, wie ein bisher gültiges oder zumindest angestrebtes Prinzip im Sinne einer höheren Sache umgebogen wird. »Man kann ein Pünktchen Wahrheit dehnen und breittreten und auswachsen machen, bis der andere außer ihm nichts mehr sieht. Diese Kunst, die mit Wahrhaftigkeit nicht das geringste zu tun hat und doch wiederum der Wahrheit nicht ganz widerspricht, ist von den Northcliffe-Leuten mit dem bekannten Erfolg geübt worden ... Propaganda ist eine Kunst der Darstellung. Sie ist die Kunst, irgendwelche Gegebenheiten in zweckhafter Weise zu beleuchten, sie zu vergrößern, sie zurechtzurücken, sie in wünschbaren Formen sehen zu lassen. Und wenn man ein Volk vor sich hat, das alles glaubt, dann kann man ihm auch alles erzählen.« [64]

In solchen Manifestationen liegt der Schlüssel zum Verständnis von Pechels Publizistik. Der vermeintliche Betrug, der mit dem Ausgang des Weltkrieges und dem Frieden von Versailles verbunden war, hatte ihm unerschöpfliches Material gegeben, um für seine Sache und die seiner Mitstreiter Propaganda zu machen. Sein Anliegen war das eines angeblich »betrogenen Volkes«. Im Prinzip folgte er den Anweisungen, die Moeller in jenem Artikel gegeben hatte. »Wir brauchen nur aufzuzählen: die Schuldfrage, die immer an erster Stelle stehen muß, weil sie das Gebäude des Friedensvertrages stützt, die Kriegsgreuel, die vierzehn Punkte, die Gerechtigkeit, die man uns versprach, und die Mißhandlung, die wir davontrugen. Die gesamte Propaganda unserer Gegner im Weltkriege fällt nunmehr auf sie selber zurück. Man hat uns alle Mittel der politischen Verteidigung genommen. Aber den geistigen Gegenangriff konnte man uns nicht verwehren. Werden wir ihn führen können?« [65]

Eben dieser Aufforderung Moellers ist Pechel in gründlicher Weise nachgekommen. Für ihn galt die Maxime, daß man alle Parteipolitik in Zeiten der Not zurückzustellen und allein das Primat der Außenpolitik zu akzeptieren habe. Er appellierte deshalb ständig an die Nation, sich zur Wehr zu setzen und gegen das ihr zugedachte Schicksal anzukämpfen. Zugleich verband sich damit die Forderung nach einer »festliegenden Politik«, von der jede Propaganda ihre Linienführung zu empfangen habe. Vor solchem Hintergrund sind seine Bestrebungen zur Koordinierung des gesamten Zeitschriftenwesens und seine Kontaktaufnahme mit der Berliner Reichsregierung zu verstehen. Daß Propaganda allein für »die Lebensnotwendigkeiten einer Nation zu zeugen habe«[66] – diese Maxime Moellers ist aus fast jedem Heft der »Deutschen Rundschau« offenkundig. Darüber hinaus bemühte er sich, den Gedanken der Propaganda in seiner Zeitschrift zu popularisieren. Bereits im Anschluß an Moellers Aufsatz findet sich der

64 Moeller van den Bruck: Propaganda, a. a. O. ebenda.
65 Moeller van den Bruck, Propaganda, a. a. O. ebenda.
66 Moeller van den Bruck, a. a. O. ebenda.

Hinweis auf eine Besprechung in der »Deutschen Rundschau«, in der Carl-Christian von Loesch die Arbeit Edgar Stern-Rubarths über »Propaganda als politisches Instrument« einer wohlwollenden Würdigung unterzieht. Er nennt das Buch »eine gute Einführung für alle diejenigen, die erst heute erkennen, daß Propaganda die einzige Waffe ist, die dem deutschen Volke heute noch geblieben ist, das einzige Werkzeug, mit dem wir das Netz von Verleumdungen zerreißen können, das um Deutschland gelegt ist.«[67] Einem geknechteten Volke würden geistige Kampfmethoden inzwischen geradezu aufgedrängt. In der Besprechung Loeschs findet sich bereits ein Hinweis, der in der Publizistik Pechels später immer stärker dominiert: die Forderung nach Übereinstimmung mit den politischen Zielen der Reichsleitung, die nichts anderes beinhaltete, als die Unterwerfung der offiziellen Politik unter die Maximen der Propagandisten um Moeller van den Bruck. Denn deren Forderungen waren klar abgesteckt. »Eine passive Tagespolitik, die sich in auswärtigen Fragen damit begnügt, die ständig größeren Forderungen der Entente, vor allem des ländergierigen Frankreich und seiner beiden Bundesgenossen, Polen und Tschechen, abzuwehren, kann auf die Dauer nicht genügen. Unsere Reichsleitung muß große Ziele aufstellen, Ziele, die sowohl eine idealistische als auch eine praktische Formulierung haben. Durch das feinste Propagandainstrument wird der fähigste Propagandaleiter kein befriedigendes Ergebnis erzielen, wenn man ihm nicht das Ziel setzt, das erreicht werden soll. Der Gedanke muß da sein. Letzten Endes wird die Welt doch von Gedanken regiert.«[68] In diesem Sinne hat Pechel seine Zeitschrift und die von ihm gesteuerte Arbeitsgemeinschaft für die eigenen Ziele massiv eingesetzt. Der Rückgriff auf diese propagandistischen Richtlinien ist deshalb unerläßlich, will man die politische Publizistik der »Deutschen Rundschau« und ihres Herausgebers begreifen.

b) Die Intensivierung des Ring-Gedankens

Der Juniklub wurde bereits als eine Keimzelle skizziert, in der nicht nur Pechel entscheidende Impulse für den Versuch einer politischen Renaissance erfahren hat. Weit wichtiger war jedoch jener Versuch, der den Rahmen dieser kleinen Gruppierung mit publizistischen Mitteln zu sprengen und das Gedankengut der Jung-Konservativen einem breiteren Publikum zu vermitteln suchte. Als erstes Dokument einer solchen Fronterweiterung erschien im Jahre 1922 der Sammelband »Die Neue Front«, der von Moeller van den Bruck, Heinrich von Gleichen und Max Hildebert Boehm herausgegeben worden war. Das Autorenverzeichnis wies Namen auf, die zuvor nur in

67 Loesch, Carl-Christian: Die Propaganda als politisches Instrument, in: Deutsche Rundschau 1922, Band 191, Teil II, S. 325 ff. Vgl. das Stichwort »Kulturpropaganda« im Pol. Handwörterbuch, Band II, das sich auf die kulturelle Publizistik der Ring-Bewegung ebenfalls übertragen läßt (Verfasser ist Paul Rühlmann).

68 Loesch: Die Propaganda als politisches Instrument, a. a. O. ebenda.

loser Beziehung zur Ring-Bewegung gestanden hatten, wie etwa Frank Glatzel als Repräsentant der Jugendbewegung, Walther Lambach, August Winnig und andere. Dem Urteil Schwierskotts ist zuzustimmen, wonach man im ganzen Band vergeblich nach »echten realistischen Konzeptionen und Programmen fahndet«.[69] Höhepunkt der enthusiastischen Beteuerungen und idealistischen Formeln ist zweifellos die emotionale, ohne konkrete Reformvorschläge angereicherte Studie Rudolf Pechels mit dem Titel »Das Wort geht um«.[70] Über deren Inhaltsarmut haben sich später zahlreiche Analytiker der »Konservativen Revolution« zu Recht gewundert: »Den Tenor des Bandes bestimmte Rudolf Pechels kurze Ermahnung ›Das Wort geht um‹. Obwohl er sich mit scharfen Worten gegen die ›erbärmliche Schlagwortmache der Zeit‹ wandte, war Pechels eigener Aufsatz ein Sammelsurium mythisch-religiöser Schlagwörter, die sich an das Gefühl, nicht an den Verstand wandten. ... Dies war die eigentliche Botschaft des Juniklubs, und es überrascht, zu sehen, daß ein derart unbesonnener Idealismus, eine solche Wirklichkeitsferne den sehr erfolgreichen Herausgeber einer höchst achtbaren bürgerlichen Zeitschrift für sich gewinnen konnte.«[71] Tatsächlich läßt sich dem Aufsatz keine Zeile entnehmen, die sich rational begründen ließe. »Die Pflicht zum Volkstum wurde religiöse Forderung. Den Weg zu dieser Religion, der schon selbst Religion ist, können nur die einzelnen gehen.« Jeder Deutsche habe eine Pflicht zu Sendung: »Der Westen schweigt in geistiger Lähmung ... Satan herrscht unter der Maske Gottes.« Verdächtigungen, kaum haltbar, werden ausgeprochen: »Grauenvolle Erkenntnis ward uns zuteil: die Herrschaft der Welt liegt in den Händen der schwarzen Magie.« Welche Lösung wird angeboten? »Wir wollen uns selbst und durch uns die Ewigkeit. Wir wollen unser Leben – und wenn es anders ein sollte, unseren Tod.« Abgesehen von seiner inhaltlichen Armut ist der Sammelband »Die Neue Front« ein aufschlußreiches Dokument dafür, welche zum Teil bekannten Publizisten sich bereits für den Gedanken der Ring-Bewegung entschieden hatten und bereit waren, für ihn in ihren Publikationen einzutreten. Darüber hinaus gleicht es fast einem Inhaltsverzeichnis der »Deutschen Rundschau«, betrachtet man sich die Autorenliste etwas genauer: Martin Spahn sollte beispielsweise bald zum Kolumnisten von Pechels Zeitschrift werden, der unter dem Pseudonym »Pertinacior« Innen- und Außenpolitik beleuchtete.[72] Moeller van den Bruck hatte in der Zeitschrift bereits mitten im Kriege seinen Aufsatz »Vom Recht der jungen Völker« publiziert. Wenig später ist er mit einer Auseinandersetzung über das Werk Oswald Spenglers zu finden. Max Hildebert Boehm gehörte ebenso wie Hans Roeseler und Willy Schlüter zum Autorenstamm der Zeit-

[69] Schwierskott, Moeller van den Bruck, a. a. O. S. 111.
[70] Pechel, Rudolf: Das Wort geht um, in: Die Neue Front, a. a. O. S. 72 ff.
[71] Stern, Fritz: Kulturpessimismus, a. a. O. S. 283 ff. Vgl. auch Bußmann, Walter: Politische Ideologien, a. a. O. S. 71.
[72] Siehe Brief Rudolf Pechels an Wilmont Haacke, 13. 11. 1935, BA, Mappe 69.

schrift, gleichfalls Werner Wirths, Ernst Krieck und Wilhelm von Kries, der später die Berichterstattung aus England für die »Deutsche Rundschau« übernahm. Hinzu kamen Heinz Brauweiler, der in der Zeitschrift von 1921 bis 1924 gewichtige Aufsätze zur Wirtschafts- und Rechtsverfassung publizierte, Carl-Christian von Loesch als ständiger Autor für Grenz- und Auslandsdeutschtum sowie Heinrich von Gleichen, der für die »Rundschau«-Leser das Politische Kolleg und die Arbeit des Juniklubs bekannt machte. Zählt man Hans Grimm, Heinrich Goesch und Eduardt Stadtler noch hinzu, so hat man fast alle prominenten Repräsentanten der Ring-Bewegung zugleich als Autoren von Pechels Zeitschrift vorgestellt. Folgerichtig wird auf dem rückwärtigen Deckblatt des Sammelbandes die »Deutsche Rundschau« neben dem »Gewissen« als eine Publikation gelobt, die »mit klarer Zielsetzung ihren Weg zur Vertiefung, Klärung und Stärkung unseres Volkstums durch äußerste Zusammenfassung aller wahrhaft schöpferischen Kräfte« verfolge. Wenn Pechels Losung »Geselle Dich zur kleinsten Schar« zur eigentlichen Leitidee des Juniklubs geworden ist[73], dann spiegelte seine Zeitschrift erst recht den auf Erneuerung gerichteten Gedanken der Ring-Bewegung wider. Pechel hat indes nicht nur durch die Auswahl der Autoren, sondern erst recht durch konkrete Hinweise die Intensivierung des Ring-Gedankens gefördert. Beispielsweise findet sich neben der bereits erwähnten Besprechung von Heinrich von Gleichen über das Politische Kolleg eine ausführliche und wohlwollende Rezension des Sammelbandes »Die Neue Front« in den Spalten der »Deutschen Rundschau«. Der Rezensent Franz Fromme betont dabei die Gemeinsamkeit, die in allen Beiträgen zum Ausdruck komme. Es sei nicht zu verkennen, daß »Die Neue Front« bei aller Eigenart der einzelnen Streiter doch von »einem Geist« beseelt sei. Fast alle lehnten sie den Rationalismus, Intellektualismus und Marxismus ab und stellten die »Seele über den Verstand«. Präzis würden alle Mitarbeiter die Fehler der Vergangenheit, die Überschätzung militärischer, wirtschaftlicher und bürokratischer Macht und die Unterschätzung des »Politischen, Geistigen und Seelischen« erkennen. Allesamt kamen zu der Feststellung, daß »überlegene Führerpersönlichkeiten auf politischem Gebiet uns gefehlt haben und noch fehlen, daß unsere Einstellung auf das Ausland von unserer gegenwärtigen Regierung noch ebenso ungeschickt geregelt wird wie von den früheren«. Die Rezension endet schließlich mit der beziehungsreichen Frage: »Tragen die Waffen dieser kleinen geistvollen Schar weit genug, daß ihre wundervoll gegossenen Wahrheiten da einschlagen und treffen, wo es nötig ist?«[74]

Das Bekenntnis zum Ring-Gedanken findet sich ferner in versteckter Form in jenen »Ansprachen an die Leser«, die nicht selten in der »Deutschen Rundschau« erscheinen. Da ist zum Beispiel die Rede davon, daß man die »großen, wesentlichen Linien« zu zeigen sich bemühe, die aus dem »Kleinlichen und Häßlichen des Parteihaders und der Tagesaufregungen heraus-

73 Entsprechend die Meinung von Bußmann: Politische Ideologien, a. a. O. ebenda.
74 »Die Neue Front«, in: Deutsche Rundschau, 1922, Bd. 191, Teil II, S. 319 f.

führen«.[75] An gleicher Stelle wird vom Herausgeber auf jene Kreise verwiesen, die nunmehr stärker in der Zeitschrift zu Worte kommen würden: »... die innerlich jung auf eine neue nationale Gemeinschaft hinarbeiten und Träger unserer Zukunft sind.«[76] Stärker denn je allem »Parteitreiben abgewandt, wird die ›Deutsche Rundschau‹ unermüdlich auf alle ernsten Bestrebungen hinweisen, die von innen heraus durch Stärkung der geistigen und seelischen Kräfte unseres Volkes in sachlicher Arbeit zur Erneuerung führen können«[77]. Dies nachdrückliche Bekenntnis zum Gedanken der Ring-Bewegung findet sich bereits im letzten Quartalsband des Jahres 1920, d. h. kaum ein Jahr später, nachdem Juniklub und Deutscher Schutzbund in Berlin gegründet worden waren!

Zahlreicher noch als diese Hinweise kehren freilich die Würdigungen der Arbeit des Deutschen Schutzbundes wieder. Pechel, der an dessen volksdeutscher Arbeit stets aktiv teilgenommen hat, ließ keine Gelegenheit entgehen, um auf die Notwendigkeiten grenz- und auslandsdeutscher Unterstützung zu verweisen. »Auf diesen Blättern – die ›Deutsche Rundschau‹ ist stolz darauf – braucht von den Einzelheiten des deutschen Kampfes nicht gesprochen zu werden. Davon wissen die Leser durch die regelmäßigen Aufsätze von Sylvanus alles Wesentliche.«[78] In der Folge wird der Leser auf geradezu ermüdende Weise von den Einzelheiten dieses »deutschen Kampfes« unterrichtet. Er nimmt an Tagungen des Schutzbundes in Flensburg oder Hamburg teil, verfolgt die oft langatmigen Schilderungen Pechels über alle verbandsinternen Anstrengungen, die vom Schutzbund oder dem »Verein für das Deutschtum im Ausland« in den letzten Wochen unternommen wurden, und wird darüber hinaus noch auf ähnlich gerichtete Publikationen und Aufsätze verwiesen. In ihrer verwickelten Problematik, die dem späteren Betrachter kaum verständlich ist, in ihren pathetischen, fast haßerfüllten Appellen, welche alle Regungen damaliger nationaler Emotionen widerspiegeln, erweisen sich diese Aufsätze als deutliche Beweise für das publizistische Engagement, mit dem der Herausgeber der »Deutschen Rundschau« die Sache des Grenz- und Auslandsdeutschtums verfochten hat. Er selber hat daran nie einen Zweifel gelassen. »Sie wissen ja, wie nahe ich den ganzen Schutzbundkreisen stehe, und wie ich es versucht habe, als ich die ›Deutsche Rundschau‹ übernahm, sie in den Dienst volksdeutscher Politik zu stellen. Arbeiten Sie mit an der ›Deutschen Rundschau‹«[79], schreibt er einmal an einen Autor, den er für seine Zeitschrift gewinnen will. An anderer Stelle sagt er: »Seien Sie bitte versichert, daß ich es für eine Pflicht der ›Deutschen Rundschau‹, die ja einen wesentlichen Teil ihrer Arbeit dem grenz- und auslandsdeutschen Gedanken widmet und sich be-

75 An unsere Leser, Deutsche Rundschau, 1920, Bd. 184, Teil 4, Seite 1.
76 An unsere Leser, Deutsche Rundschau, 1920, Bd. 184, Teil 4.
77 An unsere Leser, Deutsche Rundschau, 1920, Bd. 184, Teil 4.
78 Rudolf Pechel: Vom Grenz- und Auslandsdeutschtum, in: Deutsche Rundschau, 1922, Bd. 191, Teil II, S. 69.
79 Brief Pechels an Hans Eibl, 20. 6. 1927, BA, Mappe 57.

müht hat, in allen volkspolitischen Fragen ihr ganzes Gewicht einzusetzen, halte, gerade auch auf die erzählende Literatur, die aus den Grenzgebieten kommt, mit großem Nachdruck hinzuweisen.« [80]

Solche Beispiele sind Beweise, in welch enger geistiger Verwandtschaft der Herausgeber der »Deutschen Rundschau« zu den jung-konservativen Kreisen der Berliner Motzstraße gestanden hat. Wie Pechel selbst unermüdlicher Initiator dieser Bewegung gewesen ist, wurde seine Zeitschrift bald Teil jenes großen Propaganda- und Aufklärungsfeldzuges, der damals in kleinem Kreis von Moeller van den Bruck begonnen wurde. In seinen publizistischen Bemühungen stand Pechel freilich nicht allein: an der Intensivierung des Ring-Gedankens haben sich außer ihm andere bekannte Publizisten mit ihren Zeitschriften beteiligt. Zu nennen bleibt die zumeist von Studenten gelesene Zeitschrift »Die Hochschule«, die Hans Roeseler herausgab [81], ferner die sozialistische Zeitschrift »Der Firn«, herausgegeben von August Winnig, vor allem die »Preußischen Jahrbücher«, deren Herausgeber Walter Schotte ab 1920 das Symbol des Ringes in seiner Zeitschrift zu popularisieren suchte. Hermann Ullmann gab die für den Kreis werbende »Deutsche Arbeit« heraus, während Max Hildebert Boehm ab 1920 zusammen mit dem Historiker Fritz Kern in den »Grenzboten« jung-konservatives Gedankengut vermittelte. Die Zeitschrift »Deutsches Volkstum« unter Wilhelm Stapel stand ebenso in enger Verbindung zum Berliner Juniklub. Darüber hinaus gab es einen Pressedienst des »Ring«, der mit einer Anzahl der angesehensten Provinzzeitungen in ständiger Fühlung stand. Darüber hat Moeller in einem Brief an Grimm berichtet [82], daß mit verschiedenen Provinzzeitungen Abmachungen getroffen worden waren, in regelmäßigen Abständen Leitartikel aufzunehmen. Aus einem weiteren Brief geht hervor, daß das Informationsblatt des Klubs, der »Ring-Dienst«, bereits die Verbindung zu dreißig der größeren Provinzzeitungen aufgenommen hatte. Von den großen Tageszeitungen war es die von Hugo Stinnes angekaufte »Deutsche Allgemeine Zeitung«, in der insbesondere nach dem Eintritt von Paul Fechter in die Kulturredaktion Publizisten des Juniklubs geschrieben haben. Von den Berliner Zeitungen stand dem Klub die »Berliner Börsenzeitung« nahe. Durch den Herausgeber Paul Nikolaus Cossmann wurden bald die »Süddeutschen Monatshefte« auf den Juniklub aufmerksam. Neben diesen Publikationen wurden vom Hausorgan des Klubs, dem »Gewissen« [83], folgende Zeitschriften als geeignet angesehen, den Ring-Gedanken zu ver-

80 Brief Pechels an Joseph Georg Oberhofer, 28. 1. 1927, BA, Mappe 44.

81 Vgl. für das Folgende: Schwierskott: Moeller van den Bruck, a. a. O. S. 111 ff., und Stern, Fritz: Kulturpessimismus, a. a. O. S. 275 ff. Ferner Mohler: Konservative Revolution, a. a. O. S. 75 ff.

82 Vgl. Schwierskott: Moeller van den Bruck, a. a. O. ebenda.

83 Für die Publizistik des »Gewissen« vgl. die Ausführungen bei Fritz Stern: Kulturpessimismus, a. a. O. S. 275 f. Pechel selbst gab zusammen mit Wilhelm von Kries, Werner Wirths, Peter Weber, Carl-Christian von Loesch und anderen einen politischen Hintergrunddienst, die »Weißen Briefe«, heraus. Brief Pechels an Loesch, 7. 10. 1929, BA, Mappe 121.

breiten und zu fördern: die »Jungdeutschen Stimmen«, die »Ostdeutschen Monatshefte«, »Deutsches Südland« und »Hochland«, herausgegeben von Karl Muth. Angesichts einer solchen Fülle von Querverbindungen zu nahestehenden publizistischen Gruppen hat man mit Recht von einer Ring-Bewegung gesprochen, die unter fast geschlossener Ideologie an die Öffentlichkeit getreten ist und diese mit bestimmten politischen und geistigen Inhalten zu beeinflussen suchte. War dies bereits die »revolutionäre Propaganda«, von der Moeller van den Bruck gesprochen hatte? Es wird zu zeigen sein, daß er in Rudolf Pechel einen vorzüglichen Propagandisten seiner Ideen gefunden hatte. Die doppelte und gewiß oft zwielichtige Funktion, die der Herausgeber der »Deutschen Rundschau« in diesem Kräftespiel übernommen hat, wird aus einem Brief erkennbar, den Pechel einmal seinem Freund Karl Haushofer geschrieben hat und in dem er seine undurchsichtige Rolle hinter den Kulissen der Weimarer Republik treffend definierte: »Ich betrachte diese Dinge stets nur von dem Standpunkt aus, wie nütze ich der Sache am besten. Da bin ich aus den langjährigen Erfahrungen zu der Überzeugung gekommen, daß ich für die Aufrechterhaltung innerer persönlicher Beziehungen zwischen den verschiedenen Kreisen der nationalen Bewegung meinen Hauptgefechtswert hinter den Kulissen habe ... Man soll mich als den Vertreter der nationalen Bewegung nehmen, der stets zu Rat und Tat bereit ist, der aber nicht öffentlich festgelegt werden darf.« [84] Dieses Stellungsspiel Pechels vor und hinter den Kulissen der Weimarer Republik ist in seinen öffentlichen und geheimen Intentionen nachträglich aufzudecken.

84 Brief Pechels an Karl Haushofer, 21. 3. 1925, BA, Mappe 71.

IV. Die Übernahme der »Deutschen Rundschau« (1919)

Der Name Rudolf Pechel ist zum ersten Mal im April 1919 auf dem Titelblatt der traditionsreichen Zeitschrift erschienen. Über die verlagsinternen Einzelheiten dieser Übernahme ist wenig bekannt; insbesondere fehlen konkrete Angaben über das Vertragsverhältnis, das der neue Herausgeber mit dem alten Verleger der »Deutschen Rundschau« eingegangen ist. Erst nähere Einzelheiten darüber könnten den Bruch erhellen, der 1924 zwischen Pechel und Verleger Paetel eintrat und auf seiten Pechels zur Gründung eines eigenen Verlages geführt hat. Dennoch soll im folgenden versucht werden, einige Anhaltspunkte zur Vorgeschichte der Übernahme darzustellen.

1. Vorgeschichte der Übernahme nach dem Tod von Bruno Hake (1917)

Wir haben bereits das Zufällige skizziert, das besonders in Pechels journalistischem Werdegang zu registrieren war: der Freund Bruno Hake hatte ihm den Weg zu Julius Rodenberg und damit in das neue journalistische Metier geebnet, erst der Freund Bruno Hake war es – und darin liegt eine gewisse Tragik –, der ihm den Weg hinter den Redaktionsschreibtisch der »Deutschen Rundschau« freigegeben hat. Denn ohne Hakes Tod wäre Pechel niemals zum Nachfolger Rodenbergs geworden, ja, vielleicht hätte sein Leben ohne dieses Ereignis einen anderen Verlauf genommen. [1] Hake hatte 1914 die Nachfolge Rodenbergs angetreten – und war wenige Monate später gezwungen, sein Vorbild zu beklagen. In seinem Nachruf auf Rodenberg schwang viel von der Verehrung mit, die der Schüler dem Meister entgegengebracht hatte, und er verdeutlichte mit Nachdruck den Wunsch, das Werk im Sinne des Verstorbenen fortzuführen. Dieses Anliegen Hakes, die Herausgabe der blaßroten Hefte fortan zu übernehmen, hat Pechel später in einer offenen, freundschaftlichen Weise zu würdigen versucht, als er kaum drei Jahre nach Hakes Nachruf auf Rodenberg [2] den Tod des Freundes zu betrauern hatte. Er rühmte ihn als einen Menschen, der für die Nachfolge Rodenbergs prädestiniert gewesen sei und der vor allem die Herausgebertugenden des Meisters besessen habe: Anmut ins Versagen zu legen, verstehen und hören zu lernen. [3] Aus Pechels Nachruf auf den Freund läßt sich indes noch keinerlei Hinweis finden, ob zu diesem Zeitpunkt die Nachfolgeschaft geregelt war. Die Redaktion besorgte zu

[1] In Pechels Nachlaß findet sich einmal ein Hinweis darauf, daß er Auswanderungspläne gehabt habe. Ziel waren die Vereinigten Staaten.

[2] Bruno Hake: Am Sarge Julius Rodenbergs, in: Deutsche Rundschau, 1914, Bd. 160, Teil 3.

[3] Rudolf Pechel: Bruno Hake – Ein Gedenkblatt aus dem Felde, in: Deutsche Rundschau 1918, Bd. 174, Teil 1, S. 2 ff.

jener Zeit Hellmuth Soltau, wahrscheinlich in ähnlicher Weise, wie sie 1910 für die Dauer eines Jahres zwischen Pechel und dem dienstpflichtigen Hake vereinbart worden war. Aus einem Rückblick Pechels auf die wechselvolle Geschichte der Zeitschrift geht indes hervor, daß sich der Verleger Paetel sofort nach Hakes Tod an Pechel mit der Bitte um Nachfolgeschaft gewandt habe. »Als sich nach Hakes Soldatentod der Verleger der ›Deutschen Rundschau‹ an mich mit der Frage wandte, ob ich die Herausgeberschaft übernehmen wollte, lehnte ich ab, weil ich meinte, daß es der Zeitschrift nicht gut bekommen würde, zwei Herausgeber im Kriege zu verlieren, und ich als Flieger nicht mit meiner Heimkehr rechnete. Als ich doch zurückkam, hatte der Verleger mir den Posten freigehalten und ich übernahm vor nunmehr bald dreißig Jahren das nicht leichte Amt.« [4]

Bei dem Entschluß Paetels mag die Hoffnung eine Rolle gespielt haben, daß sich mit der Berufung des Germanisten Pechel möglicherweise das überkommene literarische Gesicht der »Deutschen Rundschau« wahren lasse. In jedem Fall sind es politische Gründe gewesen, die später zum Bruch zwischen Herausgeber und Verleger geführt haben. Einer solchen Vermutung muß die Tatsache nicht widersprechen, daß sich bereits um 1908 ein stärkerer Politisierungs-Trend in der Zeitschrift erkennen ließ, der sogar später von Rodenberg bewußt gefördert wurde. [5] Aber ein Blick auf die Geschichte des Verlages Gebrüder Paetel beweist, daß dieser nach wie vor betont literarisch ausgerichtet war. Im Jahre 1837 aus dem Verlag von Alexander Duncker hervorgegangen, 1870 von den Brüdern Elwin und Dr. Hermann Paetel übernommen, durch Zukauf anderer Verlage später erweitert und 1872 unter der Firma Gebrüder Paetel fortgeführt, pflegte der Verlag in seinem Sortiment hauptsächlich die Gebiete der schönen Literatur, der Kulturgeschichte, Geschichte, Philosophie, Literaturwissenschaft sowie der Völkerkunde und beschäftigte sich nur am Rande mit den Gebieten der Politik. Der Gesellschafter Hermann Paetel war sogar 1884 aus der Firma ausgeschieden und hatte unter bewußter Anlehnung an den in Weimar entstandenen »Allgemeinen Verein für deutsche Literatur« ein neues Verlagsunternehmen unter eigenem Namen gegründet. [6]

Einleuchtender für die Berufung Pechels scheint indes dessen enge, freundschaftliche Beziehung zu Bruno Hake und seine Bekanntschaft mit Rodenberg gewesen zu sein. Im Kalkül eines Verlegers muß der Gedanke eine Rolle spielen, um der Erhaltung eines guten Firmennamens willen an bewährte Tradition anzuknüpfen: wer konnte dies im Hinblick auf das traditionsreiche Etikett »Deutsche Rundschau« besser realisieren als Rudolf

4 Rudolf Pechel: Zum fünfundsiebzigsten Jahrgang, in: Deutsche Rundschau, Jg. 75, 1949, Heft 1, S. 4.
5 Vgl. dazu Haacke, Wilmont: Julius Rodenberg und die Deutsche Rundschau, a. a. O. S. 166.
6 Vgl. Lexikon des gesamten Buchwesens, hrsg. von Karl Löffler u. J. Kirchner, Leipzig 1936, S. 589 und Der Große Brockhaus, 15. völlig neubearb. Auflage, Band 14, Leipzig 1933, S. 233.

Pechel, der immerhin darauf verweisen konnte, von dem Meister selbst in den »Beruf des tätigen Schriftstellers« [7] eingewiesen worden zu sein?

Die Berufung Pechels zum dritten Herausgeber der »Deutschen Rundschau« hat sich auf die Dauer nicht als eine gedeihliche, auf Harmonie begründete Zusammenarbeit zwischen Redaktion und Verlag erwiesen. Konnte Rodenberg seinem Verleger Paetel nachrühmen, dieser sei sein bester Mitarbeiter gewesen, so war das nachträgliche Urteil Pechels über Paetel nicht frei von Emotionen. Zwar lobt er noch 1923 das große »Vertrauen« Paetels, der zu jedem Opfer bereit gewesen sei, doch wenig später bekennt er schon in einem Brief, daß ihn die »Passivität« seines Verlegers zunehmend geärgert habe. [8] In einem Vortrag über Sinn und Bedeutung einer Zeitschrift sagt er sogar, daß Verleger mit wenigen Ausnahmen von ihrer geistigen Zielsetzung her nur »Opportunisten und Utilitaristen« [9] seien, bei denen das Verdienen groß geschrieben werde. Zu Belastungen solcher Art mögen indes weniger persönliche als zeitbedingte Umstände beigetragen haben. Pechels Verleger ist nach 1919 gewiß nie in die Verlegenheit gekommen, das Verlagsrecht an der »Deutschen Rundschau« gegenüber Angeboten von 300 000 Goldmark zu behaupten [10] – der wirtschaftliche Hintergrund war vielmehr denkbar schlecht, vor dem Rudolf Pechel 1919 das traditionsreiche Erbe übernahm.

2. *Politische Aspekte der Übernahme im Jahre 1919*

Bevor man die Zeitschrift aufblättert und sie auf ihre redaktionelle Gestaltung untersucht, bleibt ein Blick auf einige politische Aspekte der Übernahme im Jahre 1919 unvermeidlich. Pechels ständiger Rückgriff auf verloren geglaubte Traditionen und sein oft bemühter Vergleich mit dem geistigen Erbe Rodenbergs zwingt zu einer Überprüfung des politischen Standorts, von dem aus der dritte Herausgeber die »Deutsche Rundschau« übernahm. Dabei ist zu zeigen, daß Pechel sich noch gar nicht sicher war, welchen politischen Kurs er einschlagen sollte; denn seine Hinwendung zum jung-konservativen Gedankengut der Motzstraße läßt sich am Beispiel der »Deutschen Rundschau« exakt erst für das Jahr 1920 registrieren. Gerade in der allmählichen Fixierung eines politischen Standortes ist Pechel ein gutes Beispiel für alle jene Jung-Konservativen, deren politische Ansätze zunächst durchaus beweglich gewesen sind und die in jenem von Ernst Troeltsch treffend charakterisierten »Traumland der Waffenstillstandsperiode« alle Schattierungen eines politischen Bekenntnisses durchliefen, als

7 So im Vorwort »Zum Geleit« in der Deutschen Rundschau, 1919, April-Heft, S. 1.
8 Brief Pechels an Richard Fester, ohne Datum, BA, Mappe 33.
9 Vortrag Pechels über die Zeitschrift und ihre Bedeutung, ohne Datum, BA, Mappe 5 a.
10 Dies geht aus einem Manuskript Pechels über die 75jährige Geschichte der Zeitschrift hervor, BA, Mappe 25 a.

sich noch ein »jeder ohne die Bedingungen und realen Sachfolgen des bevorstehenden Friedens die Zukunft phantastisch, pessimistisch oder heroisch ausmalen konnte«.[11] Die Wintermonate 1918/19 waren für Pechel eine historische Periode, in der er sich einmal mehr auf die geistigen Traditionen seiner Erziehung und auf das unvergängliche Erbe Rodenbergs besann.

a) Vergleich mit der Gründung im Jahre 1874 (Julius Rodenberg)

Von den zahlreichen Möglichkeiten, Erscheinung und Begriff einer Zeitschrift zu ergründen, ist die Analyse ihres Programms als ein gangbarer Weg empfohlen worden. »Die Programme lassen ihre Pläne, Hoffnungen und Ziele erkennen, aber auch die Gründe für das Scheitern so mancher politischer Zeitschrift«[12], so lautet die Begründung für eine derartige Methode der Untersuchung. Von welch unterschiedlichen Hoffnungen ist der Stapellauf der »Deutschen Rundschau« im Jahre 1874 und im Jahre 1919 begleitet gewesen! »Es ist eine großartig bewegte Zeit, wie kaum eine zuvor, eine Zeit des Ringens für Licht und Freiheit, des Erwachens und Auferstehens in den Landen, in welche die ›Deutsche Revue‹ eintritt«[13], hieß das optimistische Bekenntnis von Julius Rodenberg im Jahre der verfestigten Bismarckschen Reichseinigung. Wie blickte Rudolf Pechel in die Zukunft? »Aus der durch Schmerz vertieften und geläuterten Liebe zu ihrem zertretenen Volk, dessen Vorzüge sie ... (die »Deutsche Rundschau«, Anmerkung des Verf.) auch in seinen Fehlern zu finden weiß, wird ihr jede Hemmung zum Ansporn letzter Kraft, jedes Schmähen zur Stärkung des stolz-bescheidenen Bewußtseins eigenen Wertes werden.«[14] Während Rodenberg seine Zeitschrift in einer Epoche gründen durfte, die wohl von einer Fülle der Probleme bewegt, aber doch in erster Linie von »dem Glücks- und Sicherheitsgefühl der erkämpften Reichseinheit gesättigt war«[15], sieht sich Pechel einer Zeit des »fürchterlichen Zusammenbruchs und des tiefsten Schmerzes über den Verlust von Unwiderbringlichem«[16] gegenüber. War dem einen der »nationale Gedanke, den Bismarck verwirklichte«[17] der Eckstein für seine publizistische Position, so ist dem anderen gerade die »Besudelung durch fremde und eigene Hand«[18], die deutscher Geist und

11 Troeltsch, Ernst: Spektator-Briefe, Aufsätze über die Revolution u. die Weltpolitik 1918/22, Tübingen 1924, S. 69. Auch Schwierskott bestätigt diese schwankende Haltung einiger Jung-Konservativer, a. a. O. S. 156.
12 Haacke, Wilmont: Die Politische Zeitschrift, a. a. O. S. 56.
13 Haacke, Julius Rodenberg, a. a. O. S. 197.
14 Pechel, Zum Geleit, Deutsche Rundschau 1919, April-Heft.
15 Pechel, Zum Geleit, Deutsche Rundschau, April-Heft 1919.
16 Pechel: Zum Geleit, a. a. O. ebenda
17 An unsere Leser, Deutsche Rundschau, 40. Jg., September-Heft 1914.
18 Zum Geleit, a. a. O. ebenda. Für Rodenberg vgl.: Haacke, Wilmont: Julius Rodenberg und die Deutsche Rundschau, a. a. O. zitiert, ferner Harry Pross: Literatur und Politik, Olten/Freiburg 1963, S. 39 ff., u. vom gleichen Autor der Aufsatz »Wie die Deutsche Rundschau entstand«, in: Deutsche Rundschau, Jg. 88, 1963, S. 44 ff.

deutsches Nationalgefühl erfahren mußten, Ansporn für einen ständigen Nachweis von »deutscher Art und Kunst«.

Somit bilden auf den ersten Blick die Unterschiede in der historischen Ausgangssituation bedeutsame Merkmale, welche die Anläufe Rodenbergs und Pechels voneinander unterscheiden. Im Gegensatz zu Pechel bekam Rodenberg bereits innerhalb der ersten Monate nach seiner Zeitschriftengründung die Bestätigung geliefert, daß er mit seinem Medium das latente Bedürfnis nach einer »Zeitschrift der Nation« befriedigt hatte. Sein Anspruch, als Statthalter einer nationalen Institution aufzutreten, wurde von einem Publikum honoriert, das vorgebildet und aufgeschlossen genug war, sich auf hohem Niveau unterhalten und belehren zu lassen. In dieser Hinsicht hat Rodenberg unnachahmliches publizistisches Gespür bewiesen, als er das Bedürfnis nach universeller Belehrung mit der nationalen Absicht seiner Zeitschrift verknüpfte und auf diese Weise eine Leserschaft ansprach, die ihm lange Zeit die Treue hielt. Kein publizistischer Akt schlägt ein ohne diese Einfühlung, solche »instinktsicheren Augenblicksentscheidungen« richtig zu treffen, gehört zur »Stegreifkunst« jedes begabten Publizisten.[19] Rudolf Pechel hat sich manchmal fragen müssen, welchen entscheidenden Fehler er bei der Übernahme der Zeitschrift im Jahre 1919 gemacht habe. Niemals hat er nämlich Rodenbergs publizistischen Erfolg oder dessen Popularität erreichen können.[20] Noch 1921 sprach Jacobsohns »Weltbühne« in gelindem Spott von »Rodenbergs Rundschau«, als ob es den neuen Herausgeber Pechel überhaupt nicht gäbe.[21] Der entscheidende Denkfehler Pechels hat wohl darin bestanden, daß er 1919 mit der gleichen nationalen Absicht an seine Leserschaft herangetreten ist, wie es Rodenberg fünfzig Jahre vorher getan hatte, und daß er sich in seltener Wirklichkeitsferne über die veränderten Zeitumstände hinwegzusetzen hoffte. Jene veränderten Umstände hatten ja bereits die Wirksamkeit der alten »Rundschau« beeinträchtigt. War nicht sogar auf sie »ein Schatten des Parteienkampfs gefallen, den sie programmgemäß zu vermeiden hatte«?[22] Rodenberg hatte einsehen müssen, daß die einstmalige nationale Funktion seiner Zeitschrift nicht mehr genügte, um die neu auftretenden geistigen und politischen Differenzen zu erfassen. Selbst Pechel hat im Rückblick kritisiert, daß sich die Zeitschrift zu ihrem Nachteil den neuen literarischen Richtungen aus Treue gegen die »Schillerschen Ideale«[23] verschlossen habe. Aber wie hat er selber damals den politischen Umbruch verarbeitet, der doch in einem zuvor nicht gekannten Maße von einem Kampf der Ideologien, Parteien und Programme gekennzeichnet war? Wie Rodenberg betonte er die allgemeine nationale

19 Vgl. den Aufsatz über die »publizistische Persönlichkeit«, in: Handbuch der Publizistik, herausgegeben von Emil Dovifat, Band 1, Berlin 1968, S. 48.

20 Die Auflage der Zeitschrift unter Rodenberg blieb 15 Jahre lang bei etwa 10 000 Exemplaren. Die Auflage der Rundschau unter Pechel lag bei einem Schätzwert von ca. 3000, freilich mit Hilfe staatlicher Subventionen.

21 Siehe Rubrik »Berliner Theaterkritiker«, 1921, Heft II, S. 79.

22 Pross, Harry: Literatur und Politik, a. a. O. S. 43.

23 Pechel, Rudolf: 75 Jahre Deutsche Rundschau, ohne Datum, BA, Mappe 25 a.

Funktion seines Blattes, und wie der Meister glaubte er an einen allgemeinen nationalen Idealismus, wie man ihn 1914 inmitten eines heroischen Kriegsbeginns schon gepredigt hatte. »Unbeirrt durch Tageslosungen und Zeitphrasen, über dem Kampf der politischen Parteien stehend, der den Gesichtswinkel verengt«[24], so wollte er seine künftige publizistische Aufgabe in Angriff nehmen. Damit vertiefte er die Spaltung, die sich zwischen dem veränderten Zeitgeist und dem vorhandenen Prestige der »Rundschau« gebildet hatte: indem er seine Zeitschrift bewußt über den Kampf der Parteien heraushob, verzichtete er auch darauf, eine bestimmte Mehrheitsmeinung zu vertreten. Sein Ziel war, eine unformulierte, jedoch nationale Stimmung anzusprechen, von der er sich erhoffte, daß sie bald die Stimmung einer Mehrheit sein werde. Hier sah er die Verbindung zu den Traditionen Rodenbergs gewährleistet, glaubte er doch an die Möglichkeit, daß der »deutsche Geist ein Nationalgefühl, wie ihn völkisch geschlossene Länder lange schon besitzen, zu schaffen fähig ist«.[25]

Der entscheidende Unterschied zwischen Pechels Fortführung und Rodenbergs Gründung bestand freilich darin, daß letzterer einen solchen nationalen Idealismus nicht zu wecken und erzeugen brauchte, sondern einem vorhandenen patriotischen Gefühl mit seiner Publikation entgegenkam. Rodenberg hatte die Bedürfnisse seiner Leserschaft richtig erkannt und gewissermaßen eine »Marktlücke« entdeckt, in die er nur hineinzustoßen brauchte. Pechels Publizistik hingegen war von Beginn an aggressiv. Sie rief zur Tat und Aktion auf und schlug schließlich in »revolutionäre Propaganda« um. All dies klingt in seinem Programm schon deutlich an, wo »jede Hemmung zum Ansporn der Kraft, jedes Schmähen zur Stärkung des ... Bewußtseins eigenen Wertes« führen soll. Die gleiche Einstellung offenbart sich kaum ein Jahr später, als Pechel der Unterzeichnung des Versailler Vertrages ein kämpferisches »Und dennoch!« entgegenschleudert. Man hat es 1919 somit nicht nur mit einem formellen Wechsel in der Herausgeberschaft der Zeitschrift zu tun, sondern mit der Redaktionsführung Pechels ist zugleich ein Wechsel in der publizistischen Erscheinungsform der Zeitschrift verbunden. Die »Deutsche Rundschau« zeigte mit Pechels Annäherung an eine politische Gemeinschaft zugleich einen Wandel von der »Persönlichkeits-Zeitschrift«[26] zu einem Medium der sogenannten »verbreitenden und erobernden Publizistik«[27]. Dieser wichtige Schritt ist in aller Deutlichkeit aufzuzeigen. Unter Rodenberg hatte die Zeitschrift niemals einer gebundenen Gemeinschaft angehört und niemals war sie zur Stimme einer Partei herabgesunken. Rodenbergs Leistung war – wie Haacke ein Kapitel seiner Studie umschreibt – das »Lebenswerk eines idealen Herausgebers«. Seiner Initiative, seinem Können und seiner publizistischen Begabung verdankte die Zeit-

[24] Zum Geleit, a. a. O. ebenda.
[25] Rudolf Pechel: Zum Geleit, Deutsche Rundschau, 1919, a. a. O. ebenda.
[26] Vgl. Haacke, Wilmont: Die Zeitschrift — Schrift der Zeit, a. a. O. S. 42 ff.
[27] Der Ausdruck fällt im Handbuch der Publizistik, Band I, a. a. O. S. 61.

schrift den Ruf, nicht nur an der Spitze des damaligen Zeitschriftenwesens zu liegen, sondern diese »Spitze« selber zu sein.[28]

Mit der Herausgeberschaft Pechels tritt im Zuge des skizzierten Hintergrundes seiner politischen Parteinahme ein markanter Wechsel ein. Galt Rodenberg als Publizist des 19. Jahrhunderts noch als Mensch innerster Überzeugung und öffentlichen Bekenntnisses, dessen Tugenden sich in seiner Zeitschrift widerspiegelten, so trat 1919 mit Rudolf Pechel ein Mann auf die Kommandobrücke, der von sich und seiner Umgebung zunächst einmal das Zeugnis echter, »deutscher Gesinnung« verlangte. Wenn Dovifat »Gesinnung« als eine charakterliche Grundhaltung definiert hat, die oft auch geneigt ist, »ein Ziel anzugehen, eine Aufgabe zu lösen, ein Programm durchzusetzen oder zu zerschlagen«,[29] so ist Pechel als Träger einer solchen Gesinnung zu bezeichnen. Denn in seiner Publizistik zeigte sich alsbald der Wille, zu unterrichten, zu beeinflussen, ja, zu führen. In seiner Publizistik wird mehr als einmal die Absicht deutlich, die Beeinflussung in überdeutlicher Weise zu forcieren, ja, sie gelegentlich zu überspitzen. In dieser Aktivität wurde Pechel zunächst zum Repräsentanten einer »verbreiternden und erobernden Publizistik«,[30] später gerann er zum reinen Propagandisten, dem es allein um die Realisierung konkreter politischer Ziele ging. Dieser Wandlungsprozeß ist in seinen Einzelheiten näher zu verfolgen. Seine publizistische Absicht hat Pechel freilich schon in seinen ersten programmatischen Losungen formuliert. Diese spiegeln alle Schattierungen jenes fast verzweifelten Schrittes wider, der die Jung-Konservativen um Moeller van den Bruck bald in eine Art Gegenrevolution gegen den Weimarer Staat hineintreiben sollte. Mit Bußmann läßt sich die Ansicht herleiten, daß diese Gruppe kaum eine andere Rolle gegenüber der demokratischen Republik hätte übernehmen können, da die geistigen Positionen, die sie von Anfang an bezog, eine Aussöhnung mit dem liberal-demokratischen Kompromiß ausgeschlossen haben.[31] Eine solche These läßt sich nicht zuletzt an der Publizistik Pechels erhärten. Der neue Herausgeber der »Deutschen Rundschau« war nur widerstrebend bereit, sich zu dem »Neuen, dessen Richtung und Ziel zur Zeit noch niemand übersehen konnte« zu bekennen, obwohl auch er zugeben mußte, daß nun »die alten Gedankengänge und geistigen Waffen« nicht immer ausreichen würden. Aber in seiner ersten flüchtigen Bestandsaufnahme war doch schon von »höheren Gesetzen als dem der Konjunktur« die Rede, und die Möglichkeit einer Unterstützung des neuen Staatswesens sah er an die Verpflichtung gebunden, die »Gedanken in den großen Zusammenhang jeden Geschehens einzuordenen«.[32]

Das Ende solcher Unsicherheit und fragender Zweifel war an jenem ver-

[28] Haacke, Wilmont: Julius Rodenberg und die Deutsche Rundschau, a. a. O. S. 172.
[29] Vgl. Handbuch der Publizistik, Band I, a. a. O. S. 30.
[30] Ebenso lautet die Bezeichnung im Handbuch der Publizistik, a. a. O. ebenda.
[31] Bußmann, Walter: Politische Ideologien, a. a. O. S. 75.
[32] Zum Geleit, Deutsche Rundschau 1919, a. a. O. zit.

hängnisvollen Tag erreicht, an dem die deutsche Reichsleitung den Versailler Vertrag unterschrieb. Angesichts dieser historischen Wendemarke gab sich die »Deutsche Rundschau« mit Pechel ein Programm, das für die Jahre der Weimarer Republik ihre endgültige Richtschnur geblieben ist. Der propagandistische Effekt der angestrebten Publizistik spiegelt sich von da an aus jeder Zeile. »Kühl und bedachtsam heißt es zu reden, wo Schreien verständliches Mittel innerer Befreiung und vielleicht Pflicht wäre«,[33] so beginnt Pechels Appell, der wenige Sätze später schon in der dumpfen Anklage gipfelt: »Wir haben nicht Recht mehr noch Ehre noch Freiheit, kaum die Luft zum Atmen bleibt uns. Zwei Generationen Deutscher müssen als Heloten den Siegern frönen – in der stumpfen Gewißheit, unmögliche Forderungen auch mit ihrem Blutschweiß nicht erfüllen zu können.« Der Versailler Vertrag bildete für Pechel die entscheidende Zäsur in seinem politischen Weltbild. Dies Ereignis bot ihm Anlaß, von neuem vor seine Leser zu treten: »Als ich vor einem Jahr die Leitung der ›Deutschen Rundschau‹ in verworrenster Zeit übernahm, glaubte ich die Freunde stärken und die Feinde überzeugen zu können allein durch die Macht der Zeugnisse von deutschem Geist und deutscher Kultur.« Mit dieser Zielsetzung sei es indes seit jenem Zeitpunkt vorbei, an dem »uns die schwerste, unerträgliche Schmach« oktroyiert wurde, nun sei jede Zurückhaltung ein Fehler. »Wir wollen keinen Haß verewigen. Aber jetzt in der ›Deutschen Rundschau‹ Dokumente aufzeichnen, welche die ›Kultur‹ der Welt beleuchten. Gegenbild und Bild: dumme Mißachtung und ehrliches Bemühen um Verständnis auf fremder, Würdelosigkeit und Größe auf deutscher Seite. Den Deutschen zum Spiegel, zur Besinnung den einen, den andern zur Stärkung, dem Ausland zum Zeichen, daß wir wachsam sind, Anstand als Anstand und Gemeinheit und Dummheit als Gemeinheit und Dummheit empfinden.«[34]

Mit welchen Mitteln waren solche Ziele anders zu erreichen als durch Überspitzung, Übertreibung und propagandistische Verzerrung? Irgendwelche Gegebenheiten in »zweckhafter Weise zu beleuchten, sie zu vergrößern, sie zurechtzurücken und sie in wünschbaren Formen sehen zu lassen« – das war nach Moeller van den Bruck die Kunst der Propaganda. In dieser Kunst hat sich Pechel geübt, kaum nachdem er die »Deutsche Rundschau« übernommen hatte. Die Wandlung seines politischen Weltbildes markierte zugleich das Ende jener klassischen »Persönlichkeits-Zeitschrift«, wie sie Julius Rodenberg im Jahre 1874 begründet hatte. Zwar war die »Deutsche Rundschau« fortan mehr denn je mit den Intentionen ihres Her-

33 Rudolf Pechel: Und dennoch!, Deutsche Rundschau 1920, März-Heft, Band 182, S. 457.

34 Und dennoch!, in: Deutsche Rundschau, Band 182, 1920, März-Heft, S. 462. Es gehört zu den kleinen Unaufrichtigkeiten Pechels, daß er diese Stellungnahme in seinen zahlreichen Rückbesinnungen auf die Geschichte der »Deutschen Rundschau« stets verschwiegen hat. Ein Vergleich der Dokumente ergibt sogar, daß er etwaige verfängliche Stellungnahmen später in verkürzter Form wiedergegeben hat, vgl. »Achtzig Jahre Deutsche Rundschau«, in: Deutsche Rundschau, 80. Jg. 1954, Band I, ohne Seite.

ausgebers verknüpft, doch stand sie um so deutlicher im Dienst einer Strategie, die darauf aus war, politisches Neuland zu erobern.

b) Die Frage nach dem politischen Standort

Der junge, revolutionäre Konservativismus, den Pechel bald auf seine Fahnen schreiben sollte, ist vom herkömmlichen alten Konservativismus grundsätzlich unterschieden. Der legitimistische »Konservativismus der Institutionen«, der auf die Erhaltung der »sittlichen und rechtlichen Fundamente des Staates« eingestellt war, wird verachtet. Statt dessen wird versucht, einen unabhängigen »Konservativismus der Persönlichkeiten« durchzusetzen. Der traditionelle Konservativismus des Wilhelminischen Reiches bedürfe – so lautete die Forderung – dringend einer inneren Erneuerung. [35]

Es ist darauf verwiesen worden, daß sich der politische Konservativismus zu Beginn der Weimarer Zeit theoretisch auf drei verschiedene Weisen mit der veränderten Situation auseinanderzusetzen versuchte: er konnte einmal reaktionär werden und auf die Wiedereinsetzung der Monarchie hinarbeiten. Er konnte ferner legitimistisch werden, falls er sich auf den Boden der Republik stellte und die Verfassungswirklichkeit des neuen Staates konservativ umzugestalten suchte; die dritte konservative Möglichkeit bestand schließlich darin, sich in der außerparlamentarischen Opposition eine neue Basis zu suchen und auf diese Weise die Umgestaltung des bestehenden Verfassungs- und Gesellschaftsgefüges vorzubereiten. [36]

Daß die konservativen Revolutionäre nach anfänglichem Schwanken bewußt den dritten Weg gewählt haben, beweisen die Schriften Moellers [37] und die organisatorischen Ansätze, wie sie in betont über den Parteien stehenden Gruppierungen wie Juniklub und Deutscher Schutzbund rasch deutlich wurden. Darüber hinaus finden sich im Schrifttum der Ring-Publizistik genügend Beispiele für den antiparlamentarischen und »revolutionären« Ansatz, von dem jene außerparlamentarische Bewegung getragen wurde. Es ist mit Sicherheit anzunehmen, daß Pechel erst im Laufe der Kriegszeit und vor allem im Revolutionsfieber nach 1918 die erste ernsthafte Bekanntschaft mit dem Jung-Konservativismus gemacht hat – nicht zuletzt dank seiner bereits skizzierten persönlichen Kontakte zu Moeller van den Bruck, Heinrich von Gleichen und Max Hildebert Boehm. Nach einer kritischen Auseinandersetzung Pechels mit dem Wilhelminismus, wie er sich schon 1914 bei Moeller und anderen gezeigt hat, fahndet man vergeblich. Dennoch verfolgte Pechel bereits früh die Kulturkritik etwa Paul

35 Vgl. Gerstenberger, Heide: Der revolutionäre Konservatismus, a. a. O. S. 31, für die Auseinandersetzung zwischen Alt- und Neu-Konservativismus ist auch Klemperer: Konservative Bewegungen, a. a. O. S. 98 ff. von Bedeutung.

36 Gerstenberger, a. a. O. ebenda.

37 Insbesondere das Buch mit dem Titel: »Das Dritte Reich«, 2. Auflage, Berlin 1926.

de Lagardes und bewies damit schon in den ersten Heften der von ihm übernommenen Zeitschrift, wohin die politische Reise gehen sollte. Lagardes Schriften waren für Pechel »apostolische Sendschreiben, die umgehen müßten von Hand zu Hand«, und er wehrt sich heftig gegen den Verdacht, Lagarde etwa in den Kreis der Alldeutschen zu rücken. »Lagarde war doch freier, als es je ein Fanatiker, der stets bedingt ist, sein kann.« Daß dessen Schriften im Buchhandel nicht zu haben seien, nennt Pechel ein »Versäumnis nationaler Pflicht«.[38] Gewiß schwingt in solch einem reichlich vergröbernden Appell der Bekennermut desjenigen mit, der sich seit kurzem in einer Gesinnungsgemeinschaft zu Hause weiß, für deren Ziele er einzutreten bereit ist.

Pechels Suche nach einem neuen geistig-politischen Standort ist ferner durch eine Richtung der damaligen Literaturwissenschaft beeinflußt worden, die gerade durch die Niederlage von 1918 eine entschiedene Zuspitzung erfahren hatte und in Repräsentanten wie Gustav Roethe und Julius Petersen ihre bekanntesten Vertreter hatte. Unabweisbarer als zuvor faßten jene Professoren ihr Amt als eine Verpflichtung auf, »den deutschen Geist vor gleicher Niederlage zu bewahren und, wie in voraufgegangenen Phasen gescheiterter politischer Einigung, die Besinnung auf diejenigen Besitztümer zu lenken, die im Gegensatz zu den politischen unverlierbar waren«.[39] Insofern besteht eine deutliche Parallele zwischen der eindringlichen Frage Petersens »Wo können wir besseres Selbstvertrauen hernehmen als aus unserer Sprache, dem letzten Gemeinbesitz aller Deutschen?«[40] und Pechels nachdrücklichem Appell, diesen deutschen Geist in Taten umzusetzen. Wortführer dahin waren für den neuen Herausgeber die Schöpfer- und Heldengestalten der deutschen Poesie, allen voran Goethe. Im Geleitwort zur ersten »Rundschau«-Ausgabe unter Pechel wurde er sogar als nachahmenswerte Einzelpersönlichkeit verewigt: »Wer nicht von dreitausend Jahren / sich weiß Rechenschaft zu geben / bleibt im Dunkeln unerfahren / mag von Tag zu Tage leben.«[41] In dieser Hervorkehrung deutscher Dichtergestalten sollte sich der Geist einer Epoche, der »Seelengrund eines Stammes, der Adel deutschen Menschentums«[42] schlechthin dokumentieren. Ein solches Prinzip schloß konsequenterweise manchen Literaturzweig aus, in dem sich andere Seiten der deutschen Wirklichkeit hätten offenbaren können. Aus solchen Gründen machte der einst von Rodenberg mit Bedacht gewählte Titel »Rundschau« alsbald vor einer Grenze halt, die Pechel selbst mit fast rabiater Entschiedenheit gezogen hat. Für den neuen Herausgeber gab es nur diejenigen, die der eigenen Idealvorstellung von deutschem Dichtertum

38 Rudolf Pechel: Paul de Lagarde, in: Deutsche Rundschau, Bd. 182, Teil 1, 1919, S. 145.
39 Lämmert, Eberhard: Germanistik — eine deutsche Wissenschaft, in: Germanistik eine deutsche Wissenschaft, Edition Suhrkamp, Frankfurt 1967, S. 14.
40 Lämmert, Eberhard: Germanistik — eine deutsche Wissenschaft, a. a. O. S. 15.
41 Zum Geleit, a. a. O. ebenda.
42 Lämmert, Eberhard: Germanistik, a. a. O. ebenda.

entsprachen und die anderen, die nichts als »unheilvollen Einfluß, Literatentum ohne Verantwortungsgefühl, krassen Dilettantismus und bare Unbildung ohne inneren Halt und Gesinnung«[43] repräsentierten. Eben eine solche angemaßte Unterscheidung zwischen jenen »allein zum Urteil berufenen geistigen Führern« und den anderen, als unverantwortlich apostrophierten Literaten sollte bald zum unveräußerlichen Bestandteil des Pechelschen Weltbildes gehören.

3. Pechel als Herausgeber der »Deutschen Rundschau«

Innerhalb der Publizistikwissenschaft besteht ein lebhaftes Interesse für die Form, in der bestimmte Ansichten ausgesprochen werden; denn aus der publizistischen Form resultiert die politische Wirkung all jener Gedanken, die durch das Medium der Zeitschrift ausgesagt werden.[1] Diese Aufgabenstellung führt zu der Frage, welche Qualitäten Pechel als Herausgeber besessen hat und welche Mittel er einsetzte, um die Wirkung seiner Zeitschrift zu verstärken. Es gehört zu den gesicherten Erkenntnissen gegenwärtiger Zeitschriften-Forschung, daß für jede auf Wirkung bedachte Publizistik neben Stoff und sachlichem Gehalt die Darbietung entscheidend ist:[2] in einer übersichtlichen Gliederung des dargebotenen Stoffes zeigt sich das Bemühen des Publizisten, die Wirkung seiner publizistischen Aussage zu erhöhen. Auch Rudolf Pechel hat sich bei der Gestaltung seiner Zeitschrift verschiedener publizistischer Formen bedient. Beim Durchblättern seiner Publikation bestätigt sich die These, daß fast jedes Heft einer »beherrschenden Idee unterliegt, der alle Ressorts, Sparten und Einzelbeiträge folgen oder genügen«.[3] Pechel hat diese Tendenz als den »festen Standpunkt« bezeichnet, von dem man alle Gesetze zu untersuchen und das große politische Geschehen zu betrachten habe.[4] Solche Fixierung war nicht bloß ideologisch gemeint, vielmehr zielte sie auf die formale Geschlossenheit seiner Zeitschrift, die immer anzustreben bleibe. Gerade die »Deutsche Rundschau« war in ihrem Kampf um die Überwindung der bestehenden Staats- und Gesellschaftsordnung auf dies formale Prinzip angewiesen. Widerstand gegen vermeintliche Mißstände zu leisten, derlei Résistance zu ermuntern und eine neue Welt zu propagieren: das war die Quintessenz

43 Zum Geleit, a. a. O. ebenda. Der hier skizzierte Aspekt der Literaturwissenschaft offenbart sich deutlich in den Schriften Gustav Roethes. Zum Beispiel sei auf seine »Deutschen Reden«, Leipzig o. J., und die hier enthaltenen Aufsätze »Humanistische und nationale Bildung« (S. 223 ff.) und »Wege der deutschen Philologie« (S. 439 ff.) verwiesen.

1 Haacke, Wilmont: Die politische Zeitschrift, a. a. O. S. 58.

2 Vgl. dafür auch Max, Hubert: Die politische Zeitschrift, Pressestudien, Band I, Essen 1942, S. 197.

3 Haacke, Wilmont: Die politische Zeitschrift, a. a. O. S. 8.

4 In einem Brief an Generalsekretär G. J. Schmidt von der »Ketteler Wacht«, 6. Juni 1935, BA, Mappe 5

ihrer gesamten Programmatik, der ihre innere wie ihre äußere Gestalt zu gehorchen hatten.

a) Die äußere Gestaltung der Zeitschrift

Rudolf Pechel scheint der äußeren Gestaltung seiner Zeitschrift keine große Bedeutung beigemessen zu haben: er betonte bewußt die Kontinuität der übernommenen Publikation, ließ er doch das graphische Gesicht zunächst unverändert. Sein ausgeprägtes Gefühl für Überlieferung verbot es, an der altehrwürdigen Gestaltung der »Deutschen Rundschau« von heute auf morgen gewaltsame Neuerungen anzubringen. Um so überraschender wirkten dann jene Veränderungen in Druck und Aufmachung, die er eines Tages seinen Lesern präsentierte.

aa) Druck und Aufmachung

Die äußere Aufmachung der »Deutschen Rundschau« ist im ganzen als schlicht und gefällig zu bezeichnen. Der Text ist in der damals gebräuchlichen Schrifttype Fraktur gesetzt. Seine graphische Gestaltung gewinnt durch die vereinzelte Hervorhebung des Satzes in halbfett und fett. Die einzelnen Abhandlungen und Aufsätze setzten gewiß ein lern- und lesewilliges Publikum voraus; denn der Herausgeber kam diesem nur selten durch eine Auflockerung des Satzbildes, durch Hervorhebung zentraler Aussagen innerhalb eines Aufsatzes, durch veränderte Schriftgrade oder intelligente Schlagzeilen zu Hilfe. Pechel scheint sich kaum die Mühe gemacht zu haben, für seine Zeitschrift neue Leserschichten zu erschließen: natürlich gehörte die »Deutsche Rundschau« als eine Form »ernsthafter Publizistik«[5] in die Hände geistig aufgeschlossener und politisch interessierter Menschen, sogenannter »opinion leaders«, um einen Ausdruck aus der modernen Kommunikationsforschung zu gebrauchen.[6] Aber schloß dieses Selbstverständnis gänzlich die Verpflichtung aus, dann und wann den Blick über den eigenen Bildungshorizont zu heben und auf liebgewordene Privilegien zu verzichten? Zu Pechels Gewohnheiten gehörte es zum Beispiel bald, Überschriften in lateinischer Sprache zu entwerfen. Es finden sich Beispiele wie »... et resurrexit« oder »frisia irridenta« neben verklausulierten Synonymen wie Diplomaticus, Pertinacior, Sylvanus, Mosellanus oder Rhenanus. Waren diese Begriffe dem verständlich, der über keine ausreichenden Latein-Kenntnisse verfügte? An Marginalien in Druck und Aufmachung kann der Leser das Bemühen des Herausgebers spüren, um seine Teilnahme und Gesinnung zu werben, und nicht allein Stil und Inhalt einer Zeitschrift sind geeignet, die Geduld des Lesers und seinen Kontakt zum Herausgeber zu fördern. Daran hat es Pechel zuweilen fehlen lassen; denn Schlagzeilen wie »Vom Grenz- und Auslandsdeutschtun«, »Die Weichsel- eine gefährdete Wirt-

[5] Dovifat, Zeitungslehre I, Berlin 1962, S. 7 ff.
[6] Vgl. Noelle, Elisabeth: Die Wirkung der Massenmedien, in: Publizistik, 1960, Heft 6, Jg. 15, S. 212 ff.

schaftsstraße«, »Die Parallele« oder »Der deutsche Staatsgedanke« entsprachen wohl dem Habitus einer wissenschaftlichen Fachzeitschrift, nicht aber einer Publikation, die darauf aus war, politisches Neuland zu erobern. Auch die ständig wiederkehrenden Rubriken Politische Rundschau, Literarische Rundschau, Weihnachts-Rundschau, Luftfahrts-Rundschau, Technische Rundschau oder gar Film-Rundschau mögen kaum geeignet gewesen sein, besondere Aufmerksamkeit des Lesers zu provozieren.

Im Septemberheft des Jahres 1924 kündigt Pechel seiner Leserschaft an, daß der 51. Jahrgang seiner Zeitschrift in einem »neuen Kleide«, in »einer schönen Drucktype« und auf »gutem Papier« begonnen würde.[7] Es bleibt zu vermuten, daß der äußere Anlaß dieser Veränderungen Pechels Verlagswechsel gewesen ist; denn im Januar-Heft 1924 waren die Namen des alten Verlegers Georg Paetel zusammen mit dem des Herausgebers zum letzten Mal erschienen. Die Reaktion auf seine Änderungen im äußeren Erscheinungsbild der Zeitschrift bekam Pechel sofort zu spüren. »Es wird Sie interessieren, Volkes Stimme, die ja Gottes Stimme sein soll, über die neue Drucktype der ›Deutschen Rundschau‹ zu hören: sie wird allgemein als scheußlich empfunden. Auch ich finde sie nicht gut. Sie ist sehr ermüdend. Ich glaube, sie ist zu deutsch.«[8] Auf diese Replik von Josef Ponten, der wie Pechel Mitglied des Volksdeutschen Klubs gewesen ist, hat der Angesprochene geantwortet, daß man nun eine »ausgesprochene Antiqua« verwende, daß im übrigen bald mit einfachem und doppeltem Durchschuß gearbeitet würde und daß »man mit der Druckerei wegen Umgestaltung des ganzen inneren Satzbildes« in Verhandlungen stehe.[9] Der plötzliche Wechsel in der Drucktype kann auch einen anderen Hintergrund gehabt haben, den Pechel seinem Adressaten in wohlverstandenem Interesse verschwieg: in jener Zeit schwelte unter den volksdeutschen Kreisen ein fast erbitterter Streit um die Frage, ob das deutsche Volk die »lateinische Schrift« (Antiqua oder Altschrift) oder die »deutsche Schrift« (Fraktur oder gebrochene Schrift) bevorzugen sollte. Der Deutsche Schutzbund und die Deutsche Akademie hatten aus diesem Anlaß sogar Fragebogen an alle betreffenden Stellen geschickt, um eine verbindliche Mehrheitsmeinung zu erkunden. Von diesem Streit ist der in jung-konservativer und volksdeutscher Arbeit an vorderster Stelle stehende Pechel gewiß nicht unberührt geblieben.[10] Wenn er sich nun plötzlich für die Antiqua in seiner Zeitschrift entschied, mußte er dafür konkrete Beweggründe haben. Diese Schrifttype widersprach zwar den volkspolitischen Zielen des Deutschen

7 An unsere Leser, in: Deutsche Rundschau, Band 201, 1924, September-Heft.
8 Josef Ponten an Pechel, 3. 12. 1924, BA, Mappe 89.
9 Brief Pechel an Josef Ponten, 5. 12. 1924, BA, Mappe 89.
10 Dieser Streit gehört gewiß zu einem Kuriosum der deutschen Pressegeschichte. Man sprach sogar von »Antiqua-Bewegung« und »Fraktur-Bewegung« und verstieg sich zu der Behauptung, daß man bei einem Druck der deutschen Tageszeitungen in Antiqua die deutsche Stimme in USA besser gehört und damit sogar den Eintritt der USA in den Krieg verhindert haben würde!

Schutzbundes, indes wurde ihre Anwendung gerade in jenen Kreisen der deutschen Wirtschaft und Wissenschaft verfochten, »welche die abgerissenen Fäden zu den Vereinigten Staaten und zum Deutschamerikanertum seit der Währungsfestigung« wiederaufgenommen hatten. Gerade sie plädierten »im Interesse des Auslandsdeutschtums und im Interesse der deutschen Auslandsgeltung unter Fremdvölkern« auf ein Aufgeben der als veraltet angesehenen Fraktur. [11] Danach konnte die Anwendung der Antiqua-Schrift vor allem denjenigen Publikationen von Nutzen sein, die sich auch im Ausland um eine Leserschaft bemühten. Dies traf zu jenem Zeitpunkt auf die »Deutsche Rundschau« zu. Pechel hatte über die Vermittlung von Ministerialdirektor Ernst Heilborn im Auswärtigen Amt der Reichsregierung die Abnahme von hundert »Rundschau«-Abonnements jährlich bewilligt bekommen, die für die deutschen Botschaften und Gesandtschaften im Ausland bestimmt waren. [12] Auf dem Einbanddeckel fand sich denn auch das stolze Selbstlob: »Von Ägypten bis Westafrika liest man die Deutsche Rundschau«. Da die Bewilligung dieser Auslands-Abonnements genau zu einem Zeitpunkt erfolgte, an dem sich das äußere Erscheinungsbild änderte, läßt sich auf Zusammenhänge bei diesen Verhaltensweisen schließen. Freilich hat Pechel ein Jahr später schon erneut die Drucktype seiner Zeitschrift geändert und sich für die vormals benutzte Fraktur entschieden. Für diesen Rückfall mag die Kritik seiner Leserschaft an der mit Recht als unleserlich apostrophierten Druckschrift doch eine entscheidende Rolle gespielt haben.

Nicht nur dieser kurzfristige Wechsel im Satzbild, sondern auch eine plötzliche Maßnahme im äußeren Erscheinungsbild der Zeitschrift gibt im Rückblick einige Rätsel auf: noch im Jahre 1919 erschien die »Deutsche Rundschau« mit einem neuen Titelblatt. Kaum ein halbes Jahr, nachdem er zum ersten Male als Herausgeber der »Deutschen Rundschau« auf dem Titel erschienen war, änderte Pechel rigoros das äußere Erscheinungsbild. An die Stelle des alten, von Julius Rodenberg begründeten und gewiß bei einer großen Leserschaft immer noch liebgewonnenen Titelblattes setzte er einen neuen Umschlag, der von seiner damaligen Frau gestaltet worden war. [13] Was mögen die Beweggründe für diesen Entschluß gewesen sein? Die Antwort auf diese Frage ist nicht unbedeutsam; denn immerhin gehört ein alteingesessenes Firmenzeichen zu dem Wichtigsten, was eine Zeitschrift zu verteidigen hat, und gerade Pechel hatte seine geistige Verwandtschaft zu Julius Rodenberg immer wieder beschworen. Erste Anhaltspunkte zu dieser Frage gibt das Titelblatt selbst. Es zeigt unter einem regenbogenähnlichen Farbstrich die Skizze eines Hauses, das lediglich von dürrem Dachgestühl geschützt wird. Aus dem massiven Schornstein ringelt sich ein deutsches Eichenblatt, während sich im Hintergrund erste Sonnenstrahlen zeigen. Das Anwesen selbst scheint auf einem brüchigen Eiland inmitten einer unruhigen

[11] Derlei besagt eine Denkschrift des Schutzbundes, Jan. 1927, BA, Mappe 121.
[12] Vgl. den Briefwechsel zwischen Pechel und Heilborn, BA, Mappe 127.
[13] Dies bestätigte brieflich Frau Maria von Loesch.

See auf und ab zu schaukeln. War dies nicht die sinnbildliche – wenn auch fast naiv vereinfachte – Wiedergabe jenes Weltbildes, das die Anhänger Moeller van den Brucks damals zur Ursache ihrer Proteste genommen haben? Sahen sie doch das Haus des Deutschen Reiches seiner sicheren Grundfesten beraubt, ohne schützendes Dach und als Spielball der Siegermächte vom Zufall beliebiger Interessen hin- und hergeworfen. Ihre Hoffnung war der Glaube an eine grundlegende geistige Erneuerung. Ihr Wunsch richtete sich auf den Zusammenhalt einer geeinten deutschen Nation. Mit Sicherheit reflektierte das neue äußere Kleid der »Deutschen Rundschau« zugleich den Standort, den Pechel gerade zu jenem Zeitpunkt gewonnen hatte und der sich bei ihm mit der Feststellung verband: »Die Probe des Neuen, das gekommen ist und heraufsteigt, kann nur derjenige bestehen, der innerlich gefestigt ist.« [14] Dieser Erkenntnis mußte die Tradition des bisherigen Titelblattes weichen: die »Deutsche Rundschau« war eine neue Zeitschrift geworden, mit verändertem Inhalt und gänzlich neuen Zielen.

Die äußere Gestaltung der Zeitschrift ist während der Jahre der Weimarer Republik ein zweites Mal beeinflußt worden, als Pechel im Jahre 1924 der »Deutschen Rundschau« erneut ein anderes Titelblatt oktroyierte. Damals war der äußere Anlaß die eigene Verlagsgründung, die mit Pechels Trennung vom Paetel-Verlag verbunden war. Endlich wurde der Umschlag im Jahre 1933 nochmals geändert, als das Triumvirat Pechel-Fechter-Diesel für die Herausgeberschaft zeichnete. [15] Man kann mit Recht bezweifeln, ob der häufige Wechsel des äußeren Kleides der Publikation stets auch neue Abonnenten geworben hat. Zu sicheren Erkenntnissen gegenwärtiger Markt- und Absatzforschung gehört, Umschlag und Titelblatt einer angesehenen Zeitschrift möglichst selten und nur unter genau kalkulierten Voraussetzungen zu verändern. Wie sonst sollte es einer Zeitschrift gelingen, ihren Leser jedesmal wie einen alten Bekannten zu begrüßen und sich seiner Aufmerksamkeit anheimzugeben?

bb) Preis und Erscheinungsweise

Das finanzielle Dilemma ist nach 1919 zum nahezu ständigen Begleiter der einst gut fundierten »Deutschen Rundschau« geworden, und Wechsel und Veränderung beginnen bald eine beunruhigende Rolle in der äußeren Geschichte der Zeitschrift zu spielen. Auf Pechels Bemühungen um die Erhaltung der Zeitschrift wird später ausführlich einzugehen sein: hier genügt ein kurzer Blick auf einige Symptome, wie sie sich in Preis und Erscheinungsweise widerspiegeln. Der Umfang der »Deutschen Rundschau« hatte zu ihrer Gründungszeit im Jahre 1874 stets 160 Seiten betragen. Dieser Umfang wurde fast über den Ersten Weltkrieg hinweg gehalten und reduzierte sich zu Beginn des 50. Jahrgangs im Jahre 1923 auf 112 Seiten. Im

[14] Rudolf Pechel: Und dennoch! Deutsche Rundschau, 1920, März-Heft, a. a. O.
[15] Vgl. Mirbt, Wolfgang: Methoden publizistischen Widerstands im Dritten Reich, a. a. O. S. 61 ff.

April 1926 sinkt die Seitenzahl sogar auf 96 Seiten – also sechs Bogen – ab und bleibt auf dieser Höhe konstant bis zu ihrem Verbot im Jahre 1942. Der Grund für diese Beschränkung des Inhalts muß allein in finanziellen Schwierigkeiten gesucht werden; denn oft findet sich in der Korrespondenz Pechels ein Hinweis auf den »verfluchten Raummangel«, dem manch schöner Beitrag zum Opfer fallen müsse. »Es ist leider heutzutage so, daß die Zeitschriften so stark unter Raummangel leiden, der auf der notwendig gewordenen Umfangeinschränkung beruht, daß diese grob materiellen Gründe fast ebenso ausschlaggebend geworden sind wie das innere Bedürfnis des Herausgebers, seine Zeitschrift im alten Sinne und auf alter Höhe halten zu können.« [16] In diesem freimütigen Bekenntnis spiegelt sich das Dilemma eines Herausgebers wider, der mehr als einmal um das Schicksal seiner Zeitschrift gebangt hat.

Das Einzelheft kostete im April 1919 drei Mark, während sich das vierteljährliche Abonnement um fünfzig Pfennig auf 8,50 Reichsmark verbilligte. Bereits ein Jahr später stieg der Preis des Einzelheftes schon auf fünf Mark, während sich das Vierteljahrs-Abonnement auf fünfzehn Mark verteuerte. Doch ein Jahr später sah sich der Verlag erneut zu einer Verteuerung gezwungen. Er räumte allerdings ein, daß es ihm bisher gelungen sei, »den Preis der ›Deutschen Rundschau‹ so niedrig zu halten, daß er im Verhältnis zu dem Umfang und dem inneren Gehalt der ›Deutschen Rundschau‹ wesentlich« zurückgeblieben sei. [17] Entgegen den Erwartungen sei aber eine Besserung der Verhältnisse im Buchhandel nicht eingetreten, und die Herstellungskosten hätten sich aus diesem Grunde erhöht. Deshalb müsse der Preis des Einzelheftes fortan auf sechs und der Abonnementspreis auf sechzehn Mark erhöht werden. Der Verlag versprach, daß mit dieser Preiserhöhung zugleich »eine weitere Steigerung des inneren Gehalts der ›Deutschen Rundschau‹« Hand in Hand gehen würde. Nach den Inflationsjahren mußte sich der Verlag freilich erneut mit einer Kosten- und Preis-Kalkulation an die Leser der »Deutschen Rundschau« wenden. Im Oktober-Heft 1923 findet sich in diesem Zusammenhang folgende Ankündigung: »Der Bezugspreis errechnet sich ab 1. Oktober auf folgender Grundlage: Grundzahl mal der von der Behörde gemeinsam mit dem Buchhändler-Börsenverein für Zeitschriften festgesetzten Schlüsselzahl, gültig am 1. Oktober«. Danach betrug der Preis pro Einzelheft zwei Mark. Unter geringen Schwankungen ist dieses Preisbild bis 1932 konstant geblieben: kostete das Heft 1932 noch 1,75 Mark, so gelingt 1933 der entscheidende Durchbruch, als der Verlag seinen Lesern einen Kaufpreis von einer Reichsmark offerieren konnte. »Unser Verlag hat sich zu dieser Preisherabsetzung entschlossen, weil er mit dem endgültigen Durchbruch der nationalen Revolution die Zeit für gekommen hält, die Arbeit der »Deutschen Rundschau« in die weitesten Kreise des geistigen Deutschland hineinzutragen«, [18] so

[16] Brief Pechel an Robert Vischer, 20. 5. 1927, BA, Mappe 44.
[17] An unsere Leser, in: Deutsche Rundschau, 1921, Band 187, Teil II, S. I.
[18] Zitiert bei Mirbt: Methoden publizistischen Widerstands, a. a. O. S. 69.

lautet die beziehungsreiche Begründung in einem Werbeprospekt vom April 1933, also wenige Monate, nachdem das »Dritte Reich« Wirklichkeit geworden war. Tatsächlich liegen die erfolgreichsten Jahre der »Deutschen Rundschau« – mißt man sie an der Nachfrage ihrer Leser – zugleich in jener Zeit, in der der Nationalsozialismus seinen entscheidenden Durchbruch erzielte.

Im Sog des nationalsozialistischen Wahlerfolgs in Reich und Ländern kletterte auch die Auflage der »Deutschen Rundschau« in die Höhe. »Kraus stellte gestern verklärt fest, daß die Rundschau dauernd zunähme«,[19] schrieb Mitherausgeber Paul Fechter im Juli 1933 an Pechel, und die Werbetexter des Rundschau-Verlages formulierten: »Im übrigen dürfte Ihnen das Probeheft zur Genüge den Charakter unserer Zeitschrift zeigen, so daß wir uns darauf beschränken können, Ihnen mitzuteilen, daß die ›Deutsche Rundschau‹ schon seit dem Kriege die gleiche Richtung wie heute innehält und völlig unabhängig von allen Parteien geblieben ist.« Unbefangen verweist man sogar auf jene Kreise, von denen die Idee des »Dritten Reiches« (gemeint ist Moeller van den Bruck) ihre entscheidende Prägung empfangen habe, aus denen die volksdeutsche Bewegung hervorgegangen sei.[20]

Schon die äußere Geschichte der Zeitschrift spiegelt damit die Verstrickung der »Deutschen Rundschau« in die Fußangeln des Nationalsozialismus wider. Während sich die Auflage ab 1932 exakt dokumentieren läßt, fehlen für die Zeit der Weimarer Republik genaue Angaben: das Impressum der Zeitschrift vermittelt dazu keine Zahlen. Heinrich Keßler schätzt die Auflage der »Deutschen Rundschau« für die Zeit nach 1919 auf 3400 Exemplare.[21] Dies wäre im Vergleich zur Zeitschrift »Gewissen«, die wie die »Deutsche Rundschau« auf die konservativen Schichten der Gebildeten spekulierte, eine sehr geringe Zahl gewesen; denn das Hausorgan des Juniklubs soll nach einer Mitteilung im Impressum 30 000 Exemplare als wöchentliche Auflage gehabt haben.[22] Die höchst achtbare Zahl sei indes auf dem Höhepunkt der Inflation im Jahre 1923 auf 10 000 Exemplare herabgesunken. Legt man diese Relationen zugrunde, dann wird erklärlich, warum Finanznöte und Absatzschwierigkeiten die ständigen Begleiter der »Deutschen Rundschau« gewesen sind; denn immerhin hatte sie schon im Jahre 1919 mit einer Flut von Zeitungen und Zeitschriften aller nur erdenklichen Richtungen zu konkurrieren.[23]

Lediglich über die Struktur der Auflagenentwicklung liegen einige, wenn auch unvollständige Angaben vor. So spricht Pechel am Jahresende 1926 davon, daß es der »Deutschen Rundschau« gelungen sei, »sich einen neuen

19 Paul Fechter an Pechel, 12. 7. 33, BA, Mappe 59.
20 Zit. bei Mirbt: Methoden, a. a. O. S. 69.
21 Keßler: Wilhelm Stapel, a. a. O. S. 7.
22 Zit. bei Schwierskott, Hans-Joachim: Das Gewissen, in: Lebendiger Geist, Leiden/Köln 1959, S. 161.
23 Nach einer Mitteilung von Helmut Hüttig: Die politischen Zeitschriften der Nachkriegszeit, Diss. Marburg 1928, betrug die Zahl der Neugründungen allein in Berlin 150, S. 14.

großen Leserkreis zu erobern«.[23] Ferner findet sich einmal der Hinweis, daß die Auflage der Zeitschrift zu einem Drittel auf Abonnements im Ausland entfalle. Pechel hat sich befreundeter Kreise bedient, um seine Zeitschrift bekannt zu machen. »Die Einführung der ›Deutschen Rundschau‹ wird viel Zeit kosten, aber allmählich schon werden« [24], schreibt ihm einer dieser Helfer im Jahre 1920 aus Buenos Aires. Im Inland scheint sich Pechel ebenfalls einer solchen Verbreitungsmethode bedient zu haben. Beispielsweise versichert ihm der »Bürgerbund für Hamburg-Altona-Wandsbek« einmal, daß ihm die »Propagierung dieser Broschüre gerade augenblicklich nicht schwerfalle«.[25] Er bestellte sogleich ein Paket von hundert Exemplaren.

Die Auflagenkurve ist ab 1932 steil angestiegen, wie sich aus den nunmehr im Impressum festgelegten Zahlen ergibt. Sie klettert über 3800 im Jahr 1932 auf 7000 im Jahre 1933 und sinkt bis Mitte 1935 auf ca. 5000 Exemplare. Für die folgenden Jahre pendeln sich diese Zahlen auf einen Mittelwert von ca. 4000 Exemplaren ein.[26] Die Auflagenentwicklung ist indes ein unzureichendes Kriterium für die Möglichkeiten von Aussage und Wirkung einer Zeitschrift. Aus den Zahlen spiegeln sich weder die geheimen Bindungen wider, denen der Herausgeber im Hinblick auf verborgene Geldgeber oder Mäzene unterlag, noch wird aus ihnen in exakter Weise die Wirkung deutlich, die das Medium zu einem bestimmten Zeitpunkt besaß. Pechels berühmter Artikel »Sibirien«, der im September 1937 in der »Deutschen Rundschau« erschien, soll nach Auskunft damaliger Augenzeugen von Hand zu Hand gewandert sein.[27] Die Publizität und damit die erhoffte Wirkung des Artikels vermehrten sich auf diese Weise um ein Vielfaches – nicht zuletzt das Ende der Zeitschrift und die Verhaftung ihres Herausgebers 1942 haben diese These eindringlich unterstrichen.[28]

cc) Werbung und Vertrieb

Redaktion und Verlag der »Deutschen Rundschau« haben in den Jahren der Weimarer Republik zahlreiche Versuche unternommen, den Absatz der Zeitschrift zu steigern. In einem Hinweis auf der Rückseite des Heftumschlages bat der Verlag Paetel zum Beispiel im Jahre 1923 alle Leser, »bei der Lektüre des nachstehenden Anzeigenteils und besonders bei Bestellungen stets auf die ›Deutsche Rundschau‹ Bezug zu nehmen«. Mit den Schwierigkeiten einer Zeitschriften-Werbung ist Pechel ab 1924 konfrontiert worden, als er den Verlag in eigener Regie übernahm. Immerhin bestand die Redaktion lediglich aus ihrem Herausgeber und seit 1920 aus dem Redakteur Werner Fiedler, der sich vorwiegend um die literarische Aus-

23 Pechel an Eugen Roth, 11. 12. 26, BA, Mappe 40.
24 Brief an Pechel 16. 9. 1924, BA, Mappe 41.
25 Kurt Wilhelm an Pechel, 24. 1. 1920, BA, Mappe 44.
26 Vgl. Mirbt, Wolfgang: Methoden publizistischen Widerstands, a. a. O. S. 70 f.
27 Dieses bestätigte mir der Journalist Peter Grubbe.
28 Vgl. dafür Rudolf Pechel: »Zwischen den Zeilen«, a. a. O. S. 342 ff.

gestaltung der Zeitschrift zu kümmern hatte. Daneben gab es eine Sekretärin und einen Markthelfer, den Pechel später als liebgewordenes »Faktotum« bezeichnet hat. [29] Fiedler hat im Rückblick den Idealismus gelobt, mit dem jener »Zwei-Mann-Betrieb« zur damaligen Zeit mit geringem materiellem Fundus durchgestanden wurde. Er selber hatte sich als Feuilleton-Schriftleiter zusätzlich um Papierbeschaffung, Druck, Umbruch und die pünktliche Auslieferung der Hefte zu sorgen und mußte darüber hinaus den Inseratenwerber spielen. [30] Von diesem behelfsmäßigen, allein auf das persönliche Engagement begründeten Betrieb legen einige Briefe beredtes Zeugnis ab. So spricht Pechel im September 1924 – also kurz nach Gründung des eigenen Verlages – in einem Brief schon konkrete Erfahrungen über seine Werbeaktionen aus. »Ich habe hier in Berlin außerordentlich gute Erfolge mit der privaten Werbung durch eine Dame gemacht. Ich wollte mir denken, daß es auch möglich wäre in den Grenzgebieten, für die wir ja seit Jahren kämpfen, gleichfalls solche persönlichen Werbungen erfolgreich anstellen zu können.« [31] Natürlich war mit solchen Aufforderungen zugleich das Versprechen auf eine angemessene Provision verbunden. Später spricht Pechel sogar einmal von einer »Marktanalyse«, derzufolge für die »Deutsche Rundschau« »allerbeste Absatzmöglichkeiten« bestünden. Solche Versuche waren freilich die Ausnahme – in der Regel griff Pechel auf die persönliche Werbung für seine Zeitschrift zurück. So bittet er im Jahre 1929 z. B. den Münchner Professor Aufhauser, ihm eine größere Zahl von Anschriften zur Verfügung zu stellen, denen man die Mitteilung zugehen lassen könne, daß der Artikel Aufhausers »im Dezember-Heft der Rundschau« erschienen sei. [32] Darauf kamen prompt einige Adressen zurück. Dennoch muß es ein schwieriges Geschäft gewesen sein, mit Hilfe der Eitelkeit seiner Autoren die Verbreitung der Zeitschrift ein wenig zu steigern! Gebräuchlich war auch eine Methode, in anderen Zeitschriften für sich werben zu lassen. So streute Pechel zum Beispiel in seine Publikation den Hinweis ein: »Archivdirektor Wentzke teilt uns mit, daß das Erscheinen der Kölner Zeitschrift ›Die Westmark‹ als wichtigster Sammelstelle deutsch-rheinischer Kulturbestrebungen auch weiterhin gesichert ist.« [33] Auf diese Weise konnte er hoffen, auch einmal in der Zeitschrift Wentzkes freundliche Erwähnung zu finden. Großen Wert hat Pechel auf eine gebührende Verbreitung seiner Zeitschrift im Ausland gelegt. In seinen persönlichen Werbeaktionen verweist er oft auf das Lob der amerikanischen »Review of Reviews«, die seine Zeitschrift als »the clearest, samest, most refined expression of a peoples best thought« bezeichnet hatte. [34] Der Kontakt zum Ausland gelang einmal über die bereits er-

29 Pechel: Zwischen den Zeilen, a. a. O. S. 344.
30 Brief an den Verfasser, 30. 11. 1969.
31 Pechel an Max Worgitzki, 13. 9. 1924, BA, Mappe 44.
32 Brief Pechel an Aufhauser, 1. 11. 1929.
33 Deutsche Rundschau, 1923, Band 194, H. 2, S. 223.
34 Brief Konsul Metzger an Pechel, 6. 5. 1925.

wähnten Beziehungen mit deutschen Botschaften und Gesandtschaften, zum anderen setzte sich Pechel persönlich mit ausländischen Zeitschriftenherausgebern in Verbindung. So läßt er die Redaktion des »Journal de Genéve« einmal wissen, daß sich die »Deutsche Rundschau« besonders für die Schweizer Dichtung einsetze, und er fragt an, ob seine Zeitschrift regelmäßig von der Redaktion besprochen werden könne. Solche Anfragen erreichen ihn freilich auch von anderer Seite: der Herausgeber von »Lique d'etudes germaniques« bittet ihn einmal um ein Exemplar seiner Zeitschrift, um es in der zweimonatlichen Rundschau über ausländische Zeitschriften-Inhalte würdigen zu können. Pechels Bemühungen im Ausland zielten im Prinzip darauf ab, mit bestimmten Zeitschriften in Austausch zu treten und auf diese Weise den eigenen Vertrieb in geschickter Art zu fördern. »Die ›Deutsche Rundschau‹ genießt hier den Ruf einer vornehmen und gediegenen Zeitschrift«,[35] ein Lob wie dieses vom »Staats-Herold-Corporation« in New York wollte er hören, und darauf ging seine Absicht. Wichtig waren indes die persönlichen Beziehungen, die zwischen Herausgeber und Leserschaft zustande kommen sollten. Er bat seine Leser stets, in ihrem Bekanntenkreis auf die »Deutsche Rundschau« hinzuweisen, und schrieb seine Abonnenten zuweilen sogar darauf an, ihm die Adressen geeigneter »Persönlichkeiten« für ein etwaiges Probe-Abonnement mitzuteilen. Dieser enge Kontakt zu seiner Leserschaft, den Pechel stets intensiv gepflegt hat, ist ihm von großem Nutzen gewesen, als die Zeitschrift im Krisenjahr 1931 Gefahr lief, ihr Erscheinen für immer einzustellen.

Natürlich hat sich ein Zeitschriften-Herausgeber, der nur auf geringe Finanzmittel zurückgreifen kann, oft genug mit Beschwerden seiner Leser über Versand und Vertrieb herumzuschlagen. Der ärgerliche Zuruf von Rudolf G. Binding war dafür beispielgebend: »Ich möchte Sie auf folgendes, ganz unmögliche Verfahren der ›Deutschen Rundschau‹ aufmerksam machen. Ich bestellte am 21. 12. zwei Exemplare ›Deutsche Rundschau‹ vom Dezemberheft 1928, mit der Bitte, Zahlkarte für Postscheckkonto beizufügen. Danach langte am 23. 12. eine nicht bestellte Nummer vom Augustheft 1927 nebst der Zahlkarte an. Ich muß also eine Woche warten, bis ich die Hefte der ›Deutschen Rundschau‹ erhalte. Jeder muß das? Das ist kein Betrieb, der mir in Ihrem Sinne scheint.«[36] Kleine Ärgernisse wie diese gehören zum Alltag jedes Zeitschriften-Herausgebers, und man muß sagen, daß sich Pechel in zuweilen aufopfernder Art um ein gutes Verhältnis zu seiner Leserschaft und um den Fortbestand seiner Zeitschrift bemüht hat.

b) Erstes Werben um Mitarbeiter

Rudolf Pechel hat oft über sein eigenes berufliches Selbstverständnis nachgedacht: wieweit eine Zeitschrift das Werk ihres Herausgebers oder das ihrer Mitarbeiter sei, das war die Frage, die er sich gerne vorlegte und

[35] Brief an Pechel, 22. 2. 1933, BA, Mappe 41.
[36] Rudolf G. Binding an Pechel, 27. 12. 1928, BA, Mappe 49.

auf die er eine Antwort suchte. In zahlreichen Briefen finden sich Aspekte dieses Problems, und besonders bei öffentlichen Stellungnahmen ging er daran, seine eigene Rolle als Herausgeber zu definieren. Diese Selbstdiagnosen bieten deshalb einen guten Einblick in die Vorstellungen, die Pechel bei seiner redaktionellen Arbeit gehabt hat und nach denen er sein Medium geprägt wissen wollte. Er selbst hat sich stets gegen das Ansinnen gewehrt, als Herausgeber das Verdienst für den Wert seiner Zeitschrift allein in Anspruch nehmen zu wollen; vielmehr war er der Meinung, daß sich dieses nur aus der richtigen Zusammenarbeit von Herausgeber und Mitarbeiterstab ergeben könne. An diese Mitarbeit stellte er freilich hohe ethische Anforderungen: »Mitarbeiterschaft heißt im besten Sinne geistige Kameradschaft und wohl auch charakterliche Bindung. Denn schließlich sind es nicht die Themen, sondern der innere Standort des Behandlers, der entscheidet: die unabdingbare Verpflichtung des einzelnen an die großen Begriffe, an Ehre, Recht, Freiheit und Wahrheit.« [37] Anschaulich wußte er das intime Verhältnis zwischen Herausgeber und Mitarbeiter zu skizzieren, das sich bei der Bewältigung mancher Themen zuweilen ergebe. »Es gehört wohl für uns alle in diesem sonderbaren Berufe zu den schönsten Erlebnissen, wenn bei der Unterhaltung mit den Mitarbeitern der Funke zwischen Stahl und Stein sich entzündet, wenn man in einfacher Unterhaltung, die scheinbar ungelenkt ist, ... sich aneinander heranredet und vielleicht auch heranstreitet und dann zu Problemstellungen und Erkenntnissen gelangt, die sich zu Themen verdichten, mit denen man den Lesern ein Geschenk machen kann.« [38] Diese enge Beziehung zwischen Herausgeber und Mitarbeiter wollte er auch auf seine Leserschaft übertragen wissen; denn er glaubte nie an solch »trockene Auffassungen«, wonach man stets nur zu einer anonymen Masse zu sprechen habe. Er kennzeichnete damit ein Kriterium, das besonders für die publizistische Aussage der Zeitschrift von Bedeutung ist, und er definierte dies als einen »festen Begriff«, der in das Kalkül eines jeden Zeitschriften-Herausgebers einzugehen habe. Seine Meinung war, daß bei »richtiger Leitung und vorhandener Aufnahmefähigkeit« Herausgeber und Leser zu einer Art Gemeinde »zusammenwachsen müßten«, und er warnte davor, sich als Publizist in »eigene Unfehlbarkeit hineinzusteigern, nur weil einem im Augenblick niemand widersprechen könne«. Pechel drückte damit Wahrheiten aus, die gewiß zum sicheren Erfahrungsgut eines jeden Zeitschriften-Publizisten gehören, und er nahm durch seine höchst anschaulichen Beispiele Erkenntnisse vorweg, die sich gegenwärtig in wissenschaftlichen Theorien über das Medium Zeitschrift und seine Funktion wiederfinden. Gerade Pechel kann sich rühmen, um die Fahne seiner Publizistik eine Schar echter Gesinnungsfreunde versammelt zu haben, die ihn bei seinen Appellen für eine neue Ordnung nicht so leicht im Stiche ließ. »Von

37 Vortrag Pechels über Sinn und Bedeutung der Zeitschrift, veranlaßt von Hermann Josef Schmitt. Zeitpunkt etwa um 1941, wie sich aus verschiedenen Textstellen ergibt, BA, Mappe 5 a.
38 Vortrag Pechels, a. a. O. S. 9.

Zeit zu Zeit kommen aus der amorphen Masse der Leser Nachricht und Botschaft auf die Redaktion. Oft sind es Worte so anständiger Zustimmung, daß einem das Herz lacht und man neue Kraft und neuen Mut zur Arbeit faßt.« Dies war für ihn das »Geheimnis der Zeitschrift«: wie man ein Kind in die Welt setze, das sich dann nach eigenen Gesetzen von einem fortentwickele und trotz aller Fürsorge unvoraussehbare Wege gehe, so erlebe man auch bei einer wirklichen Zeitschrift, daß sie ein Eigenleben führe, dessen Art sich nur schwer ergründen lasse. »Hat man ein handgeschriebenes Manuskript gelesen und sieht es dann wieder in der Maschinenschrift und gar erst im Druck, so hat es ein anderes Gesicht und manchmal ein anderes Wesen. Wenn nun ein Heft ... entstanden ist, in Druck herausgeht, so hat es sich von seinen Urhebern abgelöst, führt ein Eigenleben, hat manchmal selbst ein Schicksal und führt in ungeahnter Form zurück auf seinen Urheber.« [39] Wer hätte jenen Zauber des »schwarz auf weiß«, dem Pechel fortan erlegen war, in noch besserer Weise beschreiben können?

aa) Das Echo in der deutschen Publizistik

Als der neue Herausgeber im April 1919 sein gewiß nicht leichtes Erbe übernahm, war ihm überwiegend ein freundliches Echo beschieden. Soweit sich aus den vorhandenen Dokumenten entnehmen läßt, wünschte man ihm allgemein Glück für seine neue Aufgabe und vergaß nicht, auf die Tradition der »Deutschen Rundschau« zu verweisen. »Ich wünsche Ihnen von Herzen, daß es Ihnen in vollem Maße vergönnt sein wird, die ›Deutsche Rundschau‹ auf die Höhe zu führen, auf der sie zu Rodenbergs Zeiten stand« [40], lautete eine dieser Stellungnahmen, zu der sich zuweilen das Lob gesellte: »Ich habe mich sehr darüber gefreut, daß die ›Deutsche Rundschau‹ Ihrer Leitung anvertraut ist; ich gratuliere sowohl Ihnen als auch der Rundschau zu dieser Vereinigung.« [41] Als Pechel das erste »Rundschau«-Heft, das unter seiner Leitung entstanden war, an die Abonnenten verschickte, traf er auf eine Leserschaft, die ihn durchaus kritisch unter besonderem Verweis auf die glorreiche Vergangenheit der Zeitschrift gemustert hat. Eine solche Haltung offenbart sich zum Beispiel aus der folgenden Antwort: »Ich habe die gehaltvollen Hefte stets mit lebhaftem Interesse durchgesehen und konstatierte dabei mit aufrichtiger Freude stets ihren Mut, dem Publikum so gediegene Lektüre ohne jede sensationelle Aufmachung mitzuteilen. Sowohl die politischen wie die geisteswissenschaftlichen Aufsätze, die ich besonders las, gehen beträchtlich über das sonst Gebotene an Ernst und Sachlichkeit hinaus ... Dagegen haben mir auch die kurzen Berichte der Rundschau zumeist gut gefallen.« [42] Natürlich ging der neue Herausgeber sofort daran, vor allem die alten Autoren der Zeitschrift bei der Stange zu halten – soweit sie sich mit seiner poli-

39 Vortrag Pechel, a. a. O. S. 10 ff.
40 Von der Leyen an Pechel, 9. 3. 1919, BA, Mappe 43.
41 Geheimrat von Borsig an Pechel, 16. 4. 1919.
42 Müller-Freienfels an Pechel, 1920.

tischen Auffassung vertrugen. »Es wird mir eine sehr große Freude und Ehre sein, in einem so angesehenen Unternehmen, wie es die ›Deutsche Rundschau‹ ist, mitzuwirken«[43], schrieb Gustav Freiherr von Freytag-Loringhoven, der auch weiterhin zum festen Stamm der Zeitschrift gehören sollte. General von Falkenhayn wollte sich gern an »das freundliche Angebot Pechels erinnern«. Ein anderer ergriff die Gelegenheit sogleich beim Schopf und bot Pechel einen als geeignet empfundenen Aufsatz an, und sogar Alfred Kerr fragte, ob Pechel »dieser Bericht eines Augenzeugen als geeignet« für den Abdruck in der »Deutschen Rundschau« erscheine.[44] Der berühmte Theaterkritiker sollte freilich bald merken, daß sich der Herausgeber selbst für das Ressort Theater in seiner Zeitschrift engagierte und deshalb schwerlich einen derart bekannten Konkurrenten neben sich geduldet hätte. Dagegen holte sich Pechel von einigen Persönlichkeiten Absagen, deren Popularität er wohl gerne als Zugnummer in den ersten Heften gesehen hätte. Albert Einstein schrieb zurück: »Aus langjähriger Erfahrung weiß ich, daß ich solche Versprechen, wie Sie eines von mir wünschen, doch niemals leiste. Also ist es anständiger und ehrlicher, ich verspreche Ihnen erst gar nichts.«[45] Ausführlicher begründete dagegen Hugo von Hofmannsthal, der jener aufkeimenden Bewegung um Montagstisch und Juniklub bald ihren treffenden Namen geben sollte,[46] seine Absage an Pechel — er verfaßte zugleich ein faszinierendes Dokument über jene inneren Widerstände, denen sich ein empfindsamer Dichter angesichts eines heterogenen Phänomens wie der »Öffentlichkeit« gegenübersehen kann. »Im Allgemeinen ist das Verhältnis der Produzierenden in den Revuen sehr schwierig geworden. Das Zuviel an Zeitschriften, der Mangel an Gepräge bei den meisten, das Zufällige, Ungeistige, das alledem anhaftet, das Überwuchern des analytischen Essays, einer eigentlich verantwortungslosen Form — dies alles macht mir fast den Anblick einer Revue quälend und abstoßend. Was soll es auch Anziehendes für den Dichter oder den ernsten Schriftsteller haben, sich beständig wechselnd immer anderen Kreisen von Lesern verschiedensten Kalibers zu enthüllen, sich über die Probleme unseres unsäglich problematischen Daseins vor Unbekannten zu äußern? Vielleicht vermögen Sie es, der alten, früher einmal lebendigen Zeitschrift einen neuen Charakter und überhaupt Charakter aufzuprägen. Vielleicht schicken Sie mir ein, zwei Hefte. Und vielleicht ergibt sich dann die Möglichkeit, daß ich öfter von mir Hervorgebrachtes oder Reflektiertes mitteile — so daß doch ein Schatten von Konsequenz und die Möglichkeit einer geistigen Wirkung in die Sache kommt.«[47] Hofmannsthal hat indes nie in der »Deutschen Rundschau« geschrieben: wie manch anderer verschwand er bald

[43] Freytag-Loringhoven an Pechel, 3. 3. 1919.
[44] Alfred Kerr an Pechel, 6. 5. 1919, BA, Mappe 80.
[45] Albert Einstein an Pechel, 13. 3. 1919, BA, Mappe 57.
[46] Hofmannsthal lenkte 1927 in seiner berühmten Rede »Das Schrifttum als geistiger Raum der Nation« seinen Blick auf den Konservativismus und gab ihm den Namen »Konservative Revolution«.
[47] Hugo von Hofmannsthal an Pechel, 25. 3. 1919, BA, Mappe 74.

aus dem Umkreis der Zeitschrift, die viele Namen angezogen – und auch abgestoßen hat. Dafür zeugt die Stellungnahme des Schriftstellers Wilhelm Schäfer, der zunächst einige Erstveröffentlichungen in der »Rundschau« unterbringen konnte. Als sich Pechel einmal ärgerlich nach dessen Schweigen erkundigte, bekam er eine geharnischte »Generalabrechnung« über seine neue politische Linie ins Haus geschickt. Schäfer teilte dem Herausgeber der »Deutschen Rundschau« mit, daß nach seiner Ansicht ein deutsches Blatt in der Regel dumm werde, wenn es die »nationale Trompete« heraushole. »Ob Ihnen nun ein Krümel in die Trompete gekommen ist oder was sonst Ihre Einladung veranlaßt haben mag: für mich gehört die ›Deutsche Rundschau ‹zu den abgelegten Requisiten, und eine andere schmerzliche Erfahrung hat mich gründlich vor den abgelegten Dingen gewarnt. Machen Sie weiter Ihre deutsche Kultur und ich dichte weiter: wer Recht behält, wird die Erfahrung zeigen. Vielleicht lernen Sie aus ihr, daß Respekt vor den Schaffenden zu den ersten Pflichten eines literarischen Blattes gehört.« [48] Von solchen Prophezeiungen hat sich der Wortführer einer »Konservativen Revolution« und einer »Herrschaft der Minderwertigen« freilich nicht beirren lassen – wenige Jahre später schon forderte er in seiner Zeitschrift mit rigoroser Entschiedenheit eine »Auswechslung der Literaturen.« [49]

bb) Pechel und seine Autoren

Wie hat Pechel seinen selbstgestellten Anspruch realisiert, zu seinen Autoren und Mitarbeitern ein echtes kameradschaftliches Verhältnis zu begründen? Die Frage sucht nach einer Antwort darauf, wie Pechel den Brückenschlag zu seinen Autoren versucht und wie er die Kommunikation mit ihnen gepflegt hat. Er selbst hat oft genug die Herausgebertugenden Rodenbergs gerühmt, der voller Verständnis für seine Mitarbeiter und stets deren Berater und Anreger gewesen sei. [50] Bruno Hake hatte diesem Urteil hinzugefügt, daß Rodenberg ohne festes, einengendes Programm seine Zeitschrift gestaltet habe und mit »freiem Blick, unbefangen jeder Erscheinung, jeder Bewegung gegenüberzutreten suchte«. Rodenberg habe nie die Mühe wiederholter Lektüre oder langer Korrespondenzen gescheut und sei auch selten ungeduldig gegenüber neuen Autoren geworden. »Unvergeßlich, wie er, vor seinem Schreibtisch, die Anfragen und Anerbietungen entgegennahm: in gespannter Haltung aufhorchend, Wort um Wort prüfend, witterte er die Art dessen, der Einlaß in die roten Hefte begehrte. Ein Meister in der Behandlung der Menschen, der mit diplomatischem Geschick fernzuhalten wußte, was ihm unfruchtbar erschien, der bald dem Impuls folgend rasch und fest zugriff, dann wiederum mit peinlichster Sorgfalt jeden Schritt bedachte und vorbereitete, ehe er ihn unternahm.« [51]

48 Wilhelm Schäfer an Pechel, 9. 7. 1926, BA, Mappe 93.

49 Vgl. den Titel des Aufsatzes von Paul Fechter in: Deutsche Rundschau, 1933, Band 235/236, S. 120 ff.

50 Pechel-Manuskript über 75 Jahre Deutsche Rundschau, BA, Mappe 25 a.

51 Bruno Hake: Am Sarge Julius Rodenbergs, in: Deutsche Rundschau 1914, Band 160/III.

Nun war Rudolf Pechel in dieser Rolle der Herausgebers und kaum, nachdem er um Abdruck in der »Deutschen Rundschau« ersucht hatte, wurde er von jungen Autoren um die Veröffentlichung ihrer Arbeiten gebeten. Für dies Zwiegespräch zwischen Pechel und seinen Autoren sind einige Dokumente erhalten geblieben, die anschaulich das komplizierte Kommunikations-Gefüge einer Zeitschrift beleuchten. Der junge Max Bense zum Beispiel, der später zu einem bekannten Philosophen und Wissenschaftstheoretiker werden sollte, ließ sich aus seiner Studierstube einmal mit einem Hilferuf wie dem folgenden vernehmen: »Ich sende Ihnen hier als Unbekannter einige Arbeiten mit der Bitte, wenn möglich etwas zu nehmen. Sehen Sie, ich bin 23 Jahre, Student für theoretische Physik, Mathematik und Philosophie, nebenbei arbeite ich am Reichssender Köln ... Aber im Großen und Ganzen geschehen die höheren Arbeiten doch nur für die Schublade. Und glauben Sie, das erdrückt mit der Zeit! Darum schicke ich Ihnen hier die kleine Arbeit ... und bitte Sie, sie doch zu drucken. Von mir soll ein Buch erscheinen. Natürlich in Subskription. Es wäre doch gut, wenn man vorher etwas bekannter würde. Helfen Sie mir doch bitte! Ich habe soviel da herumliegen und manchmal steht man ratlos davor. Vielleicht drucken Sie etwas, bitte!«[52] Max Bense ist dann doch nicht in der »Deutschen Rundschau« erschienen: ihr Herausgeber mußte ihm mit freundlichen Worten die Absage erteilen, daß seine Arbeit besser für eine Tageszeitung geeignet sei. So spiegelt sich in manchen Briefen Enttäuschung und betrogene Hoffnung wider. »Wir armen jungen Schriftsteller! Vielleicht können Sie mir über meine Novelle auch nichts anderes sagen, oder doch – Ihre Kritiken fördern mich immer, und ich bin dankbar dafür«[53], schreibt eine junge Autorin und beschwert sich zugleich über die brüske Abfuhr Paul Fechters, der ihr lediglich mit dem Stichwort »Raummangel« geantwortet hatte. Pechel hat sich nie gescheut, seinen Autoren kritisch und mit aller Offenheit gegenüberzutreten: er konnte sowohl Lob wie Tadel verteilen und hat oft aufkeimende Enttäuschung durch ein begütigendes Wort zu mildern versucht. »Sie brauchen gar nicht ein so furchtbar schlechtes Gewissen zu haben, wenn es vielleicht auch nicht schadet, daß Sie gelegentlich einmal sich Ihres Versäumnisses bewußt werden«[54], lautet beispielsweise die Anrede an einen säumigen Autor, während die Reaktion eines anderen die temperamentvoll vorgetragene Bereitschaft zur Mitarbeit widerspiegelt. »Natürlich bin ich Feuer und Flamme und will gerne in Zukunft Mitarbeiter bei der ›Deutschen Rundschau‹ sein!«[55]

Der neue Herausgeber legte großen Wert darauf, bisher ungedruckte Arbeiten von seinen Mitarbeitern zu bekommen – gewiß eine Selbstverständlichkeit für jeden Zeitschriften-Herausgeber, der mit seiner Publikation einen ernst zu nehmenden Rang in der öffentlichen Diskussion beanspruchen

52 Brief Max Bense an Pechel, 6. 7. 1934.
53 Inge Stamm an Pechel, 22. 4. 1932, BA, Mappe 43.
54 Pechel an Manna Copony, 11. 8. 1933.
55 Jürgen Eggebrecht an Pechel, 28. 6. 1928.

will. Eine Zweitveröffentlichung bedeutete ihm »eine Schädigung unseres Ansehens« bei den Lesern, und oft genug mußte er erfahren, daß seine Autoren gegen dieses Prinzip nur allzu leichtfertig verstoßen hatten. »Eine Zeitschrift wie die ›Deutsche Rundschau‹ erwirbt durch Annahme einer Erzählung das ausschließliche Veröffentlichungsrecht und hat den gesetzlichen Bestimmungen nach eine zweijährige Schutzfrist für jeden in ihr veröffentlichten Beitrag.« So lautete die Order an jeden seiner Autoren, um deren Durchsetzung sich Pechel unnachgiebig bemüht hat.

Bei der Kommunikation mit seinen Autoren wird bei Pechel ein Prinzip deutlich, daß er selbst einmal mit einem festen »weltanschaulichen Standort« bezeichnet hat und das wohl zum Kriterium eines jeden Zeitschriften-Herausgebers gehört. »Wir halten es für unsere Pflicht, die Beiträge in der ›Deutschen Rundschau‹ in ihrem inneren Tenor genau aufeinander abzustimmen« [56], lautete die Umschreibung dafür, und er achtete sehr darauf, daß sich seine Autoren an diese Maxime erinnerten. Natürlich war solcher Anspruch für ihn selbst auch bei der Auswahl der Autoren maßgebend. Rudolf G. Binding läßt er zum Beispiel im Jahre 1930 wissen, daß die »Deutsche Rundschau« gerade jetzt an »eine Sammlung der Geister« gehe, die für Deutschlands Zukunft eine der wichtigsten Aufgaben sei, und er bittet ihn, für die Zeitschrift zur Feder zu greifen. Oder Hans Freyer wird aufgefordert, gerade »angesichts der jüngsten Entwicklung« eine Stellungnahme abzugeben – man schrieb den 1. Februar 1933. [57] Aber solche gemeinsamen ideologischen Positionen schlossen nicht aus, daß der Herausgeber sich mit inhaltlichen Änderungen durchzusetzen versuchte. Die Suche nach einer gemeinsamen »inneren Linie« konnte allzuleicht einen Charakter von Bevormundung oder Beeinflussung erhalten. Als ihm Werner Bergengruen zum Beispiel die Rezension von Ricarda Huchs neuestem Werk übermittelt, weist er den Autor darauf hin, daß das neue Buch »in ernsten Kreisen auf erhebliche Bedenken gestoßen sei« und daß er daran zweifle, ob man diese Vorbehalte einfach mit Stillschweigen übergehen dürfe. »Wenn ich mich recht erinnere, wurde Ricarda Huch der Vorwurf gemacht, daß sie ihren bisherigen, von uns allen verehrten und gewünschten Standpunkt des Völlig-über-den-Parteien-Stehens in diesem Buche verlassen habe und sich mit billigen Ausfällen gegenüber der Bismarckschen Auffassung für die Männer von 1848 und ihre liberalistischen Nachfolger stark mache. Wenn das wirklich der Fall sein sollte, würde ich das im Interesse der Sache und noch mehr der Autorin außerordentlich bedauern, denn das würde doch heißen, daß die gute Ricarda sich in ihrem Alter zu Anschauungen bekennt, die von vorvorgestern sind und mit dem wahren Leben und vor allen Dingen der Not unseres Volkes überhaupt nichts mehr zu tun haben.« [58] Pechel empfiehlt dem Autor demzufolge, diese Bedenken in einer erneuten Rezension in verstärktem Maße zum Ausdruck zu bringen. Diese Tendenz,

[56] Brief Pechel an Johannes Arends, 16. 6. 1936.
[57] Brief Pechel an Hans Freyer, 1. 2. 1933.
[58] Pechel an Werner Bergengruen, 6. 6. 1931, BA, Mappe 48.

das ursprüngliche Urteil des Autors zu korrigieren und es im Interesse eines festen weltanschaulichen Gesichtspunktes umzuformen, hat sich nicht nur im Kontakt mit Bergengruen gezeigt. Es offenbarte sich auch im Briefwechsel mit einem Autor, der nach Pechels Ansicht Knut Hansums Bedeutung falsch eingeschätzt und wiedergegeben hatte. Den Einwand »Also verändern kann ich meine Kritik nicht, weil sie der reinen Wahrheit entspricht« hat Pechel ebensowenig gelten lassen wie beispielsweise eine Meinungsäußerung von Otto Heuschele, der in einem Aufsatz über die schöpferische Funktion der Sprache dieser eine Eigenfunktion zugewiesen und sie objektiviert hatte. Nach Pechels Ansicht war das Schicksal der Sprache stets von dem des »Landes und der Individuen abhängig«, [59] und er bat den Autor, dies zu korrigieren.

Wie soll man solche Einflußnahmen interpretieren? Gewiß widerlegen sie Pechels selbstgestellten Anspruch, »Gegensätze in dem Mitarbeiterkreise der ›Deutschen Rundschau‹, wenn sie produktiv sind und in angemessener Form zum Ausdruck kommen, sichtbar werden zu lassen«. [60] Gerade diese Austragung von Gegensätzen hat er ja verhindert, indem er die Autoren zu einer Korrektur ihrer früheren Anschauungen aufrief und diesen selbst eine akzeptable Ansicht offerierte. Diese Konflikte beweisen jedoch, wie stark Pechel bemüht war, die ideologische Geschlossenheit seiner Zeitschrift zu betonen und ihr möglichst eine einheitliche weltanschauliche Grundlage zu verleihen. Denn diese Kritik bedeutete mehr als jene Forderung, möglichst den »Rundschau-Ton« exakt zu treffen – sie war politisch motiviert und verfolgte konkrete publizistische Ziele. Dieses gewiß legitime Ansinnen Pechels begegnet uns bei der Darstellung der publizistischen Formen in der »Deutschen Rundschau« in noch stärkerem Maße.

Freilich ist Pechel nicht immer nach dieser Methode verfahren. Oft setzt er eine redaktionelle Fußnote unter einen Aufsatz, mit dessen Meinung er nicht immer einverstanden ist, oder er verweist in einem Vorwort auf andere, nach seiner Meinung beachtenswerte Gesichtspunkte. Von dieser Kritik blieb indes stets seine Bereitschaft unberührt, vornehmlich jüngeren Autoren mit klarem Urteil zu begegnen. »Sie haben Anspruch auf Offenheit, da Sie um mein Urteil gebeten haben, und so muß ich Ihnen sagen, daß ich in dieser Erzählung gewisse Gefahren für Ihr weiteres Schaffen erblicke« [61]. Anreden wie diese finden sich nicht selten im Briefwechsel zwischen Pechel und seinen Autoren, und sie dokumentieren, daß sich der Herausgeber der »Deutschen Rundschau« mit gewissenhaftem Ernst um neue Mitarbeiter bemüht hat. Die Mitteilung »Ich kann und will unseren Lesern nichts Schwächeres von Ihnen vorlegen, als die bisherigen Leistungen« [62], ist gewiß von keinem, der Einlaß in die »Rundschau«-Hefte begehrte, als Kränkung empfunden worden. Aus den vorliegenden Aufzeichnungen, die

59 Pechel an Otto Heuschele, 21. 2. 1934, BA, Mappe 72.
60 Pechel an Eibl, 14. 5. 1930, BA, Mappe 57.
61 Pechel an Hans Penck, 6. 2. 1933, BA, Mappe 39.
62 Pechel an Hans Penck, 19. 5. 1933, BA, Mappe 39.

gewiß nur einen unzulänglichen Eindruck von der Leistung des Herausgebers vermitteln, läßt sich jedenfalls die Vermutung herleiten, daß sich Pechel stets mit Erfolg um die Anwerbung neuer Federn für seine Zeitschrift bemüht hat. Vielleicht resultierte daraus jene große Anhänglichkeit Pechels gegenüber allen Mitarbeitern, die er im Laufe der Jahre persönlich schätzengelernt hatte und die er dann allzulange zu Wort kommen ließ – jedenfalls war er in dieser Neigung nach dem Urteil späterer Zeitgenossen mit seinem Vorbild Rodenberg vergleichbar. [63]

cc) Leser der »Deutschen Rundschau«

Nach wie vor gehört es zu einer der interessantesten Fragen innerhalb der Publizistik-Wissenschaft, die Wirkungen eines Mediums auf seine Leser zu erforschen. Welche Resonanz hat der Publizist bei seiner Ansprache gehabt, mit welchen Wirkungen konnte er rechnen und welcher Art waren die Reaktionen, die er auszulösen imstande war? [64] Die publizistische Aufgabe der politischen Zeitschrift ist es, ihre Auffassungen in einem Sinne zu vertreten, daß »auf ihren Zuruf als kommunikatives Echo Zustimmung erfolgt« [65] – hat Pechel in diesem Sinne eine Resonanz bei seinem Publikum gehabt? Die Stellungnahmen seiner Leser beweisen, daß seine Zeitschrift ihre angestrebte Wirkung nicht verfehlt hat: schon bald hatte er eine Schar Gleichgesinnter um das Banner seines publizistischen Mediums versammelt. »Ich bin froh, daß wir wieder solch ein gediegenes und ruhiges Blatt haben, und freue mich, daß die alte ›Deutsche Rundschau‹ sich so lebenskräftig verjüngt hat« [66], läßt die prominente Leserin Agnes Miegel schon 1925 wissen, und Lulu von Strauß und Torney fügt dieser Laudatio hinzu: »Ich könnte mir bei der Überschau heutiger deutscher wertvoller Zeitschriften keine denken, in die sich das Buch (gemeint ist ›Das Großelternhaus‹, Anm. d. Verf.) besser einfügen würde.« [67] Kann man hierin mit einer gewissen Berechtigung zugleich die Schmeichelei eines umworbenen Autors vermuten, so sind andere Reaktionen doch frei von einem bestimmten Kalkül. »Ihr besonders schöner Aufsatz im Dezemberheft der ›Deutschen Rundschau‹ erweckte in mir den Wunsch, ein Abonnement auf diese Monatsschrift zu nehmen« [68], lautete eine dieser Stellungnahmen. Oder ein Oberpostsekretär kritzelte das Lob auf eine Postkarte: »Der mir sehr lieb gewordenen ›Deutschen Rundschau‹ wünsche ich weiter einen recht großen Leserkreis.«

[63] So die Meinung von Pechels späterem Mitarbeiter Harry Pross: Literatur und Politik, a. a. O. S. 38.
[64] Vgl. dafür diesbezügliche Aufsätze in der Zeitschrift »Publizistik«, z. B. Noelle-Neumann, Elisabeth: Die Wirkung der Massenmedien, in: Publizistik 1960, 5. Jg., Heft 6, Seite 212 ff.
[65] Haacke, Wilmont: Die politische Zeitschrift, a. a. O. S. 208.
[66] Agnes Miegel an Pechel, 25. 4. 1925.
[67] Lulu von Strauß und Torney an Pechel, 9. 9. 1931, BA, Mappe 43.
[68] Mechthilde Lichnowsky an Pechel, 8. 1. 1942.

Oft läßt sich in diesem Leser-Echo der Hinweis finden, daß man »seiner Monatsschrift doch ein gewisses Maß Treue halten müsse«.[69] Dazu gehört es, daß man sich mit vehementer Kritik an den Herausgeber wendet. Dabei handelt es sich meist um Einwände gut unterrichteter Leser, die sich auf bestimmte Aufsätze beziehen und bestimmte Einzelheiten zu widerlegen suchen. Weit häufiger ist indes die Übereinstimmung in der inhaltlichen Aussage, die aus vielen Leserbriefen spricht. »Ihr letztes Heft und Prospekt liegen mir vor und ich sehe mit Anerkennung, wie kraftvoll und glücklich sich auch die ›Deutsche Rundschau‹ junger Richtung zubewegt und Fragen der Gegenwart von ihrer geistigen Hochwarte aus zu beleuchten strebt.«[70] Hier zeigt sich in deutlicher Weise der »Gesprächscharakter« dieser Kommunikation. Zu den Versäumnissen Pechels gehört es sicherlich, daß er seinen Lesern keinen »Meinungsfreihafen«[71] gewährte, in dem sich Wunsch und Kritik des Publikums in lebendiger Weise hätten widerspiegeln können.

Dies Zwiegespräch zwischen Herausgeber und Leserschaft hat sich begreiflicherweise in der Zeit des publizistischen Widerstands um viele Nuancen verstärkt. Darin offenbarte sich jenes »verschwörerisch Gemeinsame« zuweilen in einer Weise, die den herkömmlichen Charakter kommunikativer Beziehungen fast gesprengt hat. Pechel hat solche Zustimmung stets als Bestätigung seiner Arbeit empfunden, vor allem, nachdem auf seine verschiedenen Techniken der Tarn-Publizistik die erhofften Wirkungen resultierten. »Wenn ich abends gelegentlich über einem Ihrer feinen Hefte sitze, bedeutet dies eine wahre recreatio spiritualis für mich in dieser Wartezeit, die so gefährlich für Menschen ist«[72], schreibt zum Beispiel ein Soldat an den Herausgeber. Ein anderer läßt wissen: »Mit Freude begrüße ich immer das Erscheinen der ›Deutschen Rundschau‹. Die Novembernummer ist nun wieder so inhaltsvoll, daß ich das doch mit besonderem Dank zum Ausdruck bringen möchte.«[73] Daß die Zeitschrift gerade in »der heutigen Zeit« die Unterstützung ihrer Leser benötige, daß man dem nächsten Heft bereits wieder »mit Spannung« entgegensähe, daß auch die Freunde die Zeitschrift »ganz ausgezeichnet« gefunden hätten — dies alles waren gerade im Widerstand sichtbare Beweise für die geistige Verbundenheit, die zwischen Herausgeber und Leserschaft entstanden war. »Ihr Beitrag ›Sibirien‹ — sans compliment — ausgezeichnete, weitreichende Publizistik«,[74] schreibt ein Leser spontan, der die Signale richtig verstanden hat. »Aus einer Feuerstellung im Westen sende ich Ihnen die herzlichsten Grüße. Die ›Deutsche Rundschau‹ wird allmonatlich zugeschickt, und Sie sehen hieraus, daß

69 Roland Walter an Pechel, 5. 5. 1933, BA, Mappe 44.
70 Brief de Nora an Pechel, 21. 10. 1924, BA, Mappe 41.
71 So die gelungene Bezeichnung der Leserbriefecke bei Hanns Braun: Der Leserbrief im Lichte zeitungswissenschaftlicher Theorie, Publizistik, 1960, 5. Jg., Heft 6, S. 10 ff.
72 Carl Rosenthal an Pechel, 18. 4. 1940, BA, Mappe 40.
73 Brief Machui an Pechel, 8. 11. 1940, BA, Mappe 40.
74 Brief Gerhart Pohl an Pechel, 5. 9. 1937, BA, Mappe 89.

auch hier Ihre geistige Führung bleibt.«[75] Spontane Reaktionen wie diese waren die Garantie dafür, daß der Herausgeber den Ton richtig getroffen und die Zeitschrift die erhoffte Wirkung erzielt hatte. Der Dank dafür ist selten ausgeblieben: »Für sehr vieles aus der ›Deutschen Rundschau‹ in den letzten Jahren muß ich Ihnen danken – ganz besonders für Ihren ›Hahn von . . .‹ in der Januarnummer. Ich habe das Bedürfnis, Ihnen in inniger Verbundenheit zu ihrer Klarheit – Güte – Tapferkeit die Hand zu drücken.«[76] Derartige Urteile haben nach Zusammenbruch des Hitlerreiches den Ruf Pechels als den eines aufrechten, nur seinem Gewissen verpflichteten Publizisten verstärkt. Dessen moralische Größe verbietet dem nachträglichen Betrachter jede Berechtigung zur Kritik. Aber sie kann nicht daran hindern, Pechels Versagen gegenüber einer Staatsform aufzuzeigen, deren Zerfall erst die Voraussetzung für den Aufstieg des Nationalsozialismus gewesen ist.

c) Formen der publizistischen Aussage

Im folgenden soll eine Diagnose der »Deutschen Rundschau« mit Hilfe ihrer publizistischen Aussageformen versucht werden. Aufsätze, biographische Porträts, Briefe, Glossen, Kommentare und Rezensionen sind herkömmliche Formen, auf die auch Pechel zurückgegriffen hat, mit deren Hilfe er seine publizistische Aussage zu verstärken suchte. Dem aufmerksamen Leser seiner Zeitschrift hat er bereits 1920 angekündigt, daß er sich bei dem Versuch »die Valuta deutschen Ansehens« zu heben, verschiedener literarischer Methoden bedienen werde: »Der Ernst schlichter Sachlichkeit genügt in solchem Kampfe nicht als Waffe. Spott, Hohn, Laune, Witz werden aufgerufen, sofern ein Temperament und Gesinnung sie legitimieren.«[1] Bei anderer Gelegenheit läßt er wissen, daß man ein Thema, »das an den Lebensnerv der christlichen Existenz überhaupt und ihres möglichen Gegebenseins rührt«, nicht immer in großen Aufsätzen behandeln müsse. Auch die Glosse, bestimmte Rubriken der Zeitschrift, ja selbst Buchbesprechungen könnten förderlich sein – für den, der zu lesen verstehe.[2] Aus diesen Stellungnahmen geht hervor, daß auch Pechel ein bestimmtes, gestaltendes Prinzip für seine Zeitschrift verwendet hat, das der Verstärkung seiner Publizistik dienen sollte.

aa) Aufsatz und Reisebericht

Als eine der Grundformen publizistischer Aussage läßt sich in der »Deutschen Rundschau« die literarische Gattung des Aufsatzes erkennen: als vor-

75 Hans Penck an Pechel, 3. 11. 1940, BA, Mappe 39.
76 Heinz Hilpert an Pechel, 12. 1. 1942, BA, Mappe 74.
1 Rudolf Pechel: Und dennoch!, in: Deutsche Rundschau, 1920, Band 182, S. 463. Zu den publizistischen Aussageformen vgl. auch Haacke: Die politische Zeitschrift, a. a. O. S. 71.
2 Vortrag Pechel, a. a. O. S. 12.

wiegend »sachlicher Bericht über ein beliebiges Thema« [3] ist der Aufsatz in einer politischen Zeitschrift besonders geeignet, der Leserschaft in allgemeinverständlicher Weise Populäres aus verschiedenen Fachgebieten darzulegen. Jeder Publizist wird sich jedoch bemühen müssen, auf die Auswahl und Themenstellung des gebotenen Stoffes größeres Gewicht zu legen, sobald er die Neugierde und das Interesse seiner Leser wecken will. In begrenztem Sinne mußte Pechel »aktuell« sein, indem er seine Leserschaft mit Problemen konfrontierte, die im Meinungsstreit der Weimarer Republik Interesse beanspruchen konnten. Dies hatte erst recht für eine Zeitschrift zu gelten, die weit »aktiver in kultureller und seelischer Hinsicht« werden und die ein »Steinchen dazu beitragen wollte« für den Bau jenes Hauses, den man sich vorgenommen hatte. [4]

Pechel hat den Aufsatz als das eigentliche Rückgrat seiner Zeitschrift bezeichnet. »Das Rückgrat des Heftes bleibt aber immer der große Aufsatz, der die Atmosphäre des ganzen Heftes bestimmt. Es schreibt also beispielsweise Rudolf Borchardt über den ›Untergang des Kulturbegriffs‹, Hans Prinzhorn über ›Intellektuelle Redlichkeit‹, Freiherr von Gayl über ›Die Lage Ostpreußens‹, Eugen Diesel ... über ›Bewertung der Technik‹, von Wilamowitz-Moellendorff über ›Virgil‹, Rudolf Pannwitz über den ›Sieg der Gnosis‹, Werner Wiesbach über die ›Memoiren des Abbé de Marolles‹, Werner Sombart, Klages, Burdach, Haushofer ... jeweilig immer ein Mann, der das Recht darauf hat, gehört zu werden, und dessen Stimme gewissermaßen den tragenden Grundton für das Heft abgibt. Darauf baut sich das Weitere auf. Beiträge aus dem geistigen und kulturellen Dasein der Deutschen draußen und drinnen, Stimmen hervorragender Männer des Auslandes, die ihre geistige Unabhängigkeit auch während des Krieges bewiesen haben, bis zuletzt das Ganze ausklingt in die vielfachen Berichte und Anmerkungen zu Büchern und Ereignissen ...« [5]

Im Sinne dieser anschaulichen Beschreibung ist Pechel in der Regel bei der Gestaltung seiner Hefte verfahren. Stets beginnt er mit einem Aufsatz – wie etwa im April 1919, als Hans Friedjung das erste Heft mit einer Abhandlung über Kaiser Franz Josef eröffnete. Es wurde bereits bemängelt, daß Pechel seinen Lesern selten mit einer Auflockerung des Satzbildes entgegengekommen ist. Erst 1933 – wohl unter Einfluß des aus der Zeitungsbranche herübergewechselten Paul Fechter – konnte er sich dazu durchringen, »dem hastigen Leser unserer Tage durch Zwischentitel, die abschnittsweise den Inhalt in etwa vorausnehmen, das Lesen zu erleichtern.« [6] Pechels mangelndes Interesse für die mögliche Aufnahmebereitschaft seiner Leser läßt sich an seiner Behandlung von Aufsätzen und Abhandlun-

3 Haacke, Wilmont: Handbuch des Feuilletons, Band II, Emsdetten 1952, S. 142.
4 Und dennoch!, Deutsche Rundschau, 1920, a. a. O. ebenda.
5 Pechel in einer Diskussion mit Haensel und Fechter über seine Zeitschrift, die im April 1930 während der Berliner »Funk-Stunde« ausgestrahlt wurde. Vgl. Mirbt, Methoden, a. a. O. S. 57 ff.
6 Brief Pechel an Georg Schmidt-Rohr, 12. 1. 1933, BA, Mappe 4.

gen demonstrieren. Er scheute sich zum Beispiel nicht, neun Fortsetzungen einer Aufsatz-Serie von Richard Fester abzudrucken, die unter dem Titel »Verantwortlichkeiten« in loser Folge erschienen. Überhaupt scheint es dem Herausgeber der »Deutschen Rundschau« schwergefallen zu sein, seinen Autoren die notwendige Beschränkung aufzuerlegen. Die Abhandlungen beanspruchen in der Regel fast ein Viertel oder ein Fünftel des einzelnen Hefts und drücken somit dem gesamten Inhalt oft über Gebühr ihren Stempel auf. Pechel ist es nur selten gelungen, den Aufsatz als »gewissermaßen tragenden Grundton« in seiner Zeitschrift zu placieren, so wie er sich das vorgenommen hatte. Denn oft folgt auf den Einleitungs-Aufsatz eine zweite Abhandlung, die der ersten Darstellung in ihrer inhaltlichen Aussage kaum nachsteht. In einer temperamentvollen Kritik hat Hans Human, der Chefredakteur der »Deutschen Allgemeinen Zeitung«, Rudolf Pechel einmal die Schwächen seiner Zeitschrift vorgehalten: »Aber nun kommt's! Rupflin, Ramlow, Spiegler. Allerschwerstes Kaliber. Und nun gar dreimal hintereinander die beinah gleiche, zum mindesten verwandte Materie! Wen in aller Welt interessieren diese Fragen so sehr ... daß sich eine derartige Anhäufung von – zu überwindenden – Schwierigkeiten rechtfertigen ließe?«[7] Diese Einwände treffen vorbehaltlos zu: Pechel hat seinen Lesern in der Sparte »Aufsatz« häufig geistige Inhalte vorgesetzt, die höchstens bei einem Fachpublikum, weniger indes bei einer normal interessierten Leserschicht besondere Neugierde wecken konnten. Wenn er zuweilen Gefahr lief, »vor leeren Bänken« zu predigen, lag gewiß in der akademischen Behandlung des Stoffes eine der Ursachen. Denn zum überwiegend anspruchsvollen Gehalt der einzelnen Aufsätze gesellte sich in der Regel ein professoraler Stil ihrer Autoren. Nicht wenige Gelehrte der damaligen Zeit – etwa Anton Bettelheim, Hans Freyer, Ludwig Klages, Friedrich Meinecke, Hermann Oncken, Werner Sombart oder Oswald Spengler – haben die »Deutsche Rundschau« zum Forum ihrer wissenschaftlichen Erkenntnisse gemacht. Aber nicht alle haben sich bemüht, die Probleme in anschaulicher Weise darzustellen.

Als eine besondere Form publizistischer Aussage müssen Pechels Reiseberichte bewertet werden, in denen sich nicht nur »persönliches Erleben und persönliches Schildern der großen Welt im kleinen Ausschnitt«[8] widerspiegeln, sondern in denen Pechel und seine Autoren ihren Blick auf die politische und soziale Situation der Völker in den Grenzländern richten. Denn für den Herausgeber der »Deutschen Rundschau« war die Form des Reiseberichts ein Stilmittel, mit dem er die Aufmerksamkeit seiner Leser bewußt auf die vermeintlich bedrohte Lage der Grenz- und Auslandsdeutschen lenken wollte. Dies kommt gleich zu Beginn seiner Herausgeber-Tätigkeit zum Ausdruck, wo er über seine »Wiener Eindrücke« berichtete. »Trotz allem – Wien ist immer noch eine betörend schöne Stadt.«[9] Schon

7 Brief Hans Human an Pechel, 9. 3. 1933, BA, Mappe 74.
8 Haacke, Wilmont: Handbuch des Feuilleton, Band II, a.a. O. S. 246 ff.
9 Rudolf Pechel: Wiener Eindrücke, Deutsche Rundschau, Juniheft 1919, S. 161.

in den ersten Worten wird die Absicht deutlich, zugleich mit der Reiseschilderung auf die politische Situation des besuchten Ortes zu verweisen. In der Begriffsbildung »trotz allem« schwingt der Protest desjenigen mit, der sich mit der Abtrennung eines ehemaligen deutschen Gebietes vom Reich niemals abfinden wird. Die Schilderung wird denn in ihrem weiteren Fortgang auch zum Anlaß genommen, gegen das »Schanddokument von Versailles« zu protestieren, an ein »Deutschtum in der Stunde seiner tiefsten Erniedrigung« sowie an die »Weltmission der Deutschen« zu erinnern. Jeder Reisebericht, der sich in der »Deutschen Rundschau« findet, ist von gleicher Absicht getragen: an die geistige Einheit des deutschen Gedankens zu appellieren. Schon in seinen »Wiener Eindrücken« verspricht der neue Herausgeber seinen Lesern ein Sonderheft zur Lage »Großdeutschlands« – in allen Schilderungen aus Elsaß-Lothringen, Südtirol, Danzig, Westpreußen, Deutsch-Böhmen oder Ungarn wird dabei die geistige und völkische Einheit mit dem Deutschen Reich hervorgehoben. Oft rückt Pechel einen Brief oder die Schilderung eines Augenzeugen in sein Heft ein, der mit krassen Farben auf die jeweilige Situation des betreffenden Gebietes verweist und zum Beispiel mit der Aufforderung endet: »Geht hin ins besetzte Gebiet, ihr Deutschen des von Franzosendruck freien Landes, auf daß morgens euer erster und abends euer letzter Gedanke der an die Not unserer geknechteten Volksgenossen ist, und auf daß ihr lernt, was deutscher Wille zur Freiheit ist, für den kein Opfer zu groß ist.« [10] Der Reisebericht wurde auf diese Weise zu einem formalen Mittel, bei dem in anschaulicher Weise über eine andere Region berichtet, zugleich aber auf deren spezielle Situation vor dem Hintergrund der großen Politik verwiesen wurde.

bb) Chronik und Rezension

Die Rubriken »Politische Rundschau« oder »Literarische Rundschau« müssen als Versuch des Herausgebers bewertet werden, den aktuellen Bezug seiner Zeitschrift zu den politischen und kulturellen Ereignissen seiner Zeit herzustellen. In kleineren Abhandlungen, die sich jeweils am Ende eines jeden Heftes finden, wird der Kampf mit den geistigen Mächten der Zeit ausgetragen, hier bezieht man Stellung und geht zum Angriff über. Als formales Prinzip noch von der alten »Rundschau« übernommen, spiegelt sich besonders in der Rubrik »Politische Rundschau« die jeweilige Position der Zeitschrift zu den Tagesereignissen wider. Das geschieht zunächst ohne die Bekanntgabe eines verantwortlichen Autors: die Rubrik »Politische Rundschau« erscheint zwei Jahre lang ohne Angabe ihres Verfassers und erhält dann im Mai 1921 das Pseudonym »Pertinacior«, hinter dem sich das Mitglied des Juniklubs Martin Spahn verbirgt. [11] Im Aprilheft 1924 fehlt die Unterschrift zum ersten Mal, bis zwei Jahre später das neue Pseudonym »Martellus« auftaucht. Wer sich hinter diesem Namen verborgen hat, war

10 Im besetzten Gebiet, in: Deutsche Rundschau, 1924, Band 198, Heft 1, S. 218.
11 Vgl. Brief Pechel an Wilmont Haacke, 13. 11. 35, BA, Mappe 69.

leider nicht in Erfahrung zu bringen.[12] Jedenfalls läßt sich am Beispiel dieser Rubrik anschaulich ablesen, in welcher Weise Pechel zur Weimarer Republik Stellung bezog, und wie seine Zeitschrift bestimmte politische Ereignisse interpretierte. »Wir haben schwere Wochen durchgemacht und haben noch schwerere Zeiten vor uns«,[13] beginnt z. B. die Kommentierung im Oktoberheft 1919, nachdem Ultimatum der Entente, Verfassungsfrage und militärische Aufstände in den Ländern zu beherrschenden Tagesproblemen geworden waren. Oder eine andere dieser Rubriken schließt mit dem resümierenden Satz: »Also Männer ... und nicht Parteiprogramme!« Aus der »Politischen Rundschau« läßt sich ablesen, wie Pechels Zeitschrift das Kabinett Wirth beurteilt hat – »wir schließen mit einem Genre aus dem Erfüllungsdeutschland der Reichskanzlerschaft Wirth«. Ein anderes Mal kann man erfahren, welche Emotionen den Ruhrkampf begleitet haben: »Die Erbitterung der Bevölkerung hat den Grad der Siedehitze erreicht ... ginge es nach ihrem Empfinden, so hätte sich das Ruhrgebiet für den Franzmann schon in eine Hölle umgewandelt.« Hier lassen sich Aufschlüsse darüber finden, wie Pechels Zeitschrift den Hitler-Putsch in München interpretierte und welche Hoffnungen ihr Herausgeber mit einer Militär-Diktatur unter dem Reichswehr-Chef General von Seeckt verband. Schließlich offenbaren sich in derlei Beobachtungen jene taktischen Kurswechsel, die Pechel ab 1925 versuchte und die sich nur vor dem Hintergrund seiner privaten Kontakte zu Gustav Stresemann analysieren lassen.

In jener kommentierenden »Rundschau« findet sich oft der Versuch, einen umfassenden Überblick über das Weltgeschehen zu geben und möglichst alle wichtigen Länder in den außenpolitischen Kommentar einzubeziehen. Daran läßt sich erkennen, daß der Verfasser dem Anspruch des Rubrik-Titels gerecht werden wollte – in einem Sinne, wie ihn Pechel selbst definiert hatte. Denn der Herausgeber sah in dem Namen »Rundschau«, wie ihn Rodenberg einst geprägt hatte, die wirkliche Verpflichtung, den Blick »rund in der Welt und über die Welt schweifen zu lassen.«[14] Freilich kann dies nicht im Sinne einer »totalen Universalität« interpretiert werden: »Rundschau« hieß zugleich, die Dinge der Welt von einem konkreten ideologischen Standort zu betrachten und sie stets auf diese Position zu reduzieren. Pechel hat sich zuweilen darüber beklagt, daß es nur wenig Autoren gäbe, die für einen derartigen Rundblick die »zentrale Einstellung zum Leben« hätten; denn dies bleibe ja die unerläßliche Voraussetzung für die »richtige Einordnung aller Dinge«.[15] Aber waren in seiner Zeit überhaupt noch die Voraussetzungen für eine in politischer Hinsicht universale Umschau gegeben, wie sie Rodenberg einst hatte verwirklichen können? Denn das Wort

12 Im Nachlaß findet sich lediglich der Hinweis, daß ab 1930 Wilhelm von Kries die Politische Rundschau übernommen hat.
13 Deutsche Rundschau, Oktoberheft 1919, Rubrik: Politische Rundschau, S. 314.
14 Vortrag Pechel, a. a. O. S. 4.
15 Pechel an Eberhard Georgii, 22. 11. 1929, BA, Mappe 61.

»Rundschau« implizierte doch zugleich den Anspruch, mit einer gewissen Vollständigkeit vor den Leser zu treten, ein Bild der gesamten Zustände der Zeit zu geben und auf allen Gebieten umfassend belehren zu wollen. Die Frage war, ob sich das angesichts der Spezialisierung des Wissens und der Ausbreitung einzelner Sachgebiete überhaupt noch realisieren ließ – vielleicht liegt hier ein Grund dafür, daß einige jener »Rundschauen« plötzlich und ohne Ankündigung aus den Heften verschwunden sind. Auf jeden Fall hat Pechel nur mit großen Schwierigkeiten geeignete Autoren für diese Rubriken gewinnen können. »Es gibt sehr wenige Menschen, die über die nötigen Kenntnisse verfügen und zu gleicher Zeit die erforderliche geistige Schärfe und Klarheit besitzen, um den Wissensstoff um die eigene unbestechliche Kritik herum gruppieren zu können.« [16] Mit aller Offenheit hat Pechel damit selbst das Dilemma seiner »Rundschau«-Rubriken definiert. Angesichts solcher Schwierigkeiten konnte es den kritischen Betrachter nur überraschen, daß Pechel dennoch den Plan einer neuen Universalität zu realisieren versuchte. Zur »Politischen Rundschau« und zur »Literarischen Rundschau« kamen bald eine »Film-Rundschau«, eine »Medizinische Rundschau«, eine »Luftfahrt-Rundschau«, eine »Pädagogische Rundschau«, eine »Philosophische Rundschau«, eine »Geschichtswissenschaftliche Rundschau«, eine »Literaturgeschichtliche Rundschau«, eine »Technische Rundschau« und eine »Wirtschafts-Rundschau« hinzu – welche Einfallslosigkeit der Titel! Unter welchem Aspekt Pechel diese Rubriken betrachtet sehen wollte, verdeutlicht seine redaktionelle Bemerkung gegenüber dem Verfasser der »Film-Rundschau«, Wolfgang Goetz, am besten. »Einen gewöhnlichen Filmkritiker kann ich nicht gebrauchen, sondern es muß eine Persönlichkeit sein, die auch dieses Gebiet aus einer zentralen Einstellung zur Gesamtkultur und den das deutsche Volk insbesondere bedrängenden Problemen kritisch betrachtet. Und aus so einer Einstellung heraus auch ständig die Frage stellt, welche Möglichkeiten dem Film überhaupt gegeben sind.« [17] In diesen Rubriken sollte Stellung bezogen werden, und Pechel verlangte von seinen Autoren, »das Grundsätzliche herauszuarbeiten und das Richtige oder Falsche der Entwicklung an Einzelbeispielen zu erläutern«. [18]

Im Sinne dieser Zielsetzung sind die einzelnen »Rundschau«-Rubriken zu einer Fundgrube für prononcierte Stellungnahmen und Meinungsäußerungen geworden. Dafür sorgte zunächst Pechel selbst, der oft unter der Rubrik »Literarische Rundschau« mit einem Überblick über das Berliner Theaterleben erschien. Selten hat er dabei den politisch engagierten Rezensenten verleugnet. »In der Zeit der großen Versprechungen und kleinen Erfüllungen darf die Bühne natürlich nicht zurückstehen ... Der völligen Enttäuschung in politicis ist ein milder Zweifel, was das Theater anlangt, gefolgt. Liegt's vielleicht daran, daß auf dem Theater zuviel Politik, in der Politik zuviel Theater – ach, und was für schlechtes Theater – geboten

[16] Pechel an Georgii, a. a. O. ebenda.
[17] Brief Pechel an Wolfgang Goetz, 7. 3. 1928, BA, Mappe 65.
[18] Brief Pechel an Maxim Ziese, 23. 11. 1929, BA, Mappe 44.

wird?«[19] Abermals nutzt er die Gelegenheit, um den Blick des Lesers auf die vermeintlichen Bankrotteure der Republik zu lenken: die Form der Rezension wird ein spezifisches Mittel zur publizistischen Aussage. In der »Wirtschafts-Rundschau«, die im Septemberheft 1924 zum ersten Mal erscheint, lassen sich deutliche Stellungnahmen zur aktuellen Wirtschaftspolitik finden, etwa in der Ermahnung an die deutsche Sozialdemokratie, »sich als Deutsche zu fühlen und sich an die Ursachen der deutschen Not zu erinnern« oder in der Kritik gegenüber dem Klassenkampf-Denken der Unternehmer, das dem organischen Gemeinschaftsgedanken der Jung-Konservativen in eklatanter Weise widersprach. Die ständig wiederkehrende Chronik »Vom Grenz- und Auslandsdeutschtum« ist für die »Rundschau«-Autoren der Ort gewesen, von dem eine zuweilen provozierende Kampagne für die völkische Einheit geführt wurde. »Alle staatlichen Mittel haben versagt. Nun gut, mit unerschütterlichem, durch nichts zu brechenden Willen machen wir uns an die heutige Aufgabe, das Bewußtsein allen deutschen Menschen mitzuteilen, das Bewußtsein der lebendigen, geistig-seelischen Volksgemeinschaft.«[20]

Die aktuelle Beziehung zu den Ereignissen des Tages, wie sie sich in diesen Rubriken widerspiegelt, ist 1932 mit der Sparte »Vor dem Schnellrichter« verstärkt worden. Welche publizistische Absicht Pechel dabei verfolgte, zeigt ein Brief an Edgar J. Jung, der damals zum Wortführer der jung-konservativen Staatstheorie geworden war. »Ohne daß ich Ihnen neue Pläne weiter zu dokumentieren brauche, werden Sie erkennen, welche Möglichkeiten sich hierdurch wiederum für unseren Kreis eröffnen, Stellung zu nehmen zu grundsätzlichen Dingen in konzessionsloser Form. Sie werden auch empfinden, welche Möglichkeiten zur Indiskretion ... sich hier bieten. Natürlich ist der erste Versuch noch nichts Endgültiges, aber ich hoffe, er zeigt doch, wohin die Reise geht.«[21] Die Rubrik »Vor dem Schnellrichter« sollte ursprünglich den Titel »Angriff und Abwehr« erhalten[22] – schon die Auswahl dieser Bezeichnungen zeigt, daß klare Positionen bezogen werden sollten. Unter Stichworten wie »Staatsstreichpläne«, »Die Rechte«, »Volksdeutsche Verantwortung«, »Kampf gegen deutsche Kultur« oder »Der Bolschewik Trotzki« finden sich detaillierte Meinungsäußerungen zu aktuellen tages- und weltpolitischen Fragen.

Die Rezension ist für Pechel ein oft benutztes Mittel für seine publizistische Aussage geworden. In dieser Rubrik werden ausschließlich Werke vorgestellt, die auch dem politischen Grundtenor der voraufgegangenen Aufsätze oder Abhandlungen entsprachen. Eine Serie sogenannter Rheinland-Bücher wird beispielsweise mit den Sätzen eingeleitet: »Am Rhein entscheidet sich deutsches Schicksal. An seinen Ufern hat die deutsche Sache

19 Deutsche Rundschau, 1919, Band 182, Teil 1, S. 145.
20 Deutsche Rundschau, 1921, Band 188, Teil 2, Seite 101 f.
21 Brief Pechel an Edgar Julius Jung, 30. 3. 1932, BA, Mappe 7.
22 Dies geht aus einem Brief Pechels an Fritz Klein hervor, 24. 3. 1932, BA, Mappe 81.

zu allen Zeiten unserer Geschichte in wechselnden Formen ihren ... Ausdruck gefunden. Wie armselig erscheint so wesenhaften Zeugnissen des deutschen Rheinlandes gegenüber die Phrase der französischen Entdeutschungs-Propaganda!«[23] Aus den Rezensions-Spalten der »Deutschen Rundschau« wurde den herrschenden Mächten oft genug ein Bild jenes neuen Staates vorgehalten, den die Zeitschrift erkämpfen wollte. Paul Fechter rühmte Moeller van den Brucks »Preußischen Stil«, während unter dem provozierenden Titel »Wach auf« eine kleine Sammlung festlicher Weisen vorgestellt wurde, die dazu angetan war, entgegen »unkünstlerischer Gefühlsseligkeit und betrunkenem Radaupatriotismus« einen vaterländischen Geist und Hochspannungen des Gemeinschaftswillens zu erzeugen. In dieser Rubrik wurde auf die Theoretiker einer neuen Ordnung, auf Heinrich von Gleichen, Max Hildebert Boehm, Martin Spahn oder Edgar Julius Jung verwiesen. Wer die Publizistik Pechels in der Zeit der Weimarer Republik richtig interpretieren will, ist auf die Rezensions-Spalten seiner Zeitschrift in besonderem Maße angewiesen. Jeder Hinweis auf ein Werk aus dem ideologischen Umkreis der »Konservativen Revolution« war zugleich als der publizistische Appell für jene Staats- und Gesellschaftstheorie gedacht, aus der sich die Überwindung der bestehenden Ordnung ergeben sollte.

cc) Karikatur und Übertreibung

Als eine besondere Form der publizistischen Aussage müssen diejenigen Beiträge erwähnt werden, bei denen Pechel sich des Mittels der Übertreibung, der Karikatur, bedient. Daß Meinungsbildung vor allem mit den Mitteln unterhaltender Publizistik durchgeführt werden kann[24], wird an solchen Beispielen treffend vorgeführt. Dabei schälen sich verschiedene Stilmittel heraus: schon in den ersten Heften der »Deutschen Rundschau« begegnet uns ein formales Prinzip, das an Pechels spätere Techniken der verdeckten und maskierten Publizistik erinnert. Denn der neue Herausgeber bietet seinen Lesern einen äußerlich zwar harmlosen, innerlich aber sogleich auszudeutenden Stoff an, der historische Parallelen und provozierende Wertungen enthält. Jeder Leser der Zeitschrift, der die Berliner Revolutionswirren und ihre Auseinandersetzungen um Parlamentarismus und Rätesystem verfolgt hatte, mußte bei der Lektüre der folgenden Buch-Rezension in besonderem Maße angesprochen werden: »Ich sah die Massen gegen das Zeughaus stürmen, die Fackeln schwingend, die Fenster zertrümmernd und, wie endlich die Pforten aufsprangen, den scheußlichen Haufen hineinstürzen ... es war das gräßlichste Revolutionsbild, schlimmer als die Märznacht, die doch ihre heroischen Seiten hatte – hier nur die ekelhafteste Gemeinheit.«[25] Solche Sätze standen im Text einer Rezension, die den unver-

[23] Deutsche Rundschau, 1922, Band 190, Teil 1, »Rheinland-Bücher«, S. 88 ff.
[24] Vgl. Haacke, Wilmont: Meinungsbildung durch Unterhaltung, in: Publizistik – Elemente und Probleme, a. a. O. S. 183 ff.
[25] Paul Wentzke: Ernst Curtius über die Berliner Märztage 1848, Deutsche Rundschau, 1920, Teil 1, S. 280.

fänglichen Titel trug: Ernst Curtius über die Berliner Märztage 1848. Der Rückgriff auf weit zurückliegende Zeitereignisse, der zunächst lediglich von einer belehrenden Absicht getragen scheint, wird an anderer Stelle mit einer verhüllenden Taktik verknüpft. Denn jenes Fazit, das der Autor des Aufsatzes über »Die Französische Revolution« aus einer Gegenüberstellung der Staatsformen Monarchie und Demokratie zieht, hatte für den urteilsfähigen Leser der »Deutschen Rundschau« einen deutlich erkennbaren Zusammenhang zum Zeitgeschehen: »Vorangehen der Führer und Nachfolgen der Masse sind die Grundelemente jedes gesellschaftlichen Wirkens und daher auch jeder Staatsverfassung ... Wenn das Unzulängliche Ereignis wird und wenn sich einmal die Masse in einem Sinne wie ein Mann erhebt, dann aber sind ihre Ausbrüche von solch elementarer Gewalt, gegen die keine andere menschliche Gewalt aufzukommen vermag ... Dasselbe Volk, das durch seine elementare Erhebung die alten Mächte in Nichts auflöste, erwies sich jedoch sofort als gänzlich unfähig, selbständig weiter zu schreiten, und fiel neuerdings in die Gewalt seiner Führer.« [26] Auf solche Weise wird Vergangenes im übertragenen Sinne belebt, indem eine Episode der Geschichte indirekt mit politischen Fragen der Gegenwart verknüpft und dem Leser eine vermeintlich gesicherte Erkenntnis als allgemein gültige Wahrheit suggeriert wird. Pechel hat dies formale Prinzip einer maskierten Publizistik in seiner Zeitschrift frühzeitig praktiziert und es später zu großer Feinheit entwickelt. [27]

Während diese Form publizistischer Aussage in der Regel nur dem urteilsfähigen und sehr aufmerksamen Leser entgegenkam, diente ein anderes publizistisches Mittel gerade der satirischen Übersteigerung eines bestimmten Themas. Im Aprilheft des Jahres 1920 erschien in der »Deutschen Rundschau« zum ersten Male eine Rubrik, die den Titel »Vom Geiste der Völker« trug und mit dem Autoren-Namen Ringwaldt unterzeichnet war. Die früher aufgestellte These, wonach Rudolf Pechel ein vorzüglicher Propagandist der oben skizzierten Theorie Moeller van den Brucks geworden ist, läßt sich schon an dieser Aussageform und ihren politischen Inhalten exemplarisch verdeutlichen. Denn die von Moeller aufgestellten Ziele einer »revolutionären Propaganda« sind in der Sparte »Vom Geiste der Völker« in einer Weise befolgt worden, die jedes sachliche, von analytischem Ernst getragene Urteil ausschloß und statt dessen auf die geistige Vereinfachung bestimmter Sachverhalte aus war. Zu dieser Vereinfachung gehörte das ständige Wiederholen bestimmter Fragen ebenso wie das Schlagwort. Das Ziel dieser simplifizierenden Darstellung hieß eindeutig, dem Leser die Notwendigkeit spezifischer Aufgaben stets von neuem vor Augen zu führen. Wenn Moeller die Schuldfrage, den Versailler Friedensvertrag, die angeblichen Kriegsgreuel der Entente oder die vermeintliche Ungerechtigkeit

26 Friedrich Wieser: Die Französische Revolution, in: Deutsche Rundschau, 1920, Band 183, Teil II, S. 44.

27 Mirbt hat diesen Sachverhalt in seiner Dissertation über Pechels Widerstandspublizistik zwar ausführlich dargestellt, dessen Ursprünge indes übersehen.

der Siegerstaaten als wichtigste Punkte einer solchen Propaganda hervorgehoben hatte, dann folgte Pechel dieser Forderung fast widerspruchslos. Denn seine Rubrik »Vom Geiste der Völker« präsentierte ausnahmslos Dokumente, die vom angeblich verwerflichen Geiste der Siegerstaaten bestimmt waren. Unter der Schlagzeile »Der unsittliche Versailler Vertrag« wurden französische, amerikanische oder englische Pressestimmen zur Kanzlerfrage zitiert, die etwa mit folgendem Kommentar versehen waren: »Der Frieden von Versailles – falls er nicht verhindert wird – bedeutet eine weit schlimmere Hölle, ein weit hoffnungsloseres Irrenhaus, als selbst der Krieg geschaffen hatte.« Eine solche Stellungnahme beweist, daß der Autor der Rubrik »Vom Geiste der Völker« gar nicht darauf aus war, den Leser der »Deutschen Rundschau« durch eine rationale Beweisführung zu überzeugen, sondern daß allein die propagandistische Verzerrung dominierte. Oder glaubte der Herausgeber der »Deutschen Rundschau«, daß er seinen Lesern unwidersprochen Allerweltswahrheiten wie die folgenden vorsetzen konnte? »Wer auch nur oberflächlich von den Veröffentlichungen über die Kriegsschuldfrage Kenntnis genommen hat, die seit 1918 aus den verschiedenen Lagern hervorgegangen sind, für den ist es ausgemacht, daß diese Frage wissenschaftlich entschieden ist – entschieden gegen die Entente.«

Die somit zum Ausdruck kommende Neigung, vorschnell zu entscheiden und zu urteilen, hat die »Deutsche Rundschau« wenige Jahre später in eine Krise getrieben, aus der sie mit lädiertem Ansehen hervorgegangen ist. Die Zeitschrift offerierte ihren Lesern unter hochtrabender Ankündigung Dokumente zur Kriegsschuldfrage, die sich später samt und sonders als gefälscht erwiesen. Pechel verspielte auf diese Weise nur allzu leichtfertig den Ruf, der verantwortungsbewußte Herausgeber einer seriösen Zeitschrift zu sein. Die Tendenz zu einer Meinungsbildung, die sich allein die rechte Gesinnung zur Richtschnur macht, zeigte sich somit deutlich bereits in der Rubrik »Vom Geiste der Völker«. In dieser Sparte dominierten die hämmernde Wiederholung, die Anklage und der Aufruf zur Revanche: »Und was sagen dazu die Völker, die für das ›Recht‹ gegen Deutschland ins Feld zogen und den ›Frieden‹ von Versailles erzwangen und unterzeichneten? Ein Tor wartet auf Antwort.« Am intensivsten wurde das Ressentiment gegen Frankreich in dieser Sparte gepflegt: »Frankreich schlägt eine Bresche – in die Grundmauern, auf denen sich das ganze sittliche und organische Gefüge der Völker und Staaten der Welt aufbaut.« So lautete eine der zahlreichen Behauptungen, mit denen sich oft die Hoffnung auf eine Überwindung des gegenwärtigen, als schmählich empfundenen Zustands verknüpfte: »Mögen die Lügen sich auch noch geraume Zeit behaupten; mag der einzelne auch die Paradieseshelle der Wahrheit nicht mehr erleben – er fühlt doch, daß es Tag werden muß. Nichts kann ihn aufhalten. Wir verzweifeln nicht.« Weitere Einzelheiten solcher inhaltlichen Aussage, aus denen sich Pechels Standort innerhalb der jung-konservativen Bewegung endgültig dokumentieren läßt, sind nunmehr zu untersuchen.

der Kriegsursachen als wichtigste Punkte einer [illegible] diese [illegible]. Denn seine Rubrik »Vom Geiste der Völker« präsentiert [illegible], die vom [illegible] Geist der [illegible] be- [illegible]. Unter der Schlagzeile »Der unmittelbare Verrat der Ver- [illegible] amerikanische oder englische [illegible] zu [illegible] zu [illegible] »Der Frieden von Versailles – falls er nicht verändert wird – [illegible] als selbst der Krieg [illegible]. Eine solche Stellungnahme beweist, daß der [illegible] »Vom Geiste der Völker« gar nicht darauf aus ist, den [illegible] eine [illegible] Versailles [illegible] Herausgeber der ›Deutschen Rundschau‹ [illegible] von den Verständigungs- [illegible] sind, für den [illegible] die [illegible].

[illegible] Ansicht [illegible] Teil der Deutschen Rundschau [illegible] Jahre später in eine [illegible], an der sie mit [illegible] Autoren [illegible] ist. Die [illegible] unterschiedliche Ansichten [illegible] Do- [illegible] sondern [illegible] auf diese Weise [illegible] Reichs [illegible] Ge- [illegible] Vom Geist der Völker [illegible] dieser Spalte [illegible] Anlass [illegible] Völker, die für das Recht gegen [illegible] Versailles [illegible] und [illegible] Antwort [illegible] gegen Frankreich [illegible] dieser Seite [illegible] Frankreich [illegible] eine [illegible] Völker und Staaten der Welt [illegible] der zahlreichen [illegible] sich [illegible] die Hoffnung [illegible] eine [illegible] Zustand [illegible] Wahrheit nicht mehr [illegible] – [illegible] nicht [illegible] Wir [illegible] nicht [illegible] Einzelheiten [illegible] Anfänge [illegible] Politik [illegible] innerhalb der [illegible] ihre eigene [illegible] zu [illegible].

C. DIE KONSERVATIV-REVOLUTIONÄRE PUBLIZISTIK DER »DEUTSCHEN RUNDSCHAU« VON 1919 BIS 1924

Das Ideen-Konglomerat der »Konservativen Revolution« ist in Gesamtdarstellungen und Einzelstudien untersucht worden.[1] Für die folgende Analyse von Pechels jung-konservativer Publizistik wird auf die vorliegenden Darstellungen zurückgegriffen. Eine Darlegung wesentlicher geistesgeschichtlicher Zusammenhänge muß genügen. Dabei ist der Nachweis wichtig, wann Pechel seine Zeitschrift den Gedankengängen der Jung-Konservativen geöffnet hat und wie er seinen Beschluß motivierte. Denn Pechels Hinwendung zum revolutionären Konservativismus seiner Zeit war gewiß die folgenschwerste Entscheidung, die der neue Herausgeber der »Deutschen Rundschau« bei seiner Suche nach einem politischen Standort getroffen hat – und zugleich die verhängnisvollste. Auf dieser Suche nach neuen Bindungen wurde der Nachfolger Julius Rodenbergs wie viele seiner politischen Mitstreiter in Beziehungen zu den Nationalsozialisten verwickelt; denn letzten Endes strebten die Jung-Konservativen ähnlich wie diese nach dem magischen Dritten Reich. Die stolze Ankündigung des späteren Verlegers der »Deutschen Rundschau«, daß dieses Dritte Reich eben aus den Kreisen um Moeller van den Bruck hervorgegangen sei, offenbarte 1933 mit aller Deutlichkeit dieses Dilemma. In einer Atmosphäre, »die mehr Verschwommenheit und Verwirrung als klares Denken förderte«[2], wurden die Unterschiede zwischen Moellers und Hitlers Drittem Reich, zwischen dem Konservativismus und Nationalsozialismus nur allzuleicht übersehen. Den Beginn jener »trahision des clercs«[3] markierte für Pechel die persönliche Bekanntschaft mit Moeller van den Bruck, Heinrich von Gleichen und Max Hildebert Boehm. Sie zeigten sich bald in den verschiedenen Einflußnahmen, die auf die Gestaltung der Zeitschrift ausgeübt und von ihrem Herausgeber akzeptiert wurden. Der schriftliche Hinweis Loeschs an den Herausgeber der »Deutschen Rundschau« bietet dafür nur ein kleines Beispiel: »Sie sollten Spengler und Leo Frobenius heranziehen und diesen sogar Aufgaben stellen. Mir scheint, die Zeit wäre dazu günstig, die allerbesten Kräfte für die

[1] Neben den Arbeiten von Armin Mohler, Klemens von Klemperer, Fritz Stern, Kurt Sontheimer, Martin Broszat, Heide Gerstenberger und Martin Greiffenhagen seien die Werke von Georg Quabbe: Tar-a-Ri – Variationen über ein konservatives Thema, Berlin 1927, sowie von Justus Beyer: Die Ständeideologien der Systemzeit und ihre Überwindung, Diss. Berlin 1941, genannt.

[2] Klemperer: Konservative Bewegungen, a. a. O. S. 136.

[3] Der Titel des gleichnamigen Buches von Julien Benda: La Trahision des clercs, Paris 1958.

›Deutsche Rundschau‹ zu gewinnen.«[4] Am Ende der vielfältigen Verflechtungen Pechels mit den Kreisen der Ring-Bewegung stand die entscheidende Probe mit den Nationalsozialisten, angesichts derer nicht wenige der Jung-Konservativen versagt haben. Was folgte, war nicht mehr die Geschichte einer Bewegung, sondern die Geschichte einzelner Menschen: zwischen den beiden Alternativen der Anpassung und Nichtanpassung hatte der Herausgeber der »Deutschen Rundschau« zu wählen, der das Spiel gegen Hitler politisch längst verloren hatte. Die Entscheidung, die Pechel nun zu treffen hatte, war keine politische mehr, sondern sie war eine Frage des persönlichen Gewissens geworden. Erst unter dieser Selbstprüfung hat Pechel einen klareren Blick für den eigenen geistigen Standort gefunden — seine offene Ablehnung des totalitären Staates rehabilitierten den Konservativismus nun als eine Kraft, die für politische Freiheit und Ehre einzutreten bereit war. Einer so schmerzhaften Neubesinnung war freilich eine Periode der gefährlichen Entfremdung zwischen dem liberal-demokratischen Kompromiß der neuen Republik und dem komplexen Gedankengut der Jung-Konservativen vorausgegangen: begonnen hatte diese Entfremdung in jenem »Traumland der Waffenstillstandsperiode«, das für Pechels Standort-Suche ein gewichtiger Zeitabschnitt geblieben ist. Erst in jenem geistig-politischen Vakuum, das durch Niederlage, Revolution und Inflation geschaffen worden war, entschied sich für Pechel endgültig die Frage, warum die Weimarer Republik eine ungeliebte Republik werden mußte und alle Kräfte nötig waren, um die neue Staatsform zu bekämpfen.[5]

4 Brief Carl-Christian von Loeschs an Pechel, 3.9.1921, BA, Mappe 122.
5 Für die Auseinandersetzung Konservativismus und Nationalsozialismus vgl. hier Klemperer: Konservative Bewegungen, a. a. O. S. 220 ff.

I. »Im Traumland der Waffenstillstandsperiode«

In den ersten Monaten nach dem Waffenstillstand – so haben Beobachter rückblickend erklärt – erschien die politische Lage in Deutschland völlig ungeklärt: »... es war eine jener kurzen Perioden der Geschichte, die völlig losgelöst von der Vergangenheit scheinen und voller Möglichkeiten sind.« [6] Diese, für die Zukunft des besiegten Deutschlands entscheidende Epoche wurde von Theodor Heuß als eine »Übergangszeit von unsagbarem Werte« [7] und von Ernst Troeltsch als das »Traumland der Waffenstillstandsperiode« [8] bezeichnet. Hinter derlei Worten verbergen sich all jene Gefühle, die sowohl von der Bereitschaft zur Aufgabe traditioneller Wertungen als auch vom Willen zu einer Neuorientierung getragen waren und die in der Regel alle Schattierungen der politischen Meinung durchliefen. Wenn Pechel in seinen ersten Geleitworten an die Leser der »Deutschen Rundschau« davon sprach, daß gegenüber »dem Neuen die alten Gedankengänge« nicht mehr ausreichten und daß man sich »jedem Neuen öffnen wolle«, das als »lebenschaffend und wegweisend« sich darstelle [9], dann skizzierte er gerade jene Stimmung, von der »das Traumland der Waffenstillstandsperiode« getragen war. Denn die Unsicherheit über die eigene politische Stellungnahme drückte sich gerade in der Suche nach verschiedenen Alternativen aus. In der »Deutschen Rundschau« haben sich alle Schattierungen dieses politischen Bekenntnisses in verschiedener Weise gezeigt: noch schienen Konservativismus und republikanische Gesinnung miteinander vereinbar zu sein; die Frage hieß, wie man diesen Kompromiß am besten bewerkstelligen könne. Die Phase der Unsicherheit und der grübelnden Bestandsaufnahme ging mit der Annahme des Versailler Friedensvertrages vorüber: wie für alle Deutschen bedeutete Versailles auch für Pechel eine große Enttäuschung, die sich bei ihm in fast dramatischen Appellen an seine Leser geäußert hat. Angesichts dieser als unerträglich empfundenen politischen Realität verstärkt sich sein Nationalismus, während die eigene nationale Gesinnung zugleich Ausdruck eines unbarmherzigen Ressentiments gegenüber der neuen Republik wird. Die einzelnen Phasen dieses Prozesses lassen sich am Beispiel der ersten Hefte der »Deutschen Rundschau« unter Pechels neuer Ägide anschaulich beleuchten.

1. *Das Versagen des neuen Sozialismus*

Rudolf Pechel hat das Erbe Rodenbergs zu einem Zeitpunkt übernommen, als die neue Republik gerade in die Phase ihrer ersten Konsolidierung ein-

6 Klemperer: Konservative Bewegungen, a. a. O. S. 86.
7 Zitiert bei Klemperer, a. a. O. ebenda.
8 Troeltsch, Ernst: Spektator-Briefe, Tübingen 1924, S. 69.
9 Pechel: Zum Geleit, Deutsche Rundschau, 1919, Heft April, S. 1 ff.

trat. Als Etappen der vorläufigen Neuordnung galten die Übergabe der höchsten Gewalt an die Nationalversammlung, der Ausbau einer vorläufigen Verfassung und die ersten Sozialisierungsprogramme der Reichsregierung.[10] Dergleichen Versuche einer verfassungspolitischen Etablierung des neuen Staatswesens wurden durch entschiedene Forderungen nach einer neuen sozialen Ordnung begleitet: die Frage war, ob es der neuen Republik gelingen würde, den Pluralismus der verschiedenen politischen Gruppierungen unter ein Programm zu vereinen und damit einen allgemeinverbindlichen Konsensus herzustellen.[11] Für Sozialisten aller Art erschien in dieser Auseinandersetzung die Sozialisierung als Zauberformel. Je deutlicher sich ihre Niederlage abzuzeichnen begann, um so extremer artikulierte sich ihre Haltung gegenüber der neuen Republik. Mit welchen Erwartungen hat Pechel die Auseinandersetzungen begleitet und wie hat er die Haltung der Sozialdemokratie bewertet?

Die Suche nach einer Antwort offenbart zunächst, daß Pechels Zeitschrift in dieser Frage mit vielen Zungen zu reden imstande war. Denn oft widersprechen sich die Bewertungen des neuen Phänomens des Sozialismus sogar in einem einzigen Heft. Der neue Herausgeber hat sich wohl kaum in der Lage gesehen, die verschiedenen Anschauungen seiner Mitarbeiter im Sinne einer geschlossenen Aussage zu vereinen. Allen Beobachtern war jedoch eine Perspektive gemeinsam: die Sozialdemokraten wurden von Beginn an daran gemessen, inwieweit sie imstande waren, »Deutschland im Innern gesund zu machen und ihm in der Welt wieder einen Platz zu suchen«[12], wie die Formulierung des Kommentators in der »Politischen Rundschau« lautete. Von diesem Gesichtspunkt aus wurde nachdrücklich vor den extremen Kräften auf der Rechten wie der Linken gewarnt: während ein monarchistischer Restaurationsversuch genau in sein Gegenteil umschlagen und eine Umwälzung im spartakistischen Sinne begünstigen würde, könne ein Putsch der Spartakisten genau die umgekehrte Wirkung haben und einen Aufstand der Rechten provozieren. In dieser Lage sei entschlossenes Handeln die richtige Lösung: »Die Regierung muß stark sein und darf ihre Waffe nicht rostig oder stumpf werden lassen«,[13] so lautete der Rat der »Deutschen Rundschau«, der mit einem Lob für Noske verknüpft wurde. »Eine Persönlichkeit wie Noske ist einfach eine historische Notwendigkeit der Stunde; alles was Staat, Gesellschaft und politische Parteien tun können, um sie zu stützen, sollte getan werden.« Wurde auf diese Weise die Funktion der Sozialdemokratie und ihre Berechtigung im politischen Leben zugleich mit der Zukunft des gesamten Staatswesens verbunden, so spiegeln andere

[10] Vgl. Huber, Ernst-Rudolf: Dokumente zur deutschen Verfassungsgeschichte, a. a. O. S. 63 ff.
[11] Vgl. dazu: Rosenberg, Arthur: Geschichte der Weimarer Republik, Frankfurt 1961, S. 72 ff.
[12] Politische Rundschau vom 12. 9. 1919, in: Deutsche Rundschau, Band 181, 1919, S. 153.
[13] Politische Rundschau, a. a. O. ebenda.

Stellungnahmen bereits ein undifferenziertes Ressentiment gegenüber dem neuen Sozialismus wider. Zwar fehlte nicht der Appell an die Sozialdemokraten, sich »aus der dumpfen Starrheit und Enge ihres Klassenbewußtseins zu befreien« und zu Vorkämpfern einer »nationalen Solidarität« zu werden, doch zugleich wird die Sozialdemokratie als eine »Alterserscheinung« charakterisiert, deren Streben nach » ... öder Mechanisierung des ganzen sozialen Lebens, alles Junge, Schöpferische und Kraftvolle« fehle. [14] Der Partei Friedrich Eberts wird der Makel des Alters angeheftet; zugleich werden ihre politischen Ziele mit denen eines als gefährlich apostrophierten Bolschewismus verknüpft. Dazu dient ein Vergleich zwischen deutscher und russischer Sozialdemokratie, in deren Entwicklungen gewisse Analogien gesehen werden. Der Meinung eines russischen Autors, wonach der Verlust großen privaten Reichtums in Rußland als positive Erscheinung zu werten sei, tritt der Buchrezensent der »Deutschen Rundschau« mit der These entgegen: »Nein ... das ist im Gegenteil schlimm; denn der von Ihnen sehr zutreffend geschilderte Übergang des Reichtums in unfähige und unsaubere Hände hat gerade sehr wesentlich Anteil an der furchtbaren Verelendung Rußlands.« [15] Aus solcher Stellungnahme wird die Abneigung gegenüber allen Sozialisierungsmodellen sichtbar, wie sie zu Beginn der Weimarer Republik von der radikalen Linken entwickelt worden waren. Zu derlei Äußerungen gesellen sich nicht selten polemische Seitenhiebe auf die neuen Machtträger: »Mit Ausnahme der Sozialdemokraten und der Berufspolitiker beklagen heutzutage fast alle Männer und Frauen ihre Ungeübtheit im Reden.« [16] Leider läßt diese Kritik keine Rückschlüsse auf die Gründe zu, warum man von seiten der Rechten der Sozialdemokratie mit Skepsis begegnete. Hatte sich bei den Autoren der »Deutschen Rundschau« die Enttäuschung darüber breit gemacht, daß alle Versuche der Sozialisierung gescheitert waren? Immerhin war sowohl von Oswald Spengler wie von Moeller van den Bruck kritisiert worden, daß die republikanische Staatsform mit dem Sozialismus »nicht das geringste« zu tun habe und daß die Idee der Gemeinwirtschaft aus Verschulden der Republik »Literatur« geblieben sei. [17] Die Abneigung eines einzelnen »Rundschau«-Autors gegenüber linken Sozialisierungs-Modellen braucht einer solchen Vermutung nicht unbedingt zu widersprechen – immerhin hat sich Pechel kaum zwei Jahre später für das »Schöpferische des Räte-Gedankens« [18] eingesetzt. Doch gerade seine Begründung der Idee der Gemeinwirtschaft zeigte, daß man das Prinzip der Sozialisierung als tief in den Traditionen des deutschen Volkes verwurzelt sah – der Grundgedanke des Räte-Systems

14 Hermann von Rosen: Am Ausgang der deutschen Sozialdemokratie, in: Deutsche Rundschau, 1919, Band 180, S. 477.
15 Hermann von Rosen: Literarische Notizen, in: Deutsche Rundschau, 1919, Dezemberheft, S. 328.
16 Literarische Rundschau, in: Deutsche Rundschau, Bd. 180, Teil 3, S. 159.
17 Vgl. Klemperer: Konservative Bewegungen, a. a. O. S. 98.
18 Die geistigen Grundlagen des Bolschewismus, in: Deutsche Rundschau, 1921, Bd. 186, Teil 1, S. 118 ff.

berührte sich nach Pechels Ansicht zutiefst mit der alten germanischen Stammesverfassung.[19] Gerade durch die vermeintlich traditionelle Bindung bedeutete das Ende der Sozialisierung noch lange nicht das Ende des weitverbreiteten Strebens nach Sozialisierung. Denn so wie für Spengler und Moeller der Sozialismus fortan zum »politischen Mythos«[20] wurde, so nahm sich auch Pechel das Recht heraus, die in ihren Sozialisierungs-Bestrebungen gescheiterten Sozialdemokraten mit Hohn, Spott und Verachtung zu übergießen. Gerade ihre mangelnde Verwurzelung mit deutschem Geist und deutscher Tradition hielt der Herausgeber der »Deutschen Rundschau« für ihren schandbarsten Makel: »Hier sprechen bessere Volksmänner, bessere Volksfreunde, bessere Sozialisten als die so eminent unberufenen, an Ideen so armen wie an Taten sterilen Vorkämpfer der Sozialdemokratie mit ihren aufrechten Mitläufern aus dem demokratischen Lager.«[21] Aus solchen Worten bestand Pechels verächtlicher Vorwurf gegenüber Reichspräsident Friedrich Ebert und dessen »Mitregenten«, die sich erdreistet hatten, an Goethes Sarg in Weimar einen Kranz mit der Aufschrift »Genius loci« niederzulegen. »Was sind unsere Revolutionäre für jämmerliche Klischeefiguren gegenüber den großen Umstürzlern des Menschengeistes, die für die zerbrochenen alten Tafeln neue setzten, und alle, aber auch alle Ideen ... haben unsere Großen ihnen vorweggedacht, nur tiefer gefaßt und reiner empfunden.« Der Sozialismus der konservativen Rechten war ein nationaler Sozialismus: dieser wurde als Alternative zum liberalen Kapitalismus und Marxismus formuliert und erhielt eine spezifisch deutsche Begründung. In der Umschreibung Pechels lautete diese, daß man »die Umwandlung der zersetzenden Klassengegensätze zum Miteinander der berufsständischen Gliederung« befördern müsse. Besonders in diesem Versuch, ein Verbundenheitsgefühl des Einzelnen mit dem Volksganzen zu konstruieren, lag die Kritik Pechels gegenüber dem neuen Sozialismus begründet.

2. *Friedrich Meinecke und die Ursachen der deutschen Revolution*

Wenn Paul Fechter bei seiner Würdigung der »Deutschen Rundschau« das »anfängliche Schwanken« ihres Herausgebers gegenüber der »neuen Situation« hervorgehoben hat, das sehr »rasch einer zielbewußten Sicherheit«[22] gewichen sei, dann verwies der Feuilleton-Chef der »Deutschen Allgemeinen Zeitung« auf eben jene Standort-Suche, wie sie sich in den Heften der Zeitschrift widerspiegelt. Diese bekam ihre deutlichste Ausprägung in einem Aufsatz von Friedrich Meinecke, dessen Aussage den äußersten Gegensatz zu den Bedürfnissen der jüngeren Generation markierte. In der Arbeit Meineckes, die auf einem Ende März 1919 vor holländischen Hörern in Groningen gehaltenen Vortrag basierte, wird eine Aus-

[19] Die geistigen Grundlagen des Bolschewismus, a. a. O. ebenda.
[20] Klemperer: Konservative Bewegungen, a. a. O. S. 99.
[21] Weimars Vermächtnis, in: Deutsche Rundschau, Bd. 180, Juliheft 1919, S. 157.
[22] Fechter, Paul: Die deutsche Zeitschrift, a. a. O. S. 5.

einandersetzung offenbar, die als Streit zwischen »Alt- und Neukonservativismus«[23] in die Geschichte der konservativen Bewegung seit 1918 eingegangen ist. Diese Kontroverse spitzte sich vor dem Hintergrund der allgemeinen Entwicklung auf die Frage zu, wie konservative Politik in Zukunft auszusehen habe: die »Ältesten« der Republik, zu denen Gelehrte wie Friedrich Meinecke, Friedrich Naumann, Ernst Troeltsch und Max Weber gehörten, verschlossen sich der Bereitschaft nicht, die Ursachen des politischen Zusammenbruchs zu erkennen und in einem realistischen Mitgefühl für die Gegenwart eine konservative Oppositionsrolle im Rahmen der Republik zu übernehmen. Die andere Möglichkeit, wie sie von den »Jungen« im Juniklub und Deutschen Schutzbund verfochten wurde, war eine rein negative Opposition, eine »Politik der Verzweiflung, die Gesetz, Freiheit und Liberalismus satt hatte«.[24] Die Alternative schloß die Gefahr ein, den Konservativismus in einen verhängnisvollen Irrtum zu führen, der lediglich Illusionen und Fiktionen versprach und die Kapitulation vor dem Nationalsozialismus vorbereiten sollte.

Im Gegensatz zu den »Jungen« der Republik, die Niederlage und Zusammenbruch als Herausforderung für eine neue politische Ordnung empfanden, entsprach es dem Habitus der älteren Gruppe, sich um einen Nachweis historischer Kontinuität und einen Ausgleich der Ideen zu bemühen. Der Titel des Meinecke-Aufsatzes[25] »Die geschichtlichen Ursachen der deutschen Revolution« spiegelt diesen Versuch in deutlicher Weise wider: sein Thema zielte darauf ab, notwendige Folgerungen und Konsequenzen aus dem Wechsel von Monarchie zur Republik in einsichtiger Weise zu begründen und zugleich für eine realistische Bestandsaufnahme der eingetretenen Verhältnisse zu plädieren. Meineckes Abhandlung greift ausführlich auf die deutschen Verfassungskämpfe seit 1815 zurück, schildert die Stein-Hardenbergschen Reformen als einen Torso, zu dem alter Militär- und Obrigkeitsstaat und neues Gemeinschaftswesen in Widerspruch gestanden hätten, und charakterisiert die Bismarckschen Einigungsversuche als Bemühungen, denen die Anpassung an neue Zeiten und neue politische Horizonte nicht gelungen sei. Besonders das soziale Klasseninteresse des preußischen Junkertums habe einem solch heilsamen Fortgang der Stein-Hardenbergschen Reformen im Wege gestanden, und nur aus ihrer Dominanz im Staate habe jene einseitige militärische Denkweise entstehen können, die im späteren Entschluß zum radikalen Unterseebootkrieg ihre letzte Ausprägung erfahren habe.

Neben diesem Versuch, historische Parallelen und Verbindungslinien zur Gegenwart aufzuzeigen, steht Meineckes Bemühen, für einen Ausgleich der Ideologien zu plädieren: Aufgabe eines weisen Staatsmannes sei es, die schlimmsten Entwicklungstendenzen im modernen Massenleben zu bekämp-

23 Vgl. Klemperer: Konservative Bewegungen, a. a. O. S. 103 ff.
24 Klemperer, a. a. O. ebenda.
25 Friedrich Meinecke: Die geschichtlichen Ursachen der deutschen Revolution, in: Deutsche Rundschau, Maiheft 1919, S. 177 ff.

fen und alle guten »auf sittliche Hebung, Ordnung und Gesetzlichkeit« gerichteten Bestrebungen zu unterstützen. Er verweist darauf, daß gerade die Mehrheitssozialisten seit Beginn des Krieges in den vorhandenen Staat hineingewachsen seien und sich für eine Form der evolutionären Fortentwicklung entschieden hätten. »Alles kommt darauf an, daß die Lebenskräfte, die in den gestürzten alten Ordnungen des Staates und den bedrohten alten Ordnungen der Wirtschaft noch vorhanden sind, mit den neuen, noch nicht reifen, aber zur raschen Reife jetzt gezwungenen Ideen des Sozialismus in Arbeitsgemeinschaft treten, um die gähnende Lücke auszufüllen, die durch den Sturz der Autoritäten entstanden ist, um die Revolution aus einem negativen in ein positives Ereignis umzubilden.« [26] Dieser Appell für einen Verständigungsfrieden zwischen Bürgertum und Arbeiterschaft, für einen Kompromiß zwischen Monarchie und Demokratie, zwischen Kapitalismus und Sozialismus gipfelte bewußt in der Forderung nach einem Mittelweg, auf dem man an alte Ordnungen wiederanknüpfen könne.

Meineckes Hoffnung, daß »sowohl im bürgerlichen wie im sozialen Lager einsichtige und verständigungswillige Kräfte« [27] wirksam seien, sollte sich im Hinblick auf die »Jungen« der Republik nicht erfüllen. Denn sein Versuch, eine breite Mitte und damit eine republikanische Vernunftsgemeinschaft zu begründen, wurde gerade von den Gesinnungsfreunden um Moeller van den Bruck und deren »heroischem Realismus« entschieden zurückgewiesen. Deren Vorbehalte artikulierten sich bereits am Aufsatz Meineckes: in einer Fußnote zu seinen Ausführungen wies der Verfasser darauf hin, daß der »Herausgeber dieser Zeitschrift« – gemeint war Rudolf Pechel – im Gegensatz zu ihm der Meinung sei, daß die Schuld am Versagen des Unterseebootskrieges nicht die Oberste Heeresleitung, sondern allein die führenden Männer der Marine treffe. Denn diese hätten versichert, daß die wirksame Durchführung dieses Krieges möglich gewesen sei. Derartige Auffassungsunterschiede offenbarten mehr als einen belanglosen Meinungsstreit über die Bewertung einer zurückliegenden Epoche: während Meinecke die mit dem Ende des Weltkrieges gefallene Entscheidung akzeptierte, suchte Pechel nach Gründen für deren Zustandekommen. Während Meinecke begreiflich zu machen versuchte, was der Weltkrieg in geistiger und politischer Hinsicht bedeutet hatte und daß mit ihm Deutschlands weltpolitische Stellung praktisch gescheitert sei, sah der Herausgeber der »Deutschen Rundschau« gerade in dem Mangel an geistiger und technischer Vorbereitung auf den Krieg die Ursache für die spätere Niederlage. Geschürt wurden solche Überlegungen durch den Friedensvertrag von Versailles, dessen Unterzeichnung für Rudolf Pechel ein jähes Erwachen aus dem »Traumland der Waffenstillstandsperiode« markierte. [28]

[26] Meinecke: Die geschichtlichen Ursachen, a. a. O. S. 194.
[27] Meinecke: a. a. O. ebenda.
[28] Für den allgemeinen Zusammenhang vgl. auch Bußmann, Walter: Politische Ideologien, a. a. O. S. 62 f.

II. Der Vertrag von Versailles im Urteil der »Deutschen Rundschau«

»Alles scheint verloren. Ein unerfüllbarer Friede ist unterzeichnet, der unseren Gegnern gestattet, bei Nichteinlösung einer Forderung, ja, wenn nur die Laune sie prickelt, Deutschland den Hals abzuschnüren.« [29] Diese Anklage steht am Beginn einer politischen Opposition, die seit Ratifizierung des Versailler Vertrages in der »Deutschen Rundschau« geführt wurde. In die Front einer allgemeinen Ablehnung reihte sich Rudolf Pechel ein, ja man muß sagen, daß sein Nationalismus seit jenem Tag eine entschiedene Ausprägung erfuhr: der Kampf gegen Versailles wurde fortan zur dominierenden Richtschnur seiner publizistischen Appelle. Dabei mußte überraschen, daß Pechel erst den Jahrestag seiner Herausgeberschaft zum Anlaß eines leidenschaftlichen Bekenntnisses gegen Versailles genommen hat. Während Wilhelm Stapel schon im Augustheft des »Deutschen Volkstums« mit einem kämpferischen Artikel »An meinen Sohn« [30] aus seiner bisherigen Reserve gerückt war, eröffnet Pechel gut ein halbes Jahr später seine Agitation gegen das Versailler Diktat. Seine Erregung ist freilich so stark, als sei das Vertragswerk erst vor wenigen Stunden publiziert worden: »Alle Freude, jeder Glaube, jeder Glanz und alle Farbe, jede Hoffnung schwindet vor so schaurigem Weltbild. Man mag bedauern, daß mit dieser Erkenntnis nicht der Atem stockt und das arme Herz zerbricht. Aber solange deutsche Kinder ihr Recht ans Dasein noch zu fordern haben, gebietet die Pflicht, weiterzuleben, also zu arbeiten, ja, zu wirken.« [31] Mit dieser Zukunftsvision ist zugleich der Hinweis auf jenes »Neue« verknüpft, dem sich die Zeitschrift von nun an mehr denn je verbunden fühlte. Denn wer einem »das Messer an die Gurgel setze«, mit dem könne man sich nicht unterhalten. Man habe sich allein für das bereit zu machen, »was kommt«. Dieses noch unsichtbare Neue bestand für Pechel in jener Vorstellung einer neuen Ordnung, wie sie bald darauf in seiner Zeitschrift entwickelt werden sollte. Zunächst bemühte sich die »Deutsche Rundschau« um eine Widerlegung der These, wonach Deutschland die Alleinschuld am Ausbruch des Ersten Weltkrieges zu verantworten habe.

1. »Rundschau«-Autoren zur Analyse von Ursache und Verlauf des Ersten Weltkrieges

Wenn Pechel gleich zu Beginn seiner Kampagne gegen Versailles alle Bemühungen auf eine Widerlegung der Kriegsschuldthese konzentrierte, so lag diesem Ansinnen ein einfacher, wenngleich unlogischer Gedanke zu-

29 Rudolf Pechel: Und dennoch!, Deutsche Rundschau, 1920, Aprilheft, Bd. 182, S. 457.
30 Vgl. Keßler, Heinrich: Wilhelm Stapel, a. a. O. S. 49.
31 Pechel: Und dennoch!, a. a. O. ebenda.

grunde: Artikel 231 des Versailler Vertrages galt als Grundlage aller Forderungen der Alliierten und mußte – sofern seine Unhaltbarkeit bewiesen werden konnte – den ganzen Versailler Vertrag in Frage stellen. Eine solche Logik hätte freilich bedeutet, daß die mit dem Sieg der Alliierten über Deutschland entstandenen Probleme auf formaljuristischem Wege hätten gelöst werden können. Das Recht der Sieger wog aber von jeher schwerer als das kodifizierte Recht aus Verträgen oder Gesetzesbüchern. Man wird deshalb hinzufügen müssen, daß die Bemühungen um eine Eliminierung des Artikels 231 des Versailler Vertrages einmal mehr als ein Angriff auf die »deutsche Nationalehre« interpretiert wurden. Die nationale Ehre stand aber in der Republik weit über der persönlichen.[32] In diesem Zusammenhang ist mit Recht auf die zum Ausdruck kommende »Übertragung persönlicher Ehrbegriffe auf ein Kollektiv«[33] verwiesen worden: die These von der Alleinschuld Deutschlands provozierte gerade jenes Ehrgefühl, das sich in allseitiger Empörung gegen die Zumutung der Siegermächte artikulierte. Der Sturm der Entrüstung, von dem Pechels Publizistik getragen wurde, sah in diesem Angriff auf die »Kollektivehre« seine Nahrung und sorgte für die Forcierung des deutschen Nationalismus. »Man möchte verzweifeln. Kaum je, solang es eine Geschichte gibt, ist eine mit unerhörtester Systematik ausgestreute, den ganzen Erdball überwuchernde Lügensaat wie die von Deutschlands alleiniger Schuld am Ausbruch des Weltkrieges so üppig aufgegangen.«[34] Diese empörte Feststellung bildete die Grundlage für alle publizistischen Versuche Pechels, die Behauptung von der Alleinschuld Deutschlands Punkt für Punkt zu widerlegen. Die Frage nach der Schuld des Krieges könne zwar nur geklärt werden, wenn das Gewissen der Welt wieder stark genug geworden sei – indes müßten bis dahin wichtige, aufklärende Vorarbeiten geleistet werden. In diesem Sinne publiziert die »Deutsche Rundschau« in loser Folge »Schriften zur Schuldfrage«, die sich aus betont nationalem Blickwinkel etwa mit der Verantwortung der Entente am Weltkrieg und mit den Vorbereitungen Englands oder Frankreichs an der militärischen Auseinandersetzung befaßten.[35] Dabei setzte man sich in besonderem Maße mit den Ideengängen derjenigen auseinander, die sich im Deutschen Reich für die Kriegsschuldthese engagierten und so »die Mentalität eines fremden Volkes« übernahmen – wie Max Hildebert Boehm empört feststellte.[36] Deshalb rühmte er eine Schrift, die sich mit den Gedankengängen des Republikaners Friedrich Wilhelm Foerster befaßte, als eine der lehrreichsten Veröffentlichungen der letzten Jahre: »Die ungeheure Bedeutung dieser Schrift liegt daher in einer gewissermaßen

[32] Theisen, Helmuth: Die Entwicklung zum nihilistischen Nationalismus in Deutschland, 1918–1933, Diss. München 1955, S. 37.
[33] Theisen, Die Entwicklung, a. a. O. ebenda.
[34] Vom Geiste der Völker, in: Deutsche Rundschau, Bd. 191, 1922, Teil 2, S. 253.
[35] Schriften zur Schuldfrage, in: Deutsche Rundschau, Bd. 191, 1922, Teil 2.
[36] Der neue Nationalismus und die Schuldfrage, Deutsche Rundschau, Bd. 191, 1922, Teil 2.

immanenten Selbstkritik des deutschen Pazifismus und in einer neuartigen Durchdringung von Gedankenwelten, die sich einer solchen nationalen Einstellung bislang krampfhaft entzogen.« [37] Boehm kritisiert als prominenter Jung-Konservativer nicht nur den vermeintlich verderblichen Pazifismus der politischen Linken, sondern er setzt sich zugleich mit der »innerlichen Verödung des deutschen Nationalismus« auseinander. Dieser hatte seinen Ausdruck in jener vulgären Dolchstoßlegende erfahren, die das innenpolitische Leben der Weimarer Republik vergiftet hat. Wie bei Ernst Jünger [38] lag die Dolchstoßlegende für die Jung-Konservativen gewissermaßen unter ihrem intellektuellen Niveau: man förderte vielmehr das Bewußtsein, als ob die eigentliche Entscheidung noch ausstünde. [39] Diese Zielsetzung kommt beispielsweise dort zum Ausdruck, wo Boehm das besprochene Buch gegen Foerster als »kunstvolle Wehr für einen neuen deutschen Menschen« bezeichnet; es offenbart sich in der Stellungnahme Ringwaldts, der auf die »Paradieseshelle der Wahrheit« vertraut und davon spricht, daß »es Tag werden muß«, und es zeigt sich in den Beschwörungen Pechels auf die »Probe des Neuen, das gekommen ist und heraufsteigt«. Diese im Grunde weit gefährlichere Legende schimmert bei allen Darlegungen über das Problem des Weltkrieges und der Kriegsschuld durch. Der Nachweis, daß die These von Deutschlands Schuld am Kriegsausbruch als gezielte Lüge der Entente in die Welt gesetzt worden sei, wird zugleich mit dem Appell für eine neue Weltanschauung verknüpft. »Wir sind verachtet im Rate der Völker. Nicht weil wir den Krieg geführt, nicht weil wir ihn verloren haben, sondern weil wir uns selbst aufgeben ohne Halt und Würde.« [40] Auf diese Weise wurde eine nationale Frage zugleich als notwendiger Anstoß für eine konservative Erneuerungsbewegung interpretiert.

Das Problem der Kriegsschuld ist für den Herausgeber der »Deutschen Rundschau« nie eine Frage von Erkenntnis und realistischer Einsicht gewesen, sondern er hat es stets als eine Frage des sittlichen Willens analysiert. Wenn er dennoch den Versuch unternahm, die These der Alleinschuld zu widerlegen, dann wurde sein Bemühen von dem Wunsch nach Wiederherstellung der nationalen Ehre getragen: »Es ist für ein Volk von Ehrgefühl schlechthin unerträglich, in einer Atmosphäre der Verachtung zu leben, deren Grundlage eine einzige Lüge ist. Diesen Kampf zu führen, gebietet uns die Pflicht gegen die Heranwachsenden und alle künftigen Generationen, gegen unsere toten Helden und gegen uns selbst.« [41] Dieser als selbstverständlich betrachteten Forderung nationaler Ehre sollte eine Serie kurzer Aufsätze dienen, die aus der Feder des Generals Gustav von Freytag-

37 Neuer Nationalismus, a. a. O. ebenda.
38 Vgl. dafür: von Krockow, Christian: Die Entscheidung — Eine Untersuchung über Jünger, Schmitt, Heidegger, Stuttgart 1958.
39 Vgl. Bußmann: Politische Ideologien, a. a. O. S. 67.
40 Pechel: Und dennoch!, a. a. O. ebenda.
41 Einleitung zu Zehn Jahre, in: Deutsche Rundschau, 1924, Bd. 200, Teil 3, S. 206.

Loringhoven im Jahre 1924 unter dem Titel »Zehn Jahre« begonnen wurde. Und die Widerlegung der »Schuldlüge« sollte auch durch die Publizierung von Dokumenten erreicht werden, die nicht nur ein bezeichnendes Licht auf jene »Gesinnungslosigkeit und Erpressertätigkeit der gesamten französischen Presse«, sondern vor allem auf die Vorgeschichte des Krieges werfen sollten.[42] Pechel stützte sich dabei auf vermeintlich autorisierte Quellen aus den Archiven des Auswärtigen Amtes von Petrograd und Moskau, die ihm von einem Konsul a. D. mit Namen Charles Hartmann zugespielt worden waren. Doch es sollte nicht lange dauern, bis sich die Falschheit dieser als »unbestreitbar echt« bezeichneten Unterlagen herausstellte: der Herausgeber der »Deutschen Rundschau« war einem falschen Propheten auf den Leim gegangen, der aus der nationalistischen Empfindlichkeit jung-konservativer Kreise gebührend Kapital geschlagen hatte. Die Begleitumstände dieser Episode beweisen nicht nur Pechels nationalistische Verblendung, die in der selbstsicheren Prophezeiung »Der Vernichtungsschlag gegen die Schuldlüge ist gefallen«[43] gipfelte, sondern sie dokumentieren die unerschütterliche Entschiedenheit, von der Pechels publizistischer Aufklärungsfeldzug getragen war. Der Leser seiner Zeitschrift erwartete vergeblich eine Auseinandersetzung mit der Frage, ob Deutschland den Friedensvertrag etwa nicht hätte unterzeichnen sollen oder ob es andere Wege zur Behebung dieses als schmählich empfundenen Übelstands gegeben hätte. Wie vielen aus den Kreisen der Jung-Konservativen, deren Schriften für den heutigen Betrachter nur schwer verständlich sind, ging es dem Herausgeber der »Deutschen Rundschau« weniger um die Analyse von Tatbeständen als vielmehr darum, Verdammungsurteile zu fällen und dunkle Prophezeiungen zu äußern. Nach realistischen Konzeptionen und rational begründeten Meinungen fahndet man in Pechels Zeitschrift jedenfalls vergebens.[44]

2. *Die Forderung nach einem neuen Nationalismus*

»Unsere Gegner heischen von dem deutschen Volke, das es sich besiegt erkläre und ein dementsprechendes seelisches Verhalten an den Tag lege. Das deutsche Volk in seiner übergroßen Mehrheit ist dazu nicht bereit.«[45] Hinter einer solchen politischen Einschätzung verbirgt sich Pechels Appell für einen neuen deutschen Nationalismus, der sich aus der Niederlage ergeben müsse. Diese Forderung stützte sich auf die optimistische Erkenntnis, daß das deutsche Volk noch nicht alle Kraft verloren habe und sich der Schuldigkeit bewußt sei, »mit dem linken Arme seine Sache weiterzufüh-

[42] Vgl. das spätere Kapitel: Deutsche Rundschau im Meinungsstreit.
[43] Vgl. den Wortlaut auf dem Deckblatt der Zeitschrift, 1924, Bd. 200, Septemberheft.
[44] Vgl. die Kritik Sterns: Kulturpessimismus, a. a. O. S. 4, und Sontheimers: Antidemokratisches Denken, a. a. O. S. 122.
[45] Politische Rundschau, in: Deutsche Rundschau, 1924, Bd. 200, S. 243.

ren, nachdem der rechte ihm abgeschlagen ist«. Die Einigkeit stütze sich auf das unerschütterliche Bewußtsein von wirtschaftlicher Tüchtigkeit, organisatorischer Begabung, Arbeitsamkeit seiner Bauern, Pflichttreue seiner Beamten sowie auf den Bund seiner Wissenschaft und Wirtschaft und auf »gewisse seelische Eigenschaften«, die es der »tausendjährigen Einwirkung seines Staates und seiner Religiosität« verdanke. »Indem wir vor dem Kriege nicht nur über diese Vorzüge, die Voraussetzung unserer wirtschaftlichen Stärke, sondern auch über eine ebenmäßige wirtschaftliche Gewalt verfügten, erlangten wir jenes Übergewicht in der Welt, das schließlich fast alle anderen gegen uns zusammenführte und dank dem wir beinahe trotzdem den Sieg im Kriege davongetragen hätten.« [46]

Die Forderung nach einem neuen Nationalismus wird man nicht mit Gedankengängen vergleichen dürfen, wie sie etwa der politischen Gesinnung der Deutsch-Nationalen entsprachen. Nach deren Vorstellung sollte die Wiederherstellung des Reiches in seinen Grenzen vor 1914 oder wenigstens bis zu Bismarcks Entlassung erfolgen. Zwar finden sich im Gedankengut der Jung-Konservativen Argumente des Deutsch-Nationalismus wieder, indes grenzt sich der neue Konservativismus bewußt von der parteilichen Rechten ab, deren Forderungen als überholt und reaktionär gegeißelt werden. Der junge Konservativismus, so wie er sich in der »Deutschen Rundschau« widerspiegelt, wollte keine politische Vernunftsordnung, kein rational begründetes politisches System, sondern eine Herrschaft, in der Ewigkeitswerte und unzerstörbare geistige Bezüge zum Ausdruck kommen sollten. [47] Für dies Weltbild erweisen sich einige Beiträge als typisches Beweismaterial: Wenn Rudolf Pechel in seiner Besprechung über ein Buch des Ersten Weltkrieges an verlorene deutsche Mythen, an den Schatz deutscher Heldendichtung und an einzelne »leuchtende Gestalten« als Symbole eines ganzen Stammes erinnert, dann offenbart sich in diesem Rückgriff der Anspruch, Ewigkeitswerte einer zurückliegenden Epoche abermals mit lebendigem Gehalt zu erfüllen und sie als Vorbilder hinzustellen. [48] Über die traditionelle Abgrenzung des Deutschen Reiches ragt für die Jung-Konservativen das Geistes- und Wirtschaftsleben hinaus. Der Staat ist mehr als der Stand, Staatsautorität ist nicht »Nebenregierung der Gewerkschaften«, sondern Staatsautorität verlangt Mitverantwortung und Eingliederung aller Stände zugunsten eines höheren Ganzen. In diesem Sinne versteht man die Konservative Revolution als eine großartige Gegenrevolution, die an die Stelle der großen Französischen Revolution neue Werte setzen will: »Die Folge der ganzen Entwicklung ist ein brennender Durst nach seelischer nationaler Erfrischung. Der Laie ... vermißte den großen, erhebenden Zug zum Überblick über das Ganze des Weltgeschehens.« [49]

[46] Politische Rundschau, a. a. O. ebenda.
[47] Vgl. Sontheimer: Antidemokratisches Denken, a. a. O. S. 120.
[48] Deutschlands Tragödie, in: Deutsche Rundschau, Bd. 193, 1922, Teil 1, S. 306.
[49] Karl Mehrmann: Der deutsche Staat im Kampf um seine Autorität, Deutsche Rundschau, 1924, Bd. 199, Teil 2, S. 198.

Freilich strömten in diese Revolutionierung des alten Weltbildes handfeste nationalistische Forderungen ein. Als Zeichen des »zähen Willens deutschen Geistes, sich unter allen Umständen durchzusetzen«, wurden Vorschläge angesehen, die auf eine äußerlich sichtbare Erhebung deutschen Nationalgefühls gerichtet waren. So läßt sich in der Sparte »Luftfahrt-Rundschau« einmal der Gedanke finden, die Luftfahrt stärker als bisher populär zu machen. »Es heißt, die Generation, die den Krieg in der Kinderstube erlebte, in das große zukunftsreiche Gebiet der Luftfahrt einzuführen. Das geschieht am besten in der Schule, im Lesebuch bei den Kleinen, im Unterricht der Physik und der Chemie bei den Größeren, durch gemeinsame Ausflüge der Kleinen und Großen auf die wenigen Flugplätze unserer Luftverkehrsunternehmen.« Nur auf diese Weise könne der Kampf mit dem »Ententedrachen« siegreich bestanden werden. Im Hinblick auf eine solche Zielsetzung ist auch der Vergleich mit dem zum Erzfeinde gestempelten Frankreich erlaubt; denn dieses Land habe den Versailler Vertrag nur schaffen können, weil hinter diesem Vertrag der »bewaffnete Wille einer kleinen Nation gestanden habe«, »die für ihre Ziele, für ihre Rechte zu sterben bereit war.« [50] Weil der Franzose aber für dieses Sterben bereit war, haber er auch im Sinne des »Ewig-Menschlichen« gehandelt. Aus der Wehrlosigkeit des deutschen Volkes ergebe sich deshalb die Folgerung, »daß das Recht des deutschen Volkes auf seinen nationalen Fortbestand nur dann gesichert werden kann, wenn es die tief begründete und so menschliche Feigheit in sich überwindet, wieder eine Politik treibt, die auch den Tod in Rechnung stellt, die ihn nicht bewußt ausschließt«. [51]

Der neue Nationalismus verband sich auf diese Weise mit dem Wehrgedanken: aus einer Situation geboren, die ein Autor Pechels bewußt als eine »Lage mit dem Rücken an der Wand« beschrieb, ergab sich als einziger Notweg der Einsatz des ganzen Menschen und damit auch die Aufgabe seines Anspruchs auf Leben. Ein solches Recht wurde als »Notrecht des deutschen Volkes«, ja, als deutsches Recht schlechthin interpretiert. [52]

3. Pechels Werbung für das Grenz- und Auslandsdeutschtum

Nicht nur im Hinblick auf Kriegsschuldfrage, Reparationen und Entmilitarisierung war der Versailler Vertrag ein Katalysator für einen neu erwachenden Nationalismus; besonders durch die Gebietsabtretungen fühlten sich viele nationalbewußte Deutsche auf das empfindlichste getroffen. Auch Pechels publizistisches Engagement sollte bald dem Kampf für das Grenz-

[50] Wilhelm von Kries: Die Politik des Rechts, in: Deutsche Rundschau, Jg. 193, 1922, Band 1, S. 10.
[51] Wilhelm von Kries, a. a. O. ebenda.
[52] Wilhelm von Kries, a. a. O. ebenda, vgl. auch den Aufsatz von Wilhelm von Kries: Das Recht auf Erde, in: Deutsche Rundschau 1923, Band 200, Teil 4, S. 177 ff. Ferner: Richard Bahr: Weltpolitik und politische Weltbetrachtung, Deutsche Rundschau 1924, Bd. 200, Teil 3, S. 235 ff.

und Auslandsdeutschtum gehören. »Nicht drei oder vier Männer bestimmen auf die Dauer das Geschick eines großen Volkes. Sie versuchen den Namen ›Deutsche‹ zu einem in der Welt verachteten und verfemten Schimpfnamen zu machen. Wir werden ihn wie die Geusen als Ehrentitel tragen. Unser Schicksal bestimmt nur unser Wille und die großen Mächte der Geschichte.« [53] Bereits in dieser Stellungnahme, die Pechel seinen Lesern im Augustheft 1919 präsentiert, zeigt sich die politische Begründung aller publizistischen Appelle für das Grenz- und Auslandsdeutschtum: der Protest richtet sich gegen den bisher nicht erlebten Vorgang, wonach die Sieger Wilson, Clemenceau und Lloyd George eine Neu-Einteilung der europäischen Geographie versuchten. »Weil die drei allein waren, ohne die ›Besiegten‹, sahen sie nur sich und nicht Europa. Während sie miteinander stritten, hungerte das noch immer blockierte Deutschland«, [54] so hat Hermann Ullmann später diese Ausgangssituation beschrieben.

Der Friedensschluß wurde nicht nur von Pechel als die Fortsetzung des Krieges mit anderen Mitteln interpretiert. Sein Bemühen richtete sich fortan darauf, mit geistigen Waffen die völkische Einheit der Nation zu dokumentieren. »Als ein Dokument des vollzogenen geistigen und kulturellen Zusammenschlusses, den keine Macht dieser Welt aufheben, wie sie den politischen für die Dauer nicht hindern kann«, [55] kündigt er für das Septemberheft 1919 Stimmen aus allen Lagern Deutsch-Österreichs zur Frage von »Großdeutschland« an. Dabei sollte sich bald zeigen, daß sich die Autoren der »Deutschen Rundschau« von jeder Gebietsabtretung betroffen fühlten und sich nur allzugerne die Mühe ersparten, Abtretung und Nationalitätenrecht in gerechter Weise abzuwägen. Immerhin schien selbst unter dem Aspekt deutscher nationaler Interessen die Rückgliederung Elsaß-Lothringens an Frankreich historisch gerechtfertigt und auch die Abtretungen Nord-Schleswigs und Eupen-Malmedys waren nach vorherigen neutralen Volksabstimmungen erfolgt. [56] Indes hatte der Herausgeber der »Deutschen Rundschau« gerade auf diesem Gebiet die gesellschaftliche Relevanz von Emotionen erkannt. »Wenn einer unserer Lieben Abschied nimmt oder in Gefahr ist, uns entrissen zu werden, dann erst kommt uns sein Wert so recht zum Bewußtsein. So geht es heute dem deutschen Volk. Unerbittliche Gegner reißen ihm ohne viel Schonung Stücke lebendigen Fleisches aus dem zuckenden Leibe. Das viel umstrittene Elsaß mit dem hochragenden Straßburger Münster, die schwarzen Diamanten des Saarlandes, Danzig und Westpreußen. Und auch Tirol soll das gleiche Schicksal erleiden.« [57] Die quanti-

53 Rudolf Pechel: Wiener Eindrücke, Deutsche Rundschau, 1919, Augustheft, S. 163.
54 Ullmann, Hermann: Durchbruch zur Nation, Geschichte des deutschen Volkes, 1919—1933, Jena 1933, S. 6.
55 Wiener Eindrücke, a. a. O. ebenda.
56 Vgl. Theisen, Die Entwicklung des nihilistischen Nationalismus, a. a. O. S. 43.
57 Hans Voltelini: Tirol, in: Deutsche Rundschau, Sonderheft über Großdeutschland, Bd. 180, September 1919.

tative Schmälerung des Deutschen Reiches war eine Schmach für jeden »guten« Deutschen: »Dieses Volk will nicht andere beherrschen, sondern nur frei sein auf seiner alt-ererbten, heißgeliebten Scholle«,[58] hieß die Begründung für eine Rückgliederung des Sudetenlandes an das Reich, zu der sich in einem Aufsatz über Deutsch-Westungarn die Prophezeiung gesellte: »Das eine aber ist gewiß: so wie der Zusammenschluß Deutsch-Österreichs und des Deutschen Reiches früher oder später, aber mit Naturnotwendigkeit, kommen muß, so wird auch der Ruf nach der Vereinigung Deutsch-Westungarns mit Deutsch-Österreich nicht verstummen, wenn er Erhörung gefunden hat.«[59] Vergeblich vermißt man in solchen emotionalen Appellen für ein neues Großdeutschland eine Darlegung historischer Rechte. Die Kernfrage war, ob die natürliche Wirkung nationaler und wirtschaftlicher Lebensinteressen eines Volkes durch politische Bindungen überhaupt zu verhindern war – und diese Frage wurde rigoros verneint. In die Forderung nach einer völkischen Überwindung als künstlich angesehener Grenzen mischte sich von Beginn an eine vehemente Kampagne gegen den Geist, von dem diese Zerstückelung des Deutschen Reiches angeblich getragen war. Pechel wurde nicht müde, in seiner Zeitschrift auf den Widerspruch des von Wilson proklamierten Selbstbestimmungsrechts und der Grenzziehungen des Versailler Vertrages zu verweisen. Entgegen den Wilsonschen Grundsätzen seien Menschen und Volksgruppen wie auf einem Schachbrett hin- und hergeschoben worden, ohne Rücksicht auf ihre angestammten Beziehungen zum Deutschen Reich. Selbst der verstorbene Wilson wurde bei dieser Argumentation nicht verschont. »Woodrow Wilson ist tot. Seit Jahren war er ein gebrochener Mann. Aber seine Giftzähne waren ihm nicht ausgebrochen. Nun ist er tot.«[60] Aus solchem Tadel begann eine Polemik, die den Tod des amerikanischen Präsidenten zum aktuellen Anlaß für eine Bestandsaufnahme der volksdeutschen Bewegung nahm.

Der großdeutsche Gedanke – eben das betont Loesch in seinen Darstellungen zum Grenz- und Auslandsdeutschtum immer wieder – sei indes kein Eroberungsgedanke, sondern »der Ausdruck des Willens der einzelnen Stämme, sich zu einem Gesamtreich zusammenzuschließen, und der Binnendeutschen, diese heranzuziehen«.[61] Die Dynamik des Prozesses wollte man durch publizistische Aufklärung fördern – und falls es möglich war, beschleunigen. Denn wenn großdeutsch zugleich bedeutete, die Wiedervereinigung aller jener Gebiete zu fördern, die selbst zum Reiche hinstrebten, dann konnte der ständige Verweis auf die völkische Verbundenheit dieser Gebiete deren Verschmelzung nur nützlich sein. Besonders in diesem militant und in der Regel polemisch vorgetragenen großdeutschen Bekenntnis lag 1933 ein

[58] Robert Freißler über Sudetenland, Sonderheft, S. 339.
[59] Benno Imendörfer über Deutsch-Westungarn, Sonderheft, S. 346 ff.
[60] Diplomaticus: Woodrow Wilson, in: Deutsche Rundschau, Bd. 198, 1924, Teil 1, S. 225 ff.
[61] Vom Grenz- und Auslandsdeutschtum, in: Deutsche Rundschau, 1922, Bd. 191, Teil 1, S. 92 ff.

Berührungspunkt mit der Sammlungsbewegung Adolf Hitlers, von der zunächst die Erfüllung aller großdeutschen Hoffnungen möglich schien.

Es ist bereits darauf verwiesen worden, daß mit solchen publizistischen Appellen der »Deutschen Rundschau« für das Grenz- und Auslandsdeutschtum ein enger Kontakt ihres Herausgebers zu Vereinigungen wie Deutscher Schutzbund und Verein für das Deutschtum im Ausland verbunden war. Pechel hat besonders im Deutschen Schutzbund die institutionelle Absicherung seiner volksdeutschen Publizistik gesehen. Der Deutsche Schutzbund war für ihn »die soziologische Form des allen Deutschen durch den Frieden von Versailles aufgezwungenen Abwehrkampfes«.[62] Pechels wichtigste Aufgabe ist es seit 1920 gewesen, diesen Abwehrkampf gegen Versailles publizistisch zu koordinieren und die Probleme des Grenz- und Auslandsdeutschtums in gezielter, gemeinsamer Aktion hervorzuheben. Erst die Hintergründe und Intentionen seines Bemühens verdeutlichen endgültig den Geist, von dem der Herausgeber der »Deutschen Rundschau« in seinem Werben für ein neues Großdeutschland beseelt war. Mit Recht hat man die Vertreter des Auslandsdeutschtums die »Praktiker« der jung-konservativen Bewegung genannt:[63] wenn sich deren Appelle bald nicht mehr nur auf die Rückgliederung verlorener Gebiete und den Anschluß Österreichs bezogen, sondern alle Regionen deutscher Sprache, des deutschen oder artverwandten Volkstums mit einschlossen, dann zeigte sich darin eine Ideologie, die etwa von Moeller van den Bruck schon vertreten worden war: »Der Sieg einer grenzpolitischen Auseinandersetzung liegt im Osten wie im Westen auf seiten Deutschlands, auf seiten des ›jüngeren Volkstums‹, das der geistigen Leere Frankreichs weit überlegen ist, das aber die unterlegene, weil jüngere Kultur des Ostens auf ihre Aufnahmefähigkeit für die Dinge der deutschen Kultur zu prüfen hat.«[64]

62 Pechel, Rudolf: Rückblick auf Deutschen Schutzbund, Deutsche Rundschau, 1921, Teil 2, S. 101.
63 Mohler, Armin: Die Konservative Revolution, a. a. O. S. 75 ff.
64 Moeller van den Bruck: Sozialismus und Außenpolitik, Breslau 1933, S. 70 f. Vgl. auch Theisen, Helmuth: Die Entwicklung zum nihilistischen Nationalismus, a. a. O. S. 45.

»Niemals hat ein Deutscher klarer als Spengler gezeigt, was ein ›Volk‹ ist, was seine Wesensart bestimmt, was seine Möglichkeiten sind. Er lehrt uns, uns selbst zu erkennen und unsere Lage. Gerade diejenigen, die unserem Volke an der Grenze und im nationalen Kampfe Führer und Lehrer sein müssen, werden gut tun, sich mit diesen Gedankengängen vertraut zu machen.« [1] Solches Resümee einer Betrachtung in der Sparte »Vom Grenz- und Auslandsdeutschtum« beweist, daß zwischen dem Appell der »Deutschen Rundschau« für eine angestammte ethnische Einheit des Volkes und den Gedankengängen des Jung-Konservativismus eine Verbindungslinie bestand. Die geistige Beziehung ergab sich einmal aus den vielfältigen Verbindungen der Ring-Mitglieder untereinander. Von der Berliner Motzstraße, wo Juniklub, Deutscher Schutzbund und Montagstisch ihre Tagungsstätte hatten, liefen die Fäden nach München, wo Oswald Spengler die dortige Niederlassung des Juniklubs leitete, sowie in die Redaktionen und Verlagsunternehmen verschiedener Zeitungen und Zeitschriften. Die »Deutsche Rundschau« hat sich innerhalb dieses Kommunikations-Gefüges als eine Publikation erwiesen, in der ernsthafte Auseinandersetzungen über die jungkonservativen Theorien zu lesen waren. Sie wurde auf diese Weise zu einem zentralen Verbindungsglied der Ring-Bewegung und blieb im Grunde genommen von 1920 bis 1933 ihrem Grundsatz treu, »ein Steinchen beitragen zu können zu dem Haus, das wir bauen« [2] – wie die Formulierung ihres Herausgebers lautete. Man wird ihren Stellenwert innerhalb der Ring-Bewegung nur schwierig herausarbeiten können: die wichtigste Fundgrube für jung-konservatives Gedankengut bleiben nach wie vor die Zeitschriften »Das Gewissen« und »Der Ring«. Aber die publizistische Zielsetzung ihres Herausgebers war seit 1920 mit den politischen Inhalten jener Publikationen weitgehend identisch. Pechel hat mit Inbrunst daran geglaubt, daß die große konservative Gegenrevolution eines Tages Wirklichkeit werden würde. »Und wenn nur einer, der die Kulturdokumente liest, hingeht und sie seinen Freunden zeigt, deren einen er überzeugt, so war es nicht vergeblich. Aus vielen kleinen Kreisen entsteht über Nacht der große, und mit freudigem Staunen sieht der Zweifler dann die weite Peripherie, die Gleichgesinnte machtvoll zusammenschließt.« [3] Von dieser grandiosen Zukunftsvision lebten Pechels publizistische Appelle, und sie bestärkten ihn immer wieder in dem Glauben, daß man den Wortführern der Erhebung einen Weg bahnen

[1] Vom Grenz- und Auslandsdeutschtum, in: Deutsche Rundschau, Septemberheft, 1922, S. 313 ff.
[2] Nicht anders lautete die Formulierung Pechels in seinem bereits zitierten Aufsatz »Und dennoch!«, Deutsche Rundschau, Aprilheft 1919.
[3] Pechel: Und dennoch!, a. a. O. ebenda.

müsse. Im Blick auf diese Zielrichtung hatte er sich maßgeblich von der parteilich gebundenen Rechten distanziert, die er den »starren konservativen Kreisen« zurechnete und von der ein Mut zu »neuem Aufstieg« nicht zu erhoffen sei. Pechels Entschiedenheit gegenüber allen anders denkenden politischen Gegnern war nicht zu übertreffen: »Aber jeder begieße ruhig sein eigenes Bäumchen weiter mit Tinte. Wer den Anschluß an die neue Gemeinschaft nicht finden kann, hat uns nichts zu sagen. Wer nicht durch das Noterlebnis gegangen und sehend geworden ist, bleibt ausgeschaltet von der lebendigen Bewegung. Die Zeit der Programme und Traktate ist vorbei. Der Zeiger der Uhr weist auf einen neuen Abschnitt. Wir stehen mitten drin im Stadium der lebendigen Arbeit von Mensch zu Mensch. Wer den Gang der Uhr nicht erkennt, dem wird ihr Schlag Schrecken einjagen.« [4] Diese Gewißheit konnte freilich nicht über den großen Widerspruch hinwegtäuschen, dem sich die Jung-Konservativen ständig gegenübersahen: die Gemeinschaftslehre des revolutionären Konservativismus sah diese Volksgemeinschaft bereits als gegeben an und bemühte sich doch, sie erst revolutionär herzustellen. [5] Denn gerade diesem Ziel und seiner Verwirklichung hat Pechels Hinwendung zum Jung-Konservativismus seiner Zeit gegolten.

1. Moeller van den Bruck und seine Theorie vom Recht der jungen Völker

Arthur Moeller van den Bruck hat in der »Deutschen Rundschau« drei bedeutsame Abhandlungen publiziert. Bereits im Jahr 1916 erschien hier der Aufsatz »Schicksal ist stärker als Staatskunst« [6], dessen Problematik zwei Jahre später in den Vorarbeiten zum gleichnamigen Buch »Das Recht der jungen Völker« [7] fortentwickelt wurde. Moellers wichtigster Abstecher in philosophische Bereiche ist zugleich ein Dokument für die permanente geistige Auseinandersetzung, die in den Sammelstätten der jung-konservativen Bewegung um das Werk Oswald Spenglers geführt wurde. Denn Moellers Auseinandersetzung mit Spengler basierte auf einem Streit, der zwischen beiden Kontrahenten im Berliner Juniklub stattgefunden hatte. [8] Augenzeugen berichteten darüber, daß Moellers und Spenglers Standpunkte sich »ergänzten« und daß »ihre Zuhörer«, von diesem Augenblick ergriffen, feierlich gelobten, »ihr Leben der Verwirklichung dieser Zukunftsbilder« zu widmen. [9]

Der Grundgedanke des Aufsatzes »Vom Recht der jungen Völker«

4 Rudolf Pechel: Literarische Rundschau, in: Deutsche Rundschau, Bd. 185, 1920, Teil 4, S. 258/259.
5 Vgl. Heide Gerstenberger: Der revolutionäre Konservatismus, a. a. O. S. 42.
6 Deutsche Rundschau, 1916, Band 169, S. 161 ff.
7 Deutsche Rundschau, Band 177, 1918.
8 Der Untergang des Abendlandes – Für und wider Spengler, Deutsche Rundschau, Band 184, Juli 1920, S. 41 ff.
9 So die Erinnerung von Otto Strasser, zit. bei Klemperer, a. a. O. S. 190.

taucht bei Moeller schon in früheren Arbeiten auf.[10] 1918 entwickelt er diese Überlegungen in der Weise fort, daß er die Völker in die »arbeitenden« und die »genießenden« unterteilt. Auf der einen Seite befinden sich die jungen, mit starker Vermehrung und gehobener Leistungskraft, auf der anderen stehen die Völker im Besitz der Macht, die nur noch »sein wollen« und das »Rentnerideal« gegen das »Pionierideal« der Jungen gestellt haben. Auch im Krieg hat sich für Moeller der Kampf zwischen alten und jungen Völkern widergespiegelt: er hatte seine Schrift deshalb Wilson zugesandt und stellte dabei das Recht der Siegerstaaten dem »natürlichen Recht« der jungen Völker entgegen. Auf der jungen Seite stehen Bulgaren, Finnen, Japaner und Preußen; auf der anderen Seite die übrigen, die zum Teil die falsche Orientierung besitzen. Nach eingehender Diskussion der Ideen der Aufklärung und der Revolution von 1789 stellt der Verfasser diesen die Probleme der Jungen entgegen und interpretiert die Ideen der Gegenseite auf völlig unerwartete Weise. Politik ist für Moeller der Wille in der Geschichte, und er hebt besonders den Willen hervor, auf den es in dieser Zeit ankomme, in dem sich das Recht der Völker gegen das Recht der Staaten zu erheben beginne. »Er, der einst freiwillig nach Frankreich ging, nimmt jetzt den Kampf gegen den Westen und seine politischen Lebensformen auf, erwartet von Deutschland, daß es die verstaubten politischen Ideen des 18. Jahrhunderts ebenso neu umschaffen wird, wie es bereits die Formen der Kunst umgebildet, von sich aus neu geschaffen und den andern weitergereicht hat.«[11]

Moellers »Recht der jungen Völker« galt einmal der Widerlegung Oswald Spenglers, der den »Untergang des Abendlandes« prophezeit hatte, und darüber hinaus der Abwehr »einer Realität, die allzu sehr den Spenglerschen Untergangserwartungen zu entsprechen schien«.[12] Besonders Moellers Auseinandersetzung mit Spengler, wie sie 1920 in der »Deutschen Rundschau« veröffentlicht wurde, spiegelt diesen Sachverhalt wider. Moeller lehnt Spenglers Untergangsprophezeiungen ab und versucht den Zentralgedanken von dessen Theorie zu widerlegen. Spengler sei bei seiner Vorhersage über den Untergang des Abendlandes von der Voraussetzung ausgegangen, daß Deutschland den Krieg gewinnen werde. Seine Prophezeiung wäre deshalb Wirklichkeit geworden, wenn diese Voraussetzung bestanden hätte. Die Niederlage habe jedoch nun ganz andere Möglichkeiten geschaffen. »Der Ausgang des Weltkrieges hat die Entwicklung abgebrochen, auf die das Leben in Deutschland vor dem Kriege so stürmisch hindrängte.«[13] Spenglers pessimistischer Überzeugung von der Unvermeidbarkeit des Un-

10 Vgl. Fechter, Paul: Arthur Moeller van den Bruck, a. a. O. S. 66. Die allgemeine Auseinandersetzung um das Werk Spenglers ist von Manfred Schroeter aufgezeichnet worden: Der Streit um Spengler, Kritik seiner Kritiker, München 1922. Für Moellers Kritik siehe die Seiten 4, 6, 7, 12.

11 Vgl. Fechter, Paul: Arthur Moeller van den Bruck, Ein politisches Schicksal, a. a. O. S. 66 f.

12 Gerstenberger, Heide: Der revolutionäre Konservatismus, a. a. O. S. 46.

13 Moeller van den Bruck: Der Untergang ..., a. a. O. S. 61.

tergangs des Abendlandes stellt Moeller seinen Glauben an die Lebenskraft der jungen Völker entgegen, zu denen besonders Deutschland und Rußland gehörten. »Die jungen Völker werden sich gegen die alten erheben«, [14] heißt die zentrale Aussage seiner Prophetie. Moeller akzeptierte zwar Spenglers Morphologie des Untergangs, glaubte aber, daß die Niederlage Rußland und Deutschland diesem drohenden Schicksal entrissen habe. Beiden Völkern sei durch den Kriegsausgang die Möglichkeit zu neuem Leben und Wachstum wiedergegeben worden, und damit hätten sie sich endgültig vom untergehenden Westen gelöst. »Der Friede von Versailles entläßt uns mit dem widerspruchsvollen Ergebnisse, daß Sieger die alternden Völker des Westens blieben, Besiegte dagegen die Nationen der größeren Lebenskraft sind.« [15] Die gleiche – hier in aller Knappheit dargestellte – Theorie vom Recht der jungen Völker – läßt sich in allen konservativ-revolutionären Schriften wiederfinden. Sie bildet nach Auffassung von Heide Gerstenberger »ein Teilstück des machtpolitischen Nationalismus und eine besondere Variante des deutschen Sendungsglaubens«. [16]

Besonders in Moellers Auseinandersetzung mit Spengler wird der Versuch sichtbar, dessen Prophetie ein anderes, ein deterministisches System aufzuzwingen, nach dem die Möglichkeit einer spontanen Willensentscheidung gegeben war und das die Hoffnung auf eine schließliche Wiedergeburt des neuen Deutschlands nicht ausschloß. [17] Wie immer man diese scheinbar abstrakten Überlegungen bewerten mag: sie haben die Kreise der Jung-Konservativen leidenschaftlich beschäftigt. Von der Vision eines neuen Dritten Reiches war auch der Herausgeber der »Deutschen Rundschau« nicht minder fasziniert. Fast dreißig Jahre später schrieb er rückblickend: »Man mag über den Politiker Moeller denken, wie man will, er war als Persönlichkeit sehr anziehend, ein durch und durch künstlerischer Mensch und eine lautere Persönlichkeit von einem großen ethischen Willen.« [18]

2. Der Begriff der Weltrevolution bei Eduard Stadtler

Will man den Worten von Eduard Stadtler Glauben schenken, dann hat er den damals noch relativ unbekannten Moeller van den Bruck aus tiefer Depression gerettet: kurz nach Erscheinen von Moellers Buch »Das Recht der jungen Völker« sei dieser durch den Kriegsausgang 1918 derart zerschmettert gewesen, daß ihn nur Vorträge und politisches Temperament Eduard Stadtlers aus den Tiefen von Melancholie und Verzweiflung erlöst

14 Moeller: Der Untergang des Abendlandes, a. a. O. ebenda.
15 Moeller: Der Untergang ..., a. a. O. S. 66.
16 Gerstenberger, Der revolutionäre Konservatismus, a. a. O. S. 47.
17 Stern, Fritz: Kulturpessimismus, a. a. O. S. 286 f. Vgl. auch Klemperer, Konservative Bewegungen, a. a. O. S. 190 f.
18 Brief an Fritz Stern vom 16. 5. 1947, zitiert in: Kulturpessimismus, a. a. O. S. 38.

hätten.[19] Schwierskott schildert Stadtler als geschickten, unermüdlichen Redner, gewandten Organisator und überzeugten Patrioten. In die Geschichte der jung-konservativen Bewegung ist er besonders als Leiter der »Antibolschewistischen Liga« eingegangen. Darüber hinaus war er betriebsamer Motor der Ring-Bewegung, ja, stand er nach eigener Aussage sogar im »Mittelpunkt der politisch aktiven Interessensphäre.«[20]

Stadtlers Betriebsamkeit hat sich auf dem publizistischen Sektor intensiv ausgewirkt. Neben dem Schreiben von Artikeln für Zeitungen und Zeitschriften befand er sich ständig auf Vortragsreise, in unerschütterlichem Glauben, daß er überall gebraucht werde. »Und jetzt, da das liebe Vaterland glatt unterzugehen droht, wäre es strafbar, wenn ich mich in dem Augenblicke schonte, wo Tausende und aber Tausende von mir Erlösung und Rettung verlangen.«[21] Von seinem Sendungsbewußtsein hat Pechels »Deutsche Rundschau« profitiert. Im Juni 1920 hatte Stadtler neben verschiedenen Leitartikel für das »Gewissen«, für Berliner Tageszeitungen und für Zeitschriften wie »Veritas vincti« und »Hochland« einen Aufsatz über die »Ideen der Weltrevolution« geschrieben, der kurz darauf in der Zeitschrift Pechels erschien. Diese Abhandlung lebt von dem Glauben an eine erneuerte konservative Bewegung, die im »Erlebnis der Not unserer Zeit« ihren Ursprung habe. In diesem Erleben sprühe der Funke auf, der den Weltkrieg zur Weltrevolution verschweiße. Wie kommt die allgemeine Erhebung zustande? Entscheidend waren die geistigen Revolutionsvorgänge von 1914, die Stadtler zu den wichtigsten Revolutionserscheinungen des Weltkrieges zählt. Häufig taucht in seinen Schriften das »Kriegs- und Fronterlebnis« als Ausgangspunkt eines neuen politischen Empfindens und Denkens auf, ferner das Revolutionserlebnis als Ursache jeder Verpflichtung zum Wiederaufbau des Deutschen Reiches. Schließlich ist häufig von der radikalen Absage an »geistige Öde und die politische Unfruchtbarkeit des alten Parteiwesens« die Rede.[22] Vor dem Hintergrund solcher Gefühls- und Erlebniswelt interpretiert Stadtler den Weltkrieg als »Zäsur der Weltgeschichte« und zugleich als »Schöpfungschaos einer neuen Zeit.«

Ähnlich wie Moeller und im Prinzip dessen Gedankengängen folgend sieht Stadtler den Weltkrieg als Krisenherd des nationalstaatlichen Gedankens. Seine Abrechnung mit dem Nationalstaat Bismarckscher Prägung ist unverhüllt: Politik nennt er simplifizierend »mechanistisch-demokratisch«. In wortreicher, nicht selten unverständlicher Begründung gelangt er zu der Behauptung, wonach dem Versagen moderner Nationalstaatenpolitik »makrokosmisch« der Zusammenbruch der Weltdemokratie und des Weltvölkerbunds entspreche. Das Ergebnis der Entwicklung ist gleichermaßen

19 Stadtler, Eduard: Als Antibolschewist ..., a. a. O. S. 128.
20 Stadtler: Antibolschewist, a. a. O. S. 126.
21 Stadtler, Weltrevolution, a. a. O. S. 182. Vgl. auch die Schilderung bei Schwierskott, a. a. O. S. 81 ff., ferner die Kritik Klemperers: Konservative Bewegungen, a. a. O. S. 105 ff.
22 Stadtler: Als Antibolschewist ..., a. a. O. S. 162.

düster: »Damit steigt über die Welt das Gespenst einer jahrzehntelangen Aufwühlung und Zerrüttung aller staatlichen Lebensformen herauf.«[23] Stadtlers Kritik an der modernen Form des Parlamentarismus hat gleichermaßen im Weltkrieg ihren Ursprung: er sieht ihn im Zusammenhang mit einer totalen Krise der Gesellschaftsordnung. Dabei setzt er der »atomistisch-individualistischen« Gesellschaft der Vorkriegszeit den Gemeinschaftswillen und die vermeintliche Gemeinschaftssehnsucht des Volkes beim Kriegsbeginn 1914 gegenüber. Der Weltkrieg habe die Parteien- und Klassenbildung der Gesellschaft in einer ganz bestimmten Höhenlage überrascht. »Parteien und Klassen waren um das Jahr 1914 in heuchlerischer Weise ineinander verstrickt und kämpften unter verantwortungsloser Beauftragtenführung rücksichtslos ihr Interesse gegen den Staat in einem ungeregelten Kampf um die Staatsmacht aus. Nach einer kurzen Periode des parteipolitischen Burgfriedens ... konnte an der langen Dauer des Weltkrieges die Parteikämpferei und Klassenkämpferei gegen den Staat sich wieder entzünden.«[24]

Welche Konsequenzen ergeben sich aus dieser Lage? Stadtler sieht die als »Rettung« apostrophierte Lösung in einer »irrationalen Gemeinschaftsbewegung, die aus der Tiefe der abendländischen Kulturverwurzelung ihre Kraft hole«. Diese könne zunächst Sammlung ermöglichen und einen neuen Aufstieg vorbereiten. Der äußere Anstoß zu einer solchen Bewegung sei die »Not unserer Zeit« – was immer man unter dem Begriff verstehen mag. Aber gerade dieses Noterlebnis, gern als »Gesamtnot« interpretiert, wirke gegenwärtig schon als »persönliche Not« auf jeden einzelnen zurück. Aus diesem Erleben und aus halb altruistischem Selbstbehauptungswillen entstünden schließlich ein neuer Gemeinschaftswille und eine neue Gemeinschaftssehnsucht. Letztere gipfele schließlich in der »Führersehnsucht«, »um mit der göttlichen Kraft schicksalsmäßiger Berufung den Lauf der Dinge an bestimmten Punkten umzubiegen und in eine selbstgewollte Richtung zu lenken.«[25] Stadtlers Vision einer allumfassenden politischen Erneuerung ist rational kaum interpretierbar: es fehlen sowohl konkrete und vor allem verständliche Argumente für das Zustandekommen jener »Weltrevolution« als auch Hinweise auf das äußere Gefüge jener neuen Ordnung, die sich aus dem »Tode der Weltkriegsrevolution« als neue Auferstehung ergeben werde. In ihrem irrationalen Anspruch, der romantischen Sehnsucht nach heroischeren Zeiten und dem emphatischen Rückgriff auf das Erlebnis des Krieges, ist Stadtlers Philosophie ein fast typisches Beispiel für das Phänomen jener »cultural despair«, von dem der jung-konservative Erneuerungsversuch getragen war.[26]

23 Stadtler: Die Weltrevolution, Deutsche Rundschau, 1920, Band 185, Teil 4, S. 145 ff.
24 Stadtler: Die Weltrevolution, a. a. O. S. 154.
25 Stadtler, a. a. O. ebenda.
26 Vgl. den Titel von Sterns Buch: Kulturpessimismus als politische Gefahr.

3. *Volk und Volksrecht bei Max Hildebert Boehm*

Die vorliegende Literatur zur »Konservativen Revolution« unterscheidet sich zwar häufig in der Bewertung einzelner politischer Phänomene; die Autoren sind jedoch einstimmig der Meinung, daß es den revolutionären Konservatismus als geschlossenes Gedankengebäude nicht gegeben hat. Die dargebrachten Skizzen einzelner jung-konservativer Theoretiker dienen dem Nachweis, daß sich in der Ring-Bewegung einzelne Persönlichkeiten mit unterschiedlichen und sogar widersprüchlichen Ansichten zusammengefunden haben. Die These jedoch, daß trotz aufzeigbarer Widersprüche die Summe jung-konservativer Aussagen eine vergleichsweise geschlossene Ideologie ergibt [27], bleibt weiterhin zu verfechten. Moeller hat den Sinn konservativer Revolution in einer Lebensform gesehen, die sich in neue Verfassungs- und Wirtschaftskörper gliedern soll: Ausdrücklich verweist er dabei auf jene »Leibgemeinschaften« im Sinne Max Hildebert Boehms, die als »Zellen schließlich in der großen Leibgemeinschaft einer bewußt gewordenen Nation münden« [28]. Am Aufsatz Stadtlers wiederum ließ sich Moellers Grundthese vom Recht der jungen Völker aufzeigen, Boehm seinerseits sieht in Stadtlers »Weltkrieg als Weltrevolution« den Beginn für eine »Selbsterneuerung des lebendigen Rechts«, wie der Titel seines Aufsatzes in der »Deutschen Rundschau« lautet. [29] Boehms Korporativismus-Modell kehrt schließlich bei Heinz Brauweiler wieder, dessen Aufsätze zur Wirtschafts- und Rechtsverfassung ab 1920 in der »Deutschen Rundschau« dominieren.

Diese zwar unterschiedlichen, aber von eindeutigen politischen Implikationen getragenen Gedankengänge lassen sich in der »Deutschen Rundschau« als eine relativ geschlossene Ideologie nachzeichnen. Hinzu kommt der bereits skizzierte persönliche Kontakt, den Pechel mit fast allen Repräsentanten der Ring-Bewegung gepflogen hat. »Ich habe mir vorgenommen, bei Ihnen in die Schule zu gehen; denn ... jene fatale Feierlichkeit, den Ancienitätsfimmel, das Klimpern auf einer chimärischen Rangordnung, die ganze Kleiderordnung des Bonzentums, die den Protest der Jungen in uns hochtrieb, all das kann ich auch mit größtem Phantasieaufwand mir zu Ihnen nicht hinzudenken.« [30] So lautete Boehms Geburtstagsglückwunsch für Pechel – zugleich ein Beweis für deren kameradschaftliche Verbundenheit. Boehm ist neben seiner Tätigkeit im Juniklub und Deutschen Schutzbund [31] ein regelmäßiger Mitarbeiter der »Deutschen Rundschau« gewesen: in der Zeitschrift finden sich häufig Rezensionen aus seiner Feder. [32]

[27] Gerstenberger: Der revolutionäre Konservatismus, a. a. O. S. 65.
[28] Moeller van den Bruck: Der Untergang des Abendlandes, a. a. O. S. 67.
[29] Max Hildebert Boehm: Die Selbsterneuerung des lebendigen Rechts, in: Deutsche Rundschau, 1921, Band 186, Heft 1, S. 138 ff.
[30] Max Hildebert Boehm an Pechel, 29. 10. 1932.
[31] Vgl. dafür Stadtler: Als Antibolschewist, a. a. O. S. 129, und Heide Gerstenberger, a. a. O. S. 65 f.
[32] So unter anderem ein kritischer Literaturbericht: Staatstheorien und deutsche Lebenswirklichkeit, Deutsche Rundschau, 1927, Band 211, S. 172 ff.

Boehms Abhandlung über die »Selbsterneuerung des lebendigen Rechts« beginnt mit der Feststellung, daß der Weltkrieg sowohl Recht zertrümmert als auch Recht geschaffen habe. Dieses neue Recht grenzt er bewußt vom herkömmlichen Recht als »Angelegenheit der Fachgelehrten« ab und setzt ihm das »Lebensrecht eines unterdrückten und vergewaltigten Volkes« gegenüber. Präziser als Stadtler – dieser nannte Boehm den »großen Wissenschaftler-Rationalisten des Irrationalismus« [33] – sieht Boehm diesen neuen Rechtsbegriff in jenen elementaren Mächten der Geschichte, aus deren Kraft heraus das neue Recht geboren werde. »Wir suchen das Recht im Lebenswillen der Nation neu zu begründen.« Aber wie entsteht dieser Lebenswille der Nation? Der einzige Weg, auf dem die Nation trotz vorhandener Gruppenegoismen zu sich selber kommen könne, liege in der Not begründet. Dieser »Not-Begriff« taucht sowohl bei Stadtler als auch bei Pechel auf, der häufig vom »Noterlebnis« gesprochen hat. [34] Das gemeinsame Gefühl, in einem Zeitalter der Not leben zu müssen, gelte es, zur nationalen Leibwerdung nutzbar zu machen. »Den Gemeinwillen der Nation hatte bislang der Staat monopolisiert, der ihn schlecht verwaltet hat. Es war recht, daß im August 1914 die Nation geschlossen hinter den Staat trat, obgleich der Staat sich so blutwenig um die Nation gekümmert hatte«. [35] Das Gemeinschaftsgefühl, das sich 1914 im allgemeinen Kriegsausbruch artikulierte und von dem Pechel gleichfalls ergriffen worden war, dient damit der Legitimation zur Ablehnung herkömmlicher, als positivistisch apostrophierter Rechtsbegriffe und wird als Grundlage einer neuen Rechtswerdung begriffen. Die unerbittliche Entschiedenheit, mit der alle Jung-Konservativen den Unterzeichnern des Versailler Vertrages gegenübergestanden haben, bekommt von dieser Basis ihre logische Konsequenz. Weil sich der neue Staat dem Willen der Entente unterworfen habe, sei ihm das Recht verwirkt worden, weiterhin »Träger des deutschen Lebenswillens in der Welt« zu sein. Nation und Staat werden nicht mehr als Einheit, sondern als gegensätzliche, ja, feindliche Begriffe gesehen: »Die Nation muß sich in ihrer Gesamtheit innerlich von dem Recht lossagen, das dieser Staat durch seine frevelhafte Unterschrift in Versailles, die ja auch nur taktisch zu rechtfertigen ist, als Mitbürge trägt, sie muß sich vor Augen halten, was sie immer wieder vergißt: daß sie nämlich nur noch zur Hälfte in diesem Rumpfreich, zur anderen Hälfte in Deutsch-Österreich, in der Tschechoslowakei, in Polen, Lettland, Estland, in Italien, Frankreich und England, und dazu als Diaspora politisch in der ganzen Welt eingeordnet ist und daß das versklavte Reich außerstande ist, diese zersplitterten Willensinstanzen machtvoll in sich zusammenzufassen.« [36] In solchen Vorstellungen wird Boehms voluntaristische Deutung der Grenze sichtbar, die als konstituierend für seine Volkstheorie bezeichnet wurde und

33 Stadtler: Als Antibolschewist, a. a. O. ebenda.
34 So in seinem bereits zitierten Aufsatz in der Deutschen Rundschau, 1920, Band 185, S. 258 f.
35 Boehm: Die Selbsterneuerung, a. a. O. S. 141.
36 Boehm: Die Selbsterneuerung, a. a. O. S. 142.

in die gesamte Volkstumsideologie der zwanziger Jahre eingegangen ist. Die deutliche Trennung von Nation und Staat – in anderen Schriften als Distanzierung zwischen »Volk« und Staat erkennbar – führte Boehm zur Betonung völkischen Eigenwerts und zur Lehre vom »eigenständigen Volk«, wie der Titel seines 1932 erschienenen Hauptwerkes lautet.[37] Die für Boehm entscheidende Frage ist die, ob das deutsche Volk das Ergebnis des Krieges für Recht erkenne, ob es sich dem tatsächlich und innerlich beuge, »oder ob es nicht als Staat, sondern als Nation gesonnen ist, den Pakt von Versailles überhaupt nicht als Frieden anzuerkennen, vielmehr nach fortbestehendem Kriegsrecht, d. h. mit vollendeter formaler Rücksichtslosigkeit den Krieg mit allen den Mitteln fortzuführen, die ihm nach Unterbindung der Möglichkeiten militärischer Machtauswirkung noch geblieben sind.«[38] Der auf Angriff und revolutionäre Umgestaltung gerichtete Ansatz der jungkonservativen Theorie wird in dieser Forderung sichtbar: Von Boehms Postulat, den Weltkrieg lediglich als Stufe einer »durchgreifenden Revolutionierung« zu begreifen, zieht sich eine gedankliche Linie zu Stadtlers »Weltrevolutions«-Begriff, zu Moellers Propagandatheorie und zu Pechels publizistischen Bemühungen, eine neue Ordnung in bewußter Stoßrichtung gegen Weimar zu versuchen. Das Sammelsurium solcher Theorien läßt die Selbstsicherheit begreifen, mit welcher der Herausgeber der »Deutschen Rundschau« allen politischen Versuchen zur Revision des Versailler Vertrages eine Abfuhr erteilte: durch den Verzicht auf »revolutionäre Rechtsschöpfung« gewinne diese Ideologie der reinen »Rechtsfanatiker« jenes matte Gepräge, das die ganze Sisyphusarbeit von vornherein zur Aussichtslosigkeit verdamme. Boehm markiert diesen Standpunkt noch treffender: »Wir suchen das nationale Notrecht, weil wir nicht anders können, wir gäben denn im Kerne und Wesen uns selber preis.«[39]

Das nationale Notrecht ist die Ursache für jene »nationale Leibwerdung«, die Boehm als eine Form gesellschaftlicher Erneuerung in neuen körperschaftlichen Zusammenschlüssen verwirklicht sieht. Das Recht dieses Korporativismus sei der Boden, aus dem allein eine Verinnerlichung der nationalpolitischen Bindungen erwachsen könne. Allein das Gefühl für dieses neue Recht müsse gefördert werden: »Unzählige Keime gesunden Rechtsempfindens im Volke wollen heute mit schonender Hand gepflegt werden, bis aus Tausenden unvollkommener Ansätze eben das neue Volksrecht umrissene Gestalt gewinnt, an dessen Wesenserfassung wir uns nur mühsam herantasten konnten.«[40] Im Anschluß an solche Gedankengänge hat Max Hildebert Boehm als erster der jung-konservativen Richtung versucht, das Gesamtbild einer korporativen Ordnung zu entwerfen. Seine Versuche zur Neuformulierung des Ständegedankens hat Moeller van den Bruck als entscheidend

37 Vgl. Gerstenberger: Der revolutionäre Konservatismus, a. a. O. S. 66 f.
38 Boehm: Die Selbsterneuerung, a. a. O. S. 144.
39 Boehm, a. a. O. ebenda.
40 Boehm: Die Selbsterneuerung, a. a. O. S. 148.

für die Programmatik der jung-konservativen Bestrebungen bezeichnet.[41] Für das konservative Schrifttum erstmalig wurde bei Boehm die Werkgemeinschaftsidee formuliert, die in der »Deutschen Rundschau« von Heinz Brauweiler fortentwickelt wurde.

4. Der ständische Gedanke bei Heinz Brauweiler

Heinz Brauweiler hat sich im Zusammenhang mit den Arbeiten im »Politischen Kolleg«[42] und seit 1920 in zahlreichen Aufsätzen mit dem Ständegedanken beschäftigt. Im Politischen Kolleg war er Mitarbeiter in der Arbeitsstelle für berufsständische Vertretung neben Heinrich Herrfahrdt, Reinhold Georg Quaatz, Franz Röhr und Franz Wetzel. Jene Arbeitsstelle stand in enger geistiger Beziehung zur »Arbeitsgemeinschaft für Gewerkschafts- und Parteibewegung in Deutschland und im Auslande«, der neben Alphons Nobel, Heinrich Herrfahrdt, Franz Röhr, Walter Schotte und Hans Leifhelm natürlich Rudolf Pechel angehörte. Brauweiler stand seit dem Sommer 1920 mit dem Ring in Verbindung, wohnte bis 1925 in Düsseldorf, wo er das »Düsseldorfer Tagblatt« – ein Zentrums-Organ – redigierte. Durch Eduard Stadtler für den Kreis gewonnen, wurde er bald ständiger Mitarbeiter des »Gewissen« und des Politischen Kollegs und schrieb zahlreiche Aufsätze für die »Deutsche Rundschau«.[43] Max Hildebert Boehm hat im Zusammenhang mit der Theorie Brauweilers davon gesprochen, daß sich dieser besonders um einen Konservativismus katholischer Prägung bemühe.[44] Tatsächlich stellt Brauweiler die enge Verbindung des konservativen und des ständischen Gedankens heraus. Das offenbart sein Aufsatz »Stand und Staat«,[45] in dem er sich kritisch mit den Vorstellungen Wundts, Tartarin-Tarnheydens und anderer Theoretiker der deutschen Rechten beschäftigt. Deren traditionell-konservative Vorschläge zielten darauf ab, das Ständeproblem dadurch zu lösen, daß sie Staatskonstruktionen und Vorschläge der Vergangenheit auf die Gegenwart übertrugen.[46] Brauweiler kritisiert an diesen Vorschlägen, daß der mittelalterliche deutsche Staat nach dem Wesen des heute geltenden, angeblich richtigen Staatsbegriffs beurteilt werde. Er verweist darauf, daß man den mittelalterlichen Staat nur aus seiner Zeit und

[41] Moeller van den Bruck: Das Dritte Reich, Berlin 1923, S. 145.

[42] Vgl. dafür den Aufsatz Heinrich von Gleichens in der Deutschen Rundschau, 1921, Band 187, S. 104 ff., und die anschließende Literaturübersicht über jungkonservatives Schrifttum von Willy Schlüter: Gliedner-Antworten auf Völkerfragen, S. 109 ff.

[43] Schwierskott: Moeller van den Bruck, a. a. O. S. 113 ff.

[44] Ruf der Jungen, S. 18.

[45] Heinz Brauweiler: Stand und Staat, in: Deutsche Rundschau, 1922, Band 191, S. 168 ff.

[46] Die Darstellung folgt partiell den Ausführungen von Justus Beyer: Die Ständeideologien der Systemzeit, a. a. O. zitiert. Beyer schreibt zwar völlig aus nationalsozialistischem Blickwinkel, behandelt die einzelnen Lehrmeinungen indes mit großer Gründlichkeit.

aus seiner Ideenwelt verstehen könne, und definiert damit richtig den Widerspruch, dem sich die traditionellen Ständetheoretiker gegenübersahen: sie setzten als Gegenspieler die Monarchie voraus und vergaßen, daß sich die Staatsform inzwischen zur Parlaments- und Parteienherrschaft fortentwikkelt hatte.

Obwohl Brauweiler sichtlich unter dem Eindruck Moeller van den Brucks Theorie vom revolutionären Konservatismus stand, überwog bei ihm im Vergleich zu diesem das historisch-traditionelle Element. Der konservative Gedanke wird von ihm geschichtlich begründet: nach mittelalterlichen Vorstellungen sei das Volk, also die »Freien« als vollberechtigte Bürger, nach Ständen gegliedert gewesen. Im mittelalterlichen Staate sei nicht die heute gebräuchliche ständische Gliederung des Volkes in Organisationen der Volksvertretung praktiziert worden, sondern hier sei der erste und wichtigste Gesichtspunkt die »Rechtsgemeinschaft« gewesen. Diese Rechtsgemeinschaften bezeichnet Brauweiler als Stände. »Zum Stande wurde das, was Rechtsschöpfungsgemeinschaft war und autonome Ordnungsgewalt hatte.«[47] Politische Stände sind nach seiner Ansicht nur möglich, wenn ihnen eine staatliche Funktion zukomme – etwa, indem sie durch Eingliederung »in die staatliche Ordnung Form und Gestalt erhalten«.[48] Solche Eingliederung und Ausstattung mit Rechten werde nicht als Vorrecht, sondern als Leistung für den Staat und im Sinne einer übernommenen Aufgabe im Dienste des Staates und der Volksgemeinschaft verliehen. Stände sind danach »Leistungsgemeinschaften« und »Lebensgemeinschaften«. Mit seinem Hinweis auf die mittelalterlichen Ständevorstellungen, nach denen die Leistungen und die Rechte der Zünfte aus der Pflicht der Gesamtverantwortung erwachsen, wendet sich Brauweiler in aller Schärfe gegen alle organischen Ständeideologien und deren Forderung, die Berufe zu »Gliedern« des Gesamtorganismus zusammenzufassen und sie sich dann selber zu überlassen. Diese seien nicht in der Lage, »ständische Aufgaben zu übernehmen«, denn sie könnten nicht die gesamten Angehörigen ihrer Gruppe erfassen. Es fehle ihnen deshalb fast »jede kräftige Ordnungsgewalt«, die notwendig sei, wenn andere als durch den Gruppenegoismus begründete Aufgaben und Pflichten verlangt würden.[49] In seinen positiven Vorschlägen, die an die Ideen Wichard von Moellendorfs anknüpfen,[50] sieht Brauweiler eine Einteilung des Staates in territoriale Gliederung – Gemeinden, Provinzen, Länder – und eine Differenzierung in Leistungsgemeinschaften der Wirtschaft, etwa auf der Grundlage von Korporationen, die den geistigen Bedürfnissen des Volkes dienen sollen. Die Stände sollen zu einer ständischen Volksrepräsentation zusammentreten: nicht anstelle des gegenwärtigen Parlaments, sondern ne-

47 Brauweiler, a. a. O. S. 172.
48 Brauweiler: Stand und Staat, a. a. O. S. 172.
49 Brauweiler, a. a. O. S. 175.
50 Moellendorf wird allgemein als Wegbereiter jungkonservativer Programmatik interpretiert. Vgl. Klemperer, Konservative Bewegungen, a. a. O. S. 68 ff. Brauweiler hat Moellendorf sein Werk »Berufsstand und Staat« zugeeignet.

ben dieses. Denn eine solche doppelte Volksvertretung sei notwendig: »Eine Volksvertretung zur Bildung des Staatswillens und der Regierung und eine andere Volksvertretung zur Wahrung der Volksrechte und zur Kontrolle der Regierung entsprechend dem Dualismus von Staatsgewalt und Volksrecht.« [51]

Als Zelle des wirtschaftlichen ständischen Aufbaus hat Brauweiler die Werkgemeinschaften gesehen, die selbst Korporationen bilden sollten. Brauweiler übernahm damit einen Gedanken, den bereits Max Hildebert Boehm entwickelt hatte und den die werkgemeinschaftliche Richtung in den Mittelpunkt ihres Programms stellte. Diese Werkgemeinschaftsideologie suchte den Ursprung der Werkgemeinschaftsidee im Gemeinschaftserlebnis des Krieges. Aus dem Fronterlebnis sei der Versuch entstanden, sich von der idealistischen Gemeinschaftsauffassung der Vorkriegszeit zu befreien und eine »Gemeinschaft der Tat« zu begründen. [52] Im Gegensatz zu deren Forderungen wollte Brauweiler in das System der Werkgemeinschaft nur die Arbeiter und Angestellten als »Vertreter der Arbeit«, nicht aber den Unternehmer als »Vertreter des Kapitals« einbeziehen. »Das ist es, was die Werkgemeinschaft verwirklichen soll: die Befreiung des Arbeiters, die Erhebung des Arbeiters aus der Klassenlage, die Überwindung des Klassenbewußtseins – damit er ein Vaterland gewinne.« [53] Brauweiler will dem Arbeiter in der Werkverfassung einen Platz sichern, der ihm Recht und Eigentum und damit auch die Sicherheit seiner Existenz garantiert. Aus diesem Grunde fordert er die Bildung einer Werkverfassung, »die vom Recht der Arbeit beherrscht wird und das Kapital nur als Hilfe braucht«. Diese Werkgemeinschaften sollten eigenes Vermögen erhalten und am Gewinn beteiligt sein, der Arbeiter und Angestellte sollte mit einem bestimmten Lebens- und Dienstjahr vollberechtigtes Mitglied der Werkgemeinschaft werden und mit der Zahl der dem Werk gewidmeten Dienstjahre steigende Rechte erhalten. Ziel Brauweilers war es, »das Recht der Arbeit gleich zu machen dem Recht des Kapitals und dem Arbeiter eine gesicherte Rechts- und Eigentumsgrundlage in der Werkverfassung zu geben.« [54] In der Theorie Brauweilers klingt immer wieder der Gegensatz zwischen Volk und Staat an, der durch einen neuen Organismus überbrückt werden sollte. Gemäß seiner Auffassung standen sich Volk und Staat wie Regierung und Untertan gegenüber, deren Diskrepanz zudem das Verhältnis zwischen politischer und ständischer Vertretung bestimmen sollte. [55] Brauweiler hat sich sogar über die praktische Realisierung seiner Theorien Gedanken gemacht. Er gestand ein, daß die Nation ein Instrument zur Bildung des Staatswillens und zur Leitung der Regierungsgeschäfte benö-

[51] Brauweiler, a. a. O. S. 177.
[52] Vgl. Beyer, Justus: Die Ständeideologien der Systemzeit und ihre Überwindung, a. a. O. S. 101 ff.
[53] Brauweiler, Heinz: Werksgemeinschaft, Deutsche Rundschau, Band 194, 1923, S. 254 ff.
[54] Brauweiler: Werksgemeinschaft, a. a. O. ebenda.
[55] Brauweiler: Selbstverwaltung und Staat, in: Deutsche Rundschau, 1923, Band 194, S. 14.

tige. Diese Erkenntnis führte ihn zu der Auffassung, daß für solche administrativen Zwecke die Parteien unumgänglich seien. Neben diesen müsse indes eine andere Volksvertretung heraufwachsen, etwa über die Werksgemeinschaften und Korporationen, in der sich der Wille des Volkes dokumentiere. Brauweiler schwebte dabei die Ausbildung des Reichswirtschaftsrates zu einer »Zentralvertretung der Leistungsgemeinschaften der Wirtschaft« vor. Dabei schloß er die Vermutung nicht aus, daß diese neue Volksvertretung das Parteienparlament eines Tages in den Hintergrund drängen könne. Nach seiner Auffassung würden die Parteien auf diese Weise gezwungen, den Beweis für ihr »Lebensrecht« zu erbringen.[56]

Max Hildebert Boehm hat Brauweiler »kenntnisreich und besonnen«[57] genannt. Gewiß stellte der juristisch geschulte Brauweiler höhere Anforderungen an seine Leser als etwa Eduard Stadtler, dessen Theorien sich nicht selten rationaler Analyse entziehen. Brauweilers umfangreiche Kenntnisse deutscher Staats- und Verfassungstheorien setzten überdies bei dem Leser einen hohen juristischen Sachverstand voraus. Den Appellen der »Deutschen Rundschau« für eine ständische Überwindung des parlamentarischen Systems haben jedenfalls Brauweilers Abhandlungen bis 1924[58] ihr Gepräge gegeben: sie bildeten das theoretische Rüstzeug für den unnachgiebigen Angriff, den Pechel gegen die Demokratie Weimars geführt hat.[59]

[56] Beyer, Ständeideologien, a. a. O. S. 78.
[57] Ruf der Jungen, a. a. O. S. 18.
[58] Vgl. die Aufsätze: Recht und Staat, Deutsche Rundschau, 1922, Band 193, S. 69 ff. Der deutsche Staatsgedanke, Deutsche Rundschau, Band 195, 1923, S. 156 ff.
[59] Die Stoßrichtung gegen den Weimarer Parlamentarismus wurde durch Jung freilich verstärkt.

IV. Appelle der »Deutschen Rundschau« für eine Überwindung des parlamentarischen Systems

Die hier skizzierten Staats- und Gesellschaftsmodelle jung-konservativer Theoretiker stimmen sämtlich in der Forderung nach einer Überwindung des parlamentarischen Staates überein. Zwar herrschte weitgehend Uneinigkeit über das Gliederungsprinzip, nach dem sich die neue organische Ordnung ausrichten sollte, doch die Identität aller jung-konservativen Ideologien im Hinblick auf den antiliberalen Staatsgedanken wurde nicht geleugnet. Pechels Hinwendung zum jung-konservativen Gedankengut seiner Zeit schloß konsequenterweise auch den Angriff auf die Idee der Demokratie ein, wie sie in der Weimarer Verfassung institutionalisiert war. Diesen Angriff hat der Herausgeber der »Deutschen Rundschau« mit aller ihm zur Verfügung stehenden Lautstärke geführt. Dabei zeigt sich besonders bei Pechel eine Eigenschaft, die im Rückblick bei fast allen jung-konservativen Ideologen analysiert wurde. Die Männer um Moeller van den Bruck, Heinrich von Gleichen und Max Hildebert Boehm haben sich nur selten Gedanken darüber gemacht, wie eine neue organische Staatsordnung im konkreten Fall auszusehen habe. Es gab zwar viele, zuweilen kühne Theorien, aber wenig realistische Programme.[60] Man wollte zwar anstelle des als verantwortungslos apostrophierten parlamentarischen Systems eine neue Ordnung schaffen, jedoch ging deren theoretische Beschreibung über einige wenige Ansätze nicht hinaus. Die Idee einer berufsständischen Vertretung neben dem Parlament, wie sie von Heinz Brauweiler und besonders von Heinrich Herrfahrdt[61] entwickelt worden war, hatte zweifellos durch die in der Weimarer Verfassung vorgesehene Institution des Reichswirtschaftsrates neue Nahrung bekommen. Aber im Grunde genommen war die ganze Diskussion um das Ständewesen und die Autonomie einer Regierungsgewalt von praktischer Sachkenntnis wenig getrübt. Wenn man Heinrich von Gleichen in dieser Hinsicht als einen der unbekümmertsten jung-konservativen Ideologen bezeichnet hat,[62] dann wird man Rudolf Pechel ohne Mühe als denjenigen Publizisten hervorheben müssen, der zwar mit vehementer Polemik, aber ohne realistische Einsicht den Weimarer Parlamentarismus bekämpft hat. Seine Geringschätzung der politischen Fähigkeiten des Volkes, die Verachtung gegenüber konstitutionellen Ideen und die grenzenlose Überbewertung der eigenen Persönlichkeit lassen sich jedenfalls aus fast jeder Zeile herauslesen, die er gegen Parlament und Parteien geschrieben hat.

60 Dies beweist die Lektüre der Ständeideologien, wie sie besonders von Justus Beyer beschrieben worden sind.
61 Vgl. dafür Beyer: Die Ständeideologien, a. a. O. S. 79 ff., und Sontheimer, Kurt: Der antiliberale Staatsgedanke in der Weimarer Republik, in: Vierteljahrshefte für Zeitgeschichte, 1962, Jg. 3, S. 25 ff.
62 Siehe Heide Gerstenberger: Der revolutionäre Konservatismus, a. a. O. S. 43.

1. Die Kritik an den Parteien

Pechel und seine Autoren haben häufig vom »Parteiekel« gesprochen. Schon diese Benennung zeigt, wie emotional der Kampf gegen die Weimarer Demokratie geführt wurde. Man kritisiert jene Zufallsmehrheit, die nicht ihrer Begabung, sondern allein der Zugehörigkeit zu bestimmten Parteien ihre Berufung verdanke. Dabei wird kein Gedanke darauf verschwendet, ob nicht auch Parteien zu einer qualitativen Auslese in der Lage sein könnten. Zu solchen Simplifizierungen kommen oft pauschale Verdächtigungen hinzu. »Tönende Programme und bewährte Phrasen sollen der Galerie eine verantwortungsvolle Arbeit vortäuschen; hohe Gehälter erhalten und verstärken den eigenen Glauben an die innere Berufung und die Notwendigkeit der hohen Pflichterfüllung.« [63] Zu dieser Verhöhnung von Idealismus und parteilicher Programmatik gesellen sich nicht selten Stellungnahmen, die eine fast rabiate Verachtung jeglicher Parteipolitik offenbaren: »Die Krätze des Schiebertums, deren häßliche Flecken eine Zeitlang noch schamhaft verborgen wurden, gedeiht als offiziell anerkannte Einrichtung trotz allen Mitteln und Mittelchen in übelster Form. In ihrem Heerbann Korruption bedenklichster Art bis in hohe Schichten, widerlichstes Genußleben und vulgäre Plattheit der Lebensauffassung. Persönliche Integrität – ein albernes Vorurteil, Treu und Glauben – Requisite aus deutschen Märchen.« [64] Der Herausgeber der »Deutschen Rundschau« verachtet Ideen und Programme – »gegebene Verhältnisse in doktrinärer Verbohrtheit ins Prokrustesbett kahler Theorien zu pressen« kreidet er denjenigen an, die die gewonnene Herrschaft zu angeblich persönlichem und Parteivorteil benutzen. Solchen Verbindungen von »Dilletanten« kündigt Pechel selbstbewußt die Gefolgschaft. Weil auch der Staat nichts mit Ideen zu tun hat, sucht er nach einer Lösung, die in menschlichem und politischem Sein verborgen liegt: eine »große Idee von transzendentaler Kraft, tiefer Menschenliebe und größter Gerechtigkeit und Sauberkeit« habe an die Stelle des »widerlichen inneren Haders« zu treten. In seiner Polemik gegen den Weimarer Staat hat Pechel entschlossen und entschieden Vorstellungen preisgegeben, die gewiß manchen seiner politischen Mitstreiter bewegt haben. Anstelle des als korrupt verschrieenen Systems wollte er die Führung der Nation durch einen Führer oder eine staatsbewußte Elite. »Millionen sind innerlich bereit, einem Diktator zu folgen, der mit fester Hand eine sachliche Regierung der Arbeit und Ordnung aufrichten würde ohne jede Parteifärbung. Es geht nicht um Monarchie oder Republik, um Demokratie oder Freiheit, es geht um Deutschlands Leben. Die Diktatur dürfte nie Zweck, sondern Mittel sein ... Es dürfte keine Diktatur von rechts oder von links sein, sondern eine Diktatur der Liebe zu Deutschland.« [65]

[63] Pechel, Rudolf: Und dennoch!, Deutsche Rundschau, 1920, Band 182, S. 457.
[64] Pechel: Und dennoch!, a. a. O. S. 458.
[65] Pechel: Und dennoch!, a. a. O. S. 459.

Solche Forderungen waren nicht nur Ausdruck pathetischer Entrüstung, sondern hinter ihnen verband sich eine ungeordnete Vorstellung über den deutschen Staat der Zukunft. Dieser Staat sollte nach innen und außen Zucht und Ordnung halten und jenen »Ämterschacher«, jenes »Parasitentum« und die vermeintliche »Korruption« endgültig verbieten. »Solange nicht ein deutscher Staat errichtet ist, in dem Ordnung, Sauberkeit und Zucht herrschen – es mag in ihm noch so ärmlich und schmal zugehen –, daß in ihm zu leben und anzugehören für deutsche Menschen sich lohnt –«,[66] solange wollte man sich der Unterstützung jeglicher Parteiherrschaft versagen. Oft hat Pechel seinen Lesern die Vision zu vermitteln versucht, wonach das verhaßte parlamentarische System längst seine Abschaffung vorbereitet habe. So spricht er 1923 davon, daß sich der »Parlamentarismus auf legalem Wege« eine Form geschaffen habe, die denen das beste Sprungbrett sein werde, die »ihm den Fangstoß zu geben unternehmen« würden.[67]

Pechels Nationalismus plädierte für den starken Einheitsstaat und gegen den Pluralismus der Parteien und Verbände: »Die Besten, die Saubersten allein sollen regieren. Nur der entfaltet seine Kräfte ganz, der allein der Sache dient, ohne die Fehlerquellen persönlichen Eigennutzes. Unser heutiges System macht eine solche Auslese unmöglich. Wir glauben nicht an den Parlamentarismus, nicht an Demokratieschlagworte von vorgestern. Die deutsche Demokratie ist das Gegenteil wahrer Freiheit, denn sie macht die Besetzung leitender Stellen von der Gesinnung, nicht von der Tüchtigkeit abhängig.«[68] Gegen jenes schamlose Austragen von Parteiengegensätzen »auf dem Rücken eines totwunden« Volkes zog der Herausgeber der »Deutschen Rundschau« in unverblümter Offenheit zu Felde. Die verfassungspolitische Ordnung der Republik sollte gegen einen besseren und stärkeren Staat eingetauscht werden – getragen von jenen, deren Gesinnung Pechel sich verschrieben hatte: »Aber gleichviel – die Füße derer, die dieses System hinaustragen werden, stehen vor der Tür. Das wird sich erfüllen in seinem Ablauf wie nach einem Naturgesetz. Um so mehr, als es sich hier nur um die deutsche Erscheinungsform einer internationalen mächtigen Bewegung handelt.«[69] In diesem Konglomerat von Haß, Verachtung und Ressentiment taucht stetig der Gedanke einer aristokratischen Elite, einer Herrschaft der Besten und Berufenen auf: »Wir wollen sie nicht mehr, wir wollen die Tüchtigsten – ob sie Unabhängige, Deutschnationale, Zentrumsmänner, Mehrheitssozialisten oder meinetwegen selbst Demokraten sind. Denn in der sachlichen Arbeit bleibt das Parteikleid bald unbeachtet am Boden liegen.«[70] Dieser Elitetheorie hatte sich Pechel selbst verschrieben, ja, er brüstete sich sogar, den Blick für die wirklichen Tatsachen und Erfordernisse des politi-

[66] Pechel: Rudolf: Die Parallele, in: Deutsche Rundschau, 1923, Band 197, S. 115.
[67] Pechel: Die Parallele, a. a. O. S. 113.
[68] Pechel: Und dennoch!, a. a. O. S. 145.
[69] Pechel: Die Parallele, a. a. O. S. 113.
[70] Pechel: Und dennoch!, a. a. O. S. 460.

schen Lebens zu besitzen: »Wer sich berufen fühlt, die Geschicke eines Volkes zu lenken, darf seine psychologischen Kenntnisse nicht aus der Apotheke der Partei und der Demagogie beziehen, sondern ist verpflichtet, aus dem Wissen um die großen Zusammenhänge der Gebrechlichkeit der menschlichen Natur Rechnung zu tragen, die niemals schärfer in Erscheinung tritt, als bei Zeit- und Weltwenden ... Den Abstand zu sich selbst und anderen und die richtige Einschätzung der eigenen Bedeutung und des eigenen Handelns gewinnt man nur aus der Betrachtung der Ausmaße des Welt- und Menschheitsgeschehens.« [71]

Selbstgefällige Ratschläge wie diese sind in der »Deutschen Rundschau« häufig von Abhandlungen begleitet worden, die sich um den wissenschaftlichen Nachweis der Unbrauchbarkeit des Parlamentarismus bemühten. Zu organischen und ständestaatlichen Theorien, wie sie etwa von Boehm, Brauweiler, Martin Spahn oder Stadtler vertreten wurden, kamen bald Abhandlungen über grundlegende verfassungspolitische Fragen hinzu. Pechel profitierte dabei von einer Krise, die sich unter der Staatsrechtslehre seiner Zeit seit 1919 angebahnt und in heftigen Auseinandersetzungen entladen hatte. Der theoretische Streit, der mit dem Gegensatz zwischen alter und neuer Schule nur unzulänglich definiert ist, war im Prinzip von dem Wiener Staatsrechtler Kelsen begonnen worden. Kelsen unterschied zwischen einem juristischen und einem soziologischen Staatsbegriff [72] und verlangte die unbedingte Identifizierung des Staates mit seinem jeweils gültigen Rechtssystem. Für Kelsen war es eine unzulässige Grenzüberschreitung seines Fachs, sich auch über die sogenannte Verfassungswirklichkeit Gedanken zu machen. Auf diese Weise »ließ sich mit Kelsens Lehre jeder Staat rechtfertigen, der nach wie auch immer inhaltlich beschaffenen Gesetzen regierte.« [73] Seine Kritiker fragten demgegenüber nach dem Sinn von Recht, nach dem Inhalt von Gesetzen und nach dem Zweck von politischer Macht; sie weigerten sich, unwidersprochen als Recht hinzunehmen, was ihnen vom Gesetzgeber vorgelegt wurde. Für den Herausgeber der »Deutschen Rundschau« war es zunächst nur konsequent, sich auf die Seite Kelsens zu schlagen. Denn Kelsens Unterscheidung von Recht und Politik implizierte zugleich die Möglichkeit, daß sich jeder Staat mit beliebigen politischen Inhalten füllen ließ. Die Rechtsstaatsidee, an der Kelsen noch festhielt, fiel im Prinzip damit zusammen, was der Gesetzgeber als Recht vorschrieb. Der Verweis auf die Staatslehre Kelsens zieht sich wie ein roter Faden durch die meisten Abhandlungen, die in den ersten fünf Jahren in der »Deutschen Rundschau« gegen den Weimarer Parteienstaat publiziert wurden.

71 Rudolf Pechel: Zum Schutz der Republik, in: Deutsche Rundschau, 1922, Band 191, S. 326.
72 Die Darstellung folgt den Ausführungen Kurt Sontheimers: Antidemokratisches Denken, a. a. O. S. 65 ff.
73 Sontheimer, a. a. O. S. 68.

2. Der Demokratiebegriff am Beispiel einzelner Autoren

Den Gang der Auseinandersetzung verdeutlicht am nachhaltigsten ein Aufsatz, der die vermeintlichen Schlagworte der jungen Republik einer kritischen Analyse unterzog: Souveränität des Volkes, Freiheit und Gleichheit, Verwandlung von Obrigkeitsstaat in Volksstaat oder Demokratisierung der Verwaltung wurden als solche Schlagworte einer eingehenden Prüfung unterworfen. Dabei schälte sich in der Verneinung all dieser Prinzipien ein ungefähres Bild jenes Staates heraus, das die Ideen der Jung-Konservativen beflügelt hat.[74] So wird der Begriff der Souveränität des Volkes in bewußten Gegensatz zur vermeintlichen Aristokratie und Oligarchie der Parteien gestellt: angesichts von deren Herrschaft im Staatsleben bleibe von der vielgerühmten Souveränität des Volkes nur noch wenig übrig. »Ein kleiner Rest und ein wesenloser Schein, der nur dann wieder Gestalt und Bedeutung gewinnen kann, wenn einmal dem Volke starke auserlesene Führer entstehen, die es im rechten Augenblicke zu dem ihm nach der Verfassung gegebenen Entscheid über die großen, das Staatsleben bewegenden Fragen aufrufen.«[75] Für den Autor der »Deutschen Rundschau« ist es eine unbestreitbare Tatsache, daß ein republikanisches Volk nicht beherrscht, sondern gelenkt und geführt sein will. Es bedürfe einer starken Regierung, und die Erkenntnis dieser Notwendigkeit durchdringe gerade heute alle Schichten des Volkes. Das Verlangen nach fester geschlossener Führung mache sich inzwischen sogar in jenen Kreisen geltend, die seinerzeit den Umsturz und die republikanische Staatsform begrüßt hätten. Diese unterschwellige Führersehnsucht hat ein anderer Autor noch präziser definiert: »Falls es in Deutschland einen Mann gibt, der dafür geeignet gehalten werden kann, der Diktator der Ordnung zu sein, so möge sich dieser der höheren Aufgabe widmen, die Diktatur des öffentlichen Geistes zu schaffen, welche den gesellschaftlichen Frieden erzeugt.«[76] Mit der Vorstellung eines starken Führerstaates ist das Prinzip von Freiheit und Gleichheit aller Bürger unvereinbar. Die Sozialdemokratie wird verdächtigt, den Begriff der Freiheit mit der vollständigen »Gleichberechtigung des vierten Standes« zu identifizieren; die Idee der Gleichheit wird in die Formel umgewandelt, wonach allen »Gleichen das gleiche«[77] zugebilligt werden müsse. Der schärfste Angriff gegen das Gleichheitsprinzip ist in der »Deutschen Rundschau« von einem Adligen geführt worden, der sich in wortreicher Begründung um den Nachweis von der »idealen Bedeutung« seines Standes bemühte.[78] Die Weimarer Reichsverfassung hatte in Artikel 109 alle öffentlich-rechtlichen Vorrechte oder Nachteile der

[74] Vgl. Wilhelm Schelcher: Politische Schlagworte, in: Deutsche Rundschau, 1923, Band 196, S. 28 ff.
[75] Schelcher: Politische Schlagworte, a. a. O. S. 31.
[76] Friedrich Wieser: Die Revolutionen der Gegenwart, in: Deutsche Rundschau, 1920, Band 182, S. 351.
[77] Schelcher: Politische Schlagworte, a. a. O. S. 38.
[78] Stanislaus Graf Dunin-Borkowski: Die ideale Bedeutung des Adels, in: Deutsche Rundschau, 1920, Band 184, S. 350 ff.

Geburt oder des Standes aufgehoben. Sie hatte einem ehemals privilegierten Stand damit eine Kränkung zugefügt, die sich in lautstarker Empörung äußerte: »Herr Habsburg-Lothringen steht jetzt auf gleicher Stufe mit dem Herrn Kraxlhuber, und das ist überaus beruhigend. Ob dieses idyllische Hand-in-Hand die Errungenschaften der Revolution sichert, wage ich nicht zu behaupten.« [79] Die These von der Gleichheit aller Menschen wurde mit der Umschreibung verworfen, wonach es »unüberbrückbare Entfernungen zwischen allen Menschen gäbe«, und daß Vererbung, Sitte, Erziehung und Gewohnheiten es verbieten würden, »die Gemarkung der eigenen Abgeschlossenheit zu verlassen oder sie für andere zu öffnen«. Den Adel abschaffen heiße eine wertvolle Idee vernichten: in dieser Behauptung eines »Rundschau«-Autors liegt zugleich ein Hinweis auf die Elitetheorie, der sich Pechel und seine Gesinnungsfreunde verbunden fühlten.

Zahlreiche Autoren der »Deutschen Rundschau« haben im Berufsbeamtentum eine der Grundsäulen für eine geordnete Ausübung der Staatsgewalt gesehen. Die politische Kontrolle des Beamten durch Parteien und deren Beauftragte wird abgelehnt; statt dessen wird ein permanentes Staatsbeamtentum gefordert, welches sich unbeirrt von jeweiliger Parlamentsmajorität seinen beruflichen Aufgaben widmen könne. [80] Alle publizistischen Appelle mündeten in der Forderung, daß man im Staatsleben den »wahren Volkswillen« zur Erscheinung und zur Geltung bringen müsse. Dieses Bemühen könne durch Parlamente und Parteien nicht realisiert werden, weil durch sie Gegensätze und Konflikte erst recht institutionalisiert würden. Es komme aber nicht auf die Austragung von Konflikten, sondern auf die Geschlossenheit der Nation in erster Linie an. Der Klassenkampf müsse durch einen Frieden auf der ganzen Linie für immer beendet werden – wie eines der Postulate lautet –, Rettung könne nur ein geeinigtes Volkstum und ein begeisterndes Ideal völkischen Lebens bringen. [81]

Die Kritik der »Deutschen Rundschau« am parlamentarischen System der Weimarer Republik läßt bis 1924 zwei alternative Lösungen für ein neues Staatsgebilde zu. In der Ablehnung von Klassen, Parteien oder Gewerkschaften und in der Betonung des organischen und korporativen Gedankens wird das Bild eines Ständestaates sichtbar, wie es im »Politischen Kolleg« besonders von Max Hildebert Boehm, Heinz Brauweiler und Heinrich Herrfahrdt vorgedacht worden war. Daß diesen ständestaatlichen Elitevorstellungen das Führerprinzip nicht widersprach, beweisen die zahlreichen Appelle, wie sie besonders von Rudolf Pechel vorgetragen wurden. Die Frage war nur, wer in dieser hierarchisch gegliederten Ordnung die alleinige Gewalt innehaben sollte. Demzufolge engagierte man sich einmal für einen Diktator

79 Borkowski: Ideale Bedeutung des Adels, a. a. O. S. 353.

80 Vgl. dafür neben dem zit. Aufsatz von Schelcher besonders die Beitragsfolge von Richard Fester: Verantwortlichkeiten, Deutsche Rundschau, Band 183, Mai 1920, S. 168 ff.

81 Friedrich Wieser: Die Revolutionen der Gegenwart, Deutsche Rundschau, a. a. O. S. 350.

an der Spitze des Volkes und sprach wenige Sätze später von einer Elite der Auserwählten, die allein das Staatsbewußtsein verkörpern sollten.[82] Reduziert man die zahlreichen Polemiken gegen den Weimarer Staat auf einen gemeinsamen Kern, dann schält sich die Auffassung heraus, wonach dem leitenden Führer Helfer zur Seite stehen müßten. Zwar müsse der Führer seine Helfer in gebührender Weise überragen, aber dennoch habe sich die Führung auf eine Anzahl im allgemeinen als »ausgezeichnet« oder »staatsmännisch geeignet« apostrophierter Persönlichkeiten zu verteilen. An Pechels Polemik läßt sich beweisen, wie früh sich der Herausgeber der »Deutschen Rundschau« für einen Staat ständischer oder autoritärer Prägung engagierte. Zog bereits der Ständestaat eine scharfe Grenze zwischen Führern und Geführten, so war der autoritäre Staat erst recht dem Interessenkampf der gesellschaftlichen Gruppen enthoben.[83] Diesen autoritären Staat hat Pechel wenige Jahre später mit unnachgiebiger Entschiedenheit propagiert, als er nach dem Zerfall der Ring-Bewegung Edgar Julius Jung zum Sprachrohr jung-konservativer Ideologien werden ließ. Dessen theoretische Hauptkomponente – die Herrschaft einer Elite und die Absetzung der Minderwertigen[84] – machte sich Pechel zu eigen. Dem Determinismus dieser politischen Entwicklung entsprach es, daß sich der Herausgeber der »Deutschen Rundschau« früh um die Mitarbeit von Carl Schmitt bemüht hat, dessen Formel vom »totalen Staat« in den letzten Jahren der Weimarer Republik die politische Diagnostik beherrscht hat.[85] Denn Ständestaat, autoritärer Staat und totaler Staat lagen im Prinzip auf einer gemeinsamen geistigen Linie: sie unterscheiden sich lediglich in der realistischen Einschätzung politischer Möglichkeiten. Vielleicht hat Schmitts Fähigkeit, plebiszitäre Massenbewegungen in das politische Kalkül miteinzubeziehen und in nüchterner Weise abzuschätzen, den Anstoß für die Nachfrage Pechels um Mitarbeit gegeben. Der Herausgeber der »Deutschen Rundschau« fühlte sich jedenfalls durch die »Politische Theologie« und »Diktatur« des prominenten Gelehrten angesprochen. Schmitts berühmte Formel: »Souverän ist, wer über den Ausnahmezustand entscheidet«,[86] mußte gerade einen Publizisten faszinieren, der von Beginn an den starken, jeglicher Kontrolle enthobenen Staat gefordert hatte. Jene Prophezeiungen, die Pechel den bedrängten Einwohnern an Rhein und Ruhr 1923 zugerufen hatte, drängten indes kaum

82 Dieser Dualismus wird mit aller Deutlichkeit in den zitierten Stellungnahmen Pechels erkennbar.
83 Vgl. Sontheimer: Der antiliberale Staatsgedanke, a. a. O. S. 34 f.
84 Vgl. die Fallstudie bei Heide Gerstenberger: Der revolutionäre Konservatismus, a. a. O. S. 95 ff. (hier S. 99).
85 Dafür vgl. Fijalkowski, Jürgen: Die Wendung zum Führerstaat – Ideologische Komponenten in der politischen Philosophie Carl Schmitts, Köln/Opladen 1958, u. Mathias Schmitz: Die Freund-Feind-Theorie Carl Schmitts – Entwurf und Entfaltung, Ordo Politicus, Band 3, Köln/Opladen 1965.
86 Schmitt, Carl: Politische Theologie, Vier Kapitel zur Lehre von der Souveränität, München/Leipzig 1922, S. 9; vgl. vor allem Pechels Brief an Schmitt, 12. 12. 1927, BA, Mappe 42.

zehn Jahre später auf eine Lösung: »Die Reihen schließen sich. Das Netz von Mann zu Mann ist gesponnen. Mit den Fremden müssen die Rheinländer vorerst selber eine Form finden, die ihren Lebensnotwendigkeiten entspricht. Bei dem Kampf um die Reinerhaltung unseres Volkes gegen die Verräter in ihrer Mitte werden sie die Hand der Verbundenen unmittelbar an ihrer Seite spüren ...« [87]

3. *Vorschläge zur Beseitigung des Klassengegensatzes*

Es gibt noch einige konkrete Vorschläge zu behandeln, die Pechel seinen Lesern zur Überwindung der oft als »albern« bezeichneten Klassengegensätze gemacht hat. Bereits hinter Brauweilers Ständetheorie hatte der Gedanke gestanden, die wirtschaftlichen Institutionen in verantwortlicher Weise in den Staat einzulagern und sie damit ihrer partikularistischen Sonder- und Klasseninteressen zu berauben. [88] Daß sich der Gegensatz der wirtschaftlichen Klassen »in dem politischen Ideale lösen« müsse, unter dem das deutsche Volk allein seine Größe wiederfinden könne – diese Auffassung hatte die »Deutsche Rundschau« bereits 1920 angesichts virulenter Klassenantagonismen vertreten. [89] Pechel hatte zu diesem Postulat einige Vorschläge beigesteuert, die nach seinem prahlerischen Selbstlob einen beschreitbaren Weg zur »Gesundung« aufzeigten und die dem »höchsten Ideengehalt der Massen« Rechnung trügen, ohne daß ein stichhaltiger Einwand gegen sie erhoben werden könne. Wie alle Jung-Konservativen verfolgte Pechel das Ziel, eine Integration der Arbeiterschaft in den Staat herbeizuführen und deren Entfremdung durch ein Verbundenheitsgefühl des Einzelnen mit dem Volksganzen aufzuheben. Aber diese Bemühungen zielten nicht auf die Beseitigung sozialer Not oder auf die Förderung individueller Bedürfnisse, vielmehr waren sie eingebettet in die Vorstellung einer Volksgemeinschaft, in der das persönliche Wohl der Glieder zugunsten der Kraft der Nation aufgehoben worden war. Während Victor Aimé Huber 1845 in seiner Zeitschrift »Janus« als sozial-reformerischer Publizist danach trachtete, soziale Not im Sinne eines traditionellen Konservatismus zu beheben, [90] begründete der jung-konservative Pechel seine Fürsorgepflicht mit dem pathetisch vorgetragenen Ziel, daß Deutschland endlich wieder »das Vorbild aller Länder und das erste Volk der Erde« [91] werden müsse. Die Dynamik sittlicher Gesetze, auf die der Herausgeber der »Deutschen Rundschau« dabei vertraute, sollte durch tiefgreifende Eingriffe in die wirtschaftlichen und gesellschaftlichen Strukturen des Staates erreicht werden.

[87] Pechel: Die Parallele, a. a. O. S. 116.
[88] Vgl. den Aufsatz von Herrfahrdt, in: Die Neue Front, a. a. O. S. 242 ff.
[89] Wieser: Die Revolutionen der Gegenwart, a. a. O. S. 350.
[90] Vgl. die Diplomarbeit des Verfassers: Victor Aimé Hubers konservativ-sozialreformerische Publizistik, nachgewiesen an der Zeitschrift Janus, 1845–1848, Institut für Publizistik, Göttingen 1967, S. 102 ff.
[91] Pechel: Der Weg zum Aufbau, Deutsche Rundschau, 1920, Band 183, S. 291.

a) Innere Kolonisation und Aufbauwirtschaft

Pechel hat in der Regel die Theorien anderer Autoren dazu benutzt, um für seine Pläne einer inneren Kolonisation und Aufbauwirtschaft zu werben.[92] Er ließ nie einen Zweifel daran, daß man mit der Verbesserung sozialer oder wirtschaftlicher Verhältnisse allein die Bildung einer neuen Gemeinschaft zu erstreben habe, die später einmal zum »Rückgrat« eines erstarkten Deutschland werden könne. Steigerung der Produktion in den lebenswichtigsten Betrieben und Förderung des Heimstättenbaus waren zum Beispiel Forderungen, die er 1920 an einen Wiederaufbau Deutschlands richtete. Er verweist mit Nachdruck auf die Vorschläge eines Vertreters jenes »neuen Deutschlands«, in dem erste Grundzüge einer neuen Gemeinschaft entwickelt wurden.[93] Der Weg zum Aufbau, wie er dem Herausgeber der »Deutschen Rundschau« vorschwebte, war durch ein totales Organisationsgefüge gekennzeichnet: Man könne die deutsche Wirtschaft in letzter Stunde vor dem Ruin bewahren, wenn jenseits aller Parteipolitik Hunderttausende kleinster Wirtschaftsorganismen gebildet würden. Als wirtschaftliche Sachwalter oder Betriebsräte sollten diese Zellen die Initiative von unten und die Instruktionen von oben in »werteschaffenden Einklang« bringen. Dahinter verbarg sich die Absicht, die industrielle Gesellschaft zur Volksgemeinschaft umzuformen. Gefordert wurde eine Exekutivstelle mit sachdiktatorischer Gewalt, mit deren Hilfe man den Boden für eine »feste und gesunde parteiüberragende Volkspolitik« gewinnen wollte. Um Volksbedürfnis und Volksnot zu meistern, habe man die gesamte Verwaltung auf diese Dringlichkeiten in »organischer und elastischer Weise« einzustellen. Um den Wiederaufbau der Volkswirtschaft sicherzustellen, sei die Höchstproduktion erforderlich: Zur Kontrolle dieses Arbeitseinsatzes wurde ein Produktionsamt vorgeschlagen, das die Aufstellung von Produktions- und Arbeitsplänen kontrollieren sollte. Ähnlich wie Max Hildebert Boehm begrüßte auch Pechel in der »Arbeitsgemeinschaft« zwischen Arbeitnehmern und Arbeitgebern einen Lösungsweg für die korporative Neuordnung des Volkes.[94] Dieses Modell nahm sich den Rätegedanken zum Vorbild, dessen »Produktivität« auch für Pechel zur unumstößlichen Erkenntnis geworden ist. »Das Schöpferische des Räte-Gedankens den Gesetzen des deutschen Lebens anzupassen, ist unsere Aufgabe, die sofort über den Rahmen des Landes hinausgreifen wird.«[95] Auf solche Weise könne die Umwandlung der »zersetzenden Klassengegensätze zum Miteinander der berufsständischen Gliederung« befördert werden. In der »Arbeitsgemeinschaft« sah Pechel den Räte-Gedanken bereits realisiert: als »ausgleichende Interessenschwebe zwischen Arbeitgebern und

[92] Wege zur inneren Kolonisation und zum Aufbau Deutschlands, in: Deutsche Rundschau, 1920, Band 184, S. 145 ff. Der Weg zum Aufbau, in: Deutsche Rundschau, 1920, Band 183, S. 286 ff.

[93] Der Autor hieß Detlev Schmucke und war Mitglied der Heimstättengesellschaft.

[94] Ruf der Jungen, a. a. O. S. 24.

[95] Rudolf Pechel: Die geistigen Grundlagen des Bolschewismus, in: Deutsche Rundschau, 1921, Band 186, S. 118 ff.

Arbeitnehmern, zwischen Erzeugern und Verbrauchern« würden alle Bereiche von Wirtschaft und Gesellschaft in den neudeutschen Volksstaat eingefügt, der »unser Volk segnen und zur Höhe führen« werde.[96]

Dieses Modell einer Gesellschaft, die durch das Gemeinschaftsgefühl ihrer Mitglieder vor Konflikten bewahrt bleiben sollte, wurde durch eine »Kammer der Arbeit« vervollständigt, die sich neben dem Führergedanken als ein Bestandteil der somit propagierten Staats- und Gesellschaftstheorie herausschält.

b) Die Kammer der Arbeit

Unter den Schlagworten und Vereinfachungen, mit denen Pechels Feldzug gegen die Weimarer Demokratie in der Regel gepflastert war, taucht beständig der Hinweis auf eine »Kammer der Arbeit« auf. Diese Institution sollte eine Ergänzung jener ständisch-autoritären Führung sein, die den jung-konservativen Autoren der »Deutschen Rundschau« als Idealbild vorgeschwebt hat. Pechel selbst sah die »Kammer der Arbeit« als eine notwendige Ersatzlösung für eine Diktatur. Denn er erwärmte sich für eine Führung an der Spitze, die er an einer Stelle einmal als »begabten Fachmann mit der Ideologie eines unaufgeklärten Despoten« näher beschrieben hat.[97] Die Kammer der Arbeit könne eine solche Diktatur allein ablösen. »Aus der ruhigen Abwägung der wirtschaftlichen Notwendigkeiten, nicht Interessen der einzelnen Stände, ergibt sich automatisch eine feste Politik. Der Kampf wird entgiftet, denn dann werden Arbeiter durch Arbeiter, Landwirte, Kaufleute, Industrielle, Handwerker, die gelehrten Berufe usw. durch ihre fähigsten Berufsgenossen vertreten sein ..., dann würden endlich die jungen und lebendigen Köpfe zu entscheidender Geltung kommen. Die Parteibonzen werden dann freilich stellenlos, die Berufspolitiker auch. Aber wir wollen ihnen gerne die Arbeitslosenunterstützung lebenslänglich gewähren. Das wird uns noch billiger als ihr Amtieren in Regierungsstellen.«[98]

Die Kammer der Arbeit war als ein institutionelles Mittel gedacht, um die Herrschaft von Parlament und Parteien auf organischem Wege zu überwinden.[99] Dabei handelte es sich vornehmlich darum, gegen die Parlamentsherrschaft mit der Einsetzung einer dem allgemeinen Volksparlament gleichberechtigten berufsständischen Vertretung ein wirksames Gegengewicht zu schaffen. Daneben sollte die Stellung des Staatsoberhauptes durch allgemeine Volkswahl gestärkt und von Eingriffen der Legislative befreit werden. Das Wirtschaftskammersystem war im Prinzip eine Ergänzung des bereits skizzierten Begriffs der »Arbeitsgemeinschaft«; denn beiden Modellen lag der Gedanke des Rätesystems zugrunde. Für die Regelung staatlicher und wirt-

96 Weg zum Aufbau, a. a. O. S. 291.
97 Rudolf Pechel: Und dennoch!, a. a. O. S. 459.
98 Und dennoch!, a. a. O. ebenda.
99 Vgl. dafür Bunzel, Julius: Der Zusammenbruch des Parlamentarismus und der Gedanke des ständischen Aufbaus, Graz und Leipzig 1923, S. 34 ff.

schaftlicher Fragen sollten primär diejenigen Beteiligten herangezogen werden, die durch größeren Sachverstand ausgezeichnet waren. Auf diese Weise wären den Räten Aufgaben zugefallen, wie sie etwa früher zum Geschäftsbereich der Ersten Kammer in der konstitutionellen Monarchie gehört hatten. Wie bereits erwähnt, hatte die Diskussion über das Wirtschaftskammersystem besonders durch den in Artikel 165 der Weimarer Reichsverfassung vorgesehenen Reichswirtschaftsrat neue Nahrung erhalten. Dieser war zwar im Mai 1920 vorläufig gebildet worden – oberstes Ziel war jedoch, seine Ausgestaltung zu einem nicht bloß beratenden, sondern mitentscheidenden Wirtschaftsparlament weiter anzustreben.[100]

Die Frage ist, ob diese mannigfachen Vorschläge für eine Überwindung des Parlamentarismus Weimarer Prägung – unmittelbare Volksgesetzgebung, berufsständische Vertretung und Wirtschaftsparlamente, Räte und diktatorische Staatsführung – echte Gegenkonzepte gewesen sind, oder ob sie lediglich als Antithesen zur Weimarer Republik ihren diskutablen Stellenwert bekamen. Vielleicht handelte es sich dabei in der Tat um »Verhüllungen des Diktaturgedankens«, wie Sontheimer vermutet.[101] Dem Ideal eines Cäsarismus an der Staatsspitze, wenngleich das häufig kunstvoll verschleiert wurde, haben auch die Autoren der »Deutschen Rundschau« zusammen mit dem Herausgeber angehangen. Umschreibungen wie »unaufgeklärter Despot«, »Diktatur aus Liebe zu Deutschland«, »Elite verantwortungsbewußter Männer« oder »Diktator der Ordnung« waren letztlich nur verschiedene Definitionen für einen politischen Sachverhalt. Die »Deutsche Rundschau« lag in dieser Hinsicht auf einer Linie mit anderen Zeitschriften der Ring-Bewegung, wie eine Analyse des »Gewissens« und des »Deutschen Volkstums« mit Deutlichkeit beweist.[102] Die Propaganda jener Zeitschriften gegen die Republik zeigt ferner, daß sich seinerzeit niemand bei seinen Attakken großer Zurückhaltung zu befleißigen hatte. Zwar bestand an der Staatsgefährlichkeit des Berliner Juniklubs nach Aussage von Max Hildebert Boehm kein Zweifel[103], jedoch konnte diese Gefahr weder bei Heinrich von Gleichen oder Eduard Stadtler, noch bei Wilhelm Stapel oder Rudolf Pechel größere Hemmungen provozieren. Aus dem systematischen Angriff des »Gewissens« hatte sich schon früh der Gedanke erkennen lassen, daß die Zeitschrift sich für eine Gruppe deutscher Großindustrieller engagierte, die über einen »Wirtschaftsrat« und ein »Direktorium weniger Männer« die Macht im Staate übernehmen sollten.[104] Stapels Ruf nach der Diktatur hatte sogar Persönlichkeiten wie Ludendorff und Hitler als potentielle Füh-

[100] Vgl. Schelcher: Politische Schlagworte, a. a. O. S. 47 f., und Bunzel: Der Zusammenbruch des Parlamentarismus, a. a. O. ebenda.
[101] Sontheimer: Der antiliberale Staatsgedanke, a. a. O. S. 37.
[102] Für das »Gewissen« vgl. Stern: Kulturpessimismus, a. a. O. S. 273 ff. Für das »Deutsche Volkstum« vgl. Keßler: Wilhelm Stapel, a. a. O. S. 72 ff.
[103] Boehm: Ruf der Jungen, a. a. O. S. 15.
[104] Vgl. Stern: Kulturpessimismus, a. a. O. S. 275 f. Stadtler hatte Stinnes schon früh »als genialen Typ« und als geeignet für Deutschlands Führung erkannt, vgl. Stadtler: Als Antibolschewist, a. a. O. S. 71.

rungskräfte angepriesen.[105] Alle solche Vorschläge, die sich an Radikalismus und apokalyptischer Untergangsstimmung nicht selten überboten, spiegelten nur die Hoffnungen auf irgendwelche als aussichtsreich erscheinenden Zukunftsvisionen wider. Die Verschwommenheit dieser Ideale offenbarte sich am deutlichsten im Krisenjahr 1923, als der Hitler-Putsch in München zum erstenmal die enge geistige Beziehung zwischen Jung-Konservativen und Nationalsozialisten zutage treten ließ.

4. *Hoffnungen auf eine Diktatur im Krisenjahr 1923*

Das Auftreten des Nationalsozialismus hat das Dilemma des Jung-Konservatismus noch weiter verschärft: Nach Klemperer war es die entscheidende Probe, die nicht bestanden worden ist. Der Ausgangspunkt für die verwickelten Beziehungen zwischen Nationalsozialisten und Jung-Konservativen liegt nach seiner Ansicht in jener denkwürdigen Begegnung zwischen Moeller van den Bruck und Adolf Hitler, die am 3. Juni 1921 in Berlin durch die Vermittlung Rudolf Pechels zustande kam.[106] Die Konsequenzen dieses Treffens im Hinblick auf Pechels politische und publizistische Position seien an späterer Stelle untersucht. Die Tatsache, daß der Prophet des Dritten Reiches und der noch unbekannte Vollstrecker dieser Vision schon sehr früh Kontakte aufgenommen haben, beweist nur, wie fließend und verschwommen die Unterschiede zwischen Jung-Konservatismus und Nationalsozialismus von Anfang bis Ende waren. Man setzte dieser neuen Kraft auch zwei Jahre später, als der gewaltsame Umsturz gescheitert war, keinen Widerstand entgegen. Kritisiert wurde lediglich, daß die eigenen politischen Pläne durchkreuzt worden waren: »Der Aufruhr Hitlers . . . hat die in langsamer Sammlung begriffenen nationalen Kräfte unseres Vaterlandes wieder jäh auseinandergerissen und gegeneinandergeworfen.« So lautete der Kommentar in der »Deutschen Rundschau«, dem die Diagnose beigefügt wurde: »Der Gegensatz des Wesens, die sie von Ursprung an trennt, ist wieder in seiner ganzen Tiefe sichtbar geworden; die faschistische Denkart auf der einen und die föderalistische auf der anderen, das Schwarzhemdentum und das Streben nach einer Erneuerung des politischen Geistes in Deutschland.« Rudolf Pechels Zeitschrift, die sich soviel der deutschen Würde, Ehre und Verantwortung zugute hielt, wollte die bayerischen Kräfte der Gegenrevolution für ihre eigenen Ziele einspannen – so plebejisch und rauflustig deren

105 Keßler: Wilhelm Stapel, a. a. O. S. 76.

106 Das Datum dieses Treffens gibt einige Rätsel auf: Pechel berichtet in seinen Erinnerungen (Deutscher Widerstand, a. a. O. S. 277), daß er sich im Frühjahr 1922 um die Bekanntschaft mit Hitler bemüht habe. Klemperer wandelt diese Terminierung in »Frühling 1922« um (Konservative Bewegungen, a. a. O. S. 210). Ein Brief von Gleichens an Pechel setzt das Treffen für Freitag, den 2. Juni 1921 (dies ergibt sich aus dem Briefdatum), nachmittags um 14.00 Uhr, »im geschlossenen Kreise bei mir« fest. (Brief an Pechel, 30. 5. 1921, BA, Mappe 144, siehe Anhang.)

Vertreter von Beginn an auftraten. »Es fehlt dem Faschismus in unserem Volke an der Kraft zum Durchstoßen. Er ist nicht volkstümlich. Aber als anregendes Gift können wir ihn in unsren Adern kaum missen. Auch übt er einen natürlichen Zauber auf die Frischesten und Feurigsten in unserer Jungmannschaft aus.« [107]

Man wird die Hoffnungen und Pläne, die den Herausgeber der »Deutschen Rundschau« im Krisenjahr 1923 beflügelt haben, nur bruchstückhaft rekonstruieren können. Die zahlreichen Andeutungen und versteckten Hinweise ergeben nur ein unvollkommenes Bild. Seine Zeitschrift sah die Ablösung des Parlamentarismus durch eine Militärdiktatur heraufdämmern: Es bestehe nun die Möglichkeit – wie »Pertinacior« schrieb –, daß die politische Leitung im Reich und in Preußen über eine Einflußnahme der Reichswehr umgestaltet werden könne; sie allein habe Autorität und in ihr allein stelle sich noch ein »Rest deutschen Staatsgeistes« der Bismarckzeit im Reiche dar. Der Hinweis, daß General von Seeckt »ausübende Gewalt« besitze, wird mit der Anspielung verknüpft: »Das Parlamentariertum ist allerdings noch weit davon entfernt, der Reichswehr den Weg zu einem Handeln ganz nach eigenem Ermessen freizugeben.« [108] Im Gegensatz zu Eduard Stadtler und Heinrich von Gleichen, die sich für eine Wirtschaftsdiktatur entschieden hatten, [109] forderten prominente Juniklub-Mitglieder wie Martin Spahn (alias Pertinacior) und Rudolf Pechel den Einsatz der Reichswehr unter Führung des Generals von Seeckt. Solche Appelle lassen sich nur vor ihrem zeitgeschichtlichen Hintergrund exakt analysieren. Immerhin befand sich Deutschland Ende Oktober/Anfang November 1923 am Rande eines Bürgerkrieges. Im Gefolge der schweren Konflikte mit Sachsen, Thüringen und Bayern war das Reichsgefüge erschüttert. Im Rheinland versuchten Separatisten eine unabhängige »Rheinische Republik« zu errichten, und in Hamburg kam es zu einem kommunistischen Aufstand, den die Polizei erst nach schweren Kämpfen niederschlagen konnte. Zu jener Zeit hatten pfälzische Sozialdemokraten bereits eine pfälzische Republik ausgerufen, und in Bayern forderten sowohl die regierungsfreundlichen »Vaterländischen Kampfverbände« als auch Nationalsozialisten einen entscheidenden Schlag gegen Berlin. In jener gefährlichen Situation hatte der Chef der Heeresleitung, von Seeckt, einen Aufruf an die Reichswehr gerichtet, in dem er sie an ihre Pflicht erinnerte, jeder neuen Revolution, »komme sie von links oder von rechts«, zu widerstehen und durch Verhinderung des Bürgerkrieges den Staat zu erhalten. [110]

Nicht nur der Kommentator der »Deutschen Rundschau«, sondern dar-

[107] Politische Rundschau, in: Deutsche Rundschau, 1923, Band 197, S. 333 f.
[108] Politische Rundschau, a. a. O. ebenda.
[109] Vgl. die detaillierten Pläne bei Stadtler: Die Diktatur der sozialen Revolution, Leipzig, 1920, S. 142 ff.
[110] Vgl. Huber, Ernst-Rudolf: Dokumente zur deutschen Verfassungsgeschichte, Band III, a. a. O. S. 325, und Gebhardt, Bruno: Handbuch der deutschen Geschichte, Band IV, Die Zeit der Weltkriege, S. 139 f.

über hinaus der Sprecher des Alldeutschen Verbandes, Heinrich Claß, haben Seeckt damals bedrängt, mit Hilfe der Reichswehr die alleinige Führung im Staate zu beanspruchen. Solche Aufforderungen hat Seeckt indes brüsk zurückgewiesen. Dennoch hat er sich kurze Zeit danach an dem Gedanken erwärmt, für sich das Kanzleramt zu beanspruchen, um dann unter Auflösung des Parlaments und Vertagung von Neuwahlen die Ordnung wiederherzustellen. [111] Dieser Gedanke gewann konkrete Gestalt, als Reichspräsident Ebert nach den Münchener Putschversuchen am 8. November 1923 den Oberbefehl der Wehrmacht sowie die vollziehende Gewalt anstelle des Reichswehrministers an den Chef der Heeresleitung, General von Seeckt, übertrug. Kraft dieser Vollmachten des Reichspräsidenten war der Chef der Heeresleitung mit einer fast diktatorischen Stellung ausgestattet. [112] In dieser Situation, so berichtet Treviranus, wurde von Seeckt durch Mitarbeiter seines engeren Stabes (General Hasse, Joachim von Stülpnagel und Kurt von Schleicher) zur Übernahme der Vollzugsgewalt im Reiche gedrängt: Die Generäle hatten einen »Aufruf an das Volk« verfaßt und legten ihrem Chef Dokumente für Notstandsdekrete vor. In dieser Lage habe allein Freiherr von Willisen die Bildung eines unabhängigen Direktoriums mit den Mitgliedern Wiedfeld, Minoux, Freiherr von Gayl und Oppen-Dannewalde unter Seeckts Führung verhindert. Man dürfe die Reichseinheit nicht durch ein Sandkastenspiel ohne den Reichstag gefährden. [113]

Eben diese Ereignisse offenbaren im Vergleich mit anderen Dokumenten im Hinblick auf die Teilnahme Rudolf Pechels unerwartete Perspektiven. Heinrich Brüning, der im September 1947 in der »Deutschen Rundschau« seine vielbeachteten Erinnerungen an die Regierungsbildung des Jahres 1930 veröffentlichte, [114] ließ den Herausgeber der »Deutschen Rundschau« in einem Brief vom 23. September 1947 wissen, daß er soeben einen Teil seiner Memoiren abgeschlossen habe. Dabei sei das Jahr 1923 sehr umfangreich geworden. »Ich habe fast jeden Tag Sie beim Schreiben von mir gehabt. Sie waren ja außer Willisen der einzige, der im allgemeinen wußte, was gespielt wurde und von wie langer Hand es vorbereitet war.« [115] Aus dieser Bemerkung geht hervor, daß Brüning und Pechel an den Ereignissen um Seeckt beteiligt waren. Tatsächlich haben sich der »Rundschau«-Herausgeber und der spätere Reichskanzler schon aus den Anfängen jung-konservativer Arbeit gekannt: Brüning war häufiger Gast im Juniklub und im Politischen Kolleg. [116] Tatsächlich gehörte er, wenn auch »mehr peripherisch« – so Eduard Stadtler [117] – der neuen politischen Bewegung an. Der Name

111 Treviranus, Gottfried Reinhold: Das Ende von Weimar, Heinrich Brüning und seine Zeit, Düsseldorf/Wien 1968, S. 59 f.
112 Huber: Dokumente zur Deutschen Verfassungsgeschichte, a. a. O. S. 328.
113 Treviranus, a. a. O. S. 61.
114 Heinrich Brüning: Ein Brief, in: Deutsche Rundschau, Jg. 70, 1947, Heft 7, S. I.
115 Heinrich Brüning an Pechel, 23. 9. 1947, BA, Mappe 59.
116 Boehm: Ruf der Jungen, a. a. O. S. 18.

Pechel fiel ebenfalls, als im Jahre 1920 unter Heinrich Brüning die Gründung einer Tageszeitung des Deutschen Gewerkschaftsbundes verhandelt wurde.[118] Die Kontakte zu Oberstleutnant Freiherr von Willisen müssen gleichfalls aus der Gesinnungsgemeinschaft um Moeller van den Bruck resultieren. Willisen war Mitglied im Juniklub und gehörte dem Vorstand des Deutschen Schutzbundes seit dessen Gründung an; er hat sogar das berühmte Haus Motzstraße 22, Heimstätte der jung-konservativen Vereinigungen, als Eigentümer übernommen. Als Intimus von Kurt Schleicher soll er diesen als erster auf Heinrich Brüning aufmerksam gemacht haben.[119] Jene vielfältigen Beziehungen, über die Brünings Memoiren erst endgültig Aufschluß geben werden, sind in der Endphase der Weimarer Republik bei der Bildung der Regierung Brüning von neuem lebendig geworden. Ihr Vorhandensein beweist, daß die Mitglieder des Juniklubs und des Deutschen Schutzbundes durchaus eine aktive Rolle im politischen Kräftespiel übernommen hatten,[120] ferner daß Rudolf Pechel sehr häufig seine Hand mit im Spiel gehabt hat. Es ist deshalb notwendig, Pechels publizistische Intentionen stets zu seinen politischen Aktivitäten in Beziehung zu setzen. Dabei ist man freilich oft nur auf Vermutungen angewiesen: Pechels Kommentar zur Regierungsbildung am 30. November 1923 unter Reichskanzler Marx verrät lediglich den Unmut desjenigen, der parlamentarisch gewählten Repräsentanten mit unverhohlener Abneigung gegenübersteht; er offenbart indes nichts über den Gang der Ereignisse hinter den Kulissen. »Selbst in der Stunde, da die harte Not jeder noch so virtuos geübten Vogel-Strauß-Politik ein Ende macht und wir gezwungen sind, endlich schnellstens alle Folgerungen zu ziehen, welche die Lage eines Volkes verlangt, das den Krieg an unbarmherzige Gläubiger verloren hat: in dieser Stunde erlebten wir den Film des Endes und der Auferstehung der ›großen Koalition‹. Gab es Menschen, die angesichts der verzweifelten Lage Deutschlands diese taktische Angelegenheit als einen Erfolg feierten.«[121] In Pechels Stellungnahme fehlte der Hinweis nicht, daß ein Wechsel in der Regierungsform ein Gebot der Stunde sei.

Pechels zuweilen ätzende Kritik an den Repräsentanten des Weimarer Parlamentarismus hat indes Reaktionen provoziert, aus denen sich der Nachfolger Rodenbergs nur mühsam und nach endlosem Rechtsstreit herauslavieren konnte. Dies betrifft insbesondere seine Auseinandersetzung mit Stefan Grossmann, dem er den Vorwurf der Bestechlichkeit machte. Ferner zeigte es sich in Pechels Streit mit Charles Hartmann, der die »Deutsche Rundschau« sogar öffentlich in Mißkredit brachte. Diese Affären waren

117 Stadtler: Als Antibolschewist, a. a. O. S. 147.
118 Treviranus: Das Ende von Weimar, a. a. O. S. 53 f.
119 Vgl. die Anmerkung bei Erasmus Jonas: Die Volkskonservativen. 1928—1933 Entwicklung, Struktur, Standort und politische Zielsetzung, Diss. Kiel 1961, S. 81.
120 Schwierskott deutet diese Möglichkeit in vorsichtiger Weise an, Moeller van den Bruck, a. a. O. S. 125.
121 Rudolf Pechel: Die Parallele, a. a. O. S. 144.

Ergebnisse einer publizistischen Zielsetzung, die innenpolitisch die angebliche Korruptheit des Parlamentarismus brandmarken und die außenpolitisch die vermeintliche deutsche Schuld am Ersten Weltkrieg zu widerlegen suchte. Beide Episoden werfen freilich Schlaglichter auf den entschiedenen Kampf, den Pechel gegen die Weimarer Republik ab 1920 geführt hat.

D. RUDOLF PECHEL IM POLITISCHEN KRÄFTESPIEL DER WEIMARER REPUBLIK (1921–1930)

Hinter den organisatorischen Strukturen der jung-konservativen Bewegung waren Vorstellungskomplexe wirksam, die als Antriebe wie als Träger politischer Aktivität eine nur schwer abschätzbare Bedeutung erlangt haben. Bezeichnet man die Ring-Bewegung als eine vorwiegend publizistische Erscheinung, dann entzieht sich deren Einflußnahme auf das politische Geschehen weithin der nachträglichen Analyse. De facto kann die Wirkung publizistischer Medien nur selten durch präzise Angaben dokumentiert werden; erste Ansätze zur wissenschaftlichen Untersuchung dieses Kommunikations-Problems wurden erst Jahrzehnte später unternommen.[1] Der Versuch, das verwirrende Durcheinander von Forderungen, Schlagworten und Prophezeiungen um die »Deutsche Rundschau« und ihren Herausgeber zu enträtseln, sollte indes diesen Aspekt nicht gänzlich vernachlässigen. Wer sich nicht mit einer nur literarischen Beschreibung und ideengeschichtlichen Einordnung von Pechels Publizistik begnügen will, sondern darauf abzielt, ihr politisches Gewicht, ihre ideologische Zuordnung zu konkreten Machtgruppen und ihre Verfilzung mit den Interessenrivalitäten jener Zeit zu analysieren, der ist auf Unterscheidung und kritische Abwägung angewiesen. Gewiß war die gesamte Publizistik der Ring-Bewegung auf Wirkung und Gestaltung der gesellschaftlichen Wirklichkeit gerichtet, und ihr revolutionärer Anspruch schloß sogar die totale Umwälzung von Staat und Gesellschaft mit ein – jedoch ging dabei das Wagnis individueller publizistischer Ansprache nicht verloren. Für diesen Zusammenklang individuell gedachter und gewagter Ideen mit kollektiven Willensrichtungen der sozialen Wirklichkeit ist Rudolf Pechel ein markantes Beispiel: auf der Suche nach neuen ideologischen Bindungen wurde er zwar weitgehend in das Ideen-Gefüge des revolutionären Konservativismus verstrickt, jedoch schloß diese Zuordnung den Versuch persönlicher und direkter Einflußnahme nicht aus. Als eine Zentralfigur im Meinungsspektrum der Ring-Bewegung hatte gerade Pechel die Einbruchsstellen erkannt, durch welche die jungkonservative Publizistik in die Apparate von Bürokratie und Verwaltung einsickern und ihre eigene Wirkung verstärken konnte. Bei seinem Appell für eine neue Ordnung war der Herausgeber der »Deutschen Rundschau«

[1] Für einen ersten Überblick über die Themenstellung, der zugleich auf die Problematik der sogenannten »Wirkungsforschung« verweist, vgl. Noelle-Neumann, Elisabeth: Meinung und Meinungsführer. Über den Fortschritt der Publizistikwissenschaft durch Anwendung empirischer Forschungsmethoden, in: Publizistik, Jg. 8 1963, Heft 4, S. 316–323. Mit dem Phänomen »Öffentliche Meinung« beschäftigt sich kritisch Ulla Otto: Die Problematik des Begriffs der Öffentlichen Meinung, in: Publizistik, 11. Jg. 1966, Heft 2, S. 99–130.

mehr denn je auf Verbündete angewiesen. Er suchte und fand sie in der Anhängerschaft um Moeller van den Bruck. Ferner spürte er sie in den Zentren politischer Macht – in der Regierungsbürokratie von Reich und Ländern – sowie in den einflußreichen Interessenverbänden seiner Zeit auf. Dabei kam dem agilen Publizisten das Selbstverständnis einer Beamtenschaft entgegen, die sich nach wie vor im betonten Gegensatz zu den herrschenden Kräften als den »überparteilichen Repräsentanten der ideellen Grundlagen der Staatsorganisation betrachtete«.[2] Pechels Rückgriff auf verlorengeglaubte Traditionen und auf die Politik der Väter mußte eine Ministerialbürokratie ansprechen, die sich als ruhender Pol in der Flucht der Kabinette und im Wechsel demokratischer Politik verstand. Zu jener Fühlungnahme mit den Repräsentanten politischer Macht kam der Kontakt zu organisierten Gruppen wirtschaftlicher Interessenpolitik hinzu. Ihren Zielen hat Pechel nicht minder die Spalten seiner Zeitschrift geöffnet. So wie das Verständnis des Phänomens öffentliche Meinung undenkbar ist ohne Rekonstruktion des gesellschaftlichen und politischen Hintergrunds, so ist auch eine Abschätzung möglicher Einflußnahme dieser Publizistik nicht möglich ohne den Bezug zu jenen politischen und wirtschaftlichen Kräften, denen Pechel sich verbunden fühlte. Die merkwürdige Position des »Rundschau«-Herausgebers im politischen Kräftespiel der Weimarer Republik wirft dabei ein bezeichnendes Licht auf jenes brüchige System von Kompromissen zwischen Altem und Neuem, das zunächst den Machtverlust der Weimarer Demokratie, dann das Machtvakuum im Kampf um die Macht und schließlich die Eroberung der Macht durch Kräfte zuließ, die den Kompromißcharakter der Demokratie überhaupt verneinten und dem freien Gespräch der Parteien, Gruppen und Individuen gewaltsam ein Ende setzten.[3]

[2] Bracher, Karl-Dietrich: Die Auflösung der Weimarer Republik. Eine Studie zum Problem des Machtverfalls in der Demokratie, vierte Auflage, Villingen 1964, S. 179.
[3] Hingewiesen sei auf als »Stufen der Auflösung« beschriebene Typologien bei Bracher, a. a. O. S. 27. Vgl. zur Abgrenzung den Aufsatz von Karl-Dietrich Erdmann: Die Geschichte der Weimarer Republik als Problem der Wissenschaft, in: Vierteljahrshefte für Zeitgeschichte, 3. Jg. 1955, 1. Heft, S. 1 ff. Erdmann beschäftigt sich vorwiegend mit den Schriften damaliger Beteiligter wie Eyck, Rosenberg, Stampfer und Ullmann.

I. Die »Deutsche Rundschau« im Meinungsstreit

Der Meinungsstreit, in den die »Deutsche Rundschau« bald nach der Übernahme durch Rudolf Pechel verwickelt wurde, muß als Konsequenz jener publizistischen Gegenströmung gegen die neue Republik bewertet werden. Die unverhohlene Abneigung gegenüber dem liberal-demokratischen Kompromiß Weimarer Prägung artikulierte sich intensiv, nachdem die Weimarer Nationalversammlung die undankbare Aufgabe der Unterzeichnung des Versailler Friedensvertrages übernommen hatte. Das Odium nationaler Demütigung, mit dem der junge Staat fortan belastet war, entlud sich in einer Kampagne der Proteste, die Ernst Troeltsch im Gefolge seiner Beobachtungen der Revolutionszeit »als Welle von rechts« [4] einleuchtend beschrieben hat. In diesem Zusammenhang sind die persönlichen Affären Pechels mit Stefan Grossmann und Charles Hartmann als Begleiterscheinungen einer politischen Gegenströmung anzusehen, die nach Versailles mit verstärkter Kraft ins öffentliche Bewußtsein trat. Der Entrüstungssturm gegen Mathias Erzberger, der im Regierungskabinett für die Annahme des Versailler Vertragswerkes plädiert hatte, ferner der fast solidarische Protest gegen die Kriegsschuldthese boten für jene Woge der Auflehnung willkommene Ansatzpunkte. Ihre Darstellung in der »Deutschen Rundschau« beleuchtet um ein Weiteres die entschiedene Frontstellung, von der Pechels Kampf gegen die Republik charakterisiert war.

1. Pechels Auseinandersetzung mit Stefan Grossmann

Im Jahre 1921 erschien in der Rubrik »Vom Geiste der Völker« der »Deutschen Rundschau« eine Polemik gegen den Herausgeber der Berliner Wochenschrift »Das Tagebuch«, Stefan Grossmann. [5] Darin hieß es, Grossmann feiere den »wiederauferstandenen Mathias«, dem er bereits zuvor Raum für zwei Artikel gewährt habe. Der, wie es in dem östlichen Deutsch des Herrn Grossmann heiße, »wohlbeleibte, dem Lebensgenuß nicht abgeneigte Erzberger« habe schon im vorigen Jahr den Versuch unternommen, durch einen Berliner Verlag das »Tagebuch« zu kaufen. Daraus zog der Autor der »Deutschen Rundschau«, Ringwaldt, den Schluß, daß nun die »Verbindung zwischen Erzberger und dem – um im Jargon zu bleiben – anscheinend der Bestechlichkeit ›nicht abgesagten‹ Stefan Grossmann hergestellt« worden sei. Der Vorwurf der Bestechlichkeit wurde durch den Hinweis auf einen Artikel von Siegfried Jacobsohn in der »Weltbühne« zu

4 Siehe die Bezeichnung bei Ernst Troeltsch: Spektator-Briefe, a. a. O., S. 79 ff.
5 Par nobile fratrum, in: Deutsche Rundschau, 1921, Band 188, Heft 3, S. 128.

erhärten versucht, der Grossmann »Barbestechung« vorgeworfen hatte.[6] Weil Grossmann nach Rücksprache mit seinen Beratern »diesen schwersten Vorwurf, der einem anständigen Schriftsteller zu machen sei«, nicht zum Anlaß einer gerichtlichen Klage gemacht habe, zog der »Rundschau«-Kommentator den vielsagenden Schluß: »Der Schaden für das deutsche Ansehen, daß ein Mann, auf dem ein solcher Vorwurf lastet, als Herausgeber einer in deutscher Sprache erscheinenden Wochenschrift zeichnen darf, wird durch seine innige Verbindung mit Erzberger gemildert.«[7] Zum Wagnis öffentlicher Parteinahme gehört, daß die Aufdeckung noch unbekannter Tatbestände die Interessen anderer verletzen und somit eine juristische Abwägung der Sachlage erforderlich sein kann. Der sich an diese Polemik anschließende Rechtsstreit war insofern nichts Ungewöhnliches: denn Pechel erhielt von Grossmann eine Klage wegen »verleumderischer Nachrede« und sah sich gezwungen, den Beweis für seine Behauptungen anzutreten.[8] Der Gang der Verhandlung sollte jedoch zeigen, daß hier noch andere als journalistische Motive eine Rolle gespielt hatten. Für Pechel ging es nämlich darum, »wichtige Vorgänge des Berliner literarischen und politischen Lebens«[9] zu entlarven. Grossmann hingegen wollte einem Angriff entgegentreten, durch den der Vorwurf der Bestechlichkeit im Zusammenhang mit Mathias Erzberger erhoben worden war.[10] Jener Dualismus der politischen Anschauungen schälte sich als Hauptstreitpunkt aus dem Gang der Auseinandersetzung heraus.

a) Die Kampagne gegen Mathias Erzberger

Mathias Erzberger ist zu Beginn der Weimarer Republik zum bestgehaßten Politiker der nationalen Rechten geworden. Dem Urheber der Friedensresolution im Deutschen Reichstag, der sichtbaren Verkörperung des Weimarer Koalitions-Bündnisses, dem Ankläger gegen die deutsche Kriegsführung im Weltkrieg, der er im Juli 1919 in der Nationalversammlung schonungslose Kritik hatte zuteil werden lassen, und dem neuen Finanzminister des Deutschen Reiches, der besonders die Fragwürdigkeit der Kriegsfinanzierung Helfferichs angeprangert hatte, schlug bald eine un-

[6] Der Streit führt mitten in den Klatsch der damaligen Berliner Öffentlichkeit. Jacobson hatte Grossmann unlauterer Verbindungen zwischen seiner Funktion als Kritiker am Berliner Theater und Angestellten der Bühnen bezichtigt. Nach einer Privatklage Grossmanns gegen Jacobson wurde der Streit zwischen beiden Kontrahenten durch einen in der »Weltbühne« veröffentlichten Vergleich bereinigt. Pechel, der Jacobsohns Vorwurf zur Illustrierung seiner Behauptungen genutzt hatte, lehnte indes einen Widerruf der Beschuldigung, wonach »der verstorbene Erzberger das Tagebuch habe kaufen wollen oder gekauft habe«, ab und drang auf ein juristisches Verfahren.

[7] Par nobile fratrum, a. a. O. ebenda.

[8] Grossmann an Pechel, 7. 7. 1921, BA, Mappe 117.

[9] Brief Pechel an Richard Carl Wolff, 12. 6. 1923, BA, Mappe 117.

[10] Stenographischer Bericht über die Verhandlung Grossmann—Pechel, S. 5, BA, Mappe 117.

versöhnliche Stimmung aus dem Lager der Rechten entgegen. Besonders Helfferich und seine Freunde holten zum Gegenschlag aus: gegen ihre vehemente Polemik stellte Erzberger Strafantrag und drang damit auf eine juristische Klärung der mannigfachen Vorwürfe. Helfferich wurde zwar zu einer Geldstrafe verurteilt, doch die politische Wirkung des Prozesses war ein Sieg für ihn. Denn im Verlauf des Prozesses wurde festgestellt, daß Erzberger in der Tat seine politische Position für Privatinteressen ausgenutzt hatte – damit war das Ende der Karriere des Politikers Erzberger gekommen.

Erzbergers Abgang von der politischen Bühne wurde zu Recht als ein schwerer Schlag für die junge Republik und als personelle Diskreditierung mit weitreichenden Konsequenzen beurteilt.[11] Die Motive jenes rasenden Entrüstungssturms gegen Erzberger hatten weniger seiner Figur als der von ihm vertretenen Politik gegolten: »Seine Persönlichkeit ist schwer zu beurteilen, aber der Haß gilt nicht den wirklichen oder vermeintlichen Mängeln seiner Person, sondern in erster Linie dem Urheber der berühmten Reichstagsresolution und dem Phantasten des Notopfers.«[12] Dieses Urteil eines Zeitgenossen wird durch die Ablehnung bekräftigt, mit der die Jung-Konservativen dem Finanzminister gegenüberstanden. Besonders Eduard Stadtler war in permanente Auseinandersetzungen mit Erzberger verwickelt: der Wortführer eines militanten Antibolschewismus war 1919 wegen heftiger Meinungsverschiedenheiten mit Erzberger aus dem Zentrum ausgeschieden, wo er längere Zeit Sekretär der Windthorstbünde gewesen war.[13] Seitdem zeigte er sich als unversöhnlicher Gegner des Finanzministers. »Erzberger zieht alle Fäden zusammen. Und bohrt auch gegen mich. Aber ich nehme den Kampf gegen ihn auf. Wo ich hinkomme, wird ein kleines oder großes Minenfeld gelegt«,[14] schrieb er in jener Zeit an seine Frau.

Als der Vertrag von Versailles angenommen und unterzeichnet worden war, kam die Zeitschrift »Das Gewissen« als Anti-Erzberger-Nummer und als Dokument gegen die vermeintliche Schande von Versailles heraus: sie wurde inszeniert »als feierliche Abrechnung gegen den Mann, der das alte Reich in den Abgrund geführt hatte und nun auch Jung-Deutschland außenpolitisch auf Gnade und Ungnade einem erbarmungslosen Feind ... auslieferte«.[15] Die schroffe Verschärfung der Gegensätze, die in diesen Kampagnen zum Ausdruck kam, ließ natürlich auch den Herausgeber der »Deutschen Rundschau« nicht unbehelligt. Das bittere Urteil Ernst Troeltschs galt für ihn nicht minder: »Mit derselben sturen Starrköpfigkeit und der-

[11] Gebhardt, Bruno: Handbuch der Deutschen Geschichte, 8. Auflage, Band 4: Die Zeit der Weltkriege, von Dietrich Erdmann, 4. Nachdruck 1965, Stuttgart 1959, S. 119.
[12] Troeltsch, Ernst: Spektator-Briefe, a. a. O. S. 81.
[13] Schwierkott: Moeller van den Bruck, a. a. O. S. 82.
[14] Stadtler: Als Antibolschewist, a. a. O. S. 80.
[15] Stadtler: Antibolschewist, a. a. O. S. 189.

selben unbedenklichen Kurzsichtigkeit, mit der man auf einer von vornherein unmöglichen Kriegszielpolitik bestand, will man nun die inneren Verhältnisse von Grund auf verwirren und umstürzen, um der Rückkehr des Alten den Weg zu bereiten oder doch mindestens die alten Gegner in den gemeinsamen Untergang hineinzureißen.« [16] Die von Pechel herbeigeführte Konfrontation mit Grossmann sollte allein dem Ziel dienen, erneut die angebliche Korruptheit Erzbergers und des mit ihm befreundeten Grossmann unter Beweis zu stellen: von diesem Ziel ließ der Herausgeber der »Deutschen Rundschau« nicht ab, obwohl inmitten der nationalistischen Erregung jener Zeit ein Mordanschlag auf Erzberger verübt worden war. Der Angriff gegen Grossmann und Erzberger erschien im Juliheft 1921, d. h. kaum sechs Wochen vor dem Attentat, dem der Politiker am 26. August 1921 am Rande einer Schwarzwaldstraße zum Opfer fiel.

b) Der Gang der Auseinandersetzung

Grossmanns Privatklage gegen Pechel wurde am 20. Oktober 1921 eröffnet. Sie bezog sich auf eben jene Behauptungen, wonach Erzberger schon im vorigen Jahre den Versuch unternommen habe, das »Tagebuch« zu kaufen und wonach die Verbindung zwischen Erzberger und dem anscheinend der Bestechlichkeit »nicht abgesagten Grossmann« nun hergestellt worden sei. Pechel wurde angeklagt, den Privatkläger Grossmann beleidigt und nicht erweisliche Tatsachen behauptet und verbreitet zu haben, welche geeignet gewesen seien, den Privatkläger verächtlich zu machen und in der Öffentlichkeit herabzuwürdigen. [17] Die angebotene Möglichkeit, durch einen gütlichen Vergleich die Sache aus der Welt zu schaffen, lehnte Pechel ab. Ihm war es um eine öffentliche Auseinandersetzung mit seinem Widersacher vor Gericht zu tun. Dabei hielt er mit seinen Motiven nicht zurück: als ihn ein Redakteur der »Münchener Neuesten Nachrichten«, Tim Klein, in einem Brief darauf verweist, daß gleichzeitig in München ein Beleidigungsprozeß gegen Grossmann anstehe, [18] schrieb ihm der Herausgeber der »Deutschen Rundschau« zurück: »Welch eine Wendung durch Gottes Fügung. Ich begrüße es auf das innigste, daß ein Prozeß gegen Stephan Grossmann in München ausgetragen werden soll. Nur dort wird die richtige Atmosphäre im Gerichtssaale sein, um alle Beweisanträge, die geeignet sind, die Persönlichkeit des Grossmann umfassend und richtig ins Licht zu setzen, auch verhandeln zu lassen, während ich immerhin befürchten muß, daß viele Beweisanträge, die ich in meinem Prozesse stelle, vom Berliner Gericht nicht zugelassen werden.« [19] Zur Vorbereitung der Hauptverhandlung trug

16 Troeltsch, Ernst: Spektator-Briefe, a. a. O. S. 80.

17 Die Privatklage wurde zuerst gemeinsam gegen Jacobsohn und Pechel am 20. 10. 1921 erhoben. Als Jacobsohn zurückzog, wurde die Klage gegen Pechel am 13. 12. 1923 im Einzelverfahren eröffnet.

18 Brief von Tim Klein an Pechel, 8. 5. 1923, BA, Mappe 117.

19 Brief Pechel an Tim Klein, 14. 5. 1923, BA, Mappe 117.

Pechels Rechtsanwalt u. a. vor, daß die Erwähnung Grossmanns in der »Deutschen Rundschau« auf seiner vorübergehenden Verbindung mit dem damals noch lebenden Erzberger beruhe. »Der Beklagte und seine Zeitschrift waren politische Gegner des Staatssekretärs Erzberger. Der Beklagte stand auf dem Standpunkt, daß die überaus große Selbstsicherheit Erzbergers es ihm unmöglich machte, die Folgen seines politischen Handelns zu übersehen, und daß dieser Mangel an Selbstkritik auch dazu führte, daß er nicht die Grenzen, die seinem wirtschaftlichen Handeln durch seine Stellung als maßgebender Politiker gezogen waren, zu erkennen vermochte.« [20] Hinter der verklausulierten Juristensprache verbarg sich die Andeutung, Erzberger könne seine politischen Interessen erneut mit privaten Ambitionen verbinden. Ausdrücklich wurde dabei auf das Urteil in Sachen Erzberger gegen Helfferich verwiesen. Die Verbindung zwischen dem Politiker Erzberger und dem Privatkläger Grossmann sei dem beklagten Pechel als eine »politische Gefahr« erschienen – auf diese Gefahr habe er in seiner Zeitschrift verweisen wollen.

Es steht außer Zweifel, daß es Pechel nicht um den Nachweis einer angeblichen Bedrohung des Weimarer Parteienstaats zu tun war. Gerade die »Korruptheit« des demokratischen Systems wollte die nationale Rechte herausstellen, als sie mit hemmungsloser Polemik die Enthüllungen im Erzberger-Prozeß kommentierte. Eben diesen politischen Akzent der Auseinandersetzung stellte Grossmann während der Verhandlung vor dem Berliner Schöffengericht offen dar: »Ich fühle mich beleidigt vor allem dadurch, daß der Vorwurf der Bestechlichkeit in bezug auf Erzberger erhoben worden ist, daß gesagt worden ist, ich nähme für den verstorbenen Erzberger nur deshalb Partei, weil ich ein bestechlicher Mensch sei. Und das sind Beschuldigungen, die nicht so leicht zu nehmen sind, wie das törichte Theatergeschwätz. Ich habe, und das liegt auf der ganzen Linie meiner Politik, für Erzberger Partei genommen. Ich habe ihn für einen Mann gehalten, der auch seine Fehler hat, aber ich habe die ganze Hetze gegen ihn nicht mitgemacht. Ich wußte, ... daß er ein rechtschaffener Mann war, ich habe gegenüber all diesen Verleumdungen ... immer wieder für ihn Partei genommen – abgesehen davon, daß sein politisches Prinzip, die Demokratisierung des Zentrums, mit dem meinigen übereinstimmte und daß ihm das Wohl des Volksganzen über die Partei ging.« [21]

Damit hatte Grossmann die frontalen Gegensätze dieses Rechtsstreits definiert. Als Herausgeber des »Tagebuchs« und als Theaterrezensent der liberalen »Vossischen Zeitung« stand Stefan Grossmann einem Kontrahenten gegenüber, dessen Zeitschrift den Kampf gegen Weimar unmißverständlich auf ihre Fahnen geheftet hatte. Während sich Grossmann um eine Rechtfertigung des Politikers Erzberger bemühte, zielte Pechel auf dessen Dis-

20 Privatklagesache zwischen Grossmann und Pechel, Begründung des Rechtsanwalts Wolff vom 27. 6. 1923, BA, Mappe 117.

21 Stenographischer Bericht über die Verhandlung Grossmann–Pechel, 13. 12. 1923, Amtsgericht Charlottenburg, BA, Mappe 117, S. 5.

kreditierung. Nur deswegen hatte er den Fehdehandschuh aufgenommen. »Zwischen der ›Deutschen Rundschau‹ und mir ist diese Sache nicht mehr ein Kampf von Rivalen, ein Kampf zweier Wochenschriften, sondern auch ein Kampf unserer politischen Richtungen, weil die ›Deutsche Rundschau‹ auf einem Erzberger-feindlichen Standpunkt steht, ich aber auf einem Erzberger-freundlichen. Ich halte die Mittel, mit denen Erzberger bekämpft wurde, vielfach für illoyal. Ich hatte in diesem Fall also auch einen politischen Grund, in die Arena zu steigen.« [22] Der so skizzierte Rechtsstreit, der sich zu Lebzeiten Erzbergers wohl leicht zu einem Schauprozeß hätte ausweiten können, wurde schließlich in beiderseitigem Einvernehmen bereinigt. Pechel gab zu Protokoll, daß er in seinem Artikel gegen Grossmann nicht den Vorworf habe erheben wollen, dieser habe sich von Erzberger bestechen lassen. Dennoch beleuchtet die Auseinandersetzung zwischen Pechel und Grossmann die tiefe Kluft, die sich bereits zu Beginn der Weimarer Republik zwischen demokratischem und national-konservativem Lager gebildet hatte. [23]

2. *Die Affäre um Charles L. Hartmann*

Während Pechels Rechtsstreit mit Grossmann höchstens im öffentlichen Leben Berlins einiges Aufsehen erregt haben mag, sorgte die Affäre des »Rundschau«-Herausgebers mit seinem Autor Charles L. Hartmann für weitaus größere Publizität. Denn dieser Streit hinterließ in der weiteren Öffentlichkeit seine Spuren, und er war geeignet, den guten Ruf der »Deutschen Rundschau« aufs Spiel zu setzen. Auch diese Auseinandersetzung wurde durch politische Motive beeinflußt: Pechels Agitation galt einer Revision des Versailler Vertrages. In diesem Bemühen stand er nicht nur mit den Jung-Konservativen, sondern mit der nationalistischen Rechten überhaupt in einem Bündnis. [24] Kaum anders als die meisten Autoren jener Abhandlungen und Pamphlete, die sich ab 1920 um die Widerlegung der Kriegsschuldthese bemühten, suchte Pechel lediglich nach neuen Argumenten gegen den Vorwurf der Entente. Er behandelte die Kriegsschuld nicht als Frage und Anregung für eine sachliche Diskussion, sondern er nahm die Antwort vorweg, daß Deutschland weder den Krieg allein verschuldet noch an seiner Vorbereitung mehr als einen unwesentlichen Beitrag geleistet habe. In seiner Rubrik »Vom Geiste der Völker« kamen deswegen vor allem Autoren zu Wort, die eine eindeutige Stellungnahme für Deutschland bezogen. Gegnerische Veröffentlichungen wurden publiziert, falls sie auf gründliche Weise widerlegt werden konnten. In diesem Bemühen, eine möglichst einhellige Mehrheitsmeinung herzustellen, lag die Gefahr zur Ver-

22 Stenographischer Bericht, a. a. O. S. 10.
23 Der Rechtsstreit wurde am 13. 12. 1923 beigelegt.
24 Vgl. die ausführliche Darstellung bei Theisen: Die Entwicklung zum nihilistischen Nationalismus, a. a. O. S. 36 ff.

zerrung und Vereinfachung politischer Sachverhalte verborgen. Pechels Wille, unter allen Umständen die Unhaltbarkeit der Kriegsschuldthese nachzuweisen, konnte ihn nur allzuleicht über das gewünschte Ziel hinaustragen: die Leser einer achtbaren Zeitschrift verzeihen es deren Herausgeber nicht so leicht, wenn er ihnen – versehen mit dem Anspruch auf Echtheit – falsche historische Dokumente präsentiert. Auf diese Weise mag nur allzuleicht das Band des Einvernehmens zerstört werden, welches die Zeitschrift mit ihrer Leserschaft verbindet. Die nachfolgende öffentliche Diskussion über die Behauptungen der »Deutschen Rundschau« hat später dazu geführt, daß Pechels Zeitschrift mit ramponiertem Ansehen aus der Affäre Hartmann hervorgegangen ist. Der Nachfolger Rodenbergs mußte sich den Vorwurf gefallen lassen, daß er seine journalistische Sorgfaltspflicht in tendenziösem Eifer vernachlässigt hatte.[25]

a) Dokumente der »Deutschen Rundschau« zur Kriegsschuldfrage

Pechels Berührung mit seinem späteren Autor »Konsul Dr. Charles L. Hartmann« kam durch einen Brief vom 11. Februar 1924 zustande: Hartmann schickte dem Herausgeber der »Deutschen Rundschau« ein Manuskript zur Beurteilung, das mit der Überschrift »Die russischen Archive und die französische Presse« versehen war. In einem Begleitschreiben wies Hartmann zugleich auf die angeblich einmalige Bedeutung der beigefügten Dokumente hin: »Die hohe Bedeutung dieser Dokumente als Beitrag zur Frage der Kriegsschuld-Lüge wird Ihnen sofort einleuchten. Deren Widerlegung ist das Fundament für die Hülfe, die Sympathien des Auslandes. In beiden Ländern, England und Amerika, kömmt der Umschwung der Öffentlichen Meinung bereits deutlich zur Erscheinung. Es handelt sich darum, stets von neuem die Lüge an den Pranger zu stellen ... Die russischen Archive sind fast unerschöpflich und liefern für Jahre hinaus das Material der Aufklärungsarbeit.«[26] Der Tenor jener Begründung kam dem publizistischen Ansinnen Pechels zweifellos entgegen; denn seine Zeitschrift hatte ja unablässig die Unhaltbarkeit des Versailler Vertrages und die in Artikel 231 enthaltene Kriegsschuldthese hervorgehoben. Pechel griff denn auch bereitwillig zu und begann im Aprilheft der »Deutschen Rundschau« eine Aufsatz-Serie unter dem Titel: »Die russischen Archive und die französische Presse.«[27] In einem Vorwort wies er die Leser darauf hin, daß die Archive des russischen Auswärtigen Amtes zu Petrograd und Moskau seit kurzem der Allgemeinheit zugänglich gemacht worden seien, ferner daß die »Deutsche Rundschau« ihren Lesern eine kleine Auswahl dieser Geheimakten präsentieren könne. Die Echtheit sei unbestreitbar, sie werde von den Beteiligten nicht abgeleugnet. Die Sammlung werfe nicht bloß ein außer-

25 Dieser Vorwurf geht aus dem mannigfachen öffentlichen Echo hervor, das an späterer Stelle dargestellt wird.
26 Hartmann an Pechel, 11. 2. 1924, BA, Mappe 118.
27 Deutsche Rundschau, 1924, Band 199, S. 1 ff.

ordentlich bezeichnendes Licht auf die Gesinnungslosigkeit und Erpressertätigkeit der gesamten französischen Presse, sondern auch auf die Vorgeschichte des Krieges überhaupt und die Mittel, die zu seinem Ausbruch praktiziert worden seien.

Der Abdruck der Hartmann-Dokumente ist durch Pechels damalige materielle Lage ein wenig begünstigt worden. Der Herausgeber der »Deutschen Rundschau« hatte sich nämlich von seinem früheren Verleger Georg Paetel getrennt und soeben einen eigenen Verlag gegründet. [28] Hartmann bestärkte ihn in dem Vorhaben, die Dokumenten-Serie in Pechels neuem Verlag als Gesamtausgabe erscheinen zu lassen. Das bereits gedruckte Manuskript sei nur ein kleiner Teil der verfügbaren Briefe und er werde sich bemühen, die anderen in aller Eile zu übersetzen. Offensichtlich im Einverständnis mit Pechel wurde sogar eine englische und eine spanische Übersetzung vorbereitet. [29] In seinen Briefen an Pechel ließ es der Autor nicht an Schmeicheleien fehlen: er rühmt den Herausgeber der »Deutschen Rundschau« als einen »Fachmann von großer Güte« und nennt ihn einen »hochbedeutenden Mann und hervorragenden Kritiker«. In einer Atmosphäre gegenseitiger Wertschätzung wurde somit der Kontrakt zwischen Hartmann und Pechel über die Herausgabe eines Buches besiegelt. Die Leser der »Deutschen Rundschau« wurden im Septemberheft 1924 mit der Ankündigung überrascht: »Der Vernichtungsschlag gegen die Schuldlüge ist gefallen! Wegen der entschiedenen Bedeutung der Enthüllungen aus den russischen Geheim-Archiven durch Konsul Dr. Charles Hartmann in den letzten Heften der ›Deutschen Rundschau‹, die in der gesamten Presse des In- und Auslandes so ungewöhnliches Aufsehen erregten, hat sich der Verlag entschlossen, zur Ermöglichung weiterer Verbreitung eine Zusammenfassung dieses bedeutenden Materials zu geringstem Preise herauszugeben. Die Aufnahme dieser Veröffentlichung des amerikanischen Konsuls im Ausland hat gezeigt, daß sie bahnbrechend für die Verbreitung der Wahrheit sind. Es ist daher Pflicht eines jeden redlich Denkenden, sich mit aller Kraft für die Verbreitung dieser Schrift einzusetzen.« [30]

Tatsächlich waren die Dokumente Hartmanns geeignet, vor dem Hintergrund jener allgemeinen Kampagne gegen Versailles die patriotischen Gemüter der Deutschen zu erhitzen. Bewiesen sie doch am Beispiel eines Briefwechsels zwischen einem russischen Diplomaten in Paris und der Petersburger Regierung, daß fünf Jahre vor Ausbruch des Weltkrieges ein Kriegsbündnis zwischen Rußland und Frankreich bestanden hatte und daß fast die gesamte Pariser Presse mit russischen Staatsgeldern für die Entfachung des Weltkrieges bestochen worden war. Ein Flugblatt des Deutschen Fichte-Bundes, der Pechels Appelle sofort aufgenommen hatte, bekräftigte die

28 Der Verlag nannte sich »Deutsche Rundschau GmbH«.
29 Hartmann an Pechel, 15. 2. 1924, BA, Mappe 118.
30 Deckblatt des Septemberhefts der »Deutschen Rundschau« 1924. Die Aufsatzreihe wurde im Aprilheft 1924 begonnen und im Augustheft 1924 als 4. Folge abgeschlossen.

angebliche Richtigkeit der Hartmannschen Angaben mit den Sätzen: »Die Akten enthalten den Beweis, daß sich an dieser Blutgeldverteilung neben dem Finanz- und Innenminister Klotz an allererster Stelle der Minister und spätere Staatspräsident Poincaré beteiligt hat, daß also dieser jahrelang mit eisiger Berechnung darauf hingearbeitet hat, mit Hilfe ausländischer Schmiergelder sein eigenes Volk in einen mörderischen Krieg zu treiben und die Welt in ein Meer von Blut und Jammer zu stürzen.[31] Es spricht für die damals mögliche Erregbarkeit des nationalen Lagers, wenn Hartmann am Schluß seiner Aufsatzreihe in der »Deutschen Rundschau« auf jenen »mächtigen Widerhall« verweisen konnte, den seine Dokumente bisher gefunden hätten.

b) Die Reaktion in der Öffentlichkeit

Zweifellos hatten Hartmanns Dokumente in der deutschen und ausländischen Öffentlichkeit zunächst wie eine Bombe eingeschlagen. In einem Brief an Pechel unterstrich Hartmann jenes ungewöhnliche Echo auf seinen ersten »Rundschau«-Aufsatz: »In Folge des ersten Artikels in Ihrer geschätzten Zeitschrift habe ich eine fast unglaubliche Anzahl von Zuschriften erhalten; nicht weniger als drei Schriftleiter holländischer Zeitungen kamen eigens nach Dresden, um womöglich weiteres Material zu erhalten. Ich verweise diese Leute auf die späteren Veröffentlichungen in der ›Deutschen Rundschau‹.«[32] Diese Publizität wußte der erfolgreiche Autor zu eigenem Nutzen zu gebrauchen. Er riet seinem Auftraggeber Pechel, daß er ohne Bedenken die erste Auflage des geplanten Buches auf zehntausend Exemplare kalkulieren könne, ja, das deutsche Publikum könne sogar hunderttausend Exemplare mit leichter Mühe übernehmen.[33] Die Neugierde Pechels wurde durch Hinweise angestachelt, daß die nächsten Briefe aus russischen Archiven »alles Bisherige übertreffen werden«, ferner daß es sich bei den wichtigsten Dokumenten ausschließlich um bisher unveröffentlichtes Material handele. In der Tat spricht es für die aus politischem Vorurteil resultierende Leichtgläubigkeit und Naivität Rudolf Pechels, daß er tatsächlich die erste Auflage der geplanten Buchveröffentlichung auf hunderttausend Exemplare kalkulierte.[34]

Über das breite Echo, das die Publizierung jener Dokumente gefunden hatte, war der »Rundschau«-Herausgeber hocherfreut. Als sich die »Süddeutschen Monatshefte« danach erkundigten, ob ein Nachdruck der Hartmann-Aufsätze auch in ihrer Zeitschrift möglich sei, erklärte sich Pechel zu dieser Übernahme gern bereit. Die verhängnisvolle Wirkung, die durch eine

31 Flugblatt des Deutschen Fichte-Bundes: Pressebestechungen zur Vorbereitung des Weltkrieges, Nr. 101, BA, Mappe 118.
32 Hartmann an Pechel, 23. 4. 1924, BA, Mappe 118.
33 Hartmann an Pechel, a. a. O. ebenda.
34 Dies ergibt sich aus einem Brief von Pechel an Legationsrat Dr. Stüve, 31. 5. 1924, BA, Mappe 118.

solche Propagierung erreicht wurde, verstärkte sich weiterhin durch Pechels intime Beziehungen zu offiziellen Regierungsstellen in Berlin. Auch hier zeigte sich der politische Einfluß, den die Vertreter der Ring-Bewegung faktisch besessen haben. Denn Hartmann hatte bei seinem ersten Brief an Pechel auf Professor Dr. Philipp Stein verwiesen, über den er die Adresse des »Rundschau«-Herausgebers erfahren hatte. Aus der Mitgliederliste des Juniklubs ergibt sich, daß Philipp Stein außerordentliches Mitglied jener Gesinnungsgemeinschaft um Moeller van den Bruck gewesen ist.[35] Jene Mitgliedschaft erwies sich insofern als bedeutsam, weil Philipp Stein und das Klubmitglied Bischoff die wichtigsten Kontaktpersonen und Förderer des Ring zur offiziellen Regierungsbürokratie gewesen sind. Über Bischoff bahnte sich Pechels Fühlungnahme zur Presseabteilung der Reichsregierung an, während Stein besonders die Veröffentlichung der Hartmann-Dokumente in der »Deutschen Rundschau« förderte. So beweist ein Brief Pechels an einen hohen Berliner Ministerialbeamten das Vorhandensein solcher Kontakte: Pechel bat um Bewilligung einer Geldsumme für den Druck der hunderttausend Broschüren, zu den ihn Hartmanns Versprechungen bewogen hatten.[36] Daß der Publizist Pechel bereits in dieser Angelegenheit mit einem gewichtigen Repräsentanten der Reichsregierung zusammenarbeitete, geht aus einem Brief Hartmanns an ihn hervor: »Ich erhalte soeben einen Eilbrief von Professor Dr. Stein, in dem er mich auf das allerdringendste bittet, doch ja den Artikel nicht erscheinen zu lassen, bevor er das Notwendige in die Wege geleitet hat, um die ganze Welt, und ganz besonders das Ausland, durch eine außerordentliche Propaganda darauf aufmerksam zu machen. Der Herr Professor und seine Freunde in der Regierung halten diesen Aufsatz für das Wichtigste, was je über die Kriegsursachen an das Tageslicht gekommen ist. Er hat die begründete Aussicht, daß ein Auszug in der ›Times‹ erscheint.«[37]

Tatsächlich mußte die Reichsregierung gerade zu jener Zeit ein gesteigertes Interesse an Dokumenten haben, die ein neues Licht auf die Vorbereitung des Weltkrieges werfen konnten. Die erzwungene Anerkenntnis der deutschen Kriegsschuld, wie sie in Artikel 231 des Versailler Vertrages dokumentiert worden war, hatte sich seit Beginn der Weimarer Republik als besondere Belastung erwiesen. Am Tag der Annahme der Dawes-Gesetzes im Reichstag gab die Reichsregierung deshalb eine amtliche Erklärung ab, in der sie ihre Anerkenntnis der Kriegsschuldthese widerrief. »Die uns durch den Versailler Vertrag unter dem Druck übermächtiger Gewalt auferlegte Feststellung, daß Deutschland den Weltkrieg durch seinen Angriff entfesselt habe, widerspricht den Tatsachen der Geschichte. Die Reichsregierung erklärt daher, daß sie diese Festlegung nicht anerkennt. Es ist eine gerechte Forderung des deutschen Volkes, von der Bürde dieser falschen Anklage befreit zu werden. Solange das nicht geschehen ist und solange ein Mitglied

35 Vgl. Mitgliederliste im Anhang.
36 Pechel an Legationsrat Dr. Stüve, Wilhelmstr. 76, 31. 5. 1924, BA, Mappe 118.
37 Hartmann an Pechel, 18. 5. 1924, BA, Mappe 118.

der Völkergemeinschaft zum Verbrecher an der Menschheit gestempelt wird, kann die wahre Verständigung und Versöhnung zwischen den Völkern nicht vollendet werden.«[38] Jene Erklärung der Reichsregierung über die Kriegsschuldfrage wurde am 29. August 1924 veröffentlicht, somit genau zu dem Zeitpunkt, an welchem die »Deutsche Rundschau« alle vier Folgen ihrer brisanten Aufsatz-Serie zur Kriegsschuldfrage publiziert hatte.

Es dauerte freilich nicht lange, bis sich an der Echtheit der Dokumente Zweifel einstellten. Graf Udo Stolberg, Mitarbeiter der »Süddeutschen Monatshefte«, bezweifelte nach Lektüre der Fahnenabzüge aus der »Deutschen Rundschau« als erster die Authentizität dieser Serie. Als er Pechel seine Vorbehalte unterbreitete, kam die Beschwichtigung zurück: »Sie können sicher sein, daß Herr Hartmann das Original des Briefs von Poincaré vor Erscheinen noch einmal kollationieren wird. Dabei wird selbstverständlich die fehlende Stelle eingefügt werden.« Gleichzeitig bekräftigte Pechel seine Sympathie gegenüber Hartmann: »Ich persönlich halte durchaus zu ihm. Ich habe durch die Pedanten des AA und ähnliche Institute hier in Berlin genügend Gelegenheit gehabt, die geringe Bedeutung Ihrer Einwände gegen die Hartmann-Publikationen nachprüfen zu können. Er ist kein deutscher Professor und will es nicht sein.«[39] Stolberg scheut trotz dieser Bekräftigung vor dem Abdruck der Dokumente in seiner Zeitschrift zurück und wies den Herausgeber der »Deutschen Rundschau« erneut auf Widersprüchlichkeiten hin: so seien nicht alle Dokumente neu und unveröffentlicht. Ein Teil von ihnen sei bereits in der französischen Presse, so in »Livre Noir« und »Humanité«, erschienen, überdies habe die Sowjet-Regierung in ihren Materialien einige der Hartmann-Dokumente bereits publiziert. Doch selbst solche Vorbehalte versuchte Pechel zu widerlegen: »Ich halte es für einen großen Verdienst der Hartmannschen Veröffentlichungen, daß sie bei dem Vehikel einiger unbekannter Dokumente – und solche sind in jedem Heft vorhanden – ... andere Dokumente an breitere Kreise heranbringen. Vorwürfen des Auslandes sehen Hartmann und ich auf Grund zurückgehaltener Dinge mit größter Ruhe entgegen.«[40] Tatsächlich spielte der von Pechel ausgesprochene Wunsch nach Popularisierung weitgehend unbekannter Dokumente eine wichtige Rolle: die Veröffentlichung der Aufsätze in der »Deutschen Rundschau« rechtfertigte er später durch den Hinweis, daß man es ihm gegenüber oft bedauert habe, wenn die Kriegsschuldfrage in einer weitgehend unverständlichen Form behandelt würde. Diese Frage werde nur allzuoft in langweiligen und langgezogenen »Untersuchungen und Traktaten« erörtert, so daß die breite Mehrheit des Publikums daran kein Interesse gewinnen könne. Diesen Übelstand wollte Pechel beseitigen, indem er dieselbe Frage in »sachlich einwandfreier, aber journalistisch gewandter« Form zu behandeln versuchte. Hartmann schien ihm

[38] Huber: Dokumente zur deutschen Verfassungsgeschichte, Band III, a. a. O. S. 371 f.
[39] Pechel an Stolberg, 3. 7. 1924, BA, Mappe 118.
[40] Pechel an Graf Stolberg, 4. 7. 1924, BA, Mappe 118.

dafür der geeignete Mann zu sein. Nach seinem Selbstporträt war er einstmals französischer Chefredakteur gewesen und gab an, über genügend Materialien und Kenntnisse der französischen Presse zu verfügen. Außerdem hatte sich der Herausgeber der »Deutschen Rundschau« – so das spätere Urteil – von der Richtigkeit der allgemeinen Wertschätzung, wonach Hartmann als »talentierter und federgewandter Schriftsteller« galt, selber hinreichend überzeugt.[41]

Dennoch haben den »Rundschau«-Herausgeber nach den Einwänden Stolbergs erste Zweifel befallen. So erkundigt er sich bei seinem Autor nach der Richtigkeit verschiedener Textstellen, wobei er auf die Kritik aus München verwies. Die Antwort Hartmanns lautet optimistisch: »Ich werde mich alsdann vergewissern, ob die Angabe von München auf Richtigkeit beruht und die nötigen Änderungen, wie ganz selbstverständlich, gerne machen.«[42] Unterdessen war jedoch die Skepsis der deutschen Öffentlichkeit an der Authentizität der Aufsatz-Serie in der »Deutschen Rundschau« beträchtlich gestiegen. Offensichtlich hatte Stolberg verschiedene Berliner Adressaten mit seinen Vorbehalten vertraut gemacht. Schließlich mußte sich Pechel in einem Brief an den Deutschen Schutzbund abermals gegen ähnlich lautende Vorwürfe verteidigen. Von Selbstkritik war freilich darin wenig zu spüren: »Ich sollte denken, daß man für eine solche Auswertung, die den Deutschen anscheinend immer noch versagt ist, lediglich dankbar zu sein hätte und nicht versuchen sollte, ausgerechnet von deutscher Seite den Wert dieser Publikation, über die aus dem In- und Auslande die begeistertsten Zustimmungen vorliegen, herabzusetzen.«[43] Jener Vorwurf implizierte das Postulat, angesichts deutscher nationaler Interessen eine wissenschaftliche Nachprüfung historischer Quellen möglichst zu unterbinden! Die Selbstgerechtigkeit, die sich aus solchen Äußerungen offenbart, gipfelte in der Bemerkung, daß in Berlin »Angriffe niederträchtigster Art« gegen ihn gestartet würden[44] und daß er seinem Autor nach wie vor größtes Vertrauen entgegenbringe.

Dennoch befand sich Pechel zu jenem Zeitpunkt bereits auf dem erzwungenen Rückzug. Schon Hartmanns Aufsatz im August-Heft war mit einem ausführlichen Nachtrag versehen worden, der mit »einigen Irrtümern, Übersetzungs- und Abschriftsfehlern« begründet wurde.[45] Dennoch behauptete die Zeitschrift weiterhin, daß über die Zuverlässigkeit der Schriftstücke nicht der geringste Zweifel bestehen könne, daß alle von der Sowjetregierung veröffentlichten Dokumente von der Gegenseite als wahrheitsgetreu und einwandfrei anerkannt worden seien. Die öffentliche Kritik war nun erst recht nicht mehr zurückzuhalten. »Dokumente sind Säulen der Kriegsschuldfragenbewegung, an denen niemand nach Belieben herumschnitzen darf«,

41 In Sachen Hartmann gegen Deutsche Rundschau, 25. 12. 1930, BA, Mappe 118.
42 Hartmann an Pechel, 5. 7. 1924, BA, Mappe 118.
43 Pechel an von Wrochen, Deutscher Schutzbund, 8. 7. 1924, BA, Mappe 118.
44 Pechel an Generaldirektor Wollheim, 15. 9. 1924, BA, Mappe 118.
45 Deutsche Rundschau, 1924, Band 200, August-Heft, S. 225 f.

lautete der zentrale Vorwurf[46] der aufgebrachten Gegner, die Einzelheiten der Aufsatz-Serie nicht länger außer acht ließen: »Bei sehr vielen von Hartmann gebrachten Dokumenten sind nicht nur einzelne Worte und Satzkonstruktionen geändert, sondern ganze Sätze, sogar Absätze vollständig ausgelassen.«[47] Jener Sturm der Entrüstung erwies sich deswegen von Gewicht, weil er nicht aus dem sozialistischen oder demokratischen Lager kam, sondern von prominenten Nationalisten entfacht worden war. In der vordersten Reihe der Entrüstung standen Alfred von Wegener und Hans Delbrück. Wegener war Herausgeber der Zeitschrift »Die Kriegsschuldfrage«, die 1921 gegründet worden war und bis 1942 existierte.[48] Hans Delbrück hatte in den »Preußischen Jahrbüchern« als renommierter Historiker deutlich Stellung gegen die Agitation der Alldeutschen bezogen, ja im Laufe der Jahre war er zum Hauptwidersacher von deren Annexionismus geworden.[49] Er beschäftigte sich in der »Deutschen Allgemeinen Zeitung« – somit in einer der Jung-Konservativen wohlwollend gegenüberstehenden Zeitung – kritisch mit Pechels aufsehenerregenden Publikationen. In seiner Bilanz über »Neue Dokumente zur Kriegsschuldfrage« sagte er: »Am meisten Aufsehen haben schließlich neue Veröffentlichungen aus russisch-französischen Quellen von Charles Hartmann ... in der ›Deutschen Rundschau‹ erregt. Ein Teil dieser Dokumente steht schon im ›Livre Noir‹, und die Vergleichung hat leider gezeigt, daß die Hartmannschen Publikationen nicht so zuverlässig sind, wie dies bei Veröffentlichung von Dokumenten unbedingt gefordert werden muß. Der Herausgeber scheint in tendenziösem Eifer bei der Übersetzung mit seinem Text sehr frei umgegangen zu sein. Ich muß darauf mit aller Entschiedenheit hinweisen, da sonst von französischer Seite behauptet werden könnte, daß Deutschland in der Kriegsschuldfrage mit ›gefälschten Dokumenten‹ arbeite.«[50]

Eben diesen Tadel Delbrücks hat Pechel später als berechtigt akzeptiert. Er war sich inzwischen darüber klar geworden, daß derartige Entstellungen, die von einem großen Teil der Presse sogar als Fälschungen bezeichnet worden waren, in ihrer propagandistischen Auswirkung einen verheerenden Schaden anzurichten vermochten. Die gesamte ausländische Presse konnte mit Recht den Vorwurf erheben, daß die deutsche »öffentliche Meinung« mit gefälschten Dokumenten die These von der Kriegsschuld zu widerlegen suchte.[51]

Ein Blick auf die verschiedenen Reaktionen der Berliner Presse beweist,

[46] In Sachen Hartmann gegen Deutsche Rundschau, 15. 9. 1930, S. 9, BA, Mappe 118.

[47] Die Kriegsschuldfrage, Nr. 9, September 1924, S. 365.

[48] Theisen: Die Entwicklung zum nihilistischen Nationalismus a. a. O. S. 37.

[49] Vgl. Schwabe, Klaus: Ursprung und Verbreitung des Alldeutschen Annexionismus in der deutschen Professorenschaft im Ersten Weltkrieg, in: Vierteljahrshefte für Zeitgeschichte, 14. Jg. 1966, 2. Heft, S. 195 ff.

[50] Hans Delbrück, Neue Dokumente zur Kriegsschuldfrage, Deutsche Allgemeine Zeitung, Nr. 352, 63. Jg. 1924.

[51] In Sachen Hartmann gegen Deutsche Rundschau, a. a. O. S. 11.

daß Pechels Aufsatz-Serie als »Skandal« interpretiert wurde. Jene Empörung war indes durch Rudolf Pechel allzu leichtfertig selbst geschürt worden. Der Herausgeber der »Deutschen Rundschau« setzte sich zunächst über die Angriffe mit dem Argument hinweg, daß es sich um Konkurrenzneid anderer Blätter handele. »Es ist selbstverständlich nur in Deutschland möglich, daß die Päpste der Schuldfrage gegen einen Mann anrennen, der es versteht, wirksamer als sie selbst, das zu tun, was eigentlich ihres Amtes wäre ... Delbrück und Wegener werfen ihm Ungenauigkeiten und Unzuverlässigkeiten in einigen Nebensächlichkeiten vor. Wie ich Ihnen zuverlässig versichern kann – aus Konkurrenzneid. Die Hartmann-Dokumente sind zweifellos authentisch.« [52] Dieser Ansicht entsprach denn auch der Grundtenor jenes Werbetextes, in dem die Hartmannschen Veröffentlichungen als das »Hervorragendste und Bedeutendste« gerühmt wurden, das je auf diesem Gebiet geschrieben worden sei. [53] Pechel scheute schließlich nicht davor zurück, die mit Hartmann vereinbarte Broschüre in Druck gehen zu lassen. Um das Mißtrauen gegenüber seinem Autor zu zerstreuen, holte er verschiedene Referenzen ein. Aus solchen Versuchen, den eigenen Standpunkt unter allen Umständen zu rechtfertigen, lernt die Nachwelt Pechel als einen Menschen kennen, der sich von einem einmal gefaßten Urteil nicht so rasch abbringen ließ. Diese Tendenz wurde durch den Patriotismus verstärkt, der auch bei dieser Angelegenheit zu Hilfe gerufen wurde. »Grenzt es nicht an Vaterlandsverrat, wenn Herr Alfred von Wegener einen französischen Journalisten zu veranlassen suchte, gegen Dr. Hartmanns Veröffentlichungen in der Schuldfrage Stellung zu nehmen, und kennzeichnet dieses alles nicht die niedrigste Gesinnung seitens der Clique seiner Gegner, die ... außer acht lassen, wie großen Schaden sie dieser Tätigkeit und damit dem Deutschen Reich im Ausland erweisen können?« [54] Die solchermaßen freundlich gesonnenen Ratgeber priesen Hartmann als eine Persönlichkeit, für die man »die Hand ins Feuer legen« könne, darüber hinaus waren sie bereit, die »große Leistung des Herrn Konsul Dr. Hartmann« rückhaltlos zu unterstreichen. [55] Der Herausgeber der »Deutschen Rundschau« fühlte sich mit solchen Stellungnahmen eins: »Sie können versichert sein, daß es in Deutschland noch Männer gibt, die bereit sind, mit stärkstem Nachdruck und in voller Öffentlichkeit Herrn Hartmann den Dank für seine Arbeit abzustatten.« [56] Um allen übelwollenden Gegnern ihre Waffen vollends aus der Hand zu schlagen, vereinbarte er mit seinem Autor abermals eine hieb- und stichfeste Überprüfung aller Materialien. Im Juni 1925 erschien nach derlei Vorarbeiten in fast reißerischer Aufmachung das Buch: »Hinter den

[52] Pechel an Heller – Halberg, 17. 9. 1924, BA, Mappe 118.
[53] Umschlag der Deutschen Rundschau, September-Heft 1924.
[54] Heinrich Wollheim an Pechel, 22. 9. 1924, BA, Mappe 118.
[55] Vgl. die Briefe von Dr. Blank (Zentrum) an Pechel, 7. 10. 1924, und von Billo an Pechel, der Hartmann als »Edelmann im besten Sinne des Wortes« tituliert, 4. 11. 1924, BA, Mappe 118.
[56] Pechel an Billo, 8. 11. 1924, BA, Mappe 118.

Kulissen des französischen Journalismus«. Der Autoren-Name fehlte, statt dessen trug es den Hinweis: »Von einem Pariser Chefredakteur«. [57]

Trotz aller bis dahin geäußerten Bedenken muß Pechel von dem lauteren Charakter seines Autors rückhaltlos überzeugt gewesen sein. Denn er ging sogar in aller Öffentlichkeit zu einer Verteidigung Hartmanns über: »Dieses Buch ist eine Tat, die notwendig war, ohne Rücksicht auf die Folgen. Und wenn die französische Presse auch Wehe über den ›Judas‹ schreien wird, so ist der Autor doch wie jener der am stärksten Liebende unter ihren Jüngern, und gerade deshalb mußte er sie vollbringen.« Diese pathetische Ankündigung gipfelt in der Prophezeiung: »Die politische Tragweite des Werkes ist unübersehbar.« [58] Jener militante Angriff fiel in eine Zeit der konsolidierten Beziehungen zwischen dem Deutschen Reich und seinen ehemaligen Gegnern. Auf der Londoner Konferenz war es bereits im Juli 1924 zu einer Einigung über die Reparationsfrage auf der Grundlage des »Dawes-Plans« gekommen. Dabei hatte die Reichsregierung die Räumung des seit Januar 1923 im Sanktionsweg besetzten Ruhrgebietes durchgesetzt. Die Räumung wurde damals zwischen dem französischen und belgischen Ministerpräsidenten sowie dem deutschen Reichskanzler vereinbart. Zu jenen wichtigen außenpolitischen Beratungen kamen die Erklärungen zur Kriegsschuldfrage und die diplomatischen Sondierungen über einen deutsch-französischen Sicherheitspakt hinzu, der später im Locarno-Vertrag seine Bestätigung fand. [59]

Jene damaligen Bemühungen zielten alle darauf ab, Deutschlands Verhältnis im Westen zu klären, zu festigen und möglichst Frankreichs Wunsch nach einer internationalen Garantie seiner Ostgrenze zu erfüllen. Als Pechel in jener Phase außenpolitischer Aktivität die vermeintlichen Machenschaften der französischen Presse zu entlarven suchte, setzte er die Glaubwürdigkeit des eigenen Namens auf das Spiel. Die Propaganda seiner Broschüre entsprach zwar der Agitation des deutsch-völkischen Flügels im Reichstag, der sich sowohl dem Dawes-Plan wie dem Locarno-Vertrag lautstark widersetzt hatte. [60] Jedoch kollidierte sie mit der versöhnlichen Stimmung, die besonders nach Abschluß des Locarno-Vertrages in der »Deutschen Rundschau« zu bemerken war. In deren Spalten war ein augenfälliger Kurswechsel zu bemerken: »Deutschland ist von einem ehrlichen Friedenswillen durchdrungen, an Frankreich ist es nun, durch die Tat ihn gleichfalls zu beweisen.« [61] Diesem offensichtlichen Wunsch nach Konsolidierung und Normalisierung der auswärtigen Beziehungen konnten die früheren Pamphlete aus dem »Rundschau«-Verlag Rudolf Pechels nur hinderlich sein.

57 Der Vertrag über dieses Buch wurde am 5. 7. 1924 zwischen Pechel und Hartmann geschlossen, offensichtlich unter dem Eindruck des anfänglich günstigen Echos.

58 Verlagsprospekt der Deutschen Rundschau GmbH, BA, Mappe 118.

59 Huber: Dokumente zur deutschen Verfassungsgeschichte, a. a. O. S. 370 ff.

60 Vgl. Huber: Dokumente, a. a. O. ebenda, und die Polemik Stapels, bei: Heinrich Keßler: Wilhelm Stapel, a. a. O. S. 104.

61 Die Konferenz von Locarno, in: Deutsche Rundschau, 1925, Band 205, S. 195.

Die Empörung über die neue Broschüre zur Kriegsschuldfrage, deren Autor bald ausfindig gemacht worden war, artikulierte sich nun in weit stärkerem Maße. Die Kritik wuchs, weil man Hartmann erneut schwerwiegende Übersetzungsfehler nachweisen und die Echtheit mancher Quelle bezweifeln konnte. Die »Süddeutschen Monatshefte« schrieben: »Ja, ein Franzose, der Chefredakteur eines größeren Pariser Blattes, hätte wohl so viele und so schwere Fehler nicht gemacht. Dann war es aber unklug, das Buch unter der Flagge ›von einem Pariser Chefredakteur‹ segeln zu lassen. Dem angesehenen Verlag muß der gute Wille und der Glaube, Gutes zu stiften, selbstverständlich zugebilligt werden, das Buch ist aber so ungeschickt, daß es mehr Schaden als Nutzen angerichtet hat. So bleibt diese Veröffentlichung bedauerlich, weil ... sie den Franzosen leicht gemacht hat, ihren Schmähungen den Schein des Rechts umzuhängen, bedauerlich, weil die Veröffentlichung Täuschungen hervorrufen kann, leider nicht in Frankreich, sondern in Deutschland.« [62] Alle Vorwürfe stimmten in der Behauptung überein, daß diese Veröffentlichung bisherige Fehlurteile über Deutschland verstärkt und der Verfasser genau das Gegenteil von dem erreicht habe, was er habe bezwecken wollen: Frankreich Anlaß zu Schmähungen zu geben und dies obendrein mit der Chance, sie nunmehr zu legitimieren. [63]

c) In Sachen Hartmann gegen »Deutsche Rundschau«

Die Auseinandersetzungen um Hartmann haben sich schließlich in einem langwierigen Rechtsstreit entladen. Dabei trat der ideelle Schaden zutage, der Pechels Zeitschrift zugefügt worden war. Er bestand in erster Linie in jener Kritik, die Hartmanns Aufsätze der Ungenauigkeit und falschen Wiedergabe historischer Quellen bezichtigt hatte. Beispielsweise hatte sich die Berliner »Zentralstelle für Erforschung der Kriegsursachen« an eine französische Persönlichkeit gewandt, die gegen die Hartmannschen Publikationen Stellung nehmen sollte. [64] Eine Nachprüfung im Auftrag der »Notgemeinschaft für nationale Arbeit« ergab ferner, daß die Dokumente im Juni- und August-Heft der »Deutschen Rundschau« überwiegend bekannt waren und daß besonders der Beitrag des August-Heftes keinerlei Neuigkeiten enthielt. Zugleich wurden die Übersetzungen kritisiert: so habe im Juni-Heft ein Bericht von Ernst Judet gestanden, der als Originalbrief in der französischen Zeitung »Humanité« abgedruckt worden sei, dessen Übernahme höchst bedenkliche Textabweichungen offenbare. [65] Zu der-

[62] Ein Franzose über die Pariser Presse, in: Süddeutsche Monatshefte, September 1927, S. 425.
[63] Vgl. die zahlreichen Stellungnahmen in der Akte: In Sachen Hartmann gegen Deutsche Rundschau, a. a. O. ebenda.
[64] Brief der Zentralstelle an Pechel, 17. 11. 1924, BA, Mappe 118.
[65] Notgemeinschaft für Nationale Arbeit an Pechel, 2. 7. 1924, BA, Mappe 118.

artigen Anschuldigungen kam die Kritik an Pechels Broschüre: Man bezichtigte Hartmann des Plagiats, weil er ohne Bezeichnung französische Quellen wiedergegeben und als eigene Gedanken ausgegeben habe. Schließlich gipfelte die Auseinandersetzung in dem Urteil des Sachverständigen Edgar Stern-Rubarth, welcher bemerkte, daß es sich bei Pechels Veröffentlichungen nicht um eine wissenschaftliche Untersuchung, sondern lediglich um ein Pamphlet gehandelt habe. [66]

Vor dem Hintergrund solcher Beschuldigungen war der Bruch zwischen Pechel und seinem Autor rasch perfekt. Als sich Pechel kurz nach Erscheinen der Broschüre über mangelnde Bestellungen beklagt, kommt die rüde Antwort zurück: »Daß der Eingang von Bestellungen unbefriedigend ist, kann ich mir lebhaft denken; wie sollte dies auch anders möglich sein, wenn Sie die Veröffentlichung bis in die Hundstage hinein verzögern.« [67] Darauf verweist der »Rundschau«-Herausgeber erneut auf die »erheblichen persönlichen Schwierigkeiten«, die ihm aus seiner Verbindung mit Hartmann erwachsen seien: das Verhältnis zwischen beiden Vertragspartnern versteift sich nach dieser Kontroverse zusehends und mündet schließlich in die Klage Pechels auf Schadenersatz und Wiedergutmachung. [68]

Der sich anschließende Rechtsstreit bekam Jahre später, 1930, eine überraschende Wendung, als eine deutschsprachige Zeitung im Elsaß die Affäre Hartmann erneut aufgriff und weitere Einzelheiten mitteilte: aus ihren Artikeln ergab sich, daß der Autor Pechels nicht Charles L. Hartmann hieß, sondern nur unter auf diesen Namen lautenden Ausweispapieren gelebt hatte. Hartmanns wirklicher Name sei Klempner gewesen, diesen Sachverhalt habe er verborgen, als er Mitarbeiter der als ultranationalistisch apostrophierten »Deutschen Rundschau« geworden sei. [69] Aus dem Schriftsatz zur Vorbereitung des Rechtsstreits ergibt sich, daß die gesamte Berliner Presse jene sensationellen Angaben übernommen und kommentiert hat – dies freilich zum Schaden der »Deutschen Rundschau« und ihres Herausgebers, dessen Irrtümer nun noch einmal in aller Breite ans Licht gehoben wurden. Die Nachteile waren zweifellos beträchtlich, die sich Pechel mit der Affäre Hartmann eingehandelt hatte; denn als Nachfolger eines berühmten Publizisten war er auf die Erhaltung seines guten Rufes angewiesen. Sein Ansehen als sorgfältig und korrekt vorgehender Publizist war erst recht lädiert, nachdem ihm Delbrück und von Wegener Nachlässigkeiten bescheinigt hatten und er diese allzu leichtfertig in den Wind geschlagen hatte. Gewiß liegt darin schon die Wurzel jener ernsthaften Krise, die sich bald um die »Deutsche Rundschau« und ihren Herausgeber entwickelte und die fast zur Aufgabe der Zeitschrift geführt hätte.

[66] Dies ergibt sich aus dem Schriftstück: In Sachen Hartmann gegen Deutsche Rundschau, a. a. O. S. 12.

[67] Hartmann an Pechel, 15. 6. 1925, BA, Mappe 118.

[68] Der Rechtsstreit begann im Juli 1925 und endete nach langwierigen Voruntersuchungen am 20. 1. 1931 mit dem Freispruch Pechels, der aus der Kostenhaftung entlassen wurde, vgl. Brief Carl Haensel an Pechel, 14. 8. 1931, BA, Mappe 118.

[69] Siehe die Anlagen zu: In Sachen Hartmann, a. a. O. ebenda.

II. Die »Deutsche Rundschau« und die »Arbeitsgemeinschaft für die Interessen des Grenz- und Auslandsdeutschtums«

In seinem Rückblick auf die Entstehungsgeschichte der Ring-Bewegung hat Max Hildebert Boehm Korporativismus und Führerprinzip für die Innenpolitik sowie Grenzkampf »als Gesetz des äußeren Widerstandes« mit Blick auf den Osten [1] als diejenigen Pole bezeichnet, die den Versuch zur Bildung eines neuen deutschen Sendungsglaubens bestimmt haben. Dabei hat er den Anregungen des Juniklubs und des Deutschen Schutzbundes einen wesentlichen Anteil zugebilligt. Boehms Hinweise werden verdeutlicht, sobald man sie im Hinblick auf eine Institution betrachtet, die sich um die Verbreitung jung-konservativer Ideologie in besonderem Maße bekümmert hat. Die »Arbeitsgemeinschaft für die Interessen des Grenz- und Auslandsdeutschtums«, welche 1921 von Rudolf Pechel gegründet wurde, hat sich als das bis heute unbekannt gebliebene Propaganda-Instrument der Ring-Bewegung auf außenpolitischem Gebiet erwiesen. In enger Verbindung mit dem Deutschen Schutzbund, aber ohne jede Abhängigkeit von ihm, wollte sie in Fragen des Grenz- und Auslandsdeutschtums eine möglichst geschlossene Front deutscher Zeitschriften erreichen. Dabei blieb ein Grundprinzip der Ring-Bewegung unangetastet: nicht der organisatorische Apparat oder das weltanschauliche Programm, sondern die einzelne Persönlichkeit sollte den Gesamtkomplex prägen und den Zusammenhalt untereinander wahren. Die von Pechel gebildete Arbeitsgemeinschaft griff deshalb nicht in die Rechte der einzelnen Zeitschriften-Herausgeber ein, vielmehr versuchte sie in ständiger Fühlungnahme deren persönliche Verantwortung für das Ganze zu bestärken. Ebenso wie man das Symbol des Ringes als den »einzigen ruhenden Pol in der Flucht der Erscheinungsformen« [2] der jung-konservativen Bewegung bezeichnet hat, läßt sich die Geschichte der »Arbeitsgemeinschaft deutscher Zeitschriften für die Interessen des Grenz- und Auslandsdeutschtums« auch am klarsten von dieser Symbolik ausgehend definieren. Ihre wesentliche Kraft beruhte in der Kontaktnahme der einzelnen Persönlichkeiten untereinander, die eine Sammlung aller nationalgesinnten Publizisten bewirken sollte. Pechels Verdienst war es, daß er dieses lockere Organisationsschema über den engeren Berliner Kreis hinaus auf einen größeren Zirkel politischer Gesinnungsgenossen übertragen und damit die Wirkungsmöglichkeit jung-konservativer Publizistik erheblich verstärkt hat. [3]

Jener für die deutsche Pressegeschichte bedeutsame Versuch wurde von einem publizistischen Selbstverständnis getragen, das durch jung-konser-

[1] Boehm: Ruf der Jungen, a. a. O. S. 19.

[2] Boehm: Ruf der Jungen, a. a. O. S. 13.

[3] Vgl. für diesen Zusammenhang wiederum Schwierskott: Moeller van den Bruck, a. a. O. S. 70 f.

vative Theoretiker geprägt worden war. Denn sowohl die propagandistische Zielsetzung Moeller van den Brucks [4] als auch die kulturpolitischen Leitsätze Rühlmanns [5] haben den Herausgeber der »Deutschen Rundschau« bei der Instrumentalisierung jung-konservativer Publizistik inspiriert. Ihr Kerngedanke war, daß allein eine geschlossene Propaganda Deutschland zu neuem Aufstieg verhelfen könne und jenes oft bemühte »Netz von Verleumdungen« zu zerreißen imstande sei. Das Wesen des Politischen manifestierte sich für sie als Vertreter antiliberaler Staatsauffassung in der Außenpolitik; sie sahen die Innenpolitik der Idee nach als überflüssig an, da diese durch die richtig gehandhabte Herrschaftsordnung eines Tages sowieso beseitigt werden würde. Gerade Pechel war der Überzeugung, daß gegenüber einer geschlossenen, einheitlichen Außenpolitik alle Fragen des Parteibuches, ja selbst der Weltanschauung zu Nebensächlichkeiten absinken würden. [6] Die Theoretiker der Ring-Bewegung waren der Ansicht, daß es wegen der bedrohten deutschen Stellung in der Welt einfach notwendig sei, »bestimmter politischer Zwecke willen Tatsachen zu verschweigen, um dafür andere um so stärker zu betonen, stärker als ihr natürliches Gewicht« [7] in Wahrheit sei. Dies Bekenntnis gipfelte schließlich in der Forderung, daß eine Politisierung des deutschen Volkes nur durch ständige Verbreiterung der außenpolitischen Interessen und durch Mitarbeit an den außenpolitischen Fragen selbst erzielt werden könne. »Was wir heute in Deutschland haben, ist nach Stadtlers treffender Charakteristik ein Verwaltungsstaat, der keinen Willen nach außen besitzt, ist nichts als Bürokratie und Parlamentarismus, die gewissermaßen Beauftragte eines fremden außenpolitischen Willens sind und als solche das deutsche Volk verwalten. Soll sich das ändern, dann müssen wir den wahren Staat zurückerobern, so müssen wir für unseren Staat wieder außenpolitischen Willen gewinnen, so muß das deutsche Volk in die Außenpolitik und ihre Kämpfe hinein.« [8] Der Verfechter dieses Postulats, Walther Schotte, war ebenso Mitglied der Arbeitsgemeinschaft Pechels wie viele andere prominente Publizisten, die sich dem außenpolitischen Primat der jung-konservativen Theorie verpflichtet fühlten.

Rudolf Pechel hat vor dem Hintergrund solcher Maximen verwirklicht, was Moeller van den Bruck als »revolutionäre Propaganda« bezeichnet hat. Das Ziel, welches er mit seiner Arbeitsgemeinschaft verfolgte, hat er selbst überdeutlich definiert. »Die Arbeitsgemeinschaft verfolgt den Zweck, die brennenden Fragen des Grenz- und Auslandsdeutschtums in gemeinsamer

[4] Moeller van den Bruck: Propaganda in: Politisches Handwörterbuch, Band II, a. a. O. S. 386.

[5] Rühlmann, Paul: Kulturpropaganda, in: Politisches Handwörterbuch, Band II, a. a. O. S. 1032.

[6] Brief an Albrecht Haushofer, 18. 12. 1929, BA, Mappe 71, vgl. ferner Wilhelm Treue: Primat der Außen- oder Innenpolitik, in: Deutsche Rundschau, 77. Jg. 1951, Heft 1, S. 507 ff.

[7] Schotte, Walther: Die deutsche Presse und das Ausland, in: Die Neue Front, a. a. O. S. 256.

[8] Schotte, Walther: Die deutsche Presse und das Ausland, a. a. O. S. 258.

Aktion mit verteilten Rollen möglichst gleichzeitig zu behandeln, so daß der Eindruck entsteht, daß die Erregung über diese Fragen in der deutschen Öffentlichkeit so stark ist, daß die Zeitschriften spontan die Fragen behandeln.« [9] Dieses Bemühen wurde von einer richtigen Einschätzung über die Wirkungsmöglichkeiten des Mediums Zeitschrift unterstützt. Pechel hatte erkannt, daß die politische Zeitschrift nach wie vor für die Herausbildung politischer Meinungen das prinzipielle Kommunikationsmittel geblieben war [10] und daß man nur über ihre publizistische Ansprache eine Änderung bestehender Strukturen erreichen konnte. »Gerade weil die Zeitschrift unabhängig ist von dem raschen Wechsel sich widersprechender Nachrichten, kann sie tiefer und gesammelter die wesentlichen Probleme des politischen Lebens herauskristallisieren und die politische Willensbildung des Publikums um so eindringlicher beeinflussen.« [11] Aber diese politische Tragfähigkeit kam nach Meinung Pechels nicht nur der politischen Zeitschrift zu: gerade die allgemeine kulturelle Revue und die Familienzeitschrift könne in unauffälliger, aber deshalb nicht minder wirkungsvoller Weise der politischen Sache dienen, da sich in diesen Fragen der indirekte Weg oft als der wirksamere erwiesen habe. Ebenso komme den illustrierten Zeitschriften und den satirischen Blättern eine unverkennbare propagandistische Bedeutung zu, weil die suggestive Wirkung von Bildern und Karikaturen nicht von den Hemmungen des Sprach- und Wortverständnisses getrübt werde. Besonders die satirischen Zeitschriften seien fast das einzige Mittel, mit dem man politische Schlagworte lancieren könne – Weltkrieg und Ruhrabwehrkampf hätten dies mit Deutlichkeit bewiesen. [12]

Pechel nahm damit einen Sachverhalt vorweg, der später mit der Umschreibung »Meinungsbildung durch Unterhaltung« [13] in die publizistische Forschung eingegangen ist. Mit richtigem Gespür für die spezifische Funktion der Zeitschrift innerhalb jeder öffentlichen Kommunikation versuchte er sie seinen Zwecken dienstbar zu machen. Um die Botschaft von der notwendigen Erneuerung des deutschen Volkes zu verbreiten, war die Ansprache durch »opinion leaders« nötig, deren Aufklärungsarbeit erst das Mitdenken und Mitsprechen des Volkes provozieren konnte. Gerade weil die Ring-Bewegung als überwiegend publizistische Erscheinung das politische Leben der Weimarer Republik mit zu bestimmen versuchte, haben ihre Vertreter mehr als andere über verbesserte Wirkungsmöglichkeiten nachgedacht. Ihr Täuschungsmanöver bestand darin, alle Ausdrucksformen des Mediums Zeitschrift – von der gezielten politischen Ansprache bis zur satirischen Übertreibung – für den eigenen propagandistischen Angriff zu benutzen.

9 Pechel an Hofrat Keller, BA, Mappe 131.
10 Vgl. die Definition bei Wilmont Haacke: Die politische Zeitschrift, a. a. O. S. 81.
11 Pechel, Rudolf: Die politische Bedeutung der deutschen Zeitschriften, Fünf-Seiten-Manuskript, BA, Mappe 130.
12 Politische Bedeutung, a. a. O. ebenda.
13 Vgl. den gleichnamigen Titel bei Haacke: Publizistik – Elemente und Probleme, a. a. O. S. 183.

An ihrer Spitze stand Rudolf Pechel und seine Zeitschrift »Deutsche Rundschau«. Beider Biographie wäre ohne die Kenntnis jener geheimen Anweisungen, Zielvorstellungen und verborgenen Absprachen unvollständig, die von Berlin aus an alle Mitglieder in regelmäßigem Turnus ergangen sind.

1. Arbeitsgemeinschaft und Deutscher Schutzbund

»Deutsches Volk in Not« [14] – dieser Leitspruch hatte nach Meinung Rudolf Pechels im Jahre 1919 zur Gründung des Deutschen Schutzbundes geführt, der neben Juniklub, Politischem Kolleg und Verein Deutscher Studenten (VDST) zu einem wichtigen Ideen-Zentrum des revolutionären Konservativismus geworden ist. [15] Die im Schutzbund vereinigten Verbände des Grenz- und Auslandsdeutschtums glaubten an die deutsche Volksgemeinschaft. Jene oft als »Schutzgedanke« umschriebene Verpflichtung kehrt im Schrifttum des Deutschen Schutzbundes häufig in verschiedenen Versionen wieder: als »großdeutsche Volksgemeinschaft«, im Sinne eines »Deutschtums als Einheit« oder als »Deutschlandgedanke« schlechthin. Die Forderung, die Pechel seinen Lesern offenbarte, umschrieb sich folgendermaßen: »Es gilt: den deutschen Menschen auf deutscher Erde deutsch zu erhalten, sei es im Verband des Reiches, dessen Grenzen sich mit den Volksgrenzen decken müssen, sei es in den Siedlungen der Fremde, wo Deutsche wohnen.« Die grandiose Vision eines großdeutschen Reiches, dessen endgültige Grenzen praktisch nicht markiert waren, gipfelte in einem fast heroischen Bekenntnis zu den leitenden Männern des Deutschen Schutzbundes: »Auf den Führern des Deutschen Schutzbundes liegt die ungeheure Verpflichtung, gegen alle Versuche, von wo sie auch kommen, den Gedanken rein zu erhalten. Sie mögen versichert sein, daß sie uns an ihrer Seite finden werden, in ihrem Kampfe gegen die Feinde des Deutschtums, aber auch gegen die, welche in Deutschland den Gedanken nicht begreifen können aus ideologischer Verbohrtheit oder überkommener Zusammenhangsblindheit.« [16]

Pechels Gewißheit, daß allein der Deutsche Schutzbund das großdeutsche Erbe verwalten könne, hat im Juni 1921 zur Gründung der »Arbeitsgemeinschaft für die Interessen des Grenz- und Auslandsdeutschtums« geführt. Zusammen mit dem Vorstandsmitglied Carl Christian von Loesch überlegte Pechel einen Plan, nach dem die deutsche nationale Zeitschriftenpublizistik koordiniert werden sollte. Voraussetzung für sein Zustandekommen war eine vorbereitende Tagung aller interessierten Zeitschriftenherausgeber in Berlin. Dafür mußten zunächst die Finanzfragen geklärt werden. Wie sich aus dem Briefwechsel zwischen Pechel und verschiedenen amtlichen Stellen

[14] Rudolf Pechel: Vom Grenz- und Auslandsdeutschtum, in: Deutsche Rundschau, 1922, Band 191, S. 68.
[15] Vgl. Schwierskott: Moeller van den Bruck, a. a. O. S. 69 ff.
[16] Pechel: Vom Grenz- und Auslandsdeutschtum, a. a. O. S. 74.

ergibt, wurde die Subventionierung über das »Staatssekretariat für die besetzten Gebiete« [17] und über die Presseabteilung des Deutschen Schutzbundes erreicht. [18] Die finanzielle Förderung des Schutzbundes wurde dabei an konkrete politische Bedingungen gebunden: für eine Konferenz der Zeitschriftenherausgeber wurden Geldmittel nur unter der Voraussetzung gewährt, daß diese Konferenz in einen »formalen Zusammenhang mit der Pressearbeit in Oberschlesien« [19] gebracht werden konnte. Nach der Zusage Pechels stellte der Deutsche Schutzbund die geforderten 18 000 Mark »für die oberschlesische Presse-Propaganda« zur Verfügung. [20] Die Subventionierung aus Geldtöpfen der Reichsregierung wurde ein Jahr später zwischen dem Auswärtigen Amt und dem »Rundschau«-Herausgeber Pechel vereinbart. Für die Geschichte der »Arbeitsgemeinschaft für die Interessen des Grenz- und Auslandsdeutschtums« war jedoch bedeutungsvoll, daß an ihrer Wiege eine Organisation mit klarer großdeutscher Zielsetzung Pate gestanden und ihre Geburt finanziert hat.

2. *Erste Gründungsversammlung in Berlin*

Am 1. August 1921 trafen sich in Berlin einundzwanzig deutsche Zeitschriftenherausgeber zu einer Gründungsversammlung, zu welcher Rudolf Pechel eingeladen hatte. Das Protokoll dieses Treffens verzeichnet Namen, die alle bisher in mehr oder minder loser Beziehung zur Ring-Bewegung gestanden hatten: »Deutsche Arbeit«, »Deutsches Volkstum«, »Die Grenzboten«, »Die Tat«, »Das Gewissen«, »Hochland«, »Jungdeutsche Stimmen«, »Preußische Jahrbücher«, »Süddeutsche Monatshefte«, »Vivos voco« oder »Westermanns Monatshefte«. [21] Prominente Autoren des »Ring«, wie Moeller van den Bruck, Heinrich von Gleichen, Heinz Brauweiler, Eduard Stadtler, Max Hildebert Boehm oder Martin Spahn hatten bereits in diesen Zeitschriften geschrieben, [22] und somit muß diese erste Zusammenkunft eher als ein internes Treffen der Motzstraße 22 erschienen sein. Tatsächlich dominierten während der ersten Gründungsversammlung die Juniklub-Mitglieder Walther Schotte und Carl-Christian von Loesch, die beide über die Lage in Oberschlesien referierten. Dabei einigte man sich zugleich auf mögliche Themen, die in den einzelnen Zeitschriften angeschnitten werden konnten: zu Oberschlesien vermerkt das Protokoll Stichworte wie »internationales Rechtsgut gefährdet«, »Verletzung der bona fides durch die

[17] Vgl. Handbuch für das Deutsche Reich, Berlin 1922, 41. Jg., S. 112.
[18] Im Fonds des Schutzbundes befanden sich ca. 10 000 Mark, die nach Pechels Wunsch um 5000 Mark vermehrt werden sollten. Pechel an von Loesch, 27. 9. 1921, BA, Mappe 130.
[19] Presseabteilung des Schutzbundes an Pechel, 5. 7. 1921, BA, Mappe 122.
[20] Deutscher Schutzbund an Pechel, 22. 7. 1921, BA, Mappe 122.
[21] Bericht über die 1. Tagung am 1. 8. 1921 in Berlin, BA, Mappe 124.
[22] Vgl. die Aufstellung bei Klemperer: Konservative Bewegungen, a. a. O. S. 259 ff., und bei Mohler: Die Konservative Revolution, a. a. O. S. 95 ff.

Franzosen«, »Verletzung der internationalen Wirtschaftsinteressen oder Frankreichs kontinentales Eisen- und Kohle-Monopol«. Die Verquickung von politischer und kultureller Propaganda kommt dort zum Ausdruck, wo von »Oberschlesien als Zwischenland zwischen Polen und Tschechei«, und wo von Oberschlesien »im Lichte der polnischen Geschichte« die Rede ist. Das Protokoll differenziert ausdrücklich zwischen einer Behandlung Oberschlesiens von der wirtschaftlichen und politischen sowie von der »ästhetischen Seite«: unter diesen Aspekt könne die »Schönheit des oberschlesischen Industriegebiets« subsummiert werden.

Zu dieser inhaltlichen Definition grenz- und auslandsdeutscher Propaganda kam die Regelung organisatorischer Fragen: Man beschloß, keine feste Organisation zu bilden, sondern die Arbeitsgemeinschaft in loser Form bestehen zu lassen. In den geschäftsführenden Ausschuß wurden die Mitglieder Düsel, Pechel, Schotte, von Sodenstern, Ullmann, Wirths und von Zobeltitz gewählt; die Führung der Geschäfte wurde Rudolf Pechel übertragen. Damit hatte sich der Juniklub eine ausreichende Mehrheit gesichert: neben Rudolf Pechel zählten Walther Schotte, Hermann Ullmann und Werner Wirths zu dessen Mitgliedern. Sie übernahmen damit die Garantie, daß der jung-konservative Anspruch der neuen Vereinigung gewahrt blieb. Darüber hinaus wurde vereinbart, daß der geschäftsführende Ausschuß in Zukunft die Behandlung wichtiger publizistischer Fragen stets in Zusammenarbeit mit dem Deutschen Schutzbund vorzubereiten habe. Noch in dieser Anweisung kam die enge Verklammerung mit Institutionen der Ring-Bewegung zum Ausdruck. Gleichzeitig wurde dem geschäftsführenden Ausschuß die Möglichkeit eingeräumt, alle Mitglieder auf »Schädlingserscheinungen, die eine gemeinsame Bekämpfung« erfordern, hinzuweisen. Eine solche Bekämpfung war besonders Unternehmungen zugedacht, die sich mit Hilfe von Geldern der Entente-Mächte finanzierten. Die erste Berliner Tagung endete mit dem gemeinsam vereinbarten Ziel, eine Erweiterung der Arbeitsgemeinschaft auf andere Zeitschriften anzustreben. Es wurde beschlossen, nach Oberschlesien das Rhein-Problem in vorbereitende Kalkulationen einzubeziehen und sich auch in dieser Frage eine »sichere innere Einstellung« zu verschaffen. Die nächste Zusammenkunft wurde für Oktober oder November 1921 terminiert.[23]

3. Mitglieder und Förderer

Eine Untersuchung konservativer Publizistik in der Weimarer Republik wird in Zukunft an diesem Instrument der »Arbeitsgemeinschaft deutscher Zeitschriften« schwerlich vorbeigehen können. Die Entwicklung der Mitgliederschaft, wie sie sich aus den aufgefundenen Protokollen fast lückenlos rekonstruieren läßt, zeigt mit großem Nachdruck, welche breite Resonanz

[23] Bericht über die 1. Tagung der Arbeitsgemeinschaft, a. a. O. ebenda.

der Aufruf zur publizistischen Koordination grenz- und auslandsdeutscher Fragen gefunden hatte. Gewiß ist es auch der unermüdlichen Betriebsamkeit Rudolf Pechels zu verdanken, daß sich das Propaganda-Instrument ständig vergrößerte – aber die Flut von Neuzugängen beweist, wie ausgeprägt der großdeutsche Gedanke bei vielen Zeitschriftenpublizisten gewesen ist, so daß man mit dieser Gründung einem latent vorhandenen Bedürfnis entgegengekommen war. Schon 1925 konnte Pechel in einem Rechenschaftsbericht darauf verweisen, daß über fünfzig deutsche Zeitschriften dem Appell der Ring-Leute gefolgt waren und daß das Interesse an einer Koordination so stark geworden sei, daß oft »spontan mit dem gleichen inneren Tenor« [24] eine Frage aufgegriffen und behandelt worden sei. Tatsächlich ist es der Arbeitsgemeinschaft schnell gelungen, ihren Mitgliederkreis über den engen Berliner Rahmen hinaus zu erweitern und auf diese Weise neue Gesinnungsfreunde zu gewinnen. [25] An der Mitgliederliste fällt

24 Pechel: Die politische Bedeutung der deutschen Zeitschriften, a. a. O. ebenda.

25 Im folgenden wird versucht, die Mitgliederentwicklung der Arbeitsgemeinschaft von 1921 bis 1933 exakt zu rekonstruieren. Als Quelle dienen die Protokolle der halbjährlichen, stets streng vertraulich abgehaltenen Zusammenkünfte, die in der Regel in den Räumen des Deutschen Schutzbundes oder des Volksdeutschen Klubs in der Motzstraße 22 abgehalten wurden. An der ersten Zusammenkunft im August 1921 beteiligten sich die folgenden Zeitschriften: Daheim, Der schwäbische Bund, Der Türmer, Deutsche Arbeit, Deutsche Rundschau, Deutsches Volkstum, Die Grenzboten, Die Rheinlande, Die Tat, Das Gewissen, Hochland, Jungdeutsche Stimmen, Leipziger Illustrierte Zeitung, Ostdeutsche Monatshefte, Südland, Velhagen & Klasings Monatshefte, Vivos voco und Westermanns Monatshefte. Nach der ersten Sitzung wurde eine Erweiterung auf folgende Publikationen angestrebt: Deutsche Politik, Die Hilfe, Woche, Gartenlaube, Konservative Monatsschrift, Kunstwart, Nationalliberale Stimmen, Deutsche Nation, Jugend, Simplicissimus. Bereits die zweite Tagung am 11. November 1921 in Berlin konnte zahlreiche Neuzugänge buchen: Das Echo, Das Neue Deutschland, Deutsche Politik, Deutschlands Erneuerung, Kladderadatsch, Oberdeutschland, Österreichische Rundschau, Preußische Jahrbücher, Reclams Universum, Stimmen der Zeit, Süddeutsche Monatshefte. In einem Rundbrief Pechels wird 1922 auf Verbote von Zeitschriften aufmerksam gemacht: Simplicissimus, Kladderadatsch, Rheinischer Beobachter und das Darmstädter Tageblatt seien der Zensur zum Opfer gefallen. Im Jahr 1922 schieden aus der Zeitschriften-Arbeitsgemeinschaft die Publikationen Deutsche Politik, Südland und Jungdeutsche Stimmen aus, weil die Verleger deren Erscheinen eingestellt hatten. Aber das Protokoll des Mitgliedertreffens vom 9. 12. 1922 konnte bereits zahlreiche neue Interessenten vorstellen: Deutsche Arbeit (Franz Röhr), Archiv für Politik und Geschichte, Der Arbeitgeber, Der deutsche Führer, Gartenlaube, Woche, Weltwirtschaftliche Rundschau, Das neue Reich (Wien), Allgemeine Rundschau München, Die Südmark (Graz). Als Gast war der Herausgeber der Schweizerischen Monatshefte für Politik und Kultur, Oehler, anwesend. Als Verluste wurden vermerkt: Oberdeutschland, Konservative Monatsschrift und Westmark. Die siebte Tagung im Jahre 1925 wurde erneut von einem vergrößerten Interessentenkreis besucht: Rheinischer Beobachter, Elsaß-Lothringen, Der deutsche Kaufmann im

auf, daß sich Eugen Diederichs' »Tat« über den Redaktionswechsel des Jahres 1928 hinaus der Arbeitsgemeinschaft verbunden fühlte. Immerhin war zu jenem Zeitpunkt die Frage, ob die jüngere Generation eine rein revolutionäre Haltung einnehmen oder den Weg eines traditionellen Konservativismus gehen würde, immer noch nicht entschieden.[26] Dem Kreis um Pechel haben neben der »Tat« auch Stapels »Deutsches Volkstum«, Ullmanns »Politische Wochenschrift«, Haushofers »Geopolitik« und Muths »Hochland« die Treue gehalten. Daß Pechel nicht davor zurückschreckte, nach der Machtergreifung Hitlers den neuen Mächten seine propagandistische Unterstützung anzubieten, beweist ein Brief an Rudolf Heß, in dem auf die bisherige Wirksamkeit der Arbeitsgemeinschaft aufmerksam gemacht wird. Hitler hatte offensichtlich an dem Propagandainstrument des revolutionären Konservativismus kein besonderes Interesse – jedenfalls wurde Pechels Offerte mit ausgesprochener Geringschätzung beantwortet.[27]

Auslande, Deutsche Handelswacht, Grenzdeutsche Rundschau, Volk und Reich, Westdeutsche Monatshefte. Ausgeschieden war Der Niedersachse. Die Mitgliederzahl der Arbeitsgemeinschaft betrug am 29. Mai 1925 siebenundfünfzig angeschlossene Zeitschriften innerhalb und außerhalb des Deutschen Reiches. Ein Jahr später wurde diese Zahl freilich bereits erneut überboten. Als Neuzugänge wurden gebucht: Kärntner Monatshefte, Norddeutsche Blätter, Allgemeine Rundschau, Der Student, Allgemeiner Wegweiser Berlin, Scherls Magazin, Zeitschrift für Politik. Ausgeschieden waren die Westdeutschen Monatshefte. Das Protokoll der elften Tagung am 28. 4. 1927 registriert besonders zahlreiche Interessenten aus den grenz- und auslandsdeutschen Gebieten. Offensichtlich war in diesen Regionen außerhalb des Reichs die Werbung verstärkt worden: Der Auslandsdeutsche, Deutsche Briefe, Der deutsche Bursch, Deutschpolitische Hefte aus Großrumänien, Deutsche Post aus dem Osten, Deutsche Stimmen, Das deutsche Volk, Deutsche Welt, Deutsches Leben in Rußland, Geopolitik, Grenzland, Münchener Illustrierte Presse, Nordschleswig, Der Oberschlesier, Politische Wochenschrift, Rheinische Heimatblätter, Stimmen der Zeit, Volk und Reich. Auf der 20. Zusammenkunft im Jahre 1931 waren die Zeitschriften Bergland (Wien), Vorkämpfer (Krefeld), Roland-Blätter, Jung-Roland und Die neue Linie hinzugekommen. Im Sog des nationalsozialistischen Aufstiegs, von dem alle konservativ-nationalen Publikationen profitiert haben, stieg die Zahl der Neubewerber noch einmal beträchtlich an. Am 23. 11. 1932 konnte Pechel folgende Publikationen als künftige Mitglieder der Arbeitsgemeinschaft registrieren: Altvater, Auslandswarte, Deutsche Frauenkultur, Deutsche Hefte für Volks- und Kulturbodenforschung, Deutsche Sängerschaft, Forschungen zur deutschen Landes- und Volkskunde, Heimatdienst, Hochwart, Heimat (Innsbruck), Militärisches Wochenblatt, Nation und Staat, Junger Osten, Politisch-gewerkschaftlicher Zeitungsdienst, Pommersche Heimatpflege, Schlesische Illustrierte Zeitung, Schleswig-Holsteiner Simplicissimus, Vorkämpfer, Wissen und Wehr, Woche im Bild. Ausgeschieden waren: Der deutsche Bursch, Deutsche Post aus dem Osten und die Zeitschrift Vorstoß.

[26] Klemperer: Konservative Bewegungen, a. a. O. S. 112, vgl. auch Sontheimer: Der Tatkreis, in: Vierteljahrshefte für Zeitgeschichte, Jg. 7, Heft 3.

[27] Auf die Fühlungnahme Pechels mit der NSDAP wird später eingegangen.

4. *Die vertraulichen Anweisungen zur Propagandaarbeit*

Bereits auf der ersten Zusammenkunft der Arbeitsgemeinschaft in Berlin war das Interesse unverkennbar geworden, daß der Zusammenschluß aller Zeitschriften-Publizisten einem möglichst geschlossenen propagandistischen Willen zu gehorchen habe. Diese Zielvorstellung klingt in der gemeinsam verabschiedeten Geschäftsordnung an, wo die möglichst wirksame »gemeinsame Arbeit unter Wahrung der vollen Selbständigkeit und Eigenart jedes Blattes« als erstrebenswerter Zweck verkündet wird.[28] Es entsprach gewiß der betont individualistischen Ausprägung der Ring-Bewegung, wenn sie den einzelnen Interessenten einen möglichst großen Spielraum zur freien Entscheidung überließ – aber trotzdem überwog gegenüber solchen Konzessionen bald der Wunsch, mit der Arbeitsgemeinschaft ein straff und einheitlich ausgerichtetes Propagandainstrument ins Feld führen zu können. Besonders deswegen wurde die Existenz dieser Organisation streng geheimgehalten: jenes Täuschungsmanöver konnte nur gelingen, wenn nach außen hin wirklich der Eindruck entstand, als sei die deutsche Publizistik im Hinblick auf grenz- und auslandsdeutsche Fragen von einer einheitlichen, spontanen Erregung getragen.

Dies Rollenspiel wurde regelmäßig während der halbjährlich stattfindenden Zusammenkünfte geübt. Die gemeinsamen Treffen dienten der Vorbereitung und Vertiefung zukünftiger propagandistischer Aufgaben. Ihre Protokolle beweisen, mit welcher Einigkeit man gewöhnlich zu Werke ging. Die Geschlossenheit des Vorgehens wurde dabei durch geschickte Spielregeln erreicht: jede Tagung der Zeitschriften-Herausgeber stand unter einem bestimmten Generalthema, über das ein berufener Sachkenner zu Beginn referierte. Zugleich kursierte innerhalb der Organisation eine ausführliche Autorenliste, aus der jeder Interessierte einen Verfasser und dessen literarisches Spezialgebiet entnehmen konnte. Während die gemeinsame Aussprache sich meist auf die redaktionelle Behandlung thematischer Schwerpunkte konzentrierte, half das Autorenverzeichnis aus der eventuellen Verlegenheit, zu einem Sachthema einmal keinen geeigneten Autor zu besitzen. Besonders Rudolf Pechel schälte sich dabei als nimmermüder Organisator und fast fanatischer Verfechter des großdeutschen Gedankens heraus: »Die oberschlesische Frage nicht zur Ruhe kommen lassen. Dringend nötig, bald wieder Aufsätze über Oberschlesien erscheinen zu lassen«[29], lautete beispielsweise einer seiner zahlreichen Rundsprüche, der im Jahre 1922 mit der Forderung verknüpft wurde, daß die Zeitschriften die Rhein-Aktion so auszubauen hätten, daß »ein wirklicher Erfolg« erwartet werden könne.[30]

[28] Geschäftsordnung der Arbeitsgemeinschaft für die Interessen des Grenz- und Auslandsdeutschtums, § 1, BA, Mappe 124.
[29] Pechel an alle, 14. 1. 1922, BA, Mappe 130.
[30] Pechel an alle.

a) Die Aktion für das besetzte Rheinland (1922)

Die Aktion der Arbeitsgemeinschaft für das besetzte Rheinland, die am 1. Januar 1922 gestartet worden war, bietet einen guten Einblick in die Vorbereitungen und den Ablauf einer solchen propagandistischen Attacke. Die Mitglieder hatten sich am 11. November 1921 in Berlin zur zweiten Mitgliederversammlung getroffen. Dabei hielt Paul Wentzcke das Grundsatzreferat über die gegenwärtige politische Lage im Rheinland und Karl Haushofer steuerte Erkenntnisse über die »geopolitische Seite des Rheinproblems« bei, die nach den Eintragungen im Protokoll mit einer »raumpolitischen Betrachtung« der Rheinfrage verbunden wurde. [31] Die Versammlung einigte sich darauf, die Aktion für das besetzte Rheinland für die Zeit vom 1. Januar bis 1. März 1922 anzusetzen: in dieser Zeit sollten in sämtlichen angeschlossenen Zeitschriften sogenannte »rheinische Themen« nach folgenden Grundsätzen behandelt werden:

1. »Keinerlei Übertreibung in der Darstellung der Verhältnisse im besetzten Gebiet, da Übertreibungen nur schaden und ihre Folgen zu Lasten der Rheinländer fallen.
2. Jede Äußerung des Mißtrauens über die deutsche Haltung der Rheinländer ist unter allen Umständen zu vermeiden.
3. Die deutsche Öffentlichkeit tritt für eine nicht kleinliche Regierungshaltung in der Frage der Besatzungsschäden-Erledigung ein.
4. Das Schöpferische, das im rheinischen Volksstamm liegt und in früheren Jahrhunderten dem gesamten deutschen Volk reiche Früchte gebracht hat, ist auch heute lebendig und darf unter keinen Umständen unbeachtet gelassen werden, sondern muß für die Allgemeinheit nutzbringend verwendet werden.« [32]

Die vertraulichen Anweisungen zur Propagandaarbeit mündeten schließlich in der Forderung, daß in allen Aufsätzen als »innerer Tenor« die Unmöglichkeit einer Lostrennung des Rheinlandes vom Reiche durchzuklingen habe und daß die Besetzung nicht nur unter politischen und wirtschaftlichen Aspekten, sondern vor allem aus allgemein menschlichen Gründen ein untragbarer Zustand sei. Diesen Richtlinien wurde ein Auszug der geltenden Zensurbestimmungen im Rheinland sowie eine Liste mit der Aufstellung geeigneter Themen und Mitarbeiter beigefügt. Die Themenliste offenbart mit Deutlichkeit, daß die Arbeitsgemeinschaft politische, wirtschaftliche und kulturelle Bereiche in ihre Aufklärungsarbeit mit einbeziehen wollte: Ihre Attacken richteten sich überdies mit gezielter Stoßrichtung gegen die französische Besatzungsmacht. Unter den vorgeschlagenen Themen finden sich folgende Titel: »Die französische Rheinliteratur«, »Die französische Ost-

[31] Wentzcke war besonders mit Forschungen über die Geschichte der deutschen Studentenschaft hervorgetreten. Haushofer hatte einen Lehrstuhl für Geopolitik an der Universität München inne.

[32] Bericht über die zweite Tagung der Arbeitsgemeinschaft am 11. 11. 1921 in Berlin, BA, Mappe 124.

markenfrage«, »Die Rheinfrage im französischen Schulbuch«, »Der Rhein in der französischen Militärliteratur«, »Die Rheinlandfragen bei den Versailler Verhandlungen«, »Die Träger der französischen Kulturpropaganda am Rhein«, »Französische Festfeiern am Rhein«, »Französische Annäherungsversuche auf kirchlichem Gebiet«, »Sportleben am Rhein«, »Beethoven als Sohn des Rheinlandes« oder »Siegeszug des rheinischen Liedes durch Deutschland und die Welt«.[33] Als mögliche Autoren kamen dafür in Frage: Professor Karl d'Ester für allgemeine kulturelle Fragen, Professor Hermann Oncken für die historische Seite des Problems, Professor Hennig (Düsseldorf) für Fragen der Wirtschafts- und Verkehrspolitik, Professor Rühlmann (Berlin) für französische Kulturpropaganda oder Direktor Kristian Kraus für allgemeine Presseprobleme.[34] Die detaillierte und sehr ausführliche Autorenliste beweist, daß sich die Arbeitsgemeinschaft auf ein enges Netz von sympathisierenden Personen stützen konnte und auf diese Weise stets in der Lage war, konkrete politische Sachverhalte von verschiedenen Seiten aus zu beleuchten. Sind die Zeitschriftenherausgeber aber auch jenen Anweisungen nachgekommen, die man gemeinsam vereinbart hatte? Ein Blick auf einzelne Zeitschriftenjahrgänge beweist, daß die vertraulichen Absprachen nicht in den Wind gesprochen waren.[35] Mit Recht konnte der Vorsitzende Pechel auf der dritten Zusammenkunft aller Herausgeber darauf verweisen, daß die gezielte Koordination bereits ihre ersten Früchte getragen hatte: »Die auf der letzten Tagung beschlossene gemeinsame Aktion der Arbeitsgemeinschaft deutscher Zeitschriften in der rheinischen Frage hat zu einem außerordentlich günstigen Ergebnis geführt, das den vollgültigen Beweis erbringt, wieviel und wie Wesentliches durch ein zielbewußtes Zu-

33 Themenliste mit 17 Vorschlägen, BA, Mappe 124.

34 Das Autorenverzeichnis umfaßt 50 Namen vorwiegend aus den Bereichen Wissenschaft, Politik und Wirtschaft, BA, Mappe 124.

35 Vgl. dafür die folgenden Aufsätze und Zeitschriften. Westdeutsche Wochenschrift, 4. Jg., Nr. 9, 4. 3. 1922. Barthel: Von deutscher und französischer Kulturpsychose, Creutz: Von deutscher und französischer Kunst. Der deutsche Führer, 1. Jg. 1922, Heft 2. Dr. Weisemann (Remscheid): Das Rheinproblem in der französischen Schule, Vivos voco, 2. Jg. Januar 1922, 8. Heft. Carl-Christian von Loesch: Was bedeutet ein französisches Heer am Rhein? Die deutsche Nation, Heft 2 vom Februar 1922, Poincaré und seine Pläne, Poincaré als Kriegstreiber, Die rheinische Bevölkerung und die Rheinlandkommission. Preußische Jahrbücher, Band 187, Heft 1, Januar 1922. Paul Wentzcke: Die Rheinlande als Grenzgebiet und als europäische Verkehrslinie. Die Grenzboten, vom 7. 1. 1922, 81. Jg., Nr. I. Carl-Christian von Loesch: Die Jahresbilanz der Grenzgebiete; Karl Haushofer: Die suggestive Karte? Oberdeutschland, Dezember 1921, 3. Jg., 3. Heft: Der französische Kulturkampf im Elsaß, Vom Deutschtum der Elsässer (Georg Dehio), Frankreichs Trachten nach der Rheingrenze. Die Tat, 13. Jg., 1922, Heft 12. Rheinische Schicksalsfragen von Ernst Robert Curtius, Deutsche Arbeit, 21. Jg., Heft 5, Die Rheinschiffahrt und Versailles (Karl Anton Schmitz), Die Glocke, Nr. 51 vom 13. 3. 1922, 7. Jg., 2. Band. Das Rheinproblem von Alfons Paquet, Deutschlands Erneuerung, 6. Jg., Heft 2, Februar 1922. Zum Verständnis der großen rheinischen Frage, Professor Marte. Vgl. auch die Hinweise im Nachlaß, BA, Mappe 130.

sammenarbeiten der Herausgeber erreicht werden kann.« [36] Pechel verhehlte dabei nicht, daß man durch eine noch engere Zusammenarbeit noch bessere Ergebnisse hätte erzielen können und daß es Zeitschriften gegeben habe, die sich nicht wie verabredet an der Aktion beteiligt hätten. Tatsächlich ist Pechel in fanatischem Eifer den eigenen Zielen nachgekommen, als er seine Zeitschrift an die Spitze des geheimen Propagandaunternehmens dirigierte.

b) Die Kampagne gegen Polen

Wie verabredet trafen sich am 9. Dezember 1922 die Mitglieder der Arbeitsgemeinschaft in Berlin, um die geplante Propaganda-Aktion gegen Polen vorzubereiten. Das Protokoll dieses Treffens hebt hervor, daß sich die neue Organisation bereits als ein »Machtfaktor« erwiesen habe, an dessen Ansprüchen nicht mehr leicht vorbeigegangen werden könne. Zugleich findet sich die Ermahnung, jede Aktion als streng vertraulich zu behandeln und die vereinbarten Themen als festen Bestand in die redaktionelle Planung einzubeziehen. Diese Forderung besagte, daß jeder Zeitschriftenherausgeber möglichst kontinuierlich die Probleme des Grenz- und Auslandsdeutschtums behandeln und aufgreifen sollte.

Offensichtlich verfolgte dieses dritte Treffen den Zweck, die Schlagkraft des neugebildeten Propagandainstruments noch stärker herauszuarbeiten. Pechel hatte bereits in ausführlichen Rundschreiben an alle Mitglieder die Forderung erhoben, neben ständigen Hinweisen auf die Rhein-Frage auch das Problem der Wolgadeutschen und das Verhältnis Deutschland-Österreich in die Erörterung einzubeziehen. [37] Der unmißverständliche Anspruch, mit dem Pechel dabei an die Mitglieder der Arbeitsgemeinschaft herantrat, geht aus Vorschlägen zur jeweiligen Themengestaltung hervor: er offerierte den Anwesenden eine ausführliche Liste, auf der bereits thematische Schwerpunkte und ein geeigneter Autor vermerkt waren – die Anwesenden hatten nun praktisch nichts weiter zu tun, als die geeignete Auswahl zu treffen und die redaktionelle Übernahme zu verabreden. Wie aus dem Protokoll hervorgeht, enthielt diese Vorschlagsliste eine Anzahl von Aufsätzen, die von Vertretern der deutschen Minderheit in Polen zusammengestellt und der Berliner Schutzbundzentrale zugeleitet worden waren. All dies bedeutete zweifellos einen schwerwiegenden Eingriff in die redaktionelle Freiheit jedes einzelnen Herausgebers. Durch Pechels Hinweis, daß alle Aufsätze ab 1. Januar 1923 in seinem Büro abgerufen werden könnten, wird diese These

[36] Rundbrief Pechels an alle Mitglieder der Arbeitsgemeinschaft vom 3. 7. 1922, BA, Mappe 124.

[37] Rundschreiben Pechels an alle Mitglieder, 3.7.1922, wo auf die Kontaktstelle der Wolgadeutschen in Berlin verwiesen wurde, von denen man geeignetes Material und Mitarbeiteradressen erwerben könne. Für Deutsch-Österreich stand nach Pechels Auskunft die deutsch-österreichische Mittelstelle in der Motzstraße 22 zur Verfügung.

bestätigt. Der Versuch, die persönliche Entscheidungsfreiheit des einzelnen Herausgebers zugunsten propagandistischer Geschlossenheit zu opfern, verbarg sich in der Forderung zur »straffen und festen Zusammenarbeit«. Man kam überein, die nächsten Tagungen in noch kürzerer Folge zu veranstalten und den Kontakt untereinander zu verstärken. Zugleich wurde beschlossen, während einer speziellen Aktion die Wirkung durch eingestreute Hinweise auf die Anstrengungen anderer Publikationen möglichst zu verbessern.

Als Termin für die Aktion über die polnische Frage wurde die Zeit vom 1. Februar bis 1. April 1923 festgesetzt. »Innerer Tenor« sollte sein, daß der polnische Staat in seiner damaligen Form sowohl jeder wirtschaftlichen und geopolitischen Vernunft als auch allgemeinen sittlichen Prinzipien widerspreche. Das Hauptaugenmerk der Kampagne sollte auf die Situation der deutschen Minderheiten in Polen gelenkt werden. »Es bleibt der Grundsatz bestehen, sich auf die Verwertung des außerordentlichen Tatsachenmaterials zu beschränken, ohne eine besondere propagandistische Formulierung.« [38] Die allgemeine Bereitwilligkeit, sachliche Unterschiede zugunsten einer grundsätzlich gemeinsamen Aktionsrichtung zu leugnen, verdeutlicht die angebotene Themen- und Autorenliste am besten. Diese war in fünf große Schwerpunktgruppen unterteilt, die jeweils einen speziellen Aspekt der polnischen Existenz markieren sollten: »Polen als Staat«, »Die Polen als Volk«, »Polen und seine Minderheiten«, »Die polnische Wirtschaft« und »Polnische Kultur«. Schon die Überschriften der folgenden Aufsätze zeigen auf, in welcher Weise jenes oft bemühte »volksdeutsche Erwachen« interpretiert werden sollte. Carl-Christian von Loesch bot sich als Autor einer Abhandlung an, die das »Widersinnige an Polens Entstehung« analysieren sollte. Andere Darstellungen sollten dem Nachweis dienen, daß die polnische Nation keinerlei Existenzberechtigung neben dem deutschen Volk beanspruchen könne. Dabei dominierte die Vereinfachung der Betrachtungsweise. »Polen als Hindernis des europäischen Wiederaufbaus«, »Polen stört den europäischen Verkehr«, »Polen, eine Weltschande«, »Polnischer Größenwahn«, »Polnische Grausamkeiten«, »Das Blutbad in Ostgalizien« oder das »geraubte Wilna« – lauteten Stichworte, in denen sich das nationale Bewußtsein als Ersatz-Größe für verlorene Staatsherrlichkeit manifestierte. Ziel dieser Propaganda war es denn auch, die »minderwertige« polnische Kulturstufe mit der als einzig nachahmenswert apostrophierten Kultur des deutschen Volkes in Beziehung zu setzen. Aufsätze über die polnische Wirtschaft, den wirtschaftlichen Niedergang Oberschlesiens, die Vertreibung der Minderheitsvölker oder zu der beziehungsreich gestellten Frage, warum Polen plötzlich verarme und ob es überhaupt noch kreditwürdig sei, waren Ausdruck dieser patriotisch-nationalistischen Appelle. Sie beweisen, daß sich auch die Vertreter des revolutionären Konservativismus ständig um den Nachweis bemüht haben, daß die Quelle und

[38] Protokoll über die dritte Tagung der Arbeitsgemeinschaft am 9. 12. 1922 in Berlin, BA, Mappe 124.

das Wesen deutschen Nationalbewußtseins von jeher außerhalb des Staates im Bereich des Völkischen gelegen haben.[39]

Die verabredete Aktion gegen Polen zeigte neben der Konzentration auf bestimmte thematische Schwerpunkte ein weiteres, wichtiges Merkmal künftiger Propagandaarbeit auf. Offensichtlich kam man überein, die Auswahl geeigneter Autoren auf einen festen Stamm zu reduzieren, der sich vor allem aus Prominenten der Ring-Bewegung rekrutierte. Besonders häufig sind die Namen Loesch, Quaatz, Schotte, Haushofer und Penck als geeignete Verfasser aufgeführt. Tatsächlich schälte sich der Kreis der Berliner Motzstraße immer mehr zur eigentlichen Ideenzentrale der Arbeitsgemeinschaft heraus – nicht zuletzt wegen der unermüdlichen Betriebsamkeit Rudolf Pechels, der einmal mehr seine weitverzweigten Beziehungen und Verbindungen ins Spiel bringen konnte.[40]

c) Der Ruf nach einem Großdeutschland

Die »Arbeitsgemeinschaft für die Interessen des Grenz- und Auslandsdeutschtums« hat während ihrer 8. Mitgliederversammlung am 16. Januar 1926 in Berlin eine allgemeine Plattform für die Behandlung grenz- und auslandsdeutscher Fragen vorbereitet, die wenig später als verbindliche Richtschnur für alle propagandistischen Aktivitäten akzeptiert wurde.[41] Die Vision eines großdeutschen Staates, wie sie alle Mitglieder offensichtlich unterstützten, wurde in diesen Leitsätzen zur Realität: der deutsche Staat der Zukunft war in seiner endgültigen Grenzziehung mit jenen Propagandalinien identisch, auf die sich die Gesinnungsgemeinschaft um Rudolf Pechel geeinigt hatte. Diese Voraussetzungen mußten 1933 zu einer Bejahung des Nationalsozialismus führen, von dessen Politik der nationalen Sammlung eine Erfüllung der hier vertretenen großdeutschen Gedanken möglich schien.

Der expansive Charakter, wie er allen propagandistischen Ratschlägen der Arbeitsgemeinschaft zugrunde lag, wurde besonders in der Definition des Reichsgedankens deutlich: die Leitsätze forderten, daß alle Autoren der Arbeitsgemeinschaft nicht nur die »reichsdeutsche Einstellung« besitzen müßten, sondern darüber hinaus auch den völkischen Gedanken in die Betrachtung einzubeziehen hätten. Dies bedeutete am Beispiel Österreich, an dessen Abtretung sich das reichsdeutsche Prinzip vor allem entzündet hatte, daß über die Grenzen von 1871 und 1919 hinaus das österreichische Deutschtum eine spezifische publizistische Pflege erfuhr: allen Wünschen nach Wiedervereinigung der Republik Österreich mit dem Reiche müsse von deutscher Seite ein sympathisches Echo antworten. Die österreichischen Alpenländer

39 Vgl. Broszat, Martin: Die völkische Ideologie und der Nationalsozialismus, a. a. O. S. 59.

40 In den Berichten wird zuweilen ausdrücklich vermerkt, daß Max Hildebert Boehm an den Konferenzen teilgenommen hat.

41 Vgl. die »Leitsätze für die grenz- und auslandsdeutsche Arbeit deutscher Zeitschriften«, BA, Mappe 125.

seien der reichsdeutschen Öffentlichkeit nicht nur als erstrangige Fremdenverkehrsgebiete, sondern ebenso in ihren wirtschaftlichen und kulturellen Möglichkeiten zu schildern. »Der hohe Stand der deutschen Wissenschaft, des Schulwesens, des Gewerbes und Kunstgewerbes, der Literatur und Heimatliteratur, der Dichtung und der übrigen Künste in Österreich, ferner die gut fortschreitenden Arbeiten der rechtlichen und wirtschaftlichen Angleichung an das Reich sind darzustellen.«

Kerngedanke war, daß die Grenzen des kommenden deutschen Staates »alle Deutschen des geschlossenen Siedlungsgebietes in Mitteleuropa« umfassen müßten. Ohne Rücksicht auf angestammte historische Rechte nahm diese Ideologie eines neuen deutschen Machtstaates damit eine Reichsvision vorweg, die wenig später durch die Politik des Nationalsozialismus in brutaler Rücksichtslosigkeit realisiert wurde. Die Arbeitsgemeinschaft um Rudolf Pechel wollte ihre propagandistische Arbeit sowohl auf jene Gebiete konzentriert sehen, die nach den Friedensverträgen in den Pariser Vororten vom deutschen Reiche abgetrennt wurden, als auch das alte Österreich-Ungarn berücksichtigt wissen, das am Anschluß an die Republik Österreich beziehungsweise an das Deutsche Reich gehindert worden war. In groben Umrissen entstand auf diese Weise der deutsche Staat der Zukunft: Nordschleswig, das Memelgebiet, Danzig, die an Polen angegliederten Gebiete (Soldau, Westpreußen, Ostpreußen, der abgerissene Teil von Pommern und Mittel-Schlesien und Ost-Oberschlesien), die an die Tschechoslowakei angegliederten Gebiete (Hultschin, die deutschen Teile des ehemals österreichischen Schlesiens, Mähren und Böhmen, Teile von Niederösterreich und das deutsche Sprachgebiet der Slowakei um Preßburg), Ungarn um Oedenburg und jene Teile des Burgenlandes, welche nach Österreich zuneigten, in Südslavien Teile der Steiermark und Kärntens, in Italien um das Kanaltal und Deutsch- und Ladinisch-Südtirol, in Frankreich um Elsaß-Lothringen, in Belgien um Eupen, Malmedy und Monschau. Eine »besonders sorgsame Behandlung« wurde darüber hinaus für das besetzte Gebiet im Westen und für das Saarland gefordert. Die ausgesprochen völkische Komponente dieser Machtstaatstheorie kam dort zum Ausdruck, wo auf die Kultur- und Volkstumsgemeinschaft des Deutschtums in der Schweiz verwiesen wurde: Pechels propagandistische Strategen merkten für die eigene Landkarte vor, daß bei allen graphischen Darstellungen des gesamten deutschen Siedlungsgebietes in Mitteleuropa die Deutschschweizer eine gesonderte Signatur erhalten müßten.

Neben die somit skizzierten Gebiete des Grenzdeutschtums traten die Bereiche des Auslandsdeutschtums, das in seiner politischen, kulturellen und wirtschaftlichen Gesamterscheinung zu berücksichtigen sei. Dabei ging man von der These aus, daß wiedererwachtes deutsches Bewußtsein sowohl auf dem Boden des ehemaligen Ungarn und Rußlands als auch in den bäuerlichen Siedlungskolonien Asiens und in Nord- und Südamerika registriert werden könne. In diese großdeutsche Betrachtung wurden die Gebiete des Baltendeutschtums und der Siebenbürger Sachsen gleichfalls einbezogen.

Hinter allen Forderungen stand die Reichsidee, wie sie vom Deutschen Schutzbund vertreten worden war [42] und wie sie Rudolf Pechel in aggressiver Unversöhnlichkeit definiert hatte: »Es gilt: den deutschen Menschen auf deutscher Erde deutsch zu erhalten, sei es im Verbande des Reiches, dessen Grenzen sich mit den Volksgrenzen decken müssen, sei es in den Siedlungen der Fremde, wo Deutsche wohnen.« [43] Wo aber waren die endgültigen Grenzen des neuen Staates markiert? Diese Ideologie war bei aller Verschwommenheit doch militant genug, um nicht wenig später die überhebliche Floskel Emanuel Geibels zu wiederholen, wonach allein am deutschen Wesen die Welt genesen könne. [44] Der allgemeinen Hoffnung auf die praktische Verwirklichung aller großdeutschen Träume entsprach es, wenn Pechel bei seiner Anbiederung an die Führer des Nationalsozialismus auf die wertvollen Vorarbeiten seines geheimen Propagandaunternehmens verwies: »Ich darf schriftlich wiederholen, daß hier in mehr als 10jähriger Arbeit ein Instrument geschaffen ist, bei dem die bedeutendsten reichsdeutschen – und auslandsdeutschen Zeitschriften zusammenarbeiten mit der Zielsetzung, für das am meisten bedrohte Deutschtum mehr Verständnis zu erwecken und zu gleicher Zeit dem Ausland zu beweisen, daß in der großen deutschen Zeitschriftenpresse schon seit dem Zusammenbruch 1918 jedes Denken in staatlichen Grenzen ausgeschlossen wurde und man ausschließlich und mit Energie das Denken im Volke vertritt. Die Arbeit ist von jeher überparteilich erfolgt und in engster Verbindung mit allen führenden Persönlichkeiten des Auslandsdeutschtums geleistet worden.« [45] Die in Pechels Schreiben zum Ausdruck kommende Erwartung hat 1933 zahlreiche Repräsentanten der Arbeitsgemeinschaft zur Unterstützung und Tolerierung des nationalsozialistischen Staates bewogen – Pechels Widerstands-Publizistik bekommt eine neue Dimension, wenn man sie vor dem Hintergrund dieser Annäherungsversuche begreift. [46]

5. Die Propaganda der Arbeitsgemeinschaft und die »Deutsche Rundschau«

Die vertraulichen Anweisungen zur Propaganda-Arbeit, wie sie unter Pechel regelmäßig erarbeitet wurden, hatten natürlich für die redaktionelle und inhaltliche Gestaltung der »Deutschen Rundschau« Konsequenzen. Der Nachweis fällt nicht schwer, daß besonders ihr Herausgeber bemüht war, die eigenen Maximen zu erfüllen. Durch seine exponierte Stellung an der Spitze der geheimen Verschwörerrunde war er gezwungen, mit gutem Bei-

[42] Vgl. die früheren Ausführungen über das Programm des Deutschen Schutzbundes.
[43] Pechel, Rudolf: Vom Grenz- und Auslandsdeutschtum, in: Deutsche Rundschau, 1922, Band 191, S. 68.
[44] Vgl. die späteren Ausführungen über Pechels Auseinandersetzung mit dem Gedankengut des Nationalsozialismus.
[45] Brief Pechels an Rudolf Heß, 10. 4. 1933, BA, Mappe 137.
[46] Vgl. die späteren Kapitel. Für die Haltung Max Hildebert Boehms siehe Gerstenberger: Der revolutionäre Konservatismus, S. 75 ff.

spiel voranzugehen, um damit die Ernsthaftigkeit der eigenen Gesinnung zu beweisen.

Die Identität der publizistischen Aussage, wie sie zwischen den Repräsentanten der Arbeitsgemeinschaft vereinbart und von Pechel in ständiger Ermahnung gefordert worden war, tritt in der »Deutschen Rundschau« auf dreifache Art zutage. Sie zeigt sich einmal in der fast bedingungslosen Übernahme aller Themen und Titel, wie sie in den turnusmäßigen Zusammenkünften der Arbeitsgemeinschaft regelmäßig vorgeschlagen wurden. Sie läßt sich darüber hinaus an der inhaltlichen Aussage verifizieren, die fast wort- und satzgetreu mit allen Propagandaanweisungen übereinstimmt. Sie tritt schließlich in der Gesamtgestaltung eines Heftes zutage, hinter der ein konkretes publizistisches Rezept erkennbar wird. Jenes »Spiel mit verteilten Rollen«, das Pechel für die Mitglieder als Losung ausgegeben hatte, bestand für ihn selbst in der loyalen Übernahme jener Anregungen, die vorher in kollektiver Übereinkunft ausgehandelt worden waren. Die gemeinsame Absprache sah zunächst eine thematische Schwerpunktbildung vor: alle Aktionen der Arbeitsgemeinschaft waren für einen bestimmten Zeitraum terminiert, in welchem möglichst gleichzeitig Abhandlungen zu einem konkreten Sachthema erscheinen sollten. Das bedeutete, daß der Herausgeber der »Deutschen Rundschau« seine Leser über mehrere Hefte hinweg etwa mit Aufsätzen über das besetzte Rheinland, über Polen, über Österreich oder Großdeutschland konfrontierte. Es besteht kein Zweifel, daß Pechel mit dieser Methode die Aufnahmebereitschaft seiner Leser in arger Weise strapazierte: auch die beste patriotische Gesinnung wird die Wiederholung bestimmter Themenbereiche nur mit der Erwartung auf spätere, abwechslungsreiche Kost verdauen können. Wie wenig der Nachfolger Rodenbergs indes auf die Rücksichten seiner Leser achtete, geht aus dem Februar-Heft 1922 hervor: der eigenen Aufforderung, die sogenannte »Rheinische Frage« möglichst eindringlich zu propagieren, wurde fast ein ganzes »Rundschau«-Heft gewidmet. In vier langen Aufsätzen wurden zwar stets verschiedene Aspekte der französischen Rheinlandbesetzung, jedoch stets das vereinbarte Generalthema untersucht. Die Einseitigkeit dieser redaktionellen Gestaltung wird durch den Hinweis unterstrichen, daß die Rhein-Propaganda bereits in einem früheren Heft mit einem ausführlichen Essay eröffnet worden war. Jede Propaganda lebt von der Wiederholung, der Vereinfachung und dem Schlagwort – und ihr ständiger Gefährte ist die Langeweile. In seinem fanatischen Eifer nach propagandistischer Geschlossenheit mag der Herausgeber der »Deutschen Rundschau« diese Faustregel publizistischer Arbeit übersehen haben – jedenfalls hat er sich nicht gescheut, seinen Lesern immer wieder grenz- und auslandsdeutsche Sachgebiete darzustellen. Die Monotonie dieser Ansprache hat er selbst gefördert: hat er doch der Arbeitsgemeinschaft vorgeschlagen, möglichst aktuell und in geschlossener Frontstellung auf ein konkretes Ereignis zu reagieren. Mehrfach wurde die polnische Frage aufgegriffen, weil aktuelle Ereignisse eine rasche Propagandaabwehr verlangten: »Die polnische Frage ist gegenwärtig besonders brennend, da die Polen von sich aus die Diskussion über die Korridorfrage eröffnet haben und dadurch das Bestehen einer solchen Frage erstmalig zugegeben haben.« [47] In den Denkkategorien Pechels mag eine prompte Reaktion wie die von ihm geforderte die Wirkung des Propaganda-Instruments gefördert haben – in ihrer Betonung lediglich außenpolitischer Interessen setzte sie sich aber über die Bedürfnisse der Leser hinweg, deren Neugierde für grenz- und auslandsdeutsche Themen ohnehin gebührend befriedigt wurde. In der Hinwendung Pechels zu den Losungen der »Arbeitsgemeinschaft für die Interessen des Grenz- und Auslandsdeutschtums« muß deshalb zugleich ein Indiz für die Finanz- und Absatzschwierigkeiten gesehen werden, von denen die »Deutsche Rundschau« ab 1924 immer stärker geplant wurde. [48] Weit bedenklicher als die offenkundige Vernachlässigung des Leserinteresses war jedoch die Tatsache, daß der Nachfolger Rodenbergs seine Zeitschrift völlig

47 Bericht über die siebte Tagung der Arbeitsgemeinschaft am 29. 5. 1925 in Münster/Westfalen.

48 Das formale Zusammenspiel zwischen der Arbeitsgemeinschaft und der Deutschen Rundschau verdeutlichen folgende Beispiele: Auf die Aufforderung, sich mit Oberschlesien zu beschäftigen, reagierte Pechel mit dem Aufsatz: »Und Oberschlesien ...?« von Wilhelm Volz, in: Deutsche Rundschau 1922, Band 191, S. 56. Die sogenannte »Rheinische Frage« wurde in folgenden Abhandlungen aufgegriffen: Karl Haushofer: »Die geopolitische Tragweite der Rheinfrage«, von Unger: »Die Vlamen und der Rhein«, vom Grenz- und Auslandsdeutschtum sowie »Die Rheinlande als deutsches Schicksalsland«, alle in: Deutsche Rundschau, Jahrgang 48, Februar-Heft 1922; bereits im Januar-Heft 1922 hatte Justus Keller einen Aufsatz über »Frankreich und die deutsche Propaganda« veröffentlicht. Die völkische Erziehung zwischen Frankreich und Deutschland hatte Martin Spahn bereits untersucht: Ein Brief an einen spanischen Gelehrten, in: Deutsche Rundschau, 1922, Band 193, S. 1 ff. Die Aktion Rhein-Ruhr-Saar, beschlossen am 17. 12. 1923, wurde in der Deutschen Rundschau durch folgende Abhandlungen unterstützt: Wilhelm Sollmann, Frankreichs Sicherungsforderungen, in: Deutsche Rundschau, 1923, Band 196, S. 1 ff. Vom Geiste der Völker, S. 110–111, Vom Grenz- und Auslandsdeutschtum, S. 90 ff. Unter den Stichworten »Franzosen und Belgier an der Saar – Der Geist des Grenzdeutschtums – Die Wandlung im deutschen Volke – Anteilnahme des Auslandsdeutschtums« hatte sich bereits früher die Sparte »Vom Grenz- und Auslandsdeutschtum« mit diesem Themenkomplex beschäftigt. Vgl. Deutsche Rundschau, 1923, Band 195, S. 82 ff. Die Aufforderung der Arbeitsgemeinschaft, sich mit der Lage im besetzten Gebiet zu beschäftigen, befolgte Pechel mit folgenden Abhandlungen: »La Republique Cisrhennanae«, von Mosellanus, in: Deutsche Rundschau, 1924, Band 198, Karl Haushofer: »Im besetzten Gebiet«, Vom Grenz- und Auslandsdeutschtum, Albert Dresdner: »Vom Verständnis fremder Völker«, Hermann Röchling: »Das Saargebiet und der Völkerbund«, Carl-Christian von Loesch: Grenzdeutschtum und Reichstagswahl, Erich Würzburger: »Die Reparationsforderungen an Deutschland«, »Der elsässische Kulturkampf« sowie: Vom Grenz- und Auslandsdeutschtum, alle in: Deutsche Rundschau, 1924, Band 198–200, Die Polen-Aktion, beschlossen auf der siebten Zusammenkunft am 29. 5. 1925, kam in folgenden Beiträgen zum Ausdruck: Vom Grenz- und Auslandsdeutschtum, »Drei Jahre Herrschaft in Oberschlesien«, in: Deutsche Rundschau 52, Oktober 1925. Ein Jahr später (am 16. 1. 1926) wurde die Polen-Frage erneut Zentralthema. Dafür die Beispiele: Adolf Eichler »Polnischer Militarismus«, William Roberts: »Sieben Jahre Neu-Polen – Eine Bilanz«, in: Deutsche Rundschau, 1926, Band Nr. 206/207.

den Einflüsterungen einer politischen Gruppe preisgegeben hatte. »Die Arbeitsgemeinschaft deutscher Zeitschriften will die polnische Frage behandeln«, heißt es in einem Brief an Karl Haushofer, der mit der Aufforderung verbunden wurde, möglichst einen Aufsatz vorzubereiten, in dem auch gegen Polen das »geopolitische Moment ins Feld geführt wird«.[49] Durch solche Einstellung nahm der Herausgeber einer Zeitschrift, die unter der unverwechselbaren Handschrift eines großen Publizisten Weltruhm erlangt hatte, ausdrücklich Bezug auf die Interessen einer politischen Institution. Deutlicher konnte die Abkehr von der Persönlichkeits-Zeitschrift liberaler Prägung nicht markiert werden!

Ein Blick in die Hefte der »Deutschen Rundschau« beweist, daß Rudolf Pechel seinem neuen publizistischen Selbstverständnis mit großem Eifer nachgekommen ist. Der geheimen Aufforderung, sich intensiv mit der Frage Oberschlesien zu beschäftigen, kam der Autor Wilhelm Volz beispielsweise durch einen Aufsatz nach, der mit der vielsagenden Einleitung begann: »Wir haben gekämpft und gehofft – für Oberschlesien. Die Abstimmung kam und ward ein deutscher Siegestag. Nur zu bald sahen wir es; der Preis sollte uns entrissen werden. Trotzdem kämpften wir weiter – voll Sorge um die Zukunft.« Jeder Deutsche erwartete nach Meinung des Verfassers mit Sehnsucht den Tag der Erlösung und der Wiedervereinigung: »Also keine Eigenbrötelei, keine Zersplitterung. Nur vereinigt sind die Schwachen mächtig.«[50] Solchen Einsichten hat Pechel manches Stoffgebiet geopfert, dessen Behandlung die »Deutsche Rundschau« lesenswerter gemacht hätte. Aber Pechels eigenes Ressentiment verlangte nach der Propaganda, wie sie die »Deutsche Rundschau« vorexerzierte. Die Beispiele lassen sich beliebig vermehren, mit deren Hilfe Pechel in seiner Zeitschrift den Anspruch der Arbeitsgemeinschaft realisierte. Während der Zeit des Ruhrkampfes hieß das Angriffsziel Frankreich. Dem Vorwurf der Pariser Presse, die französische Politik sehe sich in Deutschland einhelligem Vorurteil gegenüber, hielt ein Rundschau-Autor das Argument entgegen: »Es bedarf keiner ›deutschen Propaganda‹, um dieses Ziel als militaristisch und imperialistisch immer tiefer in das Bewußtsein der Kulturwelt einzuhämmern ... gerade weil es so ist, enthält sich Deutschland der Propaganda, die Frankreich ihm andichtet.« Eingedenk der vorher verabredeten These, wonach der militante Charakter der französischen Politik zu belegen sei, hatte der Autor behauptet: »Frankreich strebt nach dem linken Rheinufer, dem Ruhrgebiet, der Einheit Deutschlands, der wirtschaftlichen Selbständigkeit Mitteleuropas und damit der Beherrschung des gesamten europäischen Festlandes.«[51] Solchem Pauschalverdacht hatte Martin Spahn in einer voluminösen Analyse über die völkische Beziehung zwischen beiden Ländern die Einsicht bei-

49 Pechel an Haushofer, 9. 11. 1922, BA, Mappe 71.
50 Wilhelm Volz: Und Oberschlesien ...?, in: Deutsche Rundschau, 1922, Band 191, S. 56.
51 Justus Keller: »Frankreich und die ›deutsche Propaganda‹ «, in: Deutsche Rundschau, 1922, Band 191, S. 6.

gesteuert: »Die Franzosen sind uns im Laufe ihrer völkischen Entwicklung das fremdeste unter den romanischen Völkern geworden.« [52]

Die Kampagne »Rhein-Ruhr-Saar«, für die sich die Arbeitsgemeinschaft 1923 entschieden hatte [53], wurde von Pechels Zeitschrift mit den prophetischen Sätzen unterstützt: »Der Geist der Grenzmark lebt und webt heute an der Saar, am Rhein und an der Ruhr ... so entwickelt sich aus dem Volke heraus und nicht von oben her die Abwehr gegen den Feind ... unser Volk beginnt zu gesunden. Poincaré heißt der Arzt. Seine Kur ist brutal, aber wirksam.« [54] Diese Identifikation der propagandistischen Zielsetzung nahm zuweilen groteske Züge an. In den »Allgemeinen Richtlinien zur Abwehrpropaganda«, die während der 5. Mitgliederkonferenz von Professor Philipp Stein entwickelt worden waren, findet sich einmal der Hinweis, daß Deutschland wieder als »Kämpfer für eine Weltidee« hervorgehoben werden müsse. Begründet wurde dies Postulat aber nicht mit eigenen Großmachtträumen, sondern durch den Hinweis, daß durch die Vernichtung Deutschlands zugleich die Freiheit und der Einfluß der kleineren europäischen Staaten beeinträchtigt würden. Deshalb habe an diese Länder die Warnung zu gehen, daß Frankreich als gefährlicher Störenfried in der Weltwirtschaft und Weltpolitik auftrete und daß seine Inanspruchnahme des Mittelrheins zugleich die Knebelung von Holland, Belgien und der Schweiz bedeute. Überdies sei durch das französische Vordringen eine direkte Bedrohung Englands gegeben: »Frankreich in Antwerpen: das bedeutet die Pistole auf der Brust Englands.« [55]

Wie sehr solche realitätsflüchtigen Bestandsaufnahmen dem Ressentiment Pechels entgegenkamen, beweisen jene Darstellungen, mit denen die »Deutsche Rundschau« auf solche Anregungen reagierte. Dabei trat einmal die Warnung gegenüber dem angeblichen Hegemonialanspruch Frankreichs hervor: »Frankreich träumt seit Jahrhunderten einen verhängnisvollen Traum, den Traum, zum imperium romanum berufen zu sein.« [56] Gerade dieses verderbliche Hegemoniestreben wurde aber zur Legitimationsgrundlage für eigene Expansionsträume gemacht: an die deutsche Politik erging das Postulat, dem Lebensdrang der Nation endlich von Neuem große Ziele zu weisen. Das Stichwort dafür hieß »Weltpolitik«, deren Inhalt allein in dem Bestreben nach Ausweitung des eigenen Machtbereichs gesehen wurde. »Vielleicht wird man kürzer und weniger mißverständlich sagen dürfen: Weltpolitik ist, dem Lebensdrang des einzelnen vergleichbar, das natürliche Streben der Völker, sich durchzusetzen.« Dem lapidaren Hinweis Steins, wonach man Deutschland wieder als Kämpfer einer »Weltidee« herauszu-

52 Martin Spahn: Brief an einen spanischen Gelehrten, Deutsche Rundschau, 1922, Band 193, S. 1 ff.
53 Bericht über die fünfte Versammlung, 17. 2. 1923, BA, Mappe 124.
54 Deutsche Rundschau, 1923, Band 196, S. 90 f.
55 Ergänzung zum Bericht über die fünfte Tagung der Arbeitsgemeinschaft, BA, Mappe 124, siehe auch Anhang.
56 Peter Weber: Der letzte Kampf, in: Deutsche Rundschau, 1923, Band 194, S. 294.

stellen habe, entsprach die Schlußfolgerung des »Rundschau«-Autors: »An der Wiege deutscher Geschichte steht Weltpolitik.« [57] Diese fast kritiklose und unreflektierte Übernahme vertraulicher Anweisungen läßt sich an einem weiteren Beispiel illustrieren. Im Jahre 1925 richtete sich das Augenmerk der Arbeitsgemeinschaft erneut auf die polnische Frage. Die Aktion sollte im September 1925 beginnen und mit »größtem Nachdruck« durchgeführt werden: in Polen liege nicht nur der Schlüssel zum Sicherheitspakt, sondern auch zur Frage der Befriedung Europas überhaupt – einer Befriedung freilich, die zunächst auf Änderung des Status quo gerichtet war und zu Beginn nur Unfrieden stiften konnte. Aber die Erörterung solcher Fragen gehörte nicht zum Repertoire einer politischen Gruppe, die nach radikalen Lösungen und nur allzugerne nach einem Sündenbock für die eigenen unterdrückten Triebe verlangte: »Wesentlich dürfte es sein, auf Polen mit größtem Nachdruck als dem ewigen Brandherd kriegerischer Verwicklung hinzuweisen.« [58] Es macht keine Mühe, die dort protokollierten Leitsätze in anschließenden Analysen aufzuspüren. Carl Christian von Loesch hatte es unternommen, dem Leser der »Deutschen Rundschau« die Verderblichkeit der polnischen Nation abermals klarzumachen: »Dieser Vielvölkerstaat ist damit beschäftigt, mit Hilfe seiner formaldemokratischen Verfassung nach französischem Muster die ›unterworfenen‹ Nichtpolen zu vertreiben oder zu Polen zu machen. Und über diese Verfassung hinaus ist jede administrative Teilmaßnahme darauf eingestellt, diesen Vereinheitlichungsvorgang zu beschleunigen ... hierin liegt ein Gefahrenmoment ersten Ranges in Europa.« [59]

Alle derartigen Reaktionen zeigen auf, daß das Kollektiv der Arbeitsgemeinschaft einen beträchtlichen Einfluß auf die Gestaltung der »Deutschen Rundschau« ausübte. Die Beispiele ließen sich beliebig vermehren, mit denen Pechel sich um loyale Erfüllung der eigenen Anweisungen bemühte. Daher ist die Frage wichtig, ob die Grenzen zwischen den Intentionen des Herausgebers und den Zielen der von ihm geleiteten Arbeitsgemeinschaft nicht bereits bis zur Unkenntlichkeit verwischt waren. War Pechel nichts mehr als der willige Erfüllungsgehilfe einer politischen Gruppe geworden und war seine Zeitschrift nicht völlig deren Maximen ausgeliefert? Die Antwort auf diese Frage wird durch den Hinweis auf die kulturpropagandistischen Leitsätze der Arbeitsgemeinschaft erleichtert. Pechels radikale Abkehr von den Traditionen einer liberalen Publizistik zeigte sich nämlich vollends in der Forderung, wonach man möglichst alle Register publizistischer Beeinflussung für das einzige, große Ziel zu ziehen habe. Unzufrieden darüber, daß die verabredete polnische Aktion nicht wie erwünscht in Gang gekommen war, stellte Pechel neue Richtlinien für propagandistische Aktivitäten auf: »Es ist daher dringend erforderlich, jetzt von allen Seiten

57 Richard Bahr: Weltpolitik und weltpolitische Betrachtung, in: Deutsche Rundschau, 1924, Band 200, S. 236.
58 Bericht über die siebte Tagung der Arbeitsgemeinschaft, BA, Mappe 124.
59 Carl-Christian von Loesch: Polen, in: Deutsche Rundschau, 1925, Band 203, S. 199 ff.

möglichst gleichzeitig die polnische Frage zu behandeln. Es ergeht besonders auch an die illustrierten Blätter der Appell ... in Bildern und Notizen auf den deutschen Charakter der uns im Osten entrissenen Gebiete dauernd aufmerksam zu machen. Es dürfte sich auch empfehlen, zur Zeit der Aktion Romane und Erzählungen ostdeutscher Erzähler zu bringen und dabei darauf hinzuweisen, daß es sich um Dichter und Schriftsteller aus dem bedrohten deutschen Osten handle. Hier können kurze redaktionelle Bemerkungen, geschickt abgefaßt, von eindringlichster Wirkung werden.«[60] Dieser Hinweis macht deutlich, daß auch alle Romane, Erzählungen und Novellen, die das literarische Gesicht der »Deutschen Rundschau« geprägt haben, ihren endgültigen Stellenwert nur im Zusammenhang mit diesem neuen publizistischen Selbstverständnis bekommen.[61] Rudolf Pechel war zwar nach wie vor Herausgeber der »Deutschen Rundschau« – die Entscheidung auf die Gestaltung des Ressorts »Vom Grenz- und Auslandsdeutschtum« und die Behandlung ähnlich gelagerter Probleme war indes längst auf ein anonymes Kollektiv übergegangen, von dessen Vorhandensein der Leser nichts wissen konnte. Die propagandistische Inszenierung Pechels brach endgültig mit dem liberalen Dogma, wonach man den Gegenüber durch Argumente und Diskussion für den eigenen Standpunkt gewinnen könnte[62] – sie zielte vielmehr darauf ab, den Leser mit Hilfe einer dosierten, auf konkrete Losungen reduzierten Ansprache von der Verbindlichkeit der eigenen Ideologie zu überzeugen. Dabei nahm der Nachfolger Rodenbergs nur allzu bereitwillig das Schlagwort, die Vereinfachung und die hämmernde Wiederholung zu Hilfe – das überaus heterogene Konglomerat von halbdurchdachten Ideen, nationalistischen und sozialen Ressentiments, die Inkonsistenz und Unklarheit von Theorie, Programm und Weltanschauung waren für diesen Kampf Verbündete. Die enge Verbindung, die zwischen der »Deutschen Rundschau« und der »Arbeitsgemeinschaft für die Interessen des Grenz- und Auslandsdeutchtums« bestanden hat, war in diesem Sinne die Konsequenz aus einer Propaganda-Strategie, die Politik als angewandte Weltanschauung begriff und eine Vorstellung von dem Ideal einer neuen Ordnung vermitteln wollte. Aufsatz, Rezension, Roman und Erzählung wurden zusammengeschweißt zu Bekenntnis, Kritik und Forderung einer in sich geschlossenen Politik – das war das Prinzip, welches Pechel in seiner Zeitschrift verwirklicht hat.

[60] Bericht über die achte Tagung, 16. 1. 1926, BA, Mappe 125.
[61] Dies übersehen die Arbeiten von Susi Stapenbacher: Die deutschen literarischen Zeitschriften in den Jahren 1918–25 als Ausdruck geistiger Strömungen der Zeit, Phil.-Diss. Erlangen, 1961, und von Fritz Schlawe: Literarische Zeitschriften, Teil II, 1910–1932, Stuttgart 1962.
[62] Vgl. Schneider, Franz: Politik und Kommunikation, a. a. O. S. 34.

6. *Die finanzielle Unterstützung der Arbeitsgemeinschaft durch die Berliner Ministerialbürokratie*

Die »Arbeitsgemeinschaft für die Interessen des Grenz- und Auslandsdeutschtum« ist während der Zeit ihres Bestehens vorwiegend durch geheime Subvention der Berliner Reichsregierung gefördert worden. Als Mittelsmann fungierte Rudolf Pechel – der Herausgeber der »Deutschen Rundschau« erwies sich als unermüdlicher Bittsteller und betriebsamer Organisator für alle propagandistischen Aktionen. Gewiß lavierte sich der Nachfolger Rodenbergs damit in ein zwiespältiges Verhältnis zur staatlichen Exekutive: immerhin fielen jene Kontakte zur offiziellen staatlichen Repräsentanz, zu der bald sogar Außenminister Stresemann gehören sollte, in eine Phase verstärkter publizistischer Angriffe gegen die demokratische Republik überhaupt. Pechels Versuch, die materielle Existenz seines geheimen Propaganda-Unternehmens halbwegs durch staatliche Subventionen zu garantieren, erfüllte vor diesem Hintergrund einen widersprüchlichen und nur schwer definierbaren Zweck. Er verknüpfte einmal die neue Organisation mit der staatlichen Exekutive und führte dabei alle Macht ins Feld, die einer einflußreichen Interessenorganisation zur Verfügung stehen kann: außenpolitisch wurde er somit zum geheimen Sprachrohr einer Regierung, deren politische Legitimation er nach wie vor nicht akzeptierte. Denn Pechels Ruf nach einem autoritären Staat ohne die Mitwirkung von Parteien erschallte ab 1925 lauter denn je und richtete sich in seiner ganzen Schärfe gegen die junge Republik. Aber zu den Verirrungen solcher Publizistik gehörte es, daß man bei seinen finanziellen Verbindungen schwerwiegende Verpflichtungen einzugehen gezwungen war – tatsächlich kam der agile Vorsitzende Pechel fast zu Fall, als seine Arbeitsgemeinschaft den Charakter eines offiziösen Propaganda-Unternehmens erhielt und die Reichspolitik zu tolerieren begann. Dieser Konflikt schlug sich in den Spalten der »Deutschen Rundschau« auf bemerkenswerte Weise nieder – einen Augenblick lang nämlich folgte Pechels Zeitschrift den außenpolitischen Plänen der Reichsregierung und wechselte scheinbar übergangslos ihr politisches Gesicht. Nicht zuletzt dieser Vorfall beweist, daß das Vorhandensein von öffentlicher Meinung nur durch die Rekonstruktion ihrer gesellschaftlichen Hintergründe wirksam analysiert werden kann: erst die Kenntnis jener vertraulichen Absprachen offenbart, warum die publizistische Ansprache plötzliche Veränderungen erfuhr und aus welchem Motiv solcher Wechsel gespeist war. Es zeigt ferner, daß jede Zeitschrift zahlreichen Wandlungen ihrer Aussage unterliegen kann und stets den Einschätzungen ihres Herausgebers zu folgen gezwungen ist.

Zunächst ging es dem Nachfolger Rodenbergs freilich darum, die deutsche Zeitschriftenpublizistik in wichtigen grenz- und auslandsdeutschen Fragen wirksam zu koordinieren: solcher Wunsch entsprach dem Anliegen zahlreicher Gesinnungsfreunde in der Reichs- und Länderbürokratie, die wie Pechel publizistische Aufklärung mit Propaganda-Arbeit verwechselten. Jene Finanzierung der Arbeitsgemeinschaft ist jedenfalls nur vor dem Hintergrund einer Pressepolitik denkbar, die nach 1919 mit offizieller Billigung in einseitiger und tendenziöser Weise betrieben worden ist. Pechels Bittgesuche zur Unterstützung der eigenen Organisation, ihre Förderung und Rechtfertigung von staatlicher Seite, werfen ein bezeichnendes Licht auf jene Einbruchstellen antidemokratischen Denkens, die wenig später schon den Aufstieg nationalistischer und autoritär-eingefärbter Bekenntnisse gefördert haben.

a) Zur Pressepolitik der Reichsregierung

Zur Pflege der Beziehungen zwischen der Reichsregierung und der Presse hatte seit der Revolution eine besondere Ministerialabteilung bestanden, die aus dem früheren Pressereferat des Auswärtigen Amtes hervorgegangen war. Der dominierende Einfluß des Reichskanzlers wurde durch die Tatsache gewahrt, daß der Direktor der Presseabteilung seinen Finanzetat gegenüber der Reichskanzlei zu verantworten hatte und von den Weisungen des Kanzlers abhängig war. Im Übrigen stand die Presseabteilung auf dem Etat des Auswärtigen Amtes und war in verschiedene Referate aufgeteilt: so hatte ein Referat die innere Politik zu repräsentieren, während andere sich mit außenpolitischen Fragen beschäftigten. In der Regel sorgte ein gut ausgebauter Lektorendienst für die Information der innerbehördlichen Ressorts, während die Verbindung zur Presse durch turnusmäßige Pressekonferenzen gepflegt wurde. [1]

Der hier skizzierte formelle Aufbau offizieller Informationspolitik verrät indes wenig über die politischen Kräfte, mit denen die Reichspressepolitik verbunden war. Bei seiner Suche nach finanziellen Förderern hatte Pechel nach Kontaktstellen Ausschau zu halten, bei denen er zumindest Sympathie für die eigenen politischen Gedankengänge vermuten konnte. Eine solche Kontaktadresse suchte und fand er in dem »Reichsministerium des Innern«, dem ein »Staatssekretariat für die besetzten Gebiete« angegliedert war. Die Behörde war ein Produkt des Weltkrieges und seiner Folgen; denn ihre Repräsentanten hatten sich allen Interessen zu widmen, die sich aus der Besetzung der rheinischen Gebiete durch die Alliierten und der ihnen assoziierten Mächte ergeben hatten. Obwohl das »Staatssekretariat für die besetzten Gebiete« über einen parlamentarischen Beirat kontrolliert wurde, der durch Vertreter von Berufs- und Interessenorganisationen vergrößert worden war, mag Pechel besonders bei dieser Reichsbehörde ein spezielles Interesse für eine koordinierte Grenz- und Auslandsdeutschtums-Publizistik vorgefunden haben. In der Tat wurden die ersten

[1] Vgl. Presseabteilung der Reichsregierung, in: Politisches Handwörterbuch, Hrsg. Kurt Jagow/Paul Herre, Leipzig 1923, Band II, S. 363.

Verbindungen im Jahre 1921 über den Staatssekretär für die besetzten Gebiete, Brugger, geknüpft.[2] Pechels Hoffnung, daß sich gerade diese Behörde für die publizistische Behandlung der »rheinischen Frage« interessieren würde, hatte also nicht getrogen. Bedeutsamer für eine möglichst kontinuierliche Finanzierung der Arbeitsgemeinschaft wurden jedoch die persönlichen Kontakte zu einflußreichen Personen der Berliner Ministerialbürokratie. Einen wichtigen Verbindungsmann hatte Pechel in Peter Weber gefunden, der Mitglied des Juniklub und Autor der »Deutschen Rundschau« gewesen ist.[3] Weber bekleidete eine einflußreiche Position in der »Reichszentrale für Heimatdienst«, die der Presseabteilung der Reichsregierung angegliedert und der parlamentarischen Kontrolle des Reichstages entzogen war. Nach einem Reichstagsbeschluß vom 5. Juli 1921 hatte diese Behörde die »sachliche Aufklärung über außenpolitische, wirtschaftspolitische, soziale und kulturelle Fragen« zu übernehmen. Ausdrücklich war vermerkt worden, daß die Aufklärung »nicht im Geiste einzelner Parteien, sondern vom Standpunkte des Staatsganzen«[4] zu erfolgen habe. Daß in jener behördlichen Institution indes schon frühzeitig antidemokratische Ressentiments und korporative Gedankengänge gepflegt wurden, beweist ein Aufsatz von Rudolf Pechel in der »Deutschen Rundschau«: seine Vorschläge für eine Überwindung des parlamentarischen Systems über »innere Kolonisation« und die Idee einer »Kammer der Arbeit« wurden durch den Hinweis auf die »Reichszentrale für Heimatdienst« bekräftigt, in der sich die organische Neugliederung als Strukturprinzip bewährt habe.[5] In der Tat kamen die politisch motivierten Subventionen dieser Behörde vornehmlich rechtsstehenden Organisationen und Presseorganen zugute. In einer kritischen Bestandsaufnahme der Reichspressepolitik vermutete der Autor der »Weltbühne«, Fritz Wolter, daß vor allem die Gelder für die Grenzpresse durch die Zentrale für Heimatdienst gerieselt sind. Den Denkkategorien Pechels fühlten sich neben Peter Weber Professor Philipp Stein und Ernst Bischoff verbunden, die beide im Auswärtigen Amt einflußreiche Positionen bekleideten. Beide waren außerordentliche Mitglieder im Juniklub; sie zählten damit zu einer Organisation, die sich bewußt für eine revolutionäre Umgestaltung des staatlichen und gesellschaftlichen Lebens engagierte. Philipp Stein hatte Pechel schon in der Hartmann-Affäre – in freilich nachteiliger Weise – unterstützt: als Stadtrat von Frankfurt war er auf Empfehlung des damaligen Staatssekretärs Hamm vom Reichskanzler Cuno damit beauftragt worden, eine Denkschrift über die wirksamste Propaganda im Ruhrkampf zu verfassen.[6] Der Kontakt zu Ernst Bischoff war deswegen

[2] Brief Pechel an Brugger, 11. 10. 1921, BA, Mappe 130.
[3] Vgl. die Liste des Juniklub im Anhang und den Aufsatz von Peter Weber: Der letzte Kampf, in: Deutsche Rundschau, 1923, Band 194, S. 294.
[4] Handbuch für das Deutsche Reich, Hrsg. vom Reichsministerium des Innern, 2. unver. Auflage, 41. Jg., Berlin 1922, S. 57.
[5] Rudolf Pechel: Der Weg zum Aufbau, in: Deutsche Rundschau, 1920, Band 183, S. 286 ff.
[6] Fritz Wolter: Reichspressepolitik, in: Die Weltbühne, 1924, Band 1, S. 13.

von Bedeutung, weil Bischoff als Gesandtschaftsrat im Auswärtigen Amt einen Überblick über den Etat der Presseabteilung besaß, der stets vom Auswärtigen Amt kontrolliert wurde. Tatsächlich ist die Korrespondenz zwischen Pechel und amtlichen Regierungsstellen vorwiegend über Philipp Stein und Ernst Bischoff gelaufen.

Dies Netz von Beziehungen, wie es sich aus Pechels Briefen und zeitgenössischen Veröffentlichungen rekonstruieren läßt, hatte seine wichtigste Nahtstelle im Chef der Reichspressestelle, Friedrich Heilbron. Selbst bei Heilbron ist zu vermuten, daß er jung-konservativen Ideologien mit offenkundigem Interesse gegenüberstand. Im »Politischen Handwörterbuch«, das zahlreiche Beiträge aus der Feder jung-konservativer Theoretiker enthält, definierte Heilbron die Aufgabe der Presse mit den Sätzen: »Auf der Höhe ihrer Aufgabe ist die Presse, wenn sie, die inneren Gegensätze überwindend, in der Gefahr des Landes, in der Abwehr unwürdiger Zumutungen, im Kampf gegen Unterdrückung und Rechtsbeugung, in dem Eintreten für die unveräußerlichen Rechte der Nation die Öffentliche Meinung in einem ungebrochenen Akkord ertönen läßt und zu einem festen nationalen Willen verdichtet. Daß die Presse dieser idealen Erfüllung ihrer Aufgabe gegenwärtig leider nicht nahe ist, lehrt täglich der Blick in die Zeitungen.« [7] Die Meinung, wonach sich die Presse die vermeintliche nationale Not zur inneren Richtschnur machen sollte, kam zweifellos jener Auffassung von Pressepolitik entgegen, wie sie etwa Walther Schotte umschrieben hatte: »Die Kunst des Redaktörs ist es nun, in jahrelanger Arbeit eine Vorstellung von dem Ideal zu vermitteln, das seiner Politik voranleuchtet, und im täglichen Lebensausschnitt seiner Zeitung sowohl das Bild des Kampfes zu zeigen, der um die Fülle der politischen Ideale in der von tausend Willenskräften bewegten Welt ausgefochten wird, wie selbst durch Wort und Bild in diesen Kampf einzugreifen.« [9] Die Vermutung ist zulässig, daß Pechel in Heilbron nicht zuletzt aufgrund ihrer beiderseitigen Verwandtschaft in politischen Fragen einen freundlichen Gönner gefunden hatte.

Die vielfältigen Beziehungen, deren Bedeutung man gewiß nicht unterschätzen darf, wurden indes durch Interpretationen am meisten gefördert, die den eigentlichen Zweck offizieller Pressepolitik gänzlich neu definierten. Man sah die Pressepolitik nicht mehr nur als Hilfsmittel an, das die Aktivitäten der Reichspolitik in begrenzter Weise und möglichst gedämpftem Ton zur Schau stellen sollte [10], sondern die Pressepolitik der Nachkriegszeit wurde mehr und mehr von rein propagandistischen Erwägungen geleitet. Die landläufige Meinung, wonach England, Frankreich und die Mächte der Entente den Ersten Weltkrieg nur wegen ihrer vorzüglichen Propaganda hätten gewinnen können, war schließlich Allgemeingut der Reichsregierung

7 Friedrich Heilbron: Presse, in: Politisches Handwörterbuch, Band II, S. 363.
9 Walther Schotte: Die deutsche Presse und das Ausland, in: Die Neue Front, a. a. O. S. 256.
10 Vgl. auch die Ausführungen im Handbuch für Publizistik, Band 1, a. a. O. S. 66 f.

geworden und hatte deren Repräsentanten seit 1920 zu einer Intensivierung der offiziellen Pressearbeit bewogen. Während vor dem Kriege die Reichspressestelle von drei Beamten verwaltet worden war, erreichte diese Behörde schon 1920 die Kapazität von etwa dreihundert Personen, unter ihnen ein Ministerialdirektor, fünf weitere höhere Beamte, neun Legationssekretäre und zahlreiche Lektoren. Im Etatjahr 1923 gab die deutsche Reichsregierung rund 16 Milliarden Mark für das Pressewesen aus – eine Summe, die hauptsächlich politischen Subventionen zugute gekommen ist.[11] Die Maximen Friedrich Heilbrons, der an der Spitze des Presseapparats fungierte, zeigten deutlich die Richtung dieser Subventionsströme an: »außenpolitisch Jammergeschrei; innenpolitisch: Einheitsfront markieren«[12] – so hat der gutinformierte Kritiker der »Weltbühne« jenen Empfängerkreis definiert, dem die Gelder aus der Staatskasse zugute kamen. Tatsächlich hat Pechel von einer Organisation profitiert, die unter Heilbron während des passiven Ruhrwiderstandes gegründet worden war. Die Propagandastelle »Rhein-Ruhr« firmierte zwar offiziell als »Freie Vereinigung wirtschaftlicher Verbände«, bezog jedoch einen großen Teil ihrer Finanzen aus der Kasse des Deutschen Reiches, das sich mit großem Eifer an der Ruhrpropaganda beteiligt hatte.[13] Als Pechel die Organisation »Rhein-Ruhr« im Jahre 1923 um eine erhebliche Geldsumme für die Kampagne »Rhein-Ruhr-Saar« ersuchte, wurde er von dieser an den Gesandtschaftsrat Bischoff im Auswärtigen Amt verwiesen: man könne Pechels Arbeitsgemeinschaft – so die vielsagende Begründung – nicht zweimal amtlich unterstützen.[14] In sämtlichen genannten Finanzressorts kannte sich der Vorsitzende Pechel offensichtlich bestens aus, als er 1921 daranging, die »Arbeitsgemeinschaft für die Interessen des Grenz- und Auslandsdeutschtums« auf eine solide, finanzielle Basis zu stellen.

b) Die Subventionen bis zum Jahre 1930

Als Vorsitzender der Arbeitsgemeinschaft benötigte Pechel vor allem eine ständige Finanzhilfe für die gewöhnlich alle sechs Monate stattfindenden Mitgliederversammlungen, zu denen sich ein stetig wachsender Interessentenkreis versammelte. Zwar war schon bei der Gründung der Arbeitsgemeinschaft vereinbart worden, daß sich die Verleger der einzelnen Zeitschriften durch einen jährlichen Mitgliedsbeitrag von 200 Mark an den Unkosten beteiligen sollten[15], jedoch reichte diese Summe bei weitem nicht aus. Die Kosten der ersten Zusammenkunft hatten nach einer Schätzung Pechels ca.

[11] Fritz Wolter: Reichspressepolitik, a. a. O. S. 12.
[12] Wolter: Reichspressepolitik, a. a. O. ebenda. Es sei darauf verwiesen, daß die Jahrgänge der Weltbühne 1919–1925 eine Fundgrube für Details jener Subventionspolitik darstellen.
[13] Wolter, a. a. O. ebenda.
[14] Brief Rhein-Ruhr an Pechel, 16. 6. 1923, BA, Mappe 131.
[15] Vgl. Geschäftsordnung der Arbeitsgemeinschaft, BA, Mappe 124, S. 3.

18 000 Mark betragen, und es ist anzunehmen, daß sich die Etats der darauffolgenden Begegnungen an einer gleichfalls hohen Summe orientieren mußten. Aber nicht nur die gemeinsame Aussprache aller Mitglieder kostete Geld, sondern darüber hinaus waren die einzelnen Propaganda-Aktionen in ausreichendem Maße zu finanzieren. So gehörte es zu den Gepflogenheiten, besonders wichtige Aufsätze in das neutrale oder »feindliche« Ausland zu verschicken, um damit die Propagandawirkung zu verstärken. Kein Wunder, daß Pechels Forderungen ansehnliche Größenordnungen erreichten: der »Staatssekretär für die besetzten Gebiete« ließ ihm z. B. im März 1922 mitteilen, daß die Arbeitsgemeinschaft 20 000 Mark aus Reichs- und Landesmitteln erhalten würde. Die Hälfte dieser Summe sei durch das Preußische Ministerium für Wissenschaft, Kunst und Volksbildung zur Verfügung gestellt worden, dessen Sachbearbeiter den »Rundschau«-Herausgeber wissen ließ, daß man »weiteren gefälligen Mitteilungen über die Wirksamkeit der Arbeitsgemeinschaft« [16] mit großem Interesse entgegensähe. Zu dem Zeitpunkt war bereits das Auswärtige Amt der Reichsregierung von der Arbeit der neuen politischen Gruppe unterrichtet worden; es eröffnete dem Bittsteller Pechel die Zusagen, daß man ihm nach der Lektüre aller Zeitschriften einen Beitrag von 5000 Mark gewähren wolle. Dort arbeitete Professor Philipp Stein mit Pechel zusammen, der seinem Kontaktmann einmal zwanzig Exemplare einer Sammlung »eidlicher Aussagen über Gewaltakte der französisch-belgischen Gruppen im Ruhrgebiet« übermittelte. [17] In seinen Finanzforderungen war Pechel freilich nicht kleinlich: immer wieder hob er die Bedeutung seines geheimen Propagandainstruments hervor, das indes nur bei großzügiger finanzieller Förderung zur vollen Schlagkraft entwickelt werden könne. Die Anfrage, ob man für die bevorstehende Polen-Aktion 1922 200 000 Mark bereitstellen könne, wird zwar abschlägig beschieden; jedoch stellte das Auswärtige Amt die Hälfte dieser Summe bereitwillig zur Verfügung. [18] Pechel kamen hier seine guten Beziehungen zum Gesandtschaftsrat Bischoff zugute: »Ich möchte nicht verfehlen, Sie davon zu unterrichten, daß ich zur Fortführung der ›Arbeitsgemeinschaft deutscher Zeitschriften für die Interessen des Grenz- und Auslandsdeutschtums‹ in der Ruhrpropaganda an Rhein-Ruhr herangetreten bin mit der Bitte, einen weiteren größeren Betrag zur Verfügung zu stellen. Da es gelungen ist, wesentliche neue Verbindungen nach dem Ausland für die Ergebnisse der Arbeitsgemeinschaft zu eröffnen, erscheint es unbedingt notwendig, die Kontinuität unserer gemeinsamen Arbeit sicherzustellen. Ich bitte Sie aufrichtig, Ihr unserer Arbeitsgemeinschaft wiederholt bewiesenes freundliches Interesse auch jetzt bestätigen zu wollen und meinen Antrag zu unterstützen.« [19] Auf solche Bitten bekam Pechel nur selten einen abschlä-

16 Minister für Wissenschaft, Kunst und Volksbildung an Pechel, 18. 3. 1922, BA, Mappe 127.
17 Auswärtiges Amt an Pechel, 29. 8. 1923, BA, Mappe 127.
18 Auswärtiges Amt (Ernst Bischoff) an Pechel, 14. 9. 1922, BA, Mappe 127.
19 Pechel an Bischoff, 29. 8. 1923, BA, Mappe 127.

gigen Bescheid. Vor allem verstand er es, die mögliche Wirkung seiner Organisation stets in gebührender Weise ans Licht zu heben: »Die Arbeitsart besteht darin, daß für besonders bedrohte Gebiete des deutschen Grenzlandes oder des Auslandsdeutschtums auf Tagungen Aktionen verabredet werden. Die richtige innere Einstellung der Herausgeber zu dem Problem wird durch kurze und klare Richtlinien der besten Kenner des zu behandelnden Gegenstandes bewirkt.« [20] Solchen Selbstbeschreibungen wurden meistens Dokumente der propagandistischen Zusammenarbeit beigefügt, aus denen die mögliche Schlagkraft der Arbeitsgemeinschaft ersichtlich werden konnte. Pechel scheute sich nicht, seine Förderer zwischendurch um kleinere Geldbeträge anzugehen. So schreibt er einmal an die Presse-Abteilung des Auswärtigen Amtes, daß die Arbeitsgemeinschaft bereits fünfzig Dollar von bestimmter Seite bekommen habe, nun aber weitere hundert Dollar für eine Tagung benötige. Dabei fehlt der Hinweis nicht, daß es gerade zu diesem Zeitpunkt nötig sei, die völlig »zerfahrene Öffentliche Meinung über Rhein-Ruhr sichernd neu zu orientieren.« [21] Häufig bietet er die eigenen Propagandadienste fast bis zur Selbstverleugnung an: so weist er die Regierung auf Aufsätze in der »Deutschen Rundschau« hin und bittet sie, sich für deren Versendung in das Ausland zu interessieren [22]; ein anderes Mal versichert er, daß die bisherige Tätigkeit der Arbeitsgemeinschaft den Nachweis erbracht habe, daß sie »zu einem Instrument unbelasteter und unverdächtiger Propaganda von höchster Schlagkraft« geworden sei, ja, daß sich »auch schwierige Aufgaben leicht bewältigen« ließen. [23]

Aus der umfangreichen Korrespondenz ergibt sich, daß es schon nach den ersten Initiativen Pechels zu einer intimen Zusammenarbeit zwischen der Arbeitsgemeinschaft und dem Auswärtigen Amt gekommen ist. Beide Seiten standen sich bald in einem fast vertragsähnlichen Verhältnis gegenüber. Aufgrund dieser Situation fordert Pechel für das Jahr 1924 die Summe von 10 500 Goldmark, um die Arbeit der deutschen Zeitschriften »zur vollsten Wirkung« bringen zu können, und bittet zusätzlich um die Summe von 4000 Mark für die Besoldung einer Arbeitskraft. [24] Zwar wurde dieser Antrag abschlägig beschieden, jedoch kam man bald überein, der Arbeitsgemeinschaft jährlich eine bestimmte Summe zu überweisen. Demgegenüber kam Pechel aus seinen mündlichen Unterredungen im Auswärtigen Amt bald mit konkreten Aufträgen zurück: so hatte man am 2. April 1924 darüber diskutiert, wie man am besten auf die in Holland viel gelesene Schrift »Waarom is de Maark gedaald?« antworten könne. [25] Es läßt sich

[20] Pechel an Regierungsrat Appellmann, Ministerium für die besetzten Gebiete, 4. 10. 1923, BA, Mappe 127.
[21] Pechel an die Presseabteilung des AA, 7. 12. 1923, BA, Mappe 127.
[22] Brief an Heilbron, 6. 3. 1924.
[23] Brief an Spieker, 23. 11. 1924, BA, Mappe 127.
[24] Brief an Spieker, 23. 11. 1924, BA, Mappe 127.
[25] Auswärtiges Amt an Pechel, 27. 3. 1924, BA, Mappe 127.

vermuten, daß solche Anweisungen in der Propaganda der Arbeitsgemeinschaft ihren Niederschlag gefunden haben.

Die Finanzierung zwischen den verschiedenen Stellen der Regierungsbürokratie und Rudolf Pechel als Mittelsmann der vereinigten Zeitschriftenpublizisten wurde bis 1924 nur von Fall zu Fall entschieden: der Nachfolger Rodenbergs mußte sich stets von neuem mit ausführlichen Anträgen an die einzelnen Stellen wenden, um auf diese Weise Subventionen zu bekommen. Dieses Verfahren wurde ab 7. Oktober 1924 vereinfacht. Man verabredete einen »modus procendi«, nach dem vierteljährlich die Summe von 1500 Mark auf das Konto der »Deutschen Rundschau« gezahlt wurde.[26] Dennoch gab sich Pechel mit dieser regelmäßigen Subventionierung nicht zufrieden. Plötzlich bittet er das Auswärtige Amt um die »unverzüglie Übersendung« von 1500 Mark für die Auswertung einer wichtigen Propaganda-Aktion[27], ein anderes Mal kann er den Eingang von 800 Mark bestätigen, oder er beantragt bei seinem Gewährsmann Philipp Stein die beträchtliche Summe von 22 000 Goldmark.[28] Immer wieder werden solche Bitten mit einem »besonders tatkräftigen Vorgehen« oder »im Interesse der gesamten deutschen Sache« oder durch das »gewichtige nationalpolitische Interesse« motiviert. Aus solchen Aktivitäten lernt man Pechel als einen Menschen kennen, der hartnäckig für seine Ziele zu kämpfen wußte. Seine Finanzgesuche gingen bald nicht mehr nur an die Kontaktadressen im Auswärtigen Amt oder im »Ministerium für die besetzten Gebiete«, sondern sie richteten sich an einflußreiche Personen im Reichswehrministerium[29], im Reichsministerium des Innern[30] oder in den preußischen Länderministerien.[31] »Die Arbeitsgemeinschaft hat stets Wert auf ein vertrauensvolles Zusammenarbeiten mit den Reichsbehörden ... gelegt und erstrebt auch eine Zusammenarbeit mit den Zentralbehörden der Länder. Die ganze Art der Arbeit erfordert, daß das Bestehen der ›Arbeitsgemeinschaft‹ und ihre Arbeit vertraulich behandelt werden muß«[32], lautete etwa ein Subventionswunsch an das Innenministerium, der mit der Bitte um die Finanzhilfe in Höhe von 12 000 Mark verknüpft wurde. Die Korrespondenz zwischen Pechel als dem agilen Vorsitzenden der Arbeitsgemeinschaft und verschiedenen Personen aus der Reichs- und Länderbürokratie bezieht sich denn auch weitgehend auf Finanzierungsfragen: so kommt man etwa im

[26] Diese Vereinbarung wurde über Ernst Bischoff erzielt, Pechel an Bischoff, 14. 10. 1924, BA, Mappe 127. Befürworter der Arbeitsgemeinschaft waren Ministerialdirektor Heilbron, dem Pechel oft für sein Entgegenkommen dankt, und Ministerialdirektor Spieker aus der Presseabteilung des AA.

[27] Pechel an Bischoff, 14. 10. 1924, BA, Mappe 127.

[28] Pechel an Philipp Stein, 11. 11. 1924, BA, Mappe 43.

[29] Pechel an Oberstleutnant von Stülpnagel, 21. 8. 1924, BA, Mappe 127.

[30] Pechel an Ministerialdirektor Damman, Reichsministerium des Innern, 16. 7. 1925.

[31] Pechel an Ministerialrat Elfgen, Preußisches Ministerium des Innern, 18. 12. 1925, BA, Mappe 127.

[32] Brief an Damman, a. a. O. ebenda.

Jahre 1926 überein, den Zuschuß aus dem Auswärtigen Amt vierteljährlich auf 2000 Mark zu erhöhen und streitet ein Jahr später schon um eine abermalige Erhöhung dieser Summe. Pechel entpuppt sich bei alledem als leidenschaftlicher Verfechter eigener Interessen: »Die Erhöhung dürfte dadurch gerechtfertigt sein, daß der Kampf mit Polen im Augenblick und wohl auch noch für längere Zukunft von den der Arbeitsgemeinschaft angeschlossenen Zeitschriften mit größter Energie geführt wird« [33], lautete bei dieser Gelegenheit sein Versprechen gegenüber dem Finanzier im Auswärtigen Amt.

Sämtliche Subventionen, zu denen bald Zuwendungen aus Kreisen der deutschen Industrie hinzukamen [34], lancierten den Herausgeber der »Deutschen Rundschau« freilich bald in ein widersprüchliches Verhältnis zur staatlichen Exekutive. Der Konflikt zwischen ihm und seinen Geldgebern spitzte sich zu, als politische Fragen akut wurden, deren offiziöse Interpretation den eigenen Intentionen offenkundig zuwiderliefen. Von dieser Kontroverse blieb die publizistische Ansprache der »Deutschen Rundschau« nicht verschont.

7. *Die Abeitsgemeinschaft und ihr Verhältnis zur Reichsregierung*

Für die nachträgliche Beurteilung des Verhältnisses zwischen Arbeitsgemeinschaft und Reichsregierung ist entscheidend, auf welche Weise die finanzielle Subventionierung ihre politischen Wirkungen entfaltet hat: war mit den Geldzuwendungen aus den Fonds von Auswärtigem Amt, Reichsinnenministerium oder Reichswehrministerium auch zugleich eine politische Einflußnahme verbunden? Oder war das publizistische Zusammenspiel der vereinigten Zeitschriftenherausgeber bereits derart perfekt und wirkungsvoll geworden, daß man solche Art Gängelung gar nicht mehr zu fürchten brauchte? Die Konflikte innerhalb der Arbeitsgemeinschaft, wie sie sich besonders unter der Ära Stresemann von 1924 bis 1928 artikulierten, zeigten diese Problematik mit Nachdruck auf: der Herausgeber der »Deutschen Rundschau« und das von ihm mit Eifer benutzte publizistische Instrument der Arbeitsgemeinschaft schlitterte bald in ein äußerst widerspruchsvolles Verhältnis zur staatlichen Exekutive, aus dem sich Pechel nur mit Mühe hinauslavieren konnte. Und zugunsten offiziöser außenpolitischer Doktrinen wurde in den Spalten der »Deutschen Rundschau« ein augenfälliger Kurswechsel geübt.

33 Pechel an Legationsrat Schmidt-Roike, Auswärtiges Amt, 22. 1. 1927.
34 Pechels Verhältnis zu Repräsentanten der deutschen Industrie wird im anschließenden Kapitel über die Verlagsgeschichte der Deutschen Rundschau untersucht.

a) Erste Kontakte zu Gustav Stresemann (1925)

Zu den bisherigen Kontakten der Arbeitsgemeinschaft zu verschiedenen Stellen der Reichs- und Länderregierung, die ausschließlich unter finanzpolitischem Blickwinkel angebahnt worden waren, kamen bald die ersten persönlichen Fühlungnahmen mit Repräsentanten der Reichsregierung hinzu. Im Dezember des Jahres 1925 äußert Pechel gegenüber der Presseabteilung der Reichsregierung den Wunsch, mit dem damaligen Reichskanzler Luther und seinem Außenminister Stresemann in persönliche Bekanntschaft zu treten.[35] Zugleich wird mit dieser Bitte der Wunsch nach einem exklusiven Informationsdienst verbunden: dabei handelte es sich um eine Übersicht über wichtige Veröffentlichungen der deutschen und ausländischen Presse, die möglichst regelmäßig von der Reichspressestelle erstellt werden sollte. Ein solches »Bulletin de la Presse« sollte ausschließlich den Bedürfnissen der Arbeitsgemeinschaft dienen und hätte zweifellos eine Bevorzugung dieser Interessengruppe gegenüber anderen Institutionen – etwa der ständig stattfindenden Reichspressekonferenz – bedeutet. Wie selbstbewußt man sich indes schon äußern konnte, geht aus Pechels Einladungsbrief zur achten Tagung der Arbeitsgemeinschaft im Jahre 1925 hervor: »Bei geschlossenem Auftreten ist das Durchsetzen der AG gegenüber allen in Frage kommenden Stellen, sowohl Behörden als auch Autoren, als gesichert anzusehen.«[36] Zugleich wird auf die Gelegenheit zur persönlichen Fühlungnahme mit den »leitenden Persönlichkeiten der deutschen Politik« verwiesen.

Während der achten Tagung der Arbeitsgemeinschaft, die am 26. Januar 1926 in den Räumen des Volksdeutschen Klubs in Berlin stattfand, ist offensichtlich die angestrebte Koordination mit der Propaganda-Arbeit der Reichsregierung endgültig institutionalisiert worden: der Tätigkeitsbericht offenbart, daß mit Vertretern der Reichspressestelle ausführlich über künftige Richtlinien für die grenz- und auslandsdeutsche Arbeit beraten worden ist. Zugleich ließ ein streng vertrauliches Rundschreiben alle Mitglieder wissen, daß in Zukunft vierzehntägige regelmäßige Besprechungen mit den Berliner Mitgliedern der AG in der Reichspressestelle stattfinden würden. Zweck war die »Information über die ... besonders interessierenden Fragen des Grenz- und Auslandsdeutschtums und die Politik, die die Reichsregierung in dieser Richtung zu verfolgen gedenkt.«[37] Der letzte Hinweis war von Wichtigkeit: immerhin ging aus diesem Satz hervor, daß es zwischen den außenpolitischen Zielen der Reichsregierung und den Intentionen der Arbeitsgemeinschaft zu einer gewissen Übereinkunft gekommen war. Konnte dies nicht bedeuten, daß sich die inhaltlichen Vorstellungen von Außenministerium und der Publizisten-Gruppe um Pechel schon weitgehend angenähert hatten?

35 Brief Pechel an Dr. Zechlin, Presseabteilung der Reichsregierung, 30. 12. 1925, BA, Mappe 125.
36 Brief Pechel an alle, 22. 12. 1925, BA, Mappe 125.
37 Pechel an alle Berliner Zeitschriftenherausgeber, 20. 1. 1926, BA, Mappe 125.

Tatsächlich war diese Fühlungnahme für beide Seiten mit ernst zu nehmenden politischen Komplikationen verbunden: die Kontakte fielen in eine Zeit, in der viel vom »Geist von Locarno« und damit von einer Versöhnung mit Frankreich und Polen die Rede war. Zwar waren die Zusammenkünfte zwischen offiziellen Repräsentanten der Reichsregierung und den Zeitschriften-Publizisten um Rudolf Pechel stets als »streng vertraulich« deklariert, jedoch ließen sich Indiskretionen offensichtlich nicht verhindern. In großer Aufmachung fragte denn auch die Zeitschrift »Die Menschheit« – ein Organ, das von Fritz Röttcher herausgegeben wurde und in dem sich häufig der links-liberal orientierte Friedrich-Wilhelm Foerster zu Wort meldete – nach einem Doppelspiel der deutschen Reichspolitik, nachdem den Redakteuren der »Menschheit« ein geheimes Dokument der Arbeitsgemeinschaft in die Hände gekommen war. In dem Schriftstück war unter anderem betont worden, daß sich das Verhältnis der Arbeitsgemeinschaft zu den verschiedenen Reichsbehörden »in erfreulichster Weise« entwickelt habe und daß sich die Abteilung VI des Auswärtigen Amtes sowie das Reichsinnenministerium lebhaft für die Auswirkungen der Aktionen der Arbeitsgemeinschaft interessieren würden. Mit dem Leiter der Presseabteilung des Auswärtigen Amtes, Ministerialdirektor Kiep, seien persönliche Verhandlungen geführt worden, die alle früheren Schwierigkeiten beseitigt hätten und die »die engste Zusammenarbeit für die Zukunft garantierten«. Man könne erwarten, daß die während der letzten Tagung aufgestellten Forderungen erfüllt würden; Einzelheiten seien weiteren Verhandlungen vorbehalten, für die Zusammenarbeit mit der Arbeitsgemeinschaft sei Regierungsrat Dr. Schwendemann von der Presseabteilung bestimmt worden. [38]

Auch wenn diese Äußerungen in einem Rundbrief an alle kategorisch als »Unsinn« bezeichnet worden sind [39], so entsprachen sie doch den tatsächlichen Zusammenhängen: Pechel mußte zugeben, daß den mißtrauischen Redakteuren der »Menschheit« der Tätigkeitsbericht über die achte Tagung der Arbeitsgemeinschaft in Berlin in die Hände gefallen war, und er sah sich deshalb gezwungen, in Zukunft keine ausführlichen Berichte über die streng vertraulichen Zusammenkünfte mehr zu verfassen. Nur auf diese Weise könne das Prinzip der Vertraulichkeit auch in Zukunft gewahrt werden. [40] Tatsächlich hätte eine breite öffentliche Diskussion über die als geheim deklarierten Kontakte dem gemeinsamen Unternehmen nurmehr schaden können: dem Außenministerium konnte nicht daran gelegen sein, seine Bemühungen um einen Eintritt in den Völkerbund und die normativen Kriterien des am 16. Oktober 1925 paraphierten Locarno-Vertrages mit einer Propaganda in Verwandtschaft zu sehen, die sich eindeutig von

[38] Die Menschheit, herausgegeben von Fritz Röttcher, 13. Jg., Nr. 18, Wiesbaden, 30. 4. 1926, Aufsatz: Doppelspiel der deutschen Reichspolitik? Offizielle Polenhetze und der Geist von Locarno, BA, Mappe 125.

[39] Pechel-Brief an alle, 7. 6. 1926, BA, Mappe 125.

[40] Pechel-Rundbrief an alle, 7. 6. 1926, BA, Mappe 125.

revanchistischen Vorstellungen leiten ließ. Denn vertrauliche Anweisungen, die Polen als »ewigen Brandherd kriegerischer Verwicklungen in Mitteleuropa« charakterisierten und im Zusammenhang mit der »Liquidationsfrage« von »polnischen Raubmethoden« [41] sprachen, konnten kaum geeignet sein, die friedlichen Intentionen deutscher Außenpolitik beweiskräftig zu unterstützen. Anstelle der Macht sollte das Recht zum bestimmenden Faktor in den Beziehungen der Staaten werden, ohne daß Deutschland politisch den Gedanken einer Revision seiner Ostgrenzen aufgab: das war der Kerngedanke des Locarno-Pakts, mit dessen Anbahnung der Name Stresemann in besonderer Weise verbunden war. [42]

Vor diesem Hintergrund ist deswegen die Frage interessant, von welchem Kalkül die Kontakte zwischen Stresemann und Pechel als dem Vorsitzenden der Arbeitsgemeinschaft inspiriert waren. Die Suche nach einer Antwort verweist dabei auf die umfangreiche Literatur, die sich inzwischen über die Außenpolitik Stresemanns angesammelt hat und die besonders die Intentionen seiner Locarno-Politik einer kritischen Bestandsaufnahme unterzieht. [43] Die Kontroversen spitzen sich dabei auf die Frage zu, welche Ziele Stresemann mit seiner Locarno-Politik verfochten hat: war er lediglich ein Schrittmacher Hitlers, ein doppelzüngiger Politiker und Heuchler, der über eine Verständigungspolitik nur eine erneute deutsche Hegemonie auf dem Kontinent begründen wollte, oder entsprechen jene Interpretationen der historischen Wahrheit, die Stresemann als »Vorkämpfer überstaatlicher Bindungen« sehen wollen und ihn als Vorbild für eine politische Neuorientierung der Gegenwart charakterisieren? [44] Eine Auseinandersetzung, deren wissenschaftliche Fragestellung sich in solchen Extremen bewegt, erleichtert auch für den vorliegenden Untersuchungsgegenstand die Analyse nicht: sie gibt indes gerade wegen ihrer Vieldeutigkeit einige Anhaltspunkte zu der Frage, warum der Herausgeber der »Deutschen Rundschau« entgegen seiner früheren Überzeugung zu einem Verfechter Stresemannscher Doktrinen wurde.

In ihrer materialreichen Studie zur Person Gustav Stresemanns hat Annelise Thimme einige Denkkategorien hervorgehoben, die für die politischen Intentionen des späteren Außenministers kennzeichnend geworden sind: obwohl sich im Oktober 1918 die Hoffnungen auf deutsche Gebietserwerbungen nach einem siegreichen Kriegsende zerschlagen hätten, habe sich damals

41 Vgl. den Bericht über die siebte Tagung der Arbeitsgemeinschaft, BA, Mappe 125.

42 So die Meinung von Karl-Dietrich Erdmann: Das Problem der Ost- oder Westorientierung in der Locarno-Politik Stresemanns, in: Geschichte, Wissenschaft und Unterricht, Jg. 6. 1955, S. 133.

43 Neben den Ausführungen Erdmanns vgl. besonders: Annelise Thimme — Gustav Stresemann: Legende und Wirklichkeit, in: Historische Zeitschrift, Band 18, 1956, S. 287 ff., und Erich Eyck: Neues Licht auf Stresemanns Politik, Deutsche Rundschau, 1955.

44 Vgl. die Fragestellung bei Thimme: Gustav Stresemann, Legende und Wirklichkeit, a. a. O. S. 288.

für Stresemann im Schlagwort »Großdeutschland« ein Lichtblick im Dunkel jener Tage gezeigt. Er habe das Selbstbestimmungsrecht der Völker in einem Augenblicke aufgegriffen, als sich daraus für Deutschland nicht allein eine Machtverringerung, sondern eventuell sogar eine Machtvergrößerung ableiten ließ. Zugleich wurde der Anschlußgedanke auch nach Annahme des Versailler Vertrages weder von Stresemann noch vom deutschen Volke aufgegeben. Wo auch immer es um die Pflege und Förderung des Anschlußgedankens ging, sei Stresemann für ihn eingetreten: so wurde auf Stresemanns Initiative hin das österreichische Tagesblatt »Alpenland«, das den Anschlußgedanken besonders pflegte, durch Gelder des Auswärtigen Amtes und der Industrie vor dem finanziellen Zusammenbruch bewahrt. Die Ironie wollte es, daß das gleiche Blatt, das Stresemann seine Weiterexistenz verdankte, den Außenminister später wegen seiner Locarno-Politik heftig angegriffen hat.[45] Dennoch war diese Intervention Stresemanns eng mit einem weiteren Ziel seiner Außenpolitik, der Revision der Ostgrenzen, verknüpft: solange an eine territoriale Revision der Grenzen nicht zu denken war, habe Stresemann das Hauptgewicht seiner Völkerbundspolitik auf eine Neuregelung der Minderheitenpolitik in Deutschland selbst gelegt, also auf jenes Problem, das unter der Formel »Grenz- und Auslandsdeutschtum« gerade die politische Diagnostik jener Jung-Konservativen um Rudolf Pechel weitgehend beherrscht hat. Die Voraussetzung für das Aufrollen der Minderheitenfrage im Völkerbund sei dafür eine Neuregelung der Minderheitenpolitik in Deutschland selbst gewesen. Im Laufe des Jahres 1925 begann das Auswärtige Amt, sich mit der deutschen Minderheitenpolitik zu beschäftigen. In einem Rundschreiben an den Reichsminister des Innern, an die Reichskanzlei, an den preußischen Innenminister und seine Ministerien habe es geheißen, daß die Regelung des Minderheitenrechts innerhalb des Reiches eine außenpolitische Notwendigkeit sei. Stresemanns Ziel sei es, die Weltöffentlichkeit für das Schicksal der deutschen Minderheiten zu interessieren.[46]

Die Vermutung ist begründet, daß sich Pechel mit seiner Forderung nach Unterstützung des Grenz- und Auslandsdeutschtums bei Stresemann großer Sympathie erfreuen konnte: tatsächlich folgte der Außenminister am 2. November 1926 einer Einladung nach Berlin und entwickelte dort vor den Mitgliedern der Arbeitsgemeinschaft einige Grundkonzeptionen seiner Politik.[47] Aus seiner Tischrede ging hervor, daß er den Zeitschriften der Arbeitsgemeinschaft auch in Zukunft eine weite Verbreitung sichern wollte: von den Beziehungen zwischen dem Grenz- und Auslandsdeutschtum zum Mutterlande hänge nicht nur die deutsche Zukunft, sondern auch die Zukunft der Welt ab. »Jetzt sind die Auslandsdeutschen uns treuer angeschlossen als je, sie bekennen sich zur Mutter Germania in ihrer Not.

[45] Vgl. Thimme, Gustav Stresemann, a. a. O. S. 309.
[46] Vgl. Thimme: Gustav Stresemann, a. a. O. S. 325.
[47] Aus Stresemanns Einführungssätzen geht hervor, daß er bereits früher an einer Sitzung der Arbeitsgemeinschaft teilgenommen hat.

Eine Entwicklung, die noch Unendliches schaffen kann. Wir sind die Schutzherren, die sich zur Gemeinschaft bekennen.« [48] Aus seinen Sätzen könnte man fast die Vermutung herauslesen, daß ihm die Existenz von Minderheiten im Ausland aus politischen Gründen gar nicht unliebsam war. Tatsächlich verknüpfte er im Verlauf seiner Rede die Probleme der Auslandsdeutschen mit einer Episode im Völkerbund, bei der zum ersten Mal Vertreter des Deutschen Reiches aufgetreten seien. In jenem Augenblick seien die Deutschen fast in den Mittelpunkt des Interesses gerückt. »Das ist doch ein Zeichen, daß wir auch jetzt noch stark genug sind zu einem solchen moralischen Einfluß, um denen zu helfen, die der Hilfe bedürfen.« [49]

Folgt man der Auffassung, wonach es bei Stresemann im Hinblick auf die Minderheitenpolitik ein Kalkül gewesen ist, die Weltöffentlichkeit jederzeit auf das Problem aufmerksam zu machen – nur auf diese Weise konnte die Revision der Grenzziehungen von Versailles hinlänglich demonstriert werden [50] –, so läßt sich in dieser Frage eine Identifikation zwischen den Zielen der Arbeitsgemeinschaft und dem Außenministerium konstatieren. Bereits die zehnte Tagung hatte sich mit der »veränderten Lage des gesamten Grenz- und Auslandsdeutschtums« beschäftigt und dabei offensichtlich die zu erwartenden Diskussionen in Genf mit in die Überlegung einbezogen. [51] Die darauffolgende Sitzung am 28. April 1927 widmete sich ausschließlich dem gleichen Thema und untersuchte die »technischen Möglichkeiten des Völkerbundapparates zur Wahrnehmung der Interessen deutscher Minderheiten.« [52] Und der Appell nach der 12. Tagung am 30. November 1927 schien in seinem Grundtenor ganz mit den Zielen der Reichsregierung übereinzustimmen. Darin wurde die Forderung nach einer Grenzkorrektur »noch während der Völkerbundstagung in Genf« zur publizistischen Pflicht erhoben. Der Hinweis fehlte nicht, daß die propagandistische Arbeit im Hinblick auf Südosteuropa möglichst verstärkt werden solle. »Im Allgemeinen ist in den angeschlossenen Zeitschriften immer wieder mit größtem Nachdruck eine aktive deutsche Politik in Südosteuropa zu fordern.« [53] Da Stresemann keine Völkerbundssitzung vorübergehen ließ, in der er nicht das Problem des Minderheitenschutzes aufgriff, hatte er bei diesem Bemühen in der Arbeitsgemeinschaft um Rudolf Pechel bald Verbündete gefunden. Voraussetzung dafür war, daß jenes geheime Propaganda-Instrument mit wichtigen Informationen über die außenpolitischen Ziele der Reichsregierung versehen wurde und daß die

[48] Rede des Außenministers Dr. Stresemann, gehalten bei einem Abendessen der Tagung der Arbeitsgemeinschaft deutscher Zeitschriften für die Interessen des Grenz- und Auslandsdeutschtums am 2. 11. 1926, BA, Mappe 125.
[49] Rede Stresemanns, a. a. O. ebenda.
[50] Thimme: Gustav Stresemann, a. a. O. ebenda.
[51] Resolution nach der zehnten Tagung am 2. 11. 1926, BA, Mappe 125.
[52] Resolution nach der elften Tagung am 28. 4. 1927, BA, Mappe 125.
[53] Resolution nach der zwölften Tagung am 30. 11. 1927, BA, Mappe 125.

Mehrheit der Beteiligten Stresemanns Vorstellungen akzeptierte. Diese Problematik hat sowohl in den Heften der »Deutschen Rundschau« als auch für die Person ihres Herausgebers wichtige Konsequenzen hinterlassen.

b) Der außenpolitische Kurswechsel der »Deutschen Rundschau« in der Locarno-Frage

Jene zögernde Übereinstimmung in wichtigen außenpolitischen Fragen, wie sie sich ab 1925 zwischen der Arbeitsgemeinschaft und dem Berliner Auswärtigen Amt registrieren läßt, war für den Herausgeber der »Deutschen Rundschau« keineswegs eine Selbstverständlichkeit. Die Entspannung der deutsch-französischen Beziehungen, die im Reparationsplan der Dawes-Kommission ihren Anfang nahm und schließlich im vielschichtigen Vertragswerk von Locarno mündete, ist vielmehr in der Zeitschrift Pechels bis zum Jahre 1925 leidenschaftlich bekämpft worden. Das Ende solcher publizistischen Frontstellung und das Einschwenken auf die Linie offiziöser Regierungspolitik war dann freilich mit einem unerwarteten Personalwechsel im außenpolitischen Ressort der »Deutschen Rundschau« identisch.

Bis zum Konflikt in der Locarno-Frage hatte die »Deutsche Rundschau« zwei außenpolitische Grundmaximen verfochten: sie stemmte sich eindeutig gegen eine mögliche Aufnahme Deutschlands in den Völkerbund und verfolgte mit unverhohlener Abneigung jene ersten Schritte auf dem Wege zu einer Verständigungspolitik, die auf der Londoner Konferenz im Jahre 1924 begonnen worden waren.[54] Schon im Jahre 1921 war der Genfer Völkerbund für die »Deutsche Rundschau« eine Institution gewesen, in der eine »große Idee« geschändet wurde. »Es gibt in Deutschland immer noch Menschen, die den Wunsch haben, daß Deutschland in den Völkerbund aufgenommen werde, und es für ihre Pflicht halten, um den Eintritt in einen Verband zu winseln, zu dem ihnen der Zugang verwehrt ist.«[55] Jenem Urteil Ringwaldts hatte der Kolumnist der regelmäßigen Rubrik »Luftfahrt-Rundschau« die kategorische Meinungsäußerung hinzugefügt: »Liebedienerei und Unterwürfigkeit wurden uns so gelohnt, wie es die Speichellecker der Entente verdienen... Vielleicht begreifen die Zehnmalschlauen, was die Entente meint.«[56] Statt vorsichtiger Verständigungspolitik mit den Siegermächten der Entente, baute die »Deutsche Rundschau« auf eine »neue Erhebung der Nation«, wie es Pertinacior alias Martin Spahn in seiner regelmäßigen Bestandsaufnahme deutscher Außenpolitik formulierte.[57] »Wir haben kein Gewicht mehr in den Waagschalen des mensch-

[54] Vgl. Gebhardt, Bruno: Handbuch der Deutschen Geschichte, 8. völlig neubearb. Auflage, Band 4: Die Zeit der Weltkriege – Karl Dietrich Erdmann, S. 147 ff.

[55] Ringwaldt, in: Vom Geiste der Völker, Deutsche Rundschau, Band 188, 1921, S. 127.

[56] Luftfahrt-Rundschau, in: Deutsche Rundschau, 1921, Band 188, 3. Halbband, S. 249.

[57] Politische Rundschau, in: Deutsche Rundschau, Band 188, 1921, S. 393 ff.

lichen Staatslebens der Gegenwart. Das Ministerium, das sich von den Siegern als Ministerium der Erfüllung rühmen läßt, ist nur das Ministerium der sklavenhaften Gesinnung.« Von dieser Meinung wich der außenpolitische Kolumnist der »Deutschen Rundschau« auch nicht ab, als sich 1924 in London eine erste Regelung der umstrittenen Reparationsfrage ergab. Ebenso wie die Deutschnationalen und Deutschvölkischen in dieser Vereinbarung nur einen weiteren Schritt auf dem Wege der verhaßten »Erfüllungspolitik« und der »Versklavung« Deutschlands gesehen hatten, malte Pertinacior nach den Ergebnissen von London die Zukunft Deutschlands in schwarzen Farben an die Wand: »Beklommeneren Herzens als je müssen wir die Lage Deutschlands beurteilen und den Ergebnissen der Genfer Verhandlungen entgegensehen: der Eintritt in den Völkerbund ohne Anerkenntnis unserer Gleichberechtigung und die Unterwerfung unter demütigende Bedingungen ... scheinen sich im Augenblick als notwendige Folgen der Londoner Politik der Reichsregierung und der Willenlosigkeit des Reichstages zu ergeben.« [58] Solcher Prophezeiung hatte Wilhelm von Kries in einem Konferenzbericht aus London die ironische Beobachtung beigesteuert: »Bedauerlich wäre nur gewesen, daß nicht die guten Kinder, die schon den Versailler Vertrag unterschrieben hatten, durch die Tür hineintänzelten, um, endlich, die Belohnung für ihre Verdienste um den Weltfrieden strahlend in Empfang nehmen zu dürfen: Kredite, die Ruhr-Räumung, einen schönen Handelsvertrag, Zulassung zum Völkerbund.« [59]

Solche Interpretationen liefen den Absichten des deutschen Außenministers in offenkundiger Weise zuwider: wenn Stresemann sich in London bereit erklärte, die Reparationsforderungen der Alliierten anzunehmen, so wollte er damit lediglich einen Aufschub fälliger Zahlungsverpflichtungen erwirken. Sein primäres Anliegen war die im Dawes-Abkommen vorgesehene internationale Anleihe, derer die zusammengebrochene deutsche Wirtschaft dringend bedurfte. Angesichts der vehementen Kritik von rechts, die damals seiner Politik entgegenschlug, hatte er in einem Brief an den bulgarischen König geäußert: »Deutschland braucht aber diesen Waffenstillstand und die törichten Menschen, die aus kleinlichen Gesichtspunkten dieses Abkommen angreifen, bezeigen dadurch nach meinem Dafürhalten nur, daß sie zwar die nächste Gegenwart erkennen, aber nicht in die Zukunft zu blicken vermögen.« [60] Die Mitarbeiter der »Deutschen Rundschau« mußten sich diesen Vorwurf gefallen lassen: wenige Monate, bevor ihr Herausgeber das erste vertrauliche Treffen mit dem deutschen Außenminister arrangierte, hatte Pertinacior noch in aller Offenheit geschrieben: »Die Stresemannsche Außenpolitik war ein Wetten auf den Gewinn der Franzosen gegenüber den Engländern. Es hätte Herrn Stresemann nachdenklich machen können, daß die Engländer ihm keine Schwierigkeiten

58 Politische Rundschau, in: Deutsche Rundschau, 1924, Band 201, S. 112 f.
59 Wilhelm von Kries: Londoner Epilog, in: Deutsche Rundschau, 1924, Band 201, S. 99.
60 Zitiert bei Thimme: Gustav Stresemann, a. a. O. S. 313.

bereiteten ... Vielleicht wird er sich nunmehr endlich selbst überzeugen, daß er das Mühlrad zwar mächtig gedreht, aber kein Mehl für uns gemahlen hat.«[61] Diese Sätze schrieb Pechels Zeitschrift wenige Monate vor der Paraphierung des Locarno-Vertrages. Ungehalten setzte ihr außenpolitischer Beobachter ein Heft später solcher Kritik den Vorwurf hinzu: »Die Regierung Luther-Stresemann will nicht sehen, daß wir inzwischen bei den Entschließungen über den Rhein vollständig ausgeschaltet worden sind. Sie betont wieder und wieder ihre Bereitschaft, an einem Sicherheitspakt mitzuwirken.«[62] Daß man Stresemann offenbar als »parlamentarischen Drahtzieher in Deutschland« benutzen wolle und daß sich die Linienführung deutscher Außenpolitik in den falschen Gleisen vergangener Jahrzehnte bewege – diese Einsichten bestimmten die Argumentation des Kolumnisten Pertinacior, der in jedem Heft mit einer ausführlichen Analyse außenpolitischer Zusammenhänge vor die Leser der »Deutschen Rundschau« trat. Sein letzter Beitrag in der Zeitschrift Pechels las sich noch einmal als brüske Herausforderung an Stresemann und dessen Politik: »Die neue deutsche Note zeigt unsere Regierung mit der Schlinge um den Hals. Sie spürt den Druck der Schlinge. Alles, was sie tut, ist, daß sie hier und da versucht, den Druck der Schlinge mit den Händen etwas zu erleichtern. Den Kopf aus der Schlinge herauszuziehen versucht sie noch nicht, und auch die Parteien halten sich dazu anscheinend nicht für fähig.«[63]

Offenbar war es zu diesem Zeitpunkt im August 1925 bereits zu einer Kontroverse zwischen dem Herausgeber und dem außenpolitischen Kommentator der »Deutschen Rundschau« gekommen. Immerhin bestanden zu jenem Termin bereits vielfältige Kontakte zum Auswärtigen Amt der Reichsregierung, die in ihrer Mehrzahl von Pechel angebahnt worden waren. Der Nachfolger Rodenbergs versuchte drei Monate später, im Dezember 1925, ein erstes Treffen mit Reichskanzler Luther und dessen Außenminister zu arrangieren. Kein Zweifel, daß nun der nimmermüde Organisator der »Arbeitsgemeinschaft für die Interessen des Grenz- und Auslandsdeutschtums« mit dem Herausgeber der »Deutschen Rundschau« in Konflikt gekommen war: konnte man als Initiator einer Vereinigung, die offen um materielle Unterstützung bei der Reichsregierung warb, die eigene Zeitschrift auf Gegenkurs gegen die offizielle Reichspolitik lenken? In dieser Frage hat sich Pechel nach kurzem Zögern eindeutig entschieden: schon die nächsten Abhandlungen in der »Deutschen Rundschau« enthielten sich jeglicher Kritik gegenüber der Locarno-Politik Stresemanns und erschienen statt dessen ohne das gewohnte Pseudonym Pertinacior. Mit dem Januar-Heft des Jahres 1926 hieß der Autor der außenpolitischen Be-

61 Pertinacior – Politische Rundschau, in: Deutsche Rundschau, Band 202, 1925, S. 127.
62 Pertinacior – Politische Rundschau, in: Deutsche Rundschau, Band 202, 1925, S. 384.
63 Pertinacior, in: Deutsche Rundschau, Band 204, 1925, S. 192.

standsaufnahmen, die unter der Rubrik »Politische Rundschau« seit Anbeginn in den monatlichen Heften erschienen waren, Martellus. Zahlreiche Indizien sprechen dafür, daß mit dem Pseudonym der Autor gewechselt worden ist.«[64]

Für diese Annahme spricht zunächst, daß der traditionelle Gegner Stresemannscher Verständigungspolitik, nämlich Pertinacior alias Martin Spahn, zum wichtigen Datum des Vertragsabschlusses von Locarno keine Meinung in der »Deutschen Rundschau« geäußert hat. Statt dessen hieß es in einer Vorbemerkung zu einem Aufsatz über Locarno ausweichend: »Da unser ständiger Mitarbeiter Pertinacior behindert war, die ›Politische Rundschau‹ rechtzeitig zum Abschluß des Heftes fertigstellen zu können, wir jedoch unbedingt zur Konferenz von Locarno Stellung nehmen wollten, haben wir von besonderer Seite nachstehende Äußerung erbeten.«[65] Die Äußerungen unterschieden sich freilich beträchtlich von früheren Analysen. Zwar wurde auch hier in kritisch-abwägender Form zum Vertragsabschluß Stellung genommen, aber dennoch überwog als Grundtenor, daß in Locarno der ernsthafte Versuch einer politischen Neuorientierung gemacht worden sei. Im Gegensatz zur Rechtsopposition im Deutschen Reichstag, die ihre Minister zum Austritt aus der Regierung zwang und den deutschen Verzicht auf Elsaß-Lothringen anprangerte, riet der Kommentator der »Deutschen Rundschau« zur Mäßigung: »Wir wollen keinen Krieg, könnten ihn auch gar nicht führen. Das Kriegsgeschrei wird aber erst verstummen, wenn man die für Friedensarmeen überflüssigen Offiziere, Waffenlager und Truppenmengen beseitigt ... Recht soll gegen Recht gestellt sein, nicht mehr wie bisher Recht gegen nackte rohe Gewalt. Schickt die Vertreter dieses brutalen Gewaltgedankens in Paris, Prag und Warschau nach Hause!«[66]

Als ob er versäumte Aufklärungspflichten nachholen müsse, rückte Pechel schon im nächsten Heft eine erneute Stellungnahme zum Locarno-Vertrag ein, die sich noch unmißverständlicher von den Vertragsgegnern distanzierte. Wieder wurde »von besonderer Seite« geschrieben – und fast erscheint es, als hätte dem Schreiber das Auswärtige Amt die Hand geführt. Zu diesem Zeitpunkt hat es bereits einen intimen Meinungsaustausch zwischen der Arbeitsgemeinschaft um Pechel und dem Ministerium des Auswärtigen gegeben. Es ist anzunehmen, daß daher manches vorgefaßte Urteil korrigiert worden ist. Statt Kritik am Vertragswerk wurde der Leser der »Deutschen Rundschau« nunmehr mit einem Werben um das Vertragswerk konfrontiert: »Die Mehrheit des deutschen Volkes ist für die Annahme der Verträge. Das steht heute schon fest. Auch in weiten Kreisen, deren parteipolitische Vertretung starr auf dem Nein-Standpunkt zu verharren scheint, ist man für die Unterzeichnung. Hoffentlich wird man einsichtig sein und

64 Die Nachforschungen nach dem Träger dieses Pseudonyms blieben leider ergebnislos.
65 Die Konferenz von Locarno, in: Deutsche Rundschau, Band 205, 1925, S. 194.
66 Die Konferenz von Locarno, in: Deutsche Rundschau, Band 205, 1925, S. 195.

einen Irrtum bereinigen...«[67] Es ist sehr aufschlußreich, die Intentionen Stresemanns und seiner damaligen außenpolitischen Berater mit denjenigen zu vergleichen, die nunmehr in der »Deutschen Rundschau« als verbindliche Kategorien für die Vertragsinterpretation empfohlen wurden. Zur Abtretung Elsaß-Lothringens hatte Stresemann z. B. in einer Rede vor deutschen Landsmannschaften 1925 geäußert, daß es »Wahnwitz« sei, »heute mit der Idee eines Krieges gegen Frankreich zu spielen«. Andererseits sei es unverantwortlich, einen solchen Verzicht nicht auszusprechen, wenn er dafür Erleichterungen für Deutschland bekommen könne.[68] In ähnlicher Weise argumentierte der unbekannte Autor der »Deutschen Rundschau«: »Seit Versailles steht Frankreich Gewehr bei Fuß am Rhein. Poincaré und die Seinen machten keinen Hehl daraus, daß die Zerstörung des Reiches ihr politisches Ziel sei. Frankreich hat dieses Ziel nicht erreicht. Locarno läßt diese Tatsache äußerlich sichtbar werden.« Stresemanns berühmter Brief an den Kronprinzen vom 9. September 1925 deckt sich nicht von ungefähr mit jenen Argumenten, die sich wenige Monate später in den Heften der »Deutschen Rundschau« zur Verteidigung von Locarno finden lassen. Hatte Stresemann in seinem Kronprinzenbrief betont, daß es Deutschlands Aufgabe im Völkerbund sein müsse, Frankreichs Hegemoniebestrebungen zu durchkreuzen und Frankreich auf möglichst »konziliante« Weise Schwierigkeiten zu machen, so lautete der Grundtenor in der »Deutschen Rundschau« nicht viel anders: »Die Isolierung, in der uns Frankreich festhalten wollte ... hatte für uns schwere politische Nachteile. Wir waren reiner Spielball fremder Interessen. Sind wir mit von der Partie, so wird es viel schwerer sein, ständig auf unsere Kosten Vergleiche zu schließen...«[69] Die Vermutung, daß sich Pechel angesichts verstärkter Kommunikation mit dem Auswärtigen Amt und schließlich mit dem Außenminister selbst zu einer selbstkritischen Überprüfung früherer Gedankengänge entschlossen hat, wird durch einen Hinweis auf die sogenannte Minderheitenfrage bekräftigt: diese war nach wie vor eines der Hauptanliegen Stresemannscher Politik im Völkerbund, und die »Deutsche Rundschau« zollte solchen Bemühungen Beifall. »Man würde besser tun, sich eine politische Lösungsmöglichkeit durchzudenken, die in das deutsche Programm gehört, nämlich die politische Unterbauung des immer von uns angestrebten Selbstbestimmungsrechtes, auf das niemand verzichtet hat und verzichten könnte, da nicht wir es ausüben sollen.«[70] Daß die Ablehnung der Locarno-Verträge für Deutschland unabsehbare Folgen haben könne und daß mancher den richtigen Kurs ein wenig aus den Augen verloren habe – diese Erkenntnis fand sich wenige Monate später in der »Deutschen Rundschau«, nachdem Pertinacior vorher alle Argumente gegen eine Unterzeichnung des Vertragswerkes bemüht hatte. Seit Beginn des Jahres 1926 trat in dieser Frage ein markanter

67 Noch einmal Locarno, in: Deutsche Rundschau, Band 205, 1925, S. 279 ff.
68 Vgl. Thimme, Gustav Stresemann, a. a. O. S. 315.
69 Noch einmal Locarno, in: Deutsche Rundschau, a. a. O. S. 279.
70 Noch einmal Locarno, in: Deutsche Rundschau, a. a. O. ebenda.

Wechsel ein: die »Deutsche Rundschau« unterstützte fortan die außenpolitischen Intentionen Stresemanns und scheute sich nicht, dies offen zu bekennen. »Wir haben zur Besonnenheit gemahnt und zum Sammeln gerufen, wenn es in schwierigen Lagen der Außenpolitik darauf ankam, möglichst starke Kräfte hinter die Führung zu stellen. So rufen wir auch jetzt wieder zum Sammeln ... da der Führer fehlt. Die Außenpolitik Stresemanns ist in ihren Grundzügen fest fundiert.« [71] Solche Ermahnung formulierte der Kolumnist Martellus, nachdem Stresemann 1929 sein Amt aus der Hand gegeben hatte. Stresemann wurde von ihm als »Staatsmann von großer Weltgeltung« gerühmt, und der Nachfolger des vergessenen Pertinacior bekannte sogar: »Dieser Kurs muß gehalten, die geschlagene Bresche verbreitert und rastlos weiter gearbeitet werden, um die großen Fernziele der Befreiungsarbeit zu erreichen.« Was ist zu diesem Meinungsumschwung zu sagen? Zahlreiche Anhaltspunkte lassen vermuten, daß es in der politischen Konstellation des Jahres 1925 inhaltliche Identifikationen zwischen dem Außenminister und dem Publizisten Pechel gegeben haben muß. Erst die Kenntnis jener Hintergründe lassen eine plausible Erklärung für den außenpolitischen Kurswechsel zu, den die »Deutsche Rundschau« in jener Zeit erlebte. Die persönlichen Kontroversen, die dem Meinungsumschwung folgten, beleuchten um ein Weiteres jene enge Verfilzung von Interessen und Ideologien, die für die damalige Position des »Rundschau«-Herausgebers kennzeichnend gewesen sind.

c) Die Vertrauenskrise um den Vorsitzenden Rudolf Pechel

Um den Vorsitzenden der Arbeitsgemeinschaft ist es im Jahre 1928 zu einer ernsten Vertrauenskrise gekommen. Rudolf Pechel mußte sich gegenüber dem Vorwurf verantworten, er habe die Arbeitsgemeinschaft in ein offiziöses Fahrwasser gelenkt und dabei der Einflußnahme von Regierungsseite Tür und Tor geöffnet. Gerade in diesem Konflikt, der sich zunächst an der Person Pechels entzündete, zeigte sich mit Deutlichkeit jene Problematik von geheimen Bindungen und Einflußnahmen auf, von der Pechels Zeitschrift nicht verschont geblieben war. Die Frage, welche Gefahren mit einer geheimen Subventionierung verbunden sein können, wurden bei dieser Auseinandersetzung mit aller Schärfe aufgeworfen.

Am 16. April 1928 versammelte sich die Arbeitsgemeinschaft im Volksdeutschen Klub von Berlin zu einer 14. außerordentlichen Tagung, in deren Mittelpunkt die »Aussprache über die von den Herren Ullmann, Stapel und Traub erhobenen Vorwürfe und geltend gemachten Bedenken gegen den Leiter der AG« stehen sollten. [72] Aus den Aufzeichnungen zum Protokoll dieser Tagung ergibt sich, daß die Fronde gegen Pechel von Her-

71 Politische Rundschau, in: Deutsche Rundschau, 1929/30, Band 221/222, S. 172 ff.
72 Protokoll zur 14. außerordentlichen Tagung der Arbeitsgemeinschaft, BA, Mappe 125.

mann Ullmann angeführt worden ist. Der Herausgeber der »Politischen Wochenschrift« äußert unmißverständlich die Befürchtung, daß die ständigen Kontakte mit der Reichsregierung und deren Repräsentanten zu einer politischen Einflußnahme führen müßten. Er fordert nachdrücklich eine Diskussion über die zukünftige Struktur der Arbeitsgemeinschaft und sagt an einer Stelle wörtlich: »Wir werden als Folie, als Statisten gestempelt.«[73] In diese Kritik stimmte der Herausgeber der »Eisernen Blätter«, Pfarrer Traub, in nachdrücklicher Weise mit ein: Traub sprach von der Gefahr einer Annäherung an die politische Richtung der Reichsregierung und äußerte ernste Bedenken wegen der Subventionierung aus dem Fonds des Außenministeriums. Ihn erschrecke die Loyalität gegenüber dem Außenminister, und er konstatierte, daß sich die Beeinflussung der Regierung faktisch bereits durchgesetzt habe. An dieser Stelle vermerkt das Protokoll: »Stresemann müsse, das wäre seine Pflicht und Schuldigkeit, für seine Politik und Partei, wo immer er wäre, Propaganda machen. Also auch in der Arbeitsgemeinschaft. Daher sei Gefahr am Platze und daher die Warnung.«[74] Der Herausgeber des »Deutschen Volkstums«, Wilhelm Stapel, war der Dritte im Bunde der Ankläger: das Protokoll vermerkt zwar, daß dieser während der Sitzung abwesend gewesen sei; indes hatte Stapel aus seiner Abneigung gegenüber dem offiziellen Kurs des Außenministers auch öffentlich keinen Hehl gemacht. Dazu hat Heinrich Keßler nachgewiesen, daß sich Stapel mit beißender Kritik gegenüber den Konzeptionen Stresemanns geäußert hat und daß er sich in seiner außenpolitischen Polemik fast auf der Linie der alldeutschen Kritik vor 1918 bewegte. Jedenfalls hat es das abrupte Einschwenken auf die Linie Stresemanns, wie es sich in den Heften der »Deutschen Rundschau« registrieren ließ, bei dem Herausgeber des »Deutschen Volkstums« nicht gegeben. Die Locarno-Verträge konnten in dessen Augen nur dazu dienen, einer künftigen deutschen Revisionspolitik Fesseln anzulegen und das gegenwärtige französische Herrschaftssystem zu fixieren. Stresemann erschien Stapel als Optimist, als vertrauensselig, als ein Politiker, der »in vergnügter Heiterkeit« dem »raffinierten Geist von Locarno« auf den Leim gegangen war.[75] Kein Wunder, daß sich dieser Kritiker mit grundlegenden Bedenken gegenüber einer Einflußnahme aus dem Auswärtigen Amt zu Wort gemeldet hat.

Im gleichen Zusammenhang ist die Beobachtung Keßlers interessant, wonach Stapel trotz seiner instinktiven Ablehnung gegenüber Stresemann die zögernde Bereitschaft erkennen ließ, dessen Außenpolitik einen gewissen hypothetischen Wert zu konzedieren. Der Biograph Stapels vermutet gewiß ganz richtig, daß diese zögernde Bereitschaft auf jenen »Pechel-Ausschuß« zurückgeführt werden kann, in dem Stapel regelmäßig anwesend war. In einem Brief an Ullmann habe Stapel jedoch Lust gezeigt,

73 Aufzeichnungen zum Protokoll der 14. außerordentlichen Tagung der Arbeitsgemeinschaft, BA, Mappe 125.
74 Protokoll zur 14. außerordentlichen Tagung, a. a. O. ebenda.
75 Keßler, Heinrich: Wilhelm Stapel, a. a. O. S. 104.

sich von der Arbeitsgemeinschaft um Pechel zurückzuziehen. »Dann ist das AA unter sich, und wir können einen nationalen Informationskreis schaffen« [76] – hieß die aufschlußreiche Begründung dafür.

Jene Äußerungen beweisen nur, daß es eine faktische Einflußnahme vom Auswärtigen Amt auf die Arbeitsgemeinschaft gegeben und daß sich Pechel solchen Interventionen offensichtlich willig gebeugt hat. Die Diskussion im Plenum der Arbeitsgemeinschaft hat darüber keine endgültige Klarheit gebracht: Pechel wurde schließlich rehabilitiert und anstelle des bisherigen Vorstandes wurde ein Dreier-Kollektiv gebildet, dem neben Pechel die Mitglieder Düsel und Roeseler angehörten. Aber ein ausführlicher Brief von Max Hildebert Boehm an Wilhelm Stapel, in welchem die Problematik der internen Auseinandersetzung rückschauend beleuchtet wurde, skizziert deutlich das Selbstverständnis, von dem die Mehrheit der Mitglieder in jener Zeit getragen war: daß es einen »Machiavellismus politischer Instanzen« gäbe, der dem finanziell Abhängigen die politische Richtung vorschreiben könne – diese Erkenntnis wurde von Boehm im Hinblick auf die Arbeitsgemeinschaft nicht geleugnet. Aber demgegenüber gäbe es allerdings eine nationale Notwendigkeit, der man zu gehorchen habe: als nationales Verantwortungsgefühl deklariert, sei eine solche Grundauffassung die einzige, die einer konservativen Anschauung gemäß sei: aus diesem Anspruch heraus, müsse man den Steuergelder verteilenden Staat um eine Subventionierung bitten – selbst auf die Gefahr hin, daß die geldgebende Stelle ihre Zuständigkeiten dabei überschreiten könne. [77] Offenbar wurden anläßlich der Vertrauenskrise um Rudolf Pechel sämtliche Skrupel ausgeräumt: während ihres Bestehens in der Weimarer Republik ist die Arbeitsgemeinschaft ohne Unterbrechung durch offiziöse Stellen gefördert worden. Noch im Jahre 1932 betrug die Jahressumme vom Auswärtigen Amt 26 000 Mark, und sowohl Heinrich Brüning als auch Franz von Papen und Adolf Hitler [78] wurden um ihre Unterstützung gebeten. Pechel ist dabei stets Initiator und Wortführer für alle Aktionen geblieben.

[76] Zitiert bei Keßler: Wilhelm Stapel, a. a. O. ebenda.
[77] Max Hildebert Boehm an Stapel, 30. 3. 1928, BA, Mappe 135.
[78] Siehe dazu den bereits zitierten Brief an Rudolf Heß vom 10. 4. 1930, BA, Mappe 137.

III. Rudolf Pechel und die Unabhängigkeit der »Deutschen Rundschau« (1924–1933)

Die bisherige Analyse hat gezeigt, daß auf die inhaltliche Gestaltung der »Deutschen Rundschau« verschiedene Vorstellungskomplexe wirksam geworden sind. Nicht mehr nur der Herausgeber allein, sondern einzelne Gruppen mit konkretem politischem Interesse machten bald ihren Einfluß geltend. Juniklub, Deutscher Schutzbund, Arbeitsgemeinschaft für die Interessen des Grenz- und Auslandsdeutschtums, Ministerialbürokratie hießen die Etappen auf dem Wege dieser Einflußnahme, der sich Pechel mit zuweilen unverhohlener Bereitwilligkeit gebeugt hat. Pechels oft dubiose Position im politischen Kräftespiel der Weimarer Republik wird einmal mehr am Beispiel der Verlagsgeschichte seiner Zeitschrift aufgezeigt. Bei der Frage, wie die materielle Existenz der »Deutschen Rundschau« zu sichern sei, hatte der Nachfolger Rodenbergs oft genug nach Verbündeten Ausschau zu halten – und das Prinzip publizistischer Unabhängigkeit wurde dabei nicht nur einmal auf harte Proben gestellt.

1. Pechels Trennung vom Verlag Gebrüder Paetel (1924)

»Von dem Verlag Gebrüder Paetel haben wir uns am 1. April des Jahres getrennt und arbeiten nun als selbständiger Verlag.« [1] Diese lakonische Mitteilung Pechels an Helene Raff steht am Beginn einer wechselvollen Verlagsgeschichte, welche die »Deutsche Rundschau« ab 1924 erleben sollte. Der Hinweis auf die Trennung zwischen Herausgeber und Verleger markiert zugleich das Ende einer Zusammenarbeit, die stets ein wichtiges Fundament der »Deutschen Rundschau« gewesen war. Nicht nur Rodenberg, sondern auch Pechel hatte häufig die guten Beziehungen zum Verlagshaus Paetel hervorgehoben, und noch 1923 hatte Pechel das große Vertrauen seines Verlegers gerühmt, der zu jedem Opfer bereit gewesen sei. [2]

Welche Motive haben bei dem folgenschweren Entschluß eine Rolle gespielt, die traditionelle Beziehung aufzugeben? Auf diese Frage gibt es viele Antworten: Mirbt sieht in seiner flüchtigen Bestandsaufnahme der Verlagsgeschichte von 1919 bis 1933 eine Ursache im angeblich »wirtschaftlichen Zusammenbruch« des Paetel-Verlages, dem die »Deutsche Rundschau« zum Opfer gefallen wäre. [3] Für diese Begründung gibt es keine Anhaltspunkte. Pechel selbst hat zwar oft auf die angebliche »wirtschaftliche Unfähigkeit« der Verlagsspitze verwiesen, dennoch gibt es von ihm keinen

[1] Pechel an Fräulein Helene Raff, 12. 11. 1924, BA, Mappe 91.
[2] 50 Jahre Deutsche Rundschau, in: Deutsche Rundschau, 1923, Band 191, S. 1 ff.
[3] Mirbt, Wolfgang: Methoden publizistischen Widerstands im Dritten Reich, a. a. O. S. 61.

Hinweis, wonach ein möglicher Bankrott des Paetel-Unternehmens die Trennung erzwungen habe. Auf eine diesbezügliche Anfrage Richard Festers antwortete er vielmehr: »Ihre Anfrage wegen Paetel gibt mir die erwünschte Gelegenheit, Ihnen vertraulich mitzuteilen, warum ich mich vom Verlag getrennt habe. Der Entschluß ist mir nicht leichtgefallen, jedoch sah ich bei der immer noch wachsenden Passivität des Verlages höchst wertvolle und wesentliche Möglichkeiten für die ›Rundschau‹ entschwinden, da sie geschäftlich vom Verlag vernachlässigt wurde, aus Gründen, die in der geschäftlich ungünstigen Lage lagen. Da ich meine Vorschläge beim alten Verlag nicht durchsetzen konnte, mußte ich die Trennung vornehmen und darf sagen, daß sie bisher der ›Rundschau‹ recht gut bekommen ist, wenn auch die Abonnementsbasis noch wesentlich verbreitert werden muß.« [4] Die Begründung deckt sich inhaltlich mit einer Erklärung, die Pechels langjähriger Redakteur Werner Fiedler zum Verlagswechsel hatte: Pechels Intentionen seien darauf hinausgelaufen, der »Deutschen Rundschau« noch stärker als bisher ein politisches Gesicht zu geben. Diese Zielsetzung habe Verleger Georg Paetel nicht unterstützt, da dieser die literarische Richtung der Zeitschrift mehr betont sehen wollte: allein über diese Frage sei es zum Bruch zwischen Pechel und Paetel gekommen. [5] Vermutlich sind jene Vorschläge, die Pechel im Brief an Fester angesprochen hat, mit Überlegungen für eine stärkere Politisierung der Zeitschrift identisch gewesen. Tatsächlich hat er noch im Jahre 1924 mit einer Umgestaltung der einzelnen Hefte begonnen. »Die unendlich reiche und stärkende Zustimmung, die der ›Deutschen Rundschau‹ im letzten Jahre aus allen Kreisen des In- und Auslandes wieder zugekommen ist, haben unsere Kräfte aufs äußerste angespornt, im neuen Jahrgang die ›Deutsche Rundschau‹ in starkem Aufstieg zu erhalten« [6], so hieß die reichlich pathetische Begründung dafür. Auch wenn er in einer längeren Mitteilung an seine Leser darauf verwies, daß auch weiterhin die erzählende Literatur in der Zeitschrift zu ihrem Recht kommen werde, überwog dennoch die politische Tendenz bei den angekündigten Beiträgen. Der Herausgeber verhehlte nicht, daß jener Kampf der »Deutschen Rundschau« »für das gesamte Grenz- und Auslandsdeutschtum zur engsten Verbindung mit den führenden Geistern dieser Kreise« [7] geführt habe, denen man sich eng verbunden fühle. Dies war eine Reverenz gegenüber politischen Freunden, deren Sinn gewiß nur von diesen richtig erfaßt werden konnte. Von Bedeutung war in diesem Zusammenhang der Hinweis, daß sich die Zeitschrift künftig in einer neuen Rubrik mit dem Titel »Wirtschaftliche Rundschau« um den »Unterbau alles politischen und geistigen Lebens« bemühen werde. Als Autor war ein »hervorragender Wirtschaftsführer« in Aussicht gestellt, der den Leser mit »Informationen aus erster Hand und für alle Kreise von besonderer Wichtigkeit« versorgen

4 Pechel an Richard Fester, 30. 1. 1925, BA, Mappe 33.
5 Brief an den Verfasser.
6 An unsere Leser, in: Deutsche Rundschau, 1924, Band 201, o. S.
7 An unsere Leser, a. a. O. ebenda.

werde. Daraus läßt sich ein Indiz für die vielfältigen Kontakte zu Wirtschaftsgruppen herleiten, die Pechel nach der Trennung vom alten Verlag ausgiebig gepflegt hat. Aus dem Nachlaß ergibt sich, daß die Finanzgruppe Röchling dem Herausgeber der »Deutschen Rundschau« 40 000 Mark als Kredit überwiesen hat, der zum Kauf der Zeitschrift verwendet worden ist. [8] Jener Appell des Herausgebers, wonach jeder, der die »Deutsche Rundschau« »und damit die großdeutsche Sache« fördern wolle, ihm durch die Bewahrung seiner Treue und die Werbung neuer Freunde helfen solle, galt gewiß nicht nur für seine Leser. Pechel zielte damit auf zahlungskräftige Freunde und Gönner, die oft genug unerkannt im Hintergrund blieben.

2. *Finanzschwierigkeiten der Gründerjahre*

Ungeachtet jener Hoffnungen und Pläne, die den Nachfolger Rodenbergs nach der Trennung von Paetel beflügelt haben, wurde die unsichere materielle Existenz seines neuen Unternehmens doch bald zum ständigen Begleiter. Pechel hat die finanziellen Schwierigkeiten, die mit der eigenen Verlagsgründung verbunden waren, durchaus realistisch eingeschätzt. Immerhin hatte er seine Publikation in eine Verlagsgesellschaft eingebracht, die fortan den Namen »Deutsche Rundschau GmbH« tragen sollte, also auch von den Einlagen seiner Gesellschafter abhängig war. Für Pechel gab es zwei Möglichkeiten, den wirtschaftlichen Unterbau seines Unternehmens fortan zu garantieren: er konnte dank seiner weitverzweigten Beziehungen zur Berliner Politik- und Finanzwelt die dauernde Subvention seines Unternehmens ins Auge fassen. Gewiß hätte er dafür Freunde und Gönner gefunden, aber er selbst hat diese Möglichkeit als einen »ungesunden Weg« bezeichnet. [9] Aussichtsreicher erschien ihm vielmehr die Bildung eines Verlagsunternehmens, in welchem »wichtige nationalpolitische« Publikationen ihre Zentralstelle haben sollten: dafür erschien ihm die Unterstützung politisch nahestehender Finanziers angemessen zu sein. Abermals hat er dafür den traditionsreichen Namen seiner Zeitschrift bemüht. Um die wichtigsten Aufsätze der »Deutschen Rundschau« fortan in Buchform verbreiten zu können, müsse das von ihm angestrebte Verlagsunternehmen gegründet werden. Diese Begründung gab er gegenüber dem Chefredakteur der »Münchener Neuesten Nachrichten«, den er für das neue Projekt gewinnen wollte. [10] Offenbar haben ihn seine politischen Anhänger in Berlin bei solchen Plänen nachdrücklich unterstützt: Im April des Jahres 1925, d. h. ein Jahr nach der Trennung von Paetel, spricht er davon, daß es ihm »freilich ohne völlige Sicherheit« gelingen werde, in Berlin die Summe von 100 000 Mark aufzubringen. Für das angestrebte Ziel eines größeren

[8] Briefwechsel Pechel, BA, Mappe 24.
[9] Pechel an Dr. Gerlich, 18. 4. 1925, BA, Mappe 62.
[10] Pechel an Gerlich, a. a. O. ebenda.

Verlagsunternehmens seien indes 300 000 Mark nötig. Aus diesem Grunde bat er Gerlich als den Chefredakteur eines auflagenstarken Münchener Blattes, sich um eine Einlage von 200 000 Mark bei »kapitalkräftigen Kreisen in München« zu bemühen, die als »arbeitendes Kapital in einem aufblühenden geschäftlichen Verlagsunternehmen« verwendet werden solle, wie Pechel optimistisch versicherte. [11] Vor dem Hintergrund solcher Kalkulationen müssen seine Bemühungen gesehen werden, bei verschiedenen Stellen Finanzmittel für die Weiterentwicklung und den Ausbau des geplanten Verlages zu bekommen. Zur materiellen Sicherung seiner Zeitschrift konnte er freilich zunächst auf bewährte Kontaktpersonen in der Bürokratie der Berliner Reichsregierung zurückgreifen.

a) Die Subventionen der Reichsregierung

Bei der Finanzierung der »Deutschen Rundschau« sind jene Beziehungen, die Pechel als Vorsitzender der »Arbeitsgemeinschaft für die Interessen des Grenz- und Auslandsdeutschtums« geknüpft hatte, von Gewicht gewesen. Werner Fiedler erinnert sich daran, daß »ganze Bündel von Rundschau-Heften« ins Auswärtige Amt gewandert seien. [12] Aufschluß darüber gibt zunächst ein Briefwechsel zwischen Pechel und Ministerialdirektor Heilbron aus der Abteilung VI des Auswärtigen Amtes, in welchem Pechel den Wunsch nach einer Subventionierung oder Finanzhilfe begründete. Er fordert darin eine Unterstützung für eine Leistung, die »im Interesse des gesamten Deutschtums liege«, also einen regelmäßigen Zuschuß an das neue Verlagsunternehmen. Gleichzeitig erinnert er seinen Gewährsmann an ein Versprechen, wonach »durch Abteilung VI eine noch größere Zahl von ›Rundschau‹-Abonnements« versandt werden könne. [13]

Offensichtlich ist es bei diesem Versprechen und seiner Einhaltung geblieben. Am 29. April 1925 erhält Pechel die Nachricht, daß zwar die Subventionierung noch einmal angesprochen werden soll, jedoch wird wenig später bereits ein neuer modus procendi vereinbart: die Abteilung VI des Auswärtigen Amtes übernimmt hundert Jahres-Abonnements der »Deutschen Rundschau«, für die Pechel z. B. am 16. Mai 1925 den Gegenwert von 2160 Mark erhält. [14] Aus der Korrespondenz ergibt sich, daß die Zeitschrift an die Botschaften und Gesandtschaften im Ausland verschickt wurde. Diese Übereinkunft wußte Pechel sogleich für neue Pläne zu nutzen. In diesem Sinn stellt er am 17. Dezember 1925 den 52. Jahrgang seiner Zeitschrift in die Bibliothek des Reichsministeriums des Innern unberechnet ein. Seine aufschlußreiche Begründung lautet: »Da wir den größten Wert darauf legen, daß die Arbeit der ›Deutschen Rundschau‹ von der dortigen Stelle regelmäßig verfolgt werden kann.« [15] Kurz darauf läßt er Heilbron

11 Pechel an Gerlich, a. a. O. ebenda.
12 Mündlich an den Verfasser.
13 Pechel an Ministerialdirektor Heilbron, 15. 4. 1925, BA, Mappe 127.
14 Pechel an Heilbron, 12. 5. 1925, BA, Mappe 127.
15 Pechel an Reichsministerium des Innern, 17. 12. 1925.

wissen, daß sich verschiedene Stellen über diese Maßnahme gefreut hätten – und bittet prompt um den Auftrag zu einer neuerlichen Belieferung. Heilbron willigt ein, und so gehen bald aus der Vertriebsstelle der »Deutschen Rundschau« jährlich 150 Exemplare im Monatsabonnement an den »Verein zur Verbreitung guter volkstümlicher Schriften«, der dem Reichsministerium des Innern angegliedert war.[16] Weil die Zustellung aber lediglich für das Jahr 1926 bewilligt und offensichtlich zum Jahresbeginn 1927 nicht erneuert worden war, bittet Pechel seinen Gewährsmann im Auswärtigen Amt um die Abnahme von zweihundert Jahresabonnements für 1927. Geschickt weiß er dabei seine Bekanntschaft mit Stresemann ins Spiel zu bringen: »Ich möchte auch glauben, daß auch vom Herrn Außenminister eine solche Unterstützung gebilligt würde, da sie durchaus in der Linie seiner Worte auf der letzten Tagung der ›Arbeitsgemeinschaft‹ liegt, in denen er die so völlig ungenügende Verbreitung der guten großen deutschen Zeitschriften im Vergleich mit denen des Auslandes bedauerte.«[17] Dieser Bitte wurde offensichtlich ebenfalls nachgekommen, denn die Abonnements der »Deutschen Rundschau« sind vom Auswärtigen Amt regelmäßig eingehalten worden, wie eine Durchsicht der verfügbaren Korrespondenzen ergeben hat.

Alle dergleichen Subventionen aus geheimen Fonds der Reichsregierung, wie sie in der skizzierten Unterstützung für die »Deutsche Rundschau« zutage traten, wird man stets in Zusammenhang mit den Zuschüssen an die »Arbeitsgemeinschaft für die Interessen des Grenz- und Auslandsdeutschtums« betrachten müssen. Nicht zu Unrecht rühmt Pechel die Verdienste von Friedrich Heilbron, über dessen Person mannigfache Beziehungen angebahnt worden sind, als die eines Mannes, dem man sich »im Gleichtakt der für die große Sache gemeinsam brennenden Herzen« verbunden fühle. Als Heilbron sein Amt im Berliner Auswärtigen Amt im Jahre 1926 verläßt, erinnert Pechel an die »Zeit der gemeinsamen Arbeit, die großen Förderungen ... und den großen Nutzen«, den die gesamtdeutsche Sache durch Heilbrons Wirken erfahren habe.[18]

b) Die Zuwendungen aus Kreisen der deutschen Industrie

Zu solchen Verbündeten kamen mannigfache Interessenten aus Kreisen der deutschen Wirtschaft und Industrie hinzu. Die antiparlamentarischen und korporativen Elemente in den verfassungs- und gesellschaftspolitischen Konzeptionen der Jung-Konservativen hatten nicht zuletzt bei deutschen Industriellen Interesse gefunden. Zu den finanziellen Förderern der Anhängerschaft Moeller van den Brucks gehörte bald der Industrielle Hugo Stinnes, der sich bei den turnusgemäßen Beratungen mit Repräsentanten

[16] Brief an Pechel, 30. 12. 1925, BA, Mappe 128.
[17] Pechel an Schmidt-Roike, 22. 11. 1927, BA, Mappe 128.
[18] Pechel an Heilbron, 12. 6. 1926, BA, Mappe 127.

der Ring-Bewegung in der Regel durch seine Generaldirektoren Albert Vögler und Karl Fehrmann vertreten ließ. Ferner war mit Alfred Hugenberg, dem Pressezar der Deutschnationalen, sowie mit Persönlichkeiten aus dem Vorstand der Telegraphen-Union und mit Felix Deutsch aus dem Direktorium der AEG erfolgreiche Fühlung aufgenommen worden.[19]

Pechel hatte als prominentes Mitglied von Juniklub und Deutschem Schutzbund gewiß von diesen Querverbindungen Kenntnis, und vielleicht hat er auch von solchen Beziehungen profitiert. Die Zuwendungen aus dem Hause Röchling anläßlich der Gründung des eigenen Verlages lassen in diesem Konzern einen Gesellschafter der neuen GmbH vermuten. Tatsächlich war eine enge Verquickung zwischen Interessenorganisationen der Wirtschaft und der Arbeitsgemeinschaft um Rudolf Pechel gegeben: die Zeitschrift »Der Arbeitgeber« war Mitglied des geheimgehaltenen Zusammenschlusses. Aus vorliegenden Korrespondenzen geht hervor, daß die »Vereinigung der deutschen Arbeitgeberverbände« die Mitgliedschaft besaß. Der Herausgeber der »Deutschen Rundschau« griff gewiß nicht ohne Hintergedanken selbst zur Feder, wenn es den Geschäftsbericht dieser Vereinigung ausdrücklich zu loben galt. Beispielsweise rühmt er die Bilanz der deutschen Arbeitgeber am Abschluß des Jahres 1922 als eine »achtunggebietende Leistung«. Außerdem weist er ihren Organisationen für die zukünftige Gestaltung von Staat und Gesellschaft eine führende Rolle zu: »Es kann keinem Zweifel unterliegen, daß die Arbeitgeberverbände in einem hohen – wie wir glauben entscheidenden – Grade berufen sind, führend an der Lösung der Probleme mitzuarbeiten, welche die Voraussetzung für die Gesundung unserer wirtschaftlichen und politischen Lage ist: der Währung, der Produktion, der Lohn- und Tariffrage.«[20]

Pechels Versprechen, daß sich alle »klar Denkenden« rücksichtslos auf die Seite der Arbeitgeber stellen würden – ihre Einstellung sei eine »zentrale« und sehe alle Probleme unter dem als richtig apostrophierten, »unverkrümmten Gesichtswinkel« –, resultiert eben vor allem aus der Verwandtschaft zu einer Ideologie, die in Unternehmerkreisen zunehmend an Boden gewann. Zwischen Ideengängen der Jung-Konservativen und Programmen der Arbeitgeberverbände fand sich bald ein gemeinsamer Nenner, der sich in der Forderung artikulierte, demokratische Willensbildung und Regelung des Wirtschaftsprozesses strikt voneinander zu unterscheiden. Dies wird in den Aufsätzen sichtbar, die »Der Arbeitgeber«, das Organ der Vereinigung der deutschen Arbeitgeberverbände, dem Problem der Verfassungs- und Gesellschaftsreform widmete.[21] Wenn die Schriften Spahns und diejenigen von Edgar Julius Jung in den Spalten dieser Zeitschrift als Ansätze zu einer »neuen Unternehmerideologie« gefeiert wurden,

[19] Schwierskott, Hans-Joachim: Moeller van den Bruck, a. a. O. S. 119.
[20] Rudolf Pechel: Die Arbeitgeber, in: Deutsche Rundschau, Band 197, 1923, S. 216.
[21] Vgl. dazu u. a. den Aufsatz von Georg Mehlis: Werte der Wirtschaft, in: Der Arbeitgeber, Nr. 2, 20. Jahrgang, Nr. 2 (15. 1. 1930), S. 28 ff.

so kann man darin nicht nur eine bloß subjektive Meinungsäußerung eines ständisch orientierten Autors sehen.[22] Vielmehr waren Publizisten der Ring-Bewegung und der Arbeitgeberverbände einmal mehr in der gemeinsamen Aversion gegenüber Parlamentarismus und Demokratie verbunden. Die Aufmerksamkeit, mit der sich das offizielle Organ der Arbeitgeber allen Konzeptionen widmete, die sich mit der Eindämmung demokratisch legitimierter Volksvertretungen beschäftigten, hat sich Rudolf Pechel besonders zunutze gemacht. Die Vereinigung der Deutschen Arbeitgeberverbände ließ ihn z. B. einmal wissen, daß er »mehrmals die Freundlichkeit gehabt habe, dem Arbeitgeberverband über verschiedene Organisationen Auskunft zu geben«.[23] Pechel selbst bietet dem »Arbeitsausschuß deutscher Verbände« seine Bereitschaft an, eine größere Anzahl von »Rundschau«-Heften zu erniedrigtem Preis zu verkaufen.[24] Offensichtlich haben sich weitreichende Kontakte zwischen Pechel und Arbeitgeber-Organisationen über Edgar Julius Jung ergeben, dessen Buch »Die Herrschaft der Minderwertigen« ausgesprochen positiv beurteilt wurde.[25] Dazu hat Heinrichsbauer berichtet, daß die Arbeiten und Bücher Jungs von der Ruhrindustrie finanziell gefördert worden sind.[26]

Der Hinweis zeigt, daß Gelder aus der Industrie in die Kassen Rudolf Pechels geflossen sind. Die Publikationen Jungs erschienen sämtlich im neugegründeten »Deutsche-Rundschau-Verlag«. Zeitweilig hat sogar der Plan bestanden, eine nationale wirtschaftliche Wochenschrift zu gründen. Das geht aus dem Briefwechsel zwischen Pechel und dem ehemaligen Reichskanzler Wilhelm Cuno hervor, der Direktor der Hapag und Aufsichtsratsvorsitzender der »Norddeutschen Buchdruckerei und Verlagsanstalt AG« gewesen ist.[27] Pechel hatte Cuno vorgeschlagen, ein neues Organ gegen die Blätter des bestehenden Stinnes- und Scherl-Verlages ins Leben zu rufen. Die geplante Wochenschrift sollte in ihrem wirtschaftlichen Teil Aufsätze veröffentlichen, in denen die Entwicklung der Wirtschaft »in schärfster Aufmerksamkeit« verfolgt werden und in denen Forderungen nach höheren »national-politisch und weltwirtschaftlich gesunden Gesichtspunkten« erhoben werden sollten. In einem vertraulichen Arbeitspapier hieß es dazu: »Die führenden deutschen Wirtschaftler müßten in eigenen Auf-

22 So die Meinung von Heinrich A. Winkler: Unternehmerverbände zwischen Ständeideologie und Nationalsozialismus, in: Vierteljahrshefte für Zeitgeschichte, 17. Jg. 1969, 4. Heft, S. 346.

23 Brief der Vereinigung deutscher Arbeitgeberverbände an Pechel, 18. 9. 1929, BA, Mappe 132.

24 Pechel an Draeger, Arbeitsausschuß Deutscher Verbände, 6. 2. 1926, BA, Mappe 133.

25 Jungs »Herrschaft der Minderwertigen« wurde im »Arbeitgeber« in einer Selbstrezension des Autors (Jg. 20/1930) und in einer positiven Besprechung durch Werner Wirths (Jg. 20/1930, Nr. 6) gewürdigt. Vgl. die Ausführungen über Edgar J. Jung an späterer Stelle der Darstellung.

26 Heinrichsbauer, August, Schwerindustrie und Politik, Essen 1948, S. 48.

27 Vgl. Klein, Fritz: Zur Vorbereitung der faschistischen Diktatur durch die deutche Großbourgeoisie, in: Zeitschrift für Geschichtswissenschaft, a. a. O. S. 872 ff.

sätzen und durch Interviews zu brennenden Fragen Stellung nehmen und für die Informationen wirtschaftlicher Art aus erster Hand an die Schriftleitung Sorge tragen.« [28]

Aus dem Projekt einer neuen Wirtschafts-Zeitschrift ist offensichtlich kein greifbares Ergebnis herausgekommen. Seit der Kontaktnahme zwischen Pechel und Cuno waren deren Beziehungen indes fest geknüpft. Der Industrielle vermittelte dem Publizisten einmal eine streng vertrauliche Liste von Adressen, die für das Februar-Heft der »Deutschen Rundschau« aus dem Jahre 1925 Interesse haben könnten. [29] Auf dem Höhepunkt der Krise um die Zeitschrift im Jahre 1932 schaltete sich wiederum der ehemalige Reichskanzler ein, um die Publikation Pechels im letzten Augenblick vor dem Konkurs zu bewahren. Alle diese Vorfälle, die sich leider nicht durch konkrete Zahlen komplettieren lassen, zeigen nachdrücklich auf, daß es ein enges Zusammenspiel zwischen Pechel und Repräsentanten der deutschen Wirtschaft gegeben hat.

c) Fusionspläne mit der Deutschen Akademie

Zu Pechels mannigfachen Versuchen, den neugegründeten Verlag auf eine solide finanzielle Basis zu stellen, kam bald ein weiteres Projekt hinzu. Mit der Konstituierung der »Deutschen Akademie« in München, die am 16. Juni 1924 erfolgte, ergab sich für den Herausgeber der »Deutschen Rundschau« eine neue Chance: es gelang ihm, seine Zeitschrift teilweise in den Dienst der neugegründeten Vereinigung zu stellen und somit deren Absatz weitgehend zu sichern. Dieser Übereinkunft gingen freilich endlose Streitigkeiten und Zerwürfnisse voraus.

aa) Ziele der Deutschen Akademie in München und Berlin

Im Juni-Heft des Jahres 1925 unterrichtete die »Deutsche Rundschau« in großer Aufmachung ihre Leser, daß in München soeben die »Akademie zur wissenschaftlichen Erforschung und zur Pflege des Deutschtums. Deutsche Akademie« gegründet worden sei. [30] Damit sei der Grundstein eines Planes gelegt worden, der für die Entwicklung des gesamtdeutschen Volkes von entscheidender Bedeutung werden könne. »Daß die Zeit der Not Männer fand, welche die Akademie schufen, soll uns als Zeichen der unzerstörbaren Kraft unseres Volkes gelten.« Dies Lob galt in erster Linie jenen Persönlichkeiten, mit denen Pechel zur damaligen Zeit in enger Verbindung stand: den Professoren Pfeilschifter, Haushofer und Oncken. Diesem Triumvirat war die Gründung der neuen Vereinigung weitgehend zu verdanken. Als Gegenstück zur französischen »Académie française« gedacht, sollte die Deutsche Akademie ein Zentrum aller Deutschtumsbestrebungen

28 Plan einer nationalen wirtschaftlichen Wochenschrift, BA, Mappe 38.
29 Brief Cuno an Pechel, 29. 1. 1925, BA, Mappe 53.
30 Die Deutsche Akademie, in: Deutsche Rundschau, 1925 Band 203, S. 299 f.

werden, sozusagen eine Nahtstelle, in der sich die geistige Erkenntnis betont nationalpolitisch ausgerichteter Gelehrter mit den praktischen Erfahrungen von Persönlichkeiten des öffentlichen Lebens verbinden sollte. [31] Im Prinzip ging es darum, die Erziehung des deutschen Volkes zu einer »kulturbewußten und kulturbefestigten Nation« anzustreben oder in der Umschreibung Pechels das deutsche Volk mit dem einzig gültigen »deutschen Geist« zu durchdringen. »Wenn es gelingt, ohne Abirrungen und Konzessionen den großen Gedanken durchzuführen – und dafür bürgen uns die leitenden Männer –, kann endlich der unselige Riß im deutschen Volke überwunden werden, der darauf beruht, daß die unio mystica zwischen wahrem Nationalgefühl und echter Geistigkeit in Deutschland bisher nicht vollzogen war.« [32] Gerade in der Zeit »tiefster Erniedrigung und schweren geistigen wie materiellen Elends« sei die Deutsche Akademie als ein »Produkt nationaler Selbstbesinnung, als ein Symbol und Fanal« gegründet worden, wie der Protokoll-Auszug der konstituierenden Sitzung vermerkte. [33] Gründungsmitglied Pfeilschifter hatte solcher Formulierung die unmißverständliche Forderung beigesteuert: »Nur eines verlangen wir von jedem, der mit uns und in unseren Reihen arbeiten will: ›Deutsch muß er sein, deutsch muß er fühlen, deutsch muß er denken und handeln.‹ In diesem Sinne wollen wir dem ganzen deutschen Volke dienen.« [34]

Die Vision eines derartigen »nationalen Aufbruchs« sollte durch verschiedene Institutionen realisiert werden. Für die Wiedervereinigung eines Deutschland mit »Weltgeltung«, das dem deutschen Genius die gebührende Teilnahme an der »Gestaltung der Welt« zurückerkämpfen wolle [35], war zunächst ein geistiges Repräsentantenhaus Großdeutschlands geplant. Darunter wurde der Zusammenschluß von Persönlichkeiten verstanden, die sich aus der deutschen Professorenschaft, aus Politik und Wirtschaft, sowie aus der zeitgenössischen Publizistik rekrutierten. Als Mitglied der einzelnen wissenschaftlichen Sektionen nennt das Protokoll etwa die Namen Friedrich Meinecke und Hermann Oncken für Geschichte, Konrad Burdach, Julius Petersen und Gustav Roethe für Sprache und Literatur, Philipp Halm und Wilhelm Pinder für Bildende Kunst und Musik, schließlich Rudolf Smend und Heinrich Triepel für Staats- und Wirtschaftskunde. [36] Während ein Senat gewissermaßen zentrales Repräsentantenhaus der neuen Vereinigung werden sollte, waren die einzelnen Lokal- und Ländergruppen als wichtige Bindeglieder zur Vertiefung des Akademie-Gedankens gedacht. Solch eine Zweigstelle, die gewöhnlich unter der Bezeichnung »Freundeskreis« figurierte, gab es bald in Berlin: am 16. Juni 1925 wurde dort eine »Gesellschaft der Berliner Freunde der ›Deutschen Akademie‹ ins Leben gerufen, deren

[31] Vgl. einen Zeitungsartikel von Franz Thierfelder, BA, Mappe 142.
[32] Die Deutsche Akademie, in: Deutsche Rundschau, a. a. O. ebenda.
[33] Protokollauszug der Sitzung vom 16. 6. 1924, BA, Mappe 147.
[34] Rede des Präsidenten Professor Pfeilschifter in München, BA, Mappe 142.
[35] So die Formulierung im Protokollauszug vom 16. 6. 1924.
[36] Aufstellung der Sektionsmitglieder für die Deutsche Akademie, BA, Mappe 147.

Präsidentschaft Edgar Julius Jung übernahm. Die Berliner Gründung war durch Pechel, Carl-Christian von Loesch und Regierungsrat Krahner-Möllenberg vorbereitet worden. In den Vorstand der neuen Vereinigung, die sich in ihrer Satzung zu einer Unterstützung der Ziele im Sinne der Münchener Akademie bekannte, wurde neben namhaften Persönlichkeiten wie Carl Bosch vom Industrie-Konzern IG Farben, Hans Grimm, Paul Reusch als Generaldirektor der Gute-Hoffnungs-Hütte, Ferdinand Sauerbruch und Generalmusikdirektor Hans Pfitzner natürlich Rudolf Pechel gewählt.[37] Die Zusammensetzung zeigt, daß sich für den Herausgeber der »Deutschen Rundschau« erneut günstige Möglichkeiten zu vielfältigen Kontakten ergaben. Eine Chance sah Pechel vor allem in der Intensivierung der Propaganda-Abteilung, die den Akademie-Gedanken innerhalb der Grenzen des Deutschen Reiches popularisieren sollte. War nicht die »Deutsche Rundschau« das geeignete Medium, um solche Pläne zu erfüllen? Es dauerte nicht lange, bis über diese Frage ausgedehnte Diskussionen geführt wurden.

bb) Die Zusammenarbeit zwischen »Deutscher Rundschau« und Deutscher Akademie

Pechels Überlegungen zielten darauf ab, die »Deutsche Rundschau« zum offiziösen Organ der Deutschen Akademie zu machen. Nach seinen eigenen Worten wollte er die Zusammenarbeit zwischen Akademie und seiner Zeitschrift so gestalten, daß eine bestimmte Seitenzahl der »Deutschen Rundschau« regelmäßig für wichtige Aufsätze und Mitteilungen zur Verfügung gestellt werden sollte.[38] Optimistisch hatte er seinen Lesern im Juni-Heft des Jahres 1925 versichert, daß man »bald und häufig auf die Arbeiten und Ziele der Deutschen Akademie zurückkommen« wolle.[39]

Solchen Plänen stellten sich freilich bald erste Widerstände entgegen. Pechel hatte eine Denkschrift ausgearbeitet, wonach die »Deutsche Rundschau« gewissermaßen ein Monopolrecht auf alle Beiträge der Deutschen Akademie erhalten sollte. Für die Bekanntgabe solcher Aufsätze hatte die Deutsche Akademie die Verbreitung der »Deutschen Rundschau« zu fördern und der Zeitschrift gleichzeitig eine finanzielle Unterstützung zu gewähren. Obwohl sich Pfeilschifter als Vorstandsmitglied der Deutschen Akademie solchen Vorstellungen aufgeschlossen zeigte, wurde das Vorhaben durch das Erscheinen eines Mitteilungsblattes der Münchener Akademie-Zentrale durchkreuzt. Um die Geldgeber der neuen Vereinigung von deren Wirken zu unterrichten, sollte ein kleines Mitteilungsblatt im Umfang von zwei Seiten im regelmäßigen Turnus an alle Mitglieder ergehen. Pechel erhob gegenüber solchen Plänen energisch Einspruch und drohte sogar, daß sich alle an der Akademie »ernsthaft interessierten Kreise« von derselben

37 Das ergibt sich aus der Korrespondenz über die Akademiegründung in Berlin, siehe BA, Mappe 142.
38 Pechel an Gerlich, 30. 10. 1925, BA, Mappe 62.
39 Die Deutsche Akademie, in: Deutsche Rundschau, a. a. O. ebenda.

abwenden würden, wenn dergleichen realisiert würde.[40] Pechels Hartnäckigkeit und seine engen freundschaftlichen Beziehungen zu Professor Karl Haushofer, der einer der Mitbegründer und Mitglied in der Sektion für Staats- und Wirtschaftskunde gewesen ist[41], haben schließlich zum Erfolg geführt. Am 29. Juli 1925 wurde ihm der Beschluß des Kleinen Rates der Akademie mitgeteilt, wonach eine lockere Zusammenarbeit vereinbart worden sei. »Es werden dem Herausgeber der ›Deutschen Rundschau‹ von Fall zu Fall geeignete Arbeiten zur Aufnahme in die ›Deutsche Rundschau‹ zwanglos überwiesen werden. Ferner wird beschlossen, soweit es uns möglich ist, die Verbreitung solcher Hefte, in denen Artikel über die Deutsche Akademie stehen, zu fördern. Bezüglich des Wunsches nach Lieferung von Rezensionsexemplaren teilen wir Dr. Pechel mit, daß wir auf die einzelnen Verleger keinen Zwang ausüben können.«[42]

Grundlage der Übereinkunft war eine Denkschrift, in der Pechel die Notwendigkeit einer Zusammenarbeit zwischen »Deutscher Rundschau« und Deutscher Akademie hervorgehoben hatte: da es im Interesse des gesamten Deutschtums liege, als Gegenstück zu den großen Revuen des Auslandes eine deutsche Zeitschrift von »großer Tradition und anerkannt gutem Ruf« zu unterstützen, müsse die Deutsche Akademie wichtige Aufsätze an die »Deutsche Rundschau« überweisen und deren Verbreitung »über die ganze Welt« fördern helfen.[43] Zu einer Zusammenarbeit in diesem Sinne ist es vor allem zwischen Pechel und dem Berliner Freundeskreis der Akademie gekommen. Das Mitteilungsblatt der Berliner Sektion warb für eine Verbreitung der »Deutschen Rundschau« mit den freundlichen Worten: »Wir gestatten uns, unsere Freunde auf die in der ›Deutschen Rundschau‹ erscheinenden Aufsätze besonders hinzuweisen. Die ›Deutsche Rundschau‹ arbeitet seit vielen Jahren in regelmäßigen Aufsätzen, neuerdings in enger Verbindung mit der Akademie zur wissenschaftlichen Erforschung und Pflege des Deutschtums, an der Vertiefung und Durchdringung des volksdeutschen Gedankens ... sie ist eine der führenden Zeitschriften in den Bestrebungen, die die Deutsche Akademie sich zu ihrem Ziel gesetzt hat.«[44]

Wieder einmal hatte Pechel seine Zeitschrift vor die Ziele einer Organisation gespannt, die nach seinen eigenen Worten »Kulturpropaganda im besten Sinne«[45] leisten wollte. Der Leser konnte fortan nicht mehr unterscheiden, unter welchen Intentionen die einzelnen Aufsätze in die Hefte der »Deutschen Rundschau« lanciert worden waren. Konnte er zum Beispiel wissen, daß es sich bei einer Abhandlung von Hermann Oncken über eine aktuelle Friedrich-List-Ausgabe um eine Veröffentlichung der Deutschen

40 Pechel an Chefredakteur Gerlich, 30. 10. 1925, BA, Mappe 62.
41 Vgl. Protokoll der konstituierenden Sitzung, a. a. O. ebenda.
42 Generalsekretär Ulrich Frey an Pechel, 29. 7. 1925, BA, Mappe 145.
43 Denkschrift Pechel über die Zusammenarbeit, BA, Mappe 145.
44 Mitteilung des Berliner Akademiekreises, Januar 1926, 1. Heft, S. 28, BA, Mappe 145.
45 In einem Brief an Ullmann, 5. 11. 1926, BA, Mappe 145.

Akademie handelte? Hatte er Kenntnis von jenen geheimen Bindungen, die den Akademie-Senator Rudolf Pechel mit seinen Vorstands-Kollegen aus dem »Arbeitsausschuß Deutscher Verbände«, dem »Reichsverband der Deutschen Industrie« oder der »Vereinigung deutscher Arbeitgeberverbände« verbunden haben? [46] Die Frage ist, in welchem Maße allgemein-verbindliche journalistische Kriterien dieser Einflußnahme geopfert worden sind. Pechels ständige Forderung an seine Mitarbeiter, wonach die »Deutsche Rundschau« nur Erstveröffentlichungen erwerben könne, war zum Beispiel durch den Vertragsabschluß mit der Deutschen Akademie in eklatanter Weise verletzt worden. Darüber hinaus wurde der Leser der »Deutschen Rundschau« nun erneut mit einer Organisation konfrontiert, um deren Unterstützung ständig geworben und auf deren Bedeutung fortwährend verwiesen wurde. Weit bedenklicher war indes jene zwiespältige Taktik, mit der Pechel bald der Herausforderung durch den Nationalsozialismus begegnen sollte. In dieser Frage hat es für den Nachfolger Rodenbergs zunächst keinen heroischen Widerstand und Heldenmut, sondern weit eher opportunistisches Anbiedern an die neuen Träger der Macht gegeben. Nicht zuletzt sind die soeben skizzierten organisatorischen Bindungen Ursache für die spätere Vernebelung des eigenen Standorts gewesen.

3. Pechels Kampf um die Erhaltung der Zeitschrift im Krisenjahr 1931

Trotz der bereits skizzierten finanziellen Verflechtungen zwischen dem neugegründeten Verlagsunternehmen und verschiedenen Gruppen aus Bürokratie, Wirtschaft und Wissenschaft stand die entscheidende Krise für die »Deutsche Rundschau« unter Pechel erst bevor. Die ersten Schwierigkeiten bahnten sich an, nachdem die notwendige Zeichnung des Gesellschafteranteils für den »Rundschau«-Verlag offensichtlich vernachlässigt worden war. Das geht aus einem ungehaltenen Brief Pechels an seinen Vertrauten Edgar Julius Jung hervor, aus dem sich erste Anzeichen einer akuten Finanzkrise herauslesen lassen: »Die IG-Farben-Sache ist nicht in Ordnung gegangen, wenigstens jetzt noch nicht. Nach der üblen Angewohnheit der Geldsäcke ist der entscheidende Mann nach St. Moritz gegangen, ohne sein leidiges Versprechen, die rechtzeitige Zahlung sicherzustellen, eingelöst zu haben. Über die Höhe sind wir immer noch im Dunkel. Es ist schon eine feine Brüderschaft.« [47] Dieser Stoßseufzer zu Beginn des Jahres 1927 wurde bald durch weit größere Kümmernisse abgelöst. Schweren Herzens muß Pechel zwei Jahre später seinem ständigen Mitarbeiter Albert Dresdner, der den »Rundschau«-Lesern einen regelmäßigen Überblick über die Entwicklung der Kunst vermittelte, die Mitteilung machen, daß man ihm künftig nur mehr vier Seiten der »Deutschen Rundschau« für einen rezen-

46 Mitglieder waren Hans Draeger, Geheimer Regierungsrat Kastl und Hauptmann Zengen.
47 Pechel an Edgar Julius Jung, 9. 2. 1927, BA, Mappe 71.

sierenden Überblick zur Verfügung stellen könne. Zwei Jahre später folgte diesen Ankündigungen bereits die Mitteilung, daß die Kunstberichte fortan ganz entfallen müßten; auch der Verfasser der ständigen »Technischen Rundschau«, Eugen Diesel, muß zu jener Zeit erfahren, daß seine Abhandlungen fortan nurmehr in zwei Heften eines ganzen »Rundschau«-Jahrgangs publiziert werden könnten.[48] Die Nachrichten wurden durch den Hinweis begründet, wonach die Zeitschrift »in einer nicht leichten Krise« stehe und gezwungen sei, Ersparnisse vorzunehmen. Während jener Zeit häufen sich die Klagen über die zunehmend ernster werdenden Schwierigkeiten. »Geschäftliche Sorgen nehmen mich und meine Kraft vollständig in Anspruch, und allen Bemühungen ist es leider nicht gelungen, hier eine entscheidende Änderung herbeizuführen, im Gegenteil sind neue Wolken aufgetaucht«[49], heißt es etwa in einem Brief an einen guten Freund Pechels. An einer anderen Stelle: »Leider senkt sich die wirtschaftliche Not sehr schwer gerade auf die Zeitschriften herab, und wir müssen auch mit dem Raum sparsam sein.«[50]

In diese Spanne, während der sich die Sorgen um die Weiterexistenz der »Deutschen Rundschau« in fast erschreckender Weise häufen, fallen zwei Stützungs-Aktionen, die in nachdrücklicher Weise die enge Verbindung zwischen Herausgeber und Leserschaft der »Deutschen Rundschau« offenbarten. Aus einer zufälligen Leserzuschrift, die von einem bis dahin Unbekannten mit Namen Eberhardt Georgii stammte, hatte sich eine Lösungsmöglichkeit angebahnt, die Pechel gewissermaßen als letzten Strohhalm ergriffen hat. Georgii hatte zur Rettung der Zeitschrift eine »Aktion der Freunde der ›Deutschen Rundschau‹« vorgeschlagen, mit deren Initiative die ersten Finanznöte überwunden werden sollten. Dazu hätte ein Aufruf prominenter deutscher Publizisten und Wissenschaftler unter Federführung von Rudolf Borchardt erlassen werden müssen, wonach die »Deutsche Rundschau« im voraus bis zum Jahre 1932 abonniert werden konnte. Das Projekt zerschlug sich offensichtlich, nachdem Borchardt keinerlei Interesse an solchen Plänen gezeigt hatte.[51] Der zweite Vorschlag aus dem Kreise der »Rundschau«-Leser rückte die kränkelnde Zeitschrift Pechels freilich in bedrohliche Nähe zu Publikationen der erstarkenden nationalsozialistischen Partei. Über Hans Prinzhorn, der gelegentlich als Autor in der »Deutschen Rundschau« hervorgetreten war, ergab sich die Chance einer Kontaktnahme mit dem Verlag Bruckmann, dessen Inhaber Hugo Bruckmann später von 1932 bis 1941 Mitglied der Reichstagsfraktion der nationalsozialistischen Partei gewesen ist.[52] Der Verlag, dessen Finanzlage von Prinzhorn als

[48] Brief Pechel an Dresdner, 29. 6. 1929 und 23. 3. 1931, BA, Mappe 55, Pechel an Diesel, 5. 5. 1931, BA, Mappe 55.
[49] Pechel an Georgii, 13. 9. 1930, BA, Mappe 61.
[50] Pechel an Pfarrer Dr. Laros, 2. 9. 1931, BA, Mappe 61.
[51] Vgl. den Briefwechsel zwischen Pechel und Georgii in BA, Mappe 61.
[52] Vgl. Stockhorst, Erich: Fünftausend Köpfe — wer war was im Dritten Reich? Velbert/Kettwig, 1967, S. 81.

»beneidenswert gut« geschildert wurde, plante zu jener Zeit die Herausgabe einer Zeitschrift mit betont nationalsozialistischer Programmatik. Prinzhorn schlug Pechel vor, die »Deutsche Rundschau« mit dieser geplanten Neugründung zu verschmelzen: offenbar hätten er und Pechel dann gemeinsam als Herausgeber einer neuen Zeitschrift fungiert.[53] Pechel hat auf dieses Angebot reichlich ausweichend geantwortet, obwohl er sein Interesse an einer möglichen Zusammenarbeit mit dem Bruckmann-Verlag nicht ausschloß. Zu jenem Zeitpunkt war indes bereits eine andere Lösung für die materielle Sicherstellung der »Deutschen Rundschau« gefunden worden.[54]

a) Die Finanzlage der »Deutschen Rundschau« im Jahre 1931

Pechel selbst hat die Zukunft seiner eigenen materiellen Existenz und das Fortbestehen der Zeitschrift im Juli 1931 als »außerordentlich ernst« bezeichnet. Tatsächlich scheint in jenen Monaten die Gefahr vorhanden gewesen zu sein, daß die traditionsreiche Publikation für alle Zeit vom Zeitschriftenmarkt verschwinden würde. Aus den vorhandenen Aufzeichnungen lassen sich folgende Einzelheiten zur damaligen Finanzlage rekonstruieren: Offensichtlich hatte sich die »Deutsche Rundschau« mit einer Auflage von etwa 3000 Exemplaren zu keinem Zeitpunkt allein durch Einzelverkauf und Abonnement erhalten können, sondern stets waren Subventionen von dritter Stelle erforderlich gewesen. Derlei Unterstützungen waren im Zeichen der allgemeinen Wirtschaftskise, die nicht nur das deutsche Verlagswesen erfaßt hatte, reduziert oder sogar eingestellt worden. Zugleich ging der Buchverkauf aus dem ohnehin materiell ungesicherten Verlagsunternehmen zurück. Im Juli 1931 stand Pechel darüber hinaus vor dem Zwang, einen größeren Kredit ohne längeren Aufschub zurückzahlen zu müssen.[55] An dieser Situation war gewiß paradox, daß die Zeitschrift internen Auskünften zufolge in einem Zeitraum von acht Monaten ihren Abonnentenkreis um etwa vierhundert Bezieher hatte vergrößern können. Daran knüpfte sich die Hoffnung, daß man bei genügender Propaganda die »Deutsche Rundschau« doch noch auf solide materielle Füße würde stellen können. Tatsächlich hatte die Zeitschrift Pechels im Sog der nationalsozialistischen Wahlerfolge in Reich und Ländern Auflagenzuwachs verbuchen können und dieser Aufschwung verführte zu gelindem Optimismus: für Abonnentenwerbung, Tilgung der drückendsten Schulden und zur Fortführung des Betriebes bis Ende 1933 – dieses Datum wurde nach vorsichtiger Schätzung als der Zeitpunkt fixiert, wo sich die Zeitschrift aus eigener Kraft erhalten könne – erwies sich die Summe von etwa 75 000 bis 100 000 Mark als notwendig.[56]

53 Brief Hans Prinzhorn an Pechel, 5. 4. 1932, BA, Mappe 90.
54 Vgl. den Brief Pechels an Prinzhorn, 8. 4. 1932, BA, Mappe 90.
55 Das ergibt sich aus einem längeren Brief des Pechel-Mitarbeiters Kaus an Georgii, 6. 8. 1931, BA, Mappe 61.
56 Kaus an Georgii.

Pechel hat zunächst daran geglaubt, diese Summe durch eine solidarische Aktion aller Freunde aufbringen zu können. Er hat ernsthaft darüber diskutiert, ob man über die Einzahlung kleinerer Summen zwischen hundert und hundertfünfzig Mark die ärgste Not würde lindern können.[57] Gute Freunde ließ er in aller Offenheit wissen: »Mit der ›Deutschen Rundschau‹ liegt es so, daß auch kleinere Beträge aus dem Kreise unserer Freunde entscheidend mithelfen könnten, die akute Krise zu überwinden, nach deren Überwindung die Arbeit langfristig sichergestellt wäre.«[58] Die Aktion ist gewiß nicht zuletzt an der langwierigen organisatorischen Vorbereitung gescheitert, die erneut Kosten verursacht hätte. Im Juli 1931 war entscheidend, daß ein Kredit in der Höhe von 12 000 bis 15 000 Reichsmark über die schlimmsten Nöte hinweghalf. In jener Lage kamen Pechel nochmals Freunde aus der deutschen Industrie zu Hilfe.

b) Die Übernahme der Zeitschrift in die Norddeutsche Buchdruckerei und Verlagsanstalt (1932)

Daß die »Katastrophe« – wie Pechel den drohenden Konkurs genannt hat[59] – doch noch abgewendet werden konnte, ist vor allem nächsten Freunden zu verdanken. Offensichtlich auf Zureden von Fritz Klein, der später Herausgeber der »Deutschen Zukunft« zusammen mit Paul Fechter gewesen ist und mit diesem aus gemeinsamer Arbeit bei der »Deutschen Allgemeinen Zeitung« verbunden war, kam eine Begegnung mit den Finanziers der »Deutschen Allgemeinen Zeitung« zustande.[60] Besitzer der »DAZ« war ein Konsortium aus Vertretern der Eisenindustrie (Vögler, Springorum, Silverberg, Brandi), der Schiffahrt (Hapag-Direktor und Ex-Reichskanzler Cuno) und einiger Banken (Rechtsanwalt W. Bernhard, Direktor der Danat- später der Dresdner Bank). Die Aktien der »Norddeutschen Buchdruckerei und Verlagsanstalt-AG«, von der die »DAZ« betrieben wurde, waren unter diesen Interessengruppen im Verhältnis 70:12:18 aufgeteilt, Vorsitzender des Aufsichtsrats war Cuno. Als Beauftragter der stärksten Gruppe, der Industrie, gegenüber der Redaktion und als Verbindungsmann zwischen beiden, fungierte Dr. Brandi, Vorstandsmitglied der Vereinigten Stahlwerke und Vorsitzender des Bergbaulichen Vereins, der als einer der mächtigsten und reaktionärsten Unternehmerverbände der Weimarer Republik geschildert worden ist.[61]

Die entscheidende Wende in der Krise um die »Deutsche Rundschau« ist offensichtlich von Fritz Klein herbeigeführt worden; dieser vermittelte am 27. Dezember 1931 die ersten Kontakte zwischen Pechel und Brandi.[62]

57 Kaus, ebenda.
58 Pechel an Prof. Schultze-Neuenburg, 26. 9. 1931, BA, Mappe 42.
59 In einem Brief an Theodor Beye, 6. 10. 1931, BA, Mappe 32.
60 So Paul Fechter in seiner Erinnerung an die erste Begegnung mit Eugen Diesel, in: Menschen auf meinen Wegen, a. a. O. S. 106.
61 Fritz Klein: Zur Vorbereitung der faschistischen Diktatur, a. a. O. S. 890.
62 Siehe Briefwechsel zwischen Pechel und Jung, BA, Mappe 78.

Wie Pechel seinem Freund Edgar Julius Jung bereits im Oktober 1931 mitteilte, stieß die Vermittlungsaktion Brandis bei dessen Vertrauensleuten zunächst auf Schwierigkeiten. Offensichtlich zeigten sie keine Neigung, das stark verschuldete Unternehmen für die nächste Zeit zu übernehmen. Dennoch erhielt der Herausgeber der »Deutschen Rundschau« am 24. Dezember 1931 die Nachricht, daß der Aufsichtsrat der Norddeutschen Buchdruckerei und Verlagsanstalt einer Übernahme der Verlagsanteile zugestimmt habe. Die notarielle Übereignung erfolgte am 28. Januar 1932. Pechel ließ Edgar Julius Jung einen Tag später wissen, daß man nunmehr hoffen könne, »auf einigermaßen sicheren Füßen zu stehen«.[63] Die Nachricht über die Weiterexistenz seiner geliebten Zeitschrift nannte Pechel in einem Brief an Walter Bernhard »die berufliche und menschliche Entscheidung für mein Leben« und verspricht diesem, alles daranzusetzen, um das erwiesene Vertrauen durch »Arbeitsleistung zu rechtfertigen«.[64]

In die Aktion zur Rettung der »Deutschen Rundschau« hatten sich neben DAZ-Redakteur Fritz Klein zwei prominente Persönlichkeiten eingeschaltet. Pechel dankt kurz nach der notariellen Übereignung dem ehemaligen Reichskanzler Cuno für dessen »gütiges und tatkräftiges Interesse« und verspricht auch diesem, das geschenkte Vertrauen durch »erhöhte Arbeitsleistung« zu rechtfertigen.[65] Gleichzeitig dankt er dem ehemaligen Reichskanzler Brüning für dessen »entscheidendes Eingreifen in schwerer Stunde der ›Deutschen Rundschau‹« und weiß dessen politische Leistung während der vergangenen Kanzlerschaft mit warmen Worten zu rühmen.[66] Die Frage ist, welche Bindungen Pechel bei dieser Transaktion eingegangen ist und welches Interesse seine Gönner gehabt haben, die »Deutsche Rundschau« in letzter Minute vor dem Konkurs zu bewahren. Tatsächlich war Pechel längst nicht mehr die entscheidende Instanz in Redaktion und Verlag geblieben. Der Vertrag, wie er ein Jahr später am 17. Mai 1933 zwischen Pechel und der Norddeutschen Verlagsanstalt endgültig konzipiert wurde, gewährte Pechel ein Vorkaufsrecht für den Verlag »Deutsche Rundschau GmbH«, falls die Norddeutsche Buchdruckerei und Verlagsanstalt das Unternehmen nicht mehr fortzuführen beabsichtige. Solange die »Deutsche Rundschau GmbH« ein Zuschußunternehmen war, hatte man den Verlagswert mit Null angesetzt. Als weiteres Zugeständnis war durch Pechel ausgehandelt worden, daß eine etwaige Nichtweiterführung der »Deutschen Rundschau GmbH« mit vierteljährlicher Kündigung zum Quartalsletzten bekanntgegeben werden mußte.[67]

Ohne Zweifel war dem Nachfolger Rodenbergs nurmehr ein geringes Maß von Rechten an dem Verlags-Unternehmen geblieben, das er vor kaum sieben Jahren noch mit viel Optimismus gegründet hatte. Hinzu kamen

63 Pechel an Jung, 29. 1. 1932, BA, Mappe 78.
64 Pechel an Walter Bernhard, BA, Mappe 49.
65 Pechel an Cuno, 28. 1. 1923, BA, Mappe 53.
66 Pechel an Brüning, 3. 6. 1932, BA, Mappe 51.
67 Brief Pechel an Carl Haensel, 21. 9. 1933.

jene Demütigungen, die gewiß jeder Publizist empfindet, wenn er sich vor kühl kalkulierenden Geldgebern zu verantworten hat. Die Transaktion der Verlagsanteile war im Jahre 1932 an die Bedingung geknüpft worden, daß die Zeitschrift eine möglichst steigende Auflage verzeichnen könne. »Wir brauchen dringend eine Erhöhung der Auflage und sind hierbei auf die Unterstützung unserer Freunde sehr angewiesen« [68], heißt es in den zahlreichen besorgt klingenden Briefen aus jener Zeit. Offensichtlich hatte bei den Geldgebern Übereinstimmung in der Frage bestanden, daß für eine solche Auflagensteigerung eine innere Umgestaltung der Zeitschrift notwendig sei. Dies geht eindeutig aus dem Versprechen gegenüber Brandi hervor, wonach sich Pechel auf eine »nochmalige Unterhaltung über die innere Ausgestaltung der ›Deutschen Rundschau‹« vorbereiten werde. [69] Solchen Zusagen kam bald das devote Bekenntnis hinzu: »Ich hoffe, Ihnen über die innere Ausgestaltung der ›Deutschen Rundschau‹ Vortrag halten zu können.« [70] Die Vermutung ist begründet, daß man dem wenig erfolgreichen Herausgeber eine reelle redaktionelle Änderung gar nicht mehr zugetraut hat; denn der Chefredakteur der »Deutschen Allgemeinen Zeitung«, Hans Human, hatte die Detailkritik an der Zeitschrift Pechels übernommen. Weil es »in absehbarer Zeit zum Schwur kommen werde« und er sich »bei den Besitzern für die ›Rundschau‹« einzusetzen habe — so schrieb Human wörtlich — müsse er Pechel grundlegende Vorschläge für eine redaktionelle Änderung machen. »Den Bezieher-Kreis einer Zeitschrift, wie das vorliegende März-Heft, zu steigern, halte ich heutigentags und auf normalen Wegen für unmöglich! Der geistige und seelische Zustand unserer Kreise verlangt nach ganz überwiegend anderer Kost! . . . Weniger Politik, dafür mehr Leute, die sie zu sich nehmen! Man locke den mühselig und beladenen Zeitgenossen mit anderer Speise!« [71]

Humans Vorschläge liefen im Prinzip auf eine grundlegende innere Umgestaltung der Zeitschrift hinaus: dem Zeitungsjournalisten mißfiel die fehlende Aktualität mancher Beiträge, die angebliche Schwerfälligkeit zahlreicher Abhandlungen, die ständige Begrenzung auf ein dominierendes Thema. Er schlug Pechel vor, die Zeitschrift derart umzustellen, daß lediglich zwei Aufsätze ein gewichtiges Thema aus Kultur und Politik behandeln sollten und die anderen Beiträge auf die Unterhaltung des Lesers abzielten. »Was dann kommt, muß voller Leben und Substanz sein, fesselnd und lebendig dargestellt, zum angenehmen Schlucken, nicht zum Zergrübeln, muß ablenken vom domestikalen Alltag und zugleich sättigen . . . Wann war die Welt so bunt wie heute?« [72] Kein Zweifel, daß mit dieser Kritik noch einmal eine entscheidende Wende in der Geschichte der Zeitschrift verbunden war. Gewiß auf Betreiben Humans wurde die endgültige Einigung

68 Pechel an Gerhard Bückling, 4. 2. 1932, BA, Mappe 2.
69 Brandi an Pechel, 26. 2. 1932.
70 Pechel an Brandi, 20. 2. 1932, BA, Mappe 2.
71 Hans Human an Pechel, 9. 3. 1933, BA, Mappe 74.
72 Human an Pechel, a. a. O. ebenda.

am 17. Mai 1933 an die Bedingung einer erweiterten Herausgeberschaft geknüpft. Die Ära Pechel ging zu Ende – fortan standen neben ihm die Kollegen Paul Fechter und Eugen Diesel auf der Kommandobrücke. Eine grundlegende innere Umgestaltung der einzelnen »Rundschau«-Hefte war die Folge.

4. *Die Erweiterung der Herausgeberschaft auf Paul Fechter und Eugen Diesel (1933/34)*

Im Mai 1933 erscheint die »Deutsche Rundschau« zum ersten Mal mit dem redaktionellen Hinweis: »Herausgegeben von Rudolf Pechel gemeinsam mit Paul Fechter«. Sieben Monate später wird diese Herausgeberschaft auf Eugen Diesel erweitert.[73] Zugleich wird die Zeitschrift in das Bibliographische Institut AG, Leipzig, überführt. Hinter dieser Verlagsgesellschaft muß man ein Tochterunternehmen der DAZ-Finanzgruppe vermuten; denn der Verlagswechsel von Berlin nach Leipzig ist ohne vorherige Vertrags- oder Finanzierungsgespräche vonstatten gegangen. Einmal mehr zeigt diese Veränderung auf, wie einflußlos Pechel gegenüber seinem früheren Verlagsunternehmen geworden war. Denn fortan bestimmten seine Geldgeber, in welcher Weise die »Deutsche Rundschau« in ihrer Auflagenentwicklung gesteigert werden sollte. Die Vermutung ist begründet, daß für den Wechsel nach Leipzig hauptsächlich technische Probleme verantwortlich waren: das Bibliographische Institut verfügte über ein großes Sortiment von Kartenmaterial und Paul Fechter skizzierte sein neues Betätigungsfeld denn auch mit den Worten: »Ich sehe uns in dem großen Verlagszimmer ... am Täubchenweg, wo das Bibliographische Institut mit seiner unheimlichen Steinzeitbibliothek hauste. Über 20 000 Lithographensteine mit Landkartenbezeichnungen von allen Herren Ländern standen da auf festen Regalen im Keller. Es war wohl die ›schwerste‹ Bibliothek, die ich je gesehen hatte. Uns paßte sie vortrefflich in den Kram. Wir konnten die ›Rundschau‹ nach Belieben mit Karten ausstatten, was nicht wenig zur ihrer Verbreitung beitrug. Namentlich Eugen Diesel ... griff gern nach diesen anschaulichen Erdbildern; ich sehe ihn noch dort oben sitzen und mit seinen ruhigen ordnenden Handbewegungen bei der Auswahl der Karten pro und contra abwägen.«[74]

Tatsächlich hat die »Deutsche Rundschau« in jener Zeit unter dem Einfluß des aus der Zeitungsbranche herübergewechselten Paul Fechter ihr Gesicht grundlegend geändert. Fortan sollten ein neues Satzbild mit aufgelockerter Aufmachung, Fotos und Kartenskizzen die Auflage steigern helfen. Dem Leser wurden solche Motive freilich vorenthalten. Stattdessen hieß es in

73 Am 1. Januar 1934.

74 Paul Fechter: Menschen und Zeiten, a. a. O. S. 107. Das Bibliographische Institut übernahm nach Fechters Hinweis zugleich die von ihm und Fritz Klein herausgegebene »Deutsche Zukunft«.

Pechels Begründung für die veränderte Herausgeberschaft seiner Zeitschrift, wie er sie im April-Heft 1933 nach dem Amtsantritt Fechters offerierte: »Die gegenwärtige Zeit erfordert nicht nur die Zusammenfassung aller nationalen Kräfte, sondern auch die Sichtbarmachung geistiger Fronten. Aus diesen Gründen haben wir uns entschlossen, den Namen von Dr. Paul Fechter als Mitherausgeber auf das Titelblatt unserer Zeitschrift zu setzen. Wir sind sicher, die volle Zustimmung unserer Leser für diesen Schritt zu finden, der für die Zeitschrift und damit für unsere Leser eine Bereicherung bedeutet.« [75]

Für die Leser der »Deutschen Rundschau« war Paul Fechter gewiß kein Unbekannter mehr. Durch lange Freundschaft mit Pechel verbunden, den er schon aus den ersten gemeinsamen Tagen von Montagstisch und Juniklub kannte, war im Jahre 1923 die erste Abhandlung aus seiner Feder in der Zeitschrift Pechels erschienen. [76] Fechter wurde 1880 geboren, hatte nach dem Gymnasium die Technische Hochschule in Dresden besucht – dort hatte er Mathematik studiert – und 1905 sein Studium in Erlangen mit einer Dissertation über ein philosophisches Thema abgeschlossen. Frühzeitig schrieb er seine ersten Aufsätze für Zeitungen und Zeitschriften: zunächst bei den »Dresdner Neuesten Nachrichten«, wo er bis 1910 das Feuilleton leitete, dann bis 1914 bei der alten und später auch bei der vom Hause Ullstein übernommenen »Vossischen Zeitung«, während er nach dem Kriege zum Chef des Feuilletons der »Deutschen Allgemeinen Zeitung« avancierte. Pechel rühmte ihn als einen der wenigen, die an »der Hebung der bedenklich gesunkenen Indexziffer deutscher Bildung« entschiedenden Anteil gehabt hätten. »Ihm danken wir es, daß der wahre deutsche Geist aus der Verteidigungslinie aufgebrochen ist und seine Feldzeichen vorträgt in vom Ungeist besetztes Gebiet.« [77] Wie sich aus dem umfangreichen Briefwechsel zwischen Pechel und Fechter ergibt, hat die Freundschaft zwischen beiden Berufskollegen lange angehalten und wurde erst in der Zeit des publizistischen Widerstands ernsthaft getrübt. [78] Gewiß hat Pechel von Fechters praktischer journalistischer Erfahrung profitiert, und die Auflagensteigerung der »Deutschen Rundschau«, wie sie ab 1933 zu registrieren war, ist wohl zu einem beträchtlichen Teil auf die Fähigkeiten Fechters zurückzuführen.

75 Leserankündigung im April-Heft der Deutschen Rundschau, 1933.
76 Fechter, Paul: Goethes Sehen, in: Deutsche Rundschau, April 1923, S. 52. Vgl. auch die folgenden Beiträge: Hermann Stehr zum 60. Geburtstag, in: Deutsche Rundschau, Februar 1924. Literatur auf Bestellung, in: Deutsche Rundschau, Februar 1925, »Kunst, Können und Handwerk«, in: Deutsche Rundschau, August 1926, »Friedrich Nietzsche«, in: Deutsche Rundschau, November 1927. »Albrecht Dürer«, in: Deutsche Rundschau, Februar 1928. »Der amerikanische Raum«, in: Deutsche Rundschau, April 1929. »Gestalten und Darsteller – Versuch einer Rollenreportage«, in: Deutsche Rundschau, ab Oktober 1929. Heinrich Goesch, in: Deutsche Rundschau, Mai 1930, Knut Hamsun, in: Deutsche Rundschau, August 1929. Weiteres siehe die späteren Ausführungen.
77 Manuskript von Rudolf Pechel zu Fechters 50. Geburtstag im Jahre 1930, BA, Mappe 59.
78 Vgl. dafür den Briefwechsel im BA, Mappe 59.

Jedenfalls zögerte Pechel nicht, dem neuen Mitherausgeber Lob für dessen journalistische Begabung auszusprechen.[79]

Weit weniger bekannt als Fechter war Eugen Diesel, als er 1934 die Mitherausgeberschaft der »Deutschen Rundschau« übernahm: seit dem 1. Oktober 1929 hatte er zwar viermal jährlich die Redaktion der »Technischen Rundschau« übernommen – eine Rubrik vorwiegend mit komplizierter technischer Thematik –, aber diese Abhandlungen sind wenig später schon auf zwei Aufsätze im Jahr reduziert worden.[80] Als jüngster Sohn Rudolf Diesels, der den nach ihm benannten Motor erfunden hatte, war er 1889 in Paris geboren worden. Nach unbekannt gebliebenen Erstlingswerken aus Lyrik, Dramatik und Prosa erwuchs er später zum »Philosophen der Technik«, wie der Freund Fechter Diesels Neigung zur Interpretation technischer Themen umschrieb. Vermutlich sind Diesels gute Kontakte zur deutschen Industrie ausschlaggebend für den Wechsel zur »Deutschen Rundschau« gewesen. Tatsächlich wirkt seine Biographie im Vergleich zu den wechselvollen Lebensläufen Pechels und Fechters äußerst blaß – ein ideenvoller, mit journalistischer Phantasie ausgestatteter Neuerer war er nach seinem bisherigen Werdegang gewiß nicht.

79 Siehe zahlreiche Briefe an Fechter seit 1930, BA, Mappe 59.
80 Vgl. den Aufsatz in der Deutschen Rundschau, Dezember-Heft, 1928: »Über die Grenze zwischen Kunst und Technik.«

E. PECHELS RUF NACH EINER KONSERVATIVEN SAMMLUNGSBEWEGUNG IN DEUTSCHLAND (1925–1933)

Die abschließende Untersuchung der Publizistik Rudolf Pechels, wie sie für die Zeit von 1925–1933 vorgenommen werden soll, wird in die Frage nach Pechels Verhalten gegenüber dem Nationalsozialismus einmünden: hat der Herausgeber der »Deutschen Rundschau« den Nationalsozialismus verteidigt? Wurde er im Entscheidungskampf um die Führung der deutschen Revolution von der nationalsozialistischen Partei besiegt oder läßt sich seine Kritik an den neuen Trägern der Macht bereits als publizistischer Widerstand interpretieren? [1] Eine Antwort darauf wird verschiedene Voraussetzungen in die Überlegung einbeziehen müssen. Die Verbindung von praktischer Politik und publizistischer Ansprache, wie sie sich an der Person Pechels feststellen ließ, wird ab 1925 immer deutlicher spürbar. Immer stärker zeigt sich bei dem Nachfolger Rodenbergs die Neigung, aktiv handelnd in die politische Auseinandersetzung einzugreifen, nach Verbündeten zu suchen und seine Zeitschrift in den Dienst solcher Aktivitäten zu spannen.

Pechels Ruf nach einer konservativen Sammlungsbewegung in Deutschland, wie er ab 1925 entschiedener ertönt, erweist sich somit als Konsequenz jener verborgenen Absichten, die auf politische Einflußnahme zielten. Erst die Analyse seiner praktisch-politischen und publizistischen Intentionen kann eine Antwort auf die Frage geben, ob Pechel angesichts der entscheidenden Probe im Jahre 1933 versagte oder ob er sich im persönlichen Widerstand bewährte. Darüber hinaus ist die Feststellung bedeutsam, in welcher Weise Pechel die bevorstehenden Krisen des Parteienstaats Weimarer Prägung für die eigenen Zwecke interpretierte und auszunutzen verstand. Der Kampf der Jung-Konservativen gegen den als verderblich apostrophierten Parteienstaat wurde fortan zwar weit realistischer, dafür aber umso härter und unnachgiebiger geführt. An seiner Spitze stand Rudolf Pechel, assistiert von politischen Gesinnungsgenossen aus dem Umkreis der Motzstraße, allen voran die Freunde Karl Haushofer und Edgar Julius Jung. Ihre Zielsetzung war zugleich Teil jenes jung-konservativen Erneuerungsversuchs, der seit seinem Entstehen drei entscheidende Phasen durchlief. Einer Zeit der »Klärung und des Sichzurechtfindens«, während der er unter der Ägide Moeller van den Brucks die ideologische Grundlegung erfuhr, folgte ein Abschnitt der Stagnation, der mit der zeitweisen Stabilisierung der Weimarer Republik in den Jahren von 1924 bis 1928 parallel

[1] Siehe Pechels eigene Schlußfolgerung in seinem Buch Zwischen den Zeilen, Der Kampf einer Zeitschrift für Freiheit und Recht, 1932–1942, Würzburg 1948, S. 25 ff. Vgl. seine flüchtige Situationsanalyse des Jahres 1932 in dem Buch »Deutscher Widerstand«, Erlenbach-Zürich 1947, S. 15.

verlief. Der Beginn der Krise 1929 war der Moment, in dem die bis dahin latent vorhandene jung-konservative Strömung in Verbindung mit anderen nationalistischen Bestrebungen neu ans Licht trat und durch eine Vielzahl ideologischer Literatur das Feld der öffentlichen Meinung mit einer Unmenge von Organisationen und politischen Querverbindungen das politische Leben zu beherrschen begann. Die Hoffnungen der Jung-Konservativen auf eine Überwindung des parlamentarischen Staates, ihre zuweilen dilettantenhaft anmutenden Oppositionsversuche außerhalb der Verfassung und neben den Parteien haben der Spätphase der Weimarer Republik so recht eigentlich ihr Gepräge gegeben. [2] Nicht zuletzt Rudolf Pechel beteiligte sich an jenem Versuch, die frühe Vision eines neuen großdeutschen Staates wirksam zu begründen.

[2] Vgl. die Einleitung bei Erasmus Jonas: Die Volkskonservativen 1928—1933, Entwicklung, Struktur, Standort und staatspolitische Zielsetzung, Diss. Kiel 1961, S. 2.

I. Eigene Pläne im Kampf um die Macht

Pechels Pläne im Kampf um die Macht sind in ihrem anfänglichen Stadium durch einen Widerspruch charakterisiert: nach wie vor war der Herausgeber der »Deutschen Rundschau« der Meinung, daß man nicht über eine Partei eine Änderung der politischen Verhältnisse erreichen könne. Bei jeder Partei sah er »die gleichen Begrenztheiten des Denkens und der Anschauung« und bekannte mit aller Offenheit, daß ihm parteipolitisches Denken ein »unverstandener Begriff« sei.[3] Solcher Einsicht stand indes die Notwendigkeit gegenüber, den ständig wiederkehrenden Gedanken einer Sammlung aller nationalen Kräfte auch praktisch realisieren zu müssen. Welche Organisationsform sollte man dafür wählen? Diese Frage rührte erneut an das Selbstverständnis der jung-konservativen Bewegung, die sich bis dahin um eine organisatorische Basis kaum bemüht hatte. Jene Ratlosigkeit hat Pechel auf zweierlei Art und Weise überwunden: deutlich läßt sich bei ihm ab 1925 ein gesteigertes Interesse an dem Vorgehen der Deutschnationalen Volkspartei erkennen, die bis dahin zum Auffangbecken zahlreicher Spielarten des konservativen Gedankens – von Deutsch- und Freikonservativen, Völkischen bis hin zu Christlich-Sozialen und sogar Alldeutschen – geworden war.[4] Zwar bemängelte er stets die »Unklarheit der deutschnationalen Fraktion« in wichtigen außenpolitischen Fragen, und er bedauerte die innerfraktionellen Gegensätze, die eine starke Führung verhinderten,[5] aber gerade diese Uneinigkeit im deutschnationalen Lager schien ihm erst die Chance zur politischen Einflußnahme zu eröffnen. Zum Mittelsmann für seine Pläne wurde der Hauptgeschäftsführer und spätere Politische Beauftragte der DNVP, Hans Erdmann von Lindeiner-Wildau, der sich besonders um die Organisation der »Deutschnationalen Schriftenvertriebsstelle« (ein Ergänzungs-Unternehmen zum Hugenberg-Konzern) bemühte.[6] Zwischen Lindeiner-Wildau und Pechel bestand offensichtlich Einigkeit darüber, daß der Versuch zu einer konservativen Umgestaltung von Staat und Gesellschaft auf herkömmlichem parlamentarischem Wege nicht möglich sei; vielmehr habe dies auf außerparlamentarischem Wege mit Hilfe gezielter Propaganda zu geschehen. Diese Übereinstimmung dokumentiert ein Brief, der sich detailliert mit der Zielsetzung jener Jahre beschäftigt. »Zunächst liegt mir daran, von unseren Plänen alles fernzuhalten, was nach Organisation, Verein, Vorstand usw. aussieht. Je zwangloser wir zusammenarbeiten, desto elastischer wird unsere

3 Siehe Brief an Rosi, 3. 11. 1925, BA, Mappe 40.

4 Vgl. Bracher, Karl-Dietrich: Die Auflösung der Weimarer Republik, a. a. O. S. 83 ff., und Neumann, Siegmund: Die Parteien der Weimarer Republik, Stuttgart 1965, S. 61 ff.

5 Brief Pechel an Fritz Gerlich, 10. 7. 1925, BA, Mappe 62.

6 Vgl. die Einzelheiten bei Werner Liebe: Die Deutschnationale Volkspartei 1918 bis 1924, Düsseldorf 1956, S. 47.

Arbeit sein. Weiter sehe ich die Stärke unserer Bewegung gerade darin, daß wir völlig aus eigenem Antrieb ohne irgendwelche personellen und wirtschaftlichen Abhängigkeiten arbeiten wollen. Wir sollten Wert darauf legen, daß das Bild dieser Unabhängigkeit in keiner Weise getrübt wird. Was später wird, wenn wir uns einmal durchgesetzt haben, ist eine andere Sache.«[7] Im Prinzip entsprach dieses Konzept eines locker organisierten, auf die Initiative einzelner Persönlichkeiten vertrauenden Zusammenschlusses jenen Vorstellungen, wie sie zu Beginn der Weimarer Republik im Umkreis der Motzstraße diskutiert worden waren. Neu daran war die Tatsache, daß sie von einem führenden Parteifunktionär geäußert wurden, der sich gewiß auf einen Kreis von Gleichgesinnten berufen konnte. Tatsächlich schien die Stunde der Jungkonservativen gekommen zu sein, als im Jahre 1929 die Deutschnationale Volkspartei über der Kampagne zum Young-Plan auseinanderbrach. Die neugegründete Volkskonservative Vereinigung erwies sich als Ausdruck jener Parteienverdrossenheit, die in den Zeugnissen Pechels und Lindeiners bereits angeklungen war.[8]

Im Ideologien-Konglomerat dieser Vereinigung läßt sich indes ein Strang analysieren, der unmittelbar auf die damalige Vorstellungswelt Rudolf Pechels zurückzuführen ist: bei der Gründung der »Volkskonservativen Vereinigung« im Januar 1930 hatte die Namensfrage zu den strittigen Punkten gehört. Zu den zahlreichen Vorschlägen, die damals unterbreitet wurden, hatte Edgar Julius Jung den Gedanken beigesteuert, man solle den neuen Zusammenschluß mit den Attributen »konservativ-revolutionär« bezeichnen.[9] In dieser Forderung Jungs kam eine politische Zielsetzung zum Ausdruck, die ihn und seinen Freund Rudolf Pechel in der Vergangenheit ausgiebig beschäftigt hatte, nämlich der Gedanke eines großen nationalrevolutionären Kreises, der unmittelbar an die Gedankenwelt Moeller van den Brucks anzuknüpfen und dessen Ideologie praktisch zu realisieren suchte. Besonders Jung hatte Pechel ständig mit der Frage konfrontiert, wie politische Machtbildung erreicht werden könne. Für Jung, dem Pechel bald seine Zeitschrift für dessen publizistische Angriffe öffnen sollte, war die Erringung politischer Macht nur über die große publizistische Aktion zu bewerkstelligen. »Wenn wir in zündenden Parolen ... an die breitere Öffentlichkeit treten und mit aktivistischem Pathos um Zustimmung werben und Gleichgesinnte in straffen Formen um uns scharen. Ich nenne diese Linie die konservativ-revolutionäre Linie; sie ist dem Zeitgeiste angepaßt und entspricht wohl am stärksten dem politischen Wollen Moeller van den Brucks.«[10] Diese Zielsetzung brach mit der liebgewordenen jung-konservativen Vorstellung, wonach man über den kleinen Club, den intimen Salon oder die Zeitschriftenfehde politische Änderung erreichen könne. Solche An-

7 Lindeiner-Wildau an Pechel, 21. 12. 1925, BA, Mappe 85.

8 Vgl. Friedenthal, Elisabeth: Volksbegehren und Volksentscheid über den Young-Plan und die deutschnationale Sezession, Phil. Diss. Tübingen 1957, S. 144.

9 Jonas, Erasmus: Die Volkskonservativen, a. a. O. S. 18.

10 Rundschreiben Jungs, ohne Datum, BA, Mappe 77.

sichten bezeichnete Jung als Selbstbetrug, weil Politik ohne Machtbildung ein Widerspruch sei und Moellers »Drittes Reich« auf diese Weise verballhornt und zum Gegenstand nationalsozialistischer Straßenpropaganda degradiert werde. »Das Bestreben meiner Freunde geht deshalb auf eine Aktivierung der konservativen Bewegung, geht darauf hinaus, zunächst die Voraussetzung konservativer Politik, nämlich politische Macht zu bilden.« [11] Solche Vorstellungen beflügelten Jung bei dem Versuch, innerhalb der Volkskonservativen Vereinigung eine eigene politische Richtung zu begründen: zur Seite stand ihm dabei Rudolf Pechel, der in Jungs Denkkategorien einen Ansatz für die eigene Diagnostik gefunden hatte. Die Behauptung ist sogar begründet, daß der Publizist Pechel bald zum engsten Berater des Politikers Jung avancierte.

1. Die Zusammenarbeit zwischen Pechel und Edgar Julius Jung

Die Verbindung zwischen Pechel und Jung läßt sich bis in die ersten Zusammenkünfte des Montagstisches verfolgen, wo der Rechtsanwalt aus München zuweilen auftauchte. Paul Fechter charakterisierte Jung als einen Mann, der »etwas vom Spieler« [12] gehabt habe, und tatsächlich war Jungs Biographie reich an wechselvollen Zwischenfällen. Als Sohn eines Lehrers wurde er im Jahre 1894 in Ludwigshafen geboren und entwickelte zunächst durchaus bürgerliche Tugenden. Er besuchte die Volksschule und das Humanistische Gymnasium zu Ludwigshafen, bestand dort im Jahre 1913 das Abitur und schwankte lange, ob er nicht das Studium der Musik ergreifen solle. Er entschied sich schließlich für Jurisprudenz, absolvierte seine ersten beiden Semester in Lausanne und ging dann 1914 als Kriegsfreiwilliger zur deutschen Kriegsfliegerei. Nach dem Kriege beendete er seine Studien und wurde 1924 in München als Rechtsanwalt zugelassen.

Diese Laufbahn war indes schon 1920 in entscheidender Weise unterbrochen worden: bereits den Soldaten und Offizier hatten die Fragen des Krieges wie viele seiner Altersgenossen bewegt. Über die Beschäftigung mit dieser Thematik fand er erst Zugang zu den Jung-Konservativen um Moeller van den Bruck und Heinrich von Gleichen. Wie der Vater trat er in die nationalliberal orientierte Deutsche Volkspartei ein, wurde einer ihrer Abgeordneten im Wahlkampf für die Reichstagswahl im Jahre 1920 und kandidierte sogar für ein parteiliches Mandat. Aber nicht zuletzt im Umkreis der neuen Berliner Freunde waren ihm Zweifel an der Wirksamkeit des Parlamentarismus gekommen – fünf Jahre später sollte er zu einem seiner schärfsten Kritiker werden. Zwischen dieser theoretischen Beschäftigung mit politischen Fragen lag eine Episode, welche die Spielernatur Edgar Julius Jungs nachdrücklich offenbarte: während der Besetzung der

[11] Rundschreiben, a. a. O. ebenda.
[12] Fechter, Paul: Menschen auf meinen Wegen, a. a. O. S. 358.

Pfalz durch die Franzosen spannte er ein Widerstandsnetz über das ganze Land und stand zu Beginn des Jahres 1924 sogar an der Spitze eines geheimen Kommandotrupps, der den pfälzischen Separatistenführer Heinz nach sorgfältiger Vorbereitung liquidierte. Bei seiner Suche nach Helfern für die bedrohte Pfalz hatte er schon 1923 enge Kontakte zum »Deutschen Schutzbund« um Loesch und Pechel gepflegt, bei dessen Tagungen sich Jung häufig als Redner wiederfindet. Längst hatte sich der Jurist vom Parteibetrieb herkömmlicher Prägung gelöst – ganz im Banne des revolutionären Konservativismus schrieb er sein erstes Standardwerk »Die Herrschaft der Minderwertigen«, das 1928 im Verlag »Deutsche Rundschau GmbH« unter der Ägide Pechels erschien. [13]

Die Verbindung zwischen Jung und Pechel ist durch die häufigen Kontakte intensiviert worden, die wegen der geplanten Veröffentlichung der »Herrschaft der Minderwertigen« erforderlich waren: Pechel versprach seinem neuen Autor die besten Propagandadienste für sein Werk. »Ich will alles versuchen ... Ihr Buch bei uns herauszubringen und es so zu propagieren, daß alle Welt in Deutschland davon Notiz nehmen muß.« [14] Solche Versprechungen waren nicht in den Wind gesprochen. Eine Buchanzeige auf der Rückseite der »Deutschen Rundschau« pries das Werk im März des Jahres 1928 als das »nationale Gegenstück zum kommunistischen Manifest« und versicherte: »Es gibt dem zögernden Suchen aller nationalen Kreise eine einheitliche Richtung, dem Leben der jungen Generation einen neuen Sinn.« [15] Kein Zweifel, daß Pechel in Edgar Julius Jung nunmehr einen Autor gefunden hatte, der das Erbe der Konservativen Revolution zu verwalten in der Lage war: Sein Staats- und Gesellschaftsbild knüpfte unmittelbar an die Traditionen Moellers an und führte in seinen praktischen Folgerungen sogar über sie hinaus. Somit ist es kein Wunder, daß die Wege Pechels und Jungs fortan weitgehend parallel verliefen. Seit 1928 veröffentlichte Jung regelmäßig politische Aufsätze in der »Deutschen Rundschau«. Er erhob die Zeitschrift Pechels auf diese Weise zur Tribüne, von der aus eine besondere Spielart des jungen Konservatismus verkündet wurde. Entsprach schon der Titel von Jungs Erstlingswerk einem gängigen Schlagwort gegen das »System« von Weimar, so zielten die geheimen Pläne und Aktionen erst recht auf eine Ablösung der verhaßten Republik.

An der Idee eines national-revolutionären Kreises, die bereits zwischen Pechel und Lindeiner-Wildau besprochen worden war, hatte Jung großen Gefallen gefunden. So fragt er Pechel einmal, ob König Ferdinand von Bulgarien als Protektor eines solchen Zusammenschlusses in Frage kommen könne. »Ich bitte Sie zu erwägen, ob ein fürstliches Protektorat überhaupt denkbar ist. Immerhin haben die Koburger ungeheure Gelder und Möglichkeiten, der Mann selbst ist einer der klügsten Köpfe Europas und man kann

13 Edgar Julius Jung: Die Herrschaft der Minderwertigen, ihr Zerfall und ihre Ablösung durch ein neues Reich, 2. Auflage, Berlin 1930 (erstmalig 1928).

14 Pechel an Jung, 3. 3. 1927, BA, Mappe 76.

15 März-Heft der Deutschen Rundschau, 1928, Rückumschlag.

ja mit verdeckten Karten spielen.« [16] Pechel lehnte diesen Vorschlag mit dem Hinweis ab, daß man sich erst in anderen Kreisen durchzusetzen habe. »Wir scheinen einer innenpolitisch sehr bewegten Zeit entgegenzugehen und ich hätte gerne, daß wir gerüstet sind.« [17] Solche Andeutungen beweisen, daß es in jener Zeit konkrete Pläne zur Machtergreifung gegeben hat — so utopisch sie immer gewesen sein mögen. Aber nach wie vor schienen solche Absichten auf eine Auflockerung der Deutschnationalen Volkspartei gerichtet. Dort hatte es immer wieder Gerüchte über eine mögliche Abspaltung prominenter Parteimitglieder gegeben, die überwiegend durch die Kritik gegenüber Alfred Hugenberg gespeist worden waren. [18] Tatsächlich schien der Erfolg, den das Buch Jungs vorwiegend bei deutschen Industriellen zu verzeichnen hatte, eine erste Chance für wichtige Annäherungsversuche zu ergeben. Jung konnte seinem Freund Pechel nicht nur vom großen Entgegenkommen des Konzerns I. G. Farben berichten, sondern er verwies auf finanzielle Freizügigkeiten beim bayerischen Innenministerium, wo Treviranus als einer der späteren Sezessionisten der DNVP zur »energischen Offensive« aufgefordert wurde. »Dort sind eben bedeutend mehr Mittel vorhanden wie bei Gustav, und in entscheidendem Augenblick vielleicht auch mehr guter Wille.« [19] Solche Andeutungen wurden 1927 durch den Hinweis komplettiert, wonach man konkrete Pläne ausgearbeitet habe. Ein solcher Plan liege in der Linie, »daß endlich die Schleier fallen und aus unserem Kreis rücksichtslos der Anspruch auf Macht angemeldet wird«. [20] Dergleichen Zielsetzung gipfelte ein Jahr später in der Vorstellung, wonach man das deutsche Schrifttum »auf der Basis einer nationalen Vernunft« zum Kampf gegen den allmächtigen Hugenberg zusammenfassen könne. Dieses Konzept einer »Neuen Front« zog auch organisatorisch die Konsequenz aus einer Ideologie, wie sie in Kreisen der Jungkonservativen ständig vertreten worden war.

a) Das Modell zur Bildung einer »Neuen Front«

Die »Neue Front« zog ihre politische Legitimation aus Voraussetzungen, wie sie in den Denkkategorien Jungs konzipiert worden waren. Nach seiner Ansicht sei die Autorität der herrschenden Gewalten in breiten Volksmassen geschwunden und hinzu komme das Gefühl einer inneren und äußeren Krise des deutschen Volkes, durch welche die Sehnsucht nach Führung außerordentlich gesteigert werde. Als positive Voraussetzung wurde vermerkt, daß die bisher vorhandenen Erneuerungsbestrebungen nunmehr aus ihrer Isolation heraustreten und sich zu einer geschlossenen Kraft zusammenschlie-

[16] Jung an Pechel, 15. 12. 1925.
[17] Pechel an Jung, 15. 10. 1926.
[18] Vgl. Hamel, Iris: Völkischer Verband und nationale Gewerkschaft — Die Politik des Deutschnationalen Handlungsgehilfenverbandes, 1893—1933, Phil. Diss. Hamburg 1966, S. 224 f.
[19] Jung an Pechel, 27. 10. 1927.
[20] Pechel an Jung, 7. 4. 1928, alle BA, Mappe 76.

ßen würden. »Die geistige Erneuerung ist an dem Punkte angelangt, wo sie nach sozialer Gestaltung drängt. Das allgemeine Fragen nach dem Ziele hat angehoben, der Weg wird den führenden Köpfen immer deutlicher.« [21] Die Bildung dieser Neuen Front sei nur von oben möglich: »Universal gerichtete Menschen, welche die abendländische und die deutsche Krise in ihrer Gesamtheit überblicken, sind allein in der Lage, eine Zielsetzung zu schaffen, in welcher die Einzelbestrebungen selbsttätig aufgehoben werden.«

Wie aber sollte diese Frontbildung geschehen? Als eine Form sozialer Betätigung und politischer Teilnahme wurde der Bund betrachtet, der auf einer Auslese von Menschen beruhe, welche durch die gleiche innere Haltung und Gesinnung verbunden seien. Seine Organisationsform beruhe auf Führerautorität. Ziel des Zusammenschlusses sei es vorerst, alle bündischen Gruppen zunächst lose zur Neuen Front zu vereinigen. »Nur so kann ein geistiges Machtzentrum entstehen, aber auch die politische Macht zur Eroberung des Staates. Denn nur diese kann im Zeitalter des omnipotenten Staates eine Reformation an Haupt und Gliedern einleiten.« Die vorhandenen Dokumente über die Bildung einer »Neuen Front« tragen deutlich die Handschrift ihres Verfassers Edgar Julius Jung. Seine Leitgedanken, wie sie etwa in seiner Ordo-Lehre und Elite-Theorie angeklungen waren, sollten nunmehr praktisch verwirklicht werden. [22] Darüber hinaus hatte er sogar einen Plan entwickelt, wie der von ihm geforderte Kristallisationspunkt – gewissermaßen die Zentrale der »Neuen Front« – auszusehen habe. Er schlug als Basis eine Verlagsgesellschaft mit dem Titel »Deutsche Erneuerung« vor, in der eine publizistische Zusammenballung jener geistigen Kräfte erfolgen sollte, welche die Erneuerung vertreten würden. Das nationale Deutschland sei reicher an schöpferischen Kräften als die Gegenseite – man müsse die »Neue Front« nur zwischen Ullstein und Scherl auf die richtige Weise verankern. Eine Vorbedingung sei beim Verlag der »Deutschen Allgemeinen Zeitung« gegeben, der die angesehene Tageszeitung künftig als »Intelligenzblatt« für das ganze deutsche Reich zu offerieren habe. Als Richtlinien für ihre redaktionelle Gestaltung wurden empfohlen: »Eine fanatische Sachlichkeit, welche in vollendeter Form immer wieder die Unhaltbarkeit des gegenwärtigen Zustandes erweist und auf einer geistigen Ebene Reformvorschläge macht, die in allen Lagern ernst genommen werden müssen. Möglichst wenig Eingehen auf die Tagespolitik, da sonst die große Linie zerstört wird. Dabei doch aktuell. Die Stärke der Zeitung soll darin bestehen, daß sie von der ersten bis zur letzten Zeile aus demselben Geiste kommt, also homogen ist.« Zugleich wurde die Schaffung eines Boulevardblattes empfohlen, dessen Apparat sich die Zeitschriften »Deutsche Rundschau« als Organ für die Gebildeten, »Volk und Reich« für die »reife Jugend« und »Das Echo« für die Auslandsdeutschen anzuschließen hätten. Das Zusammenwirken all die-

21 Vertrauliches Dokument über die Bildung der »Neuen Front« ohne Datum, BA, Mappe 76.

22 Vgl. dazu die Fallstudien bei Gerstenberger, Der revolutionäre Konservatismus, a. a. O. S. 98.

ser Medien und der mit ihnen verbundenen Persönlichkeiten würde das bisherige Nebeneinander und Durcheinander zugunsten zielbewußter geistiger Arbeit ersetzen. Es entstünde ein Führerkreis mit der Autorität, aus den bisher isolierten Bewegungen eine Neue Front zu schaffen. »Die Ausführung dieses Planes bedeutet praktisch den Beginn einer neuen geistigen und politischen Ära in Deutschland. Zeigt die Wirtschaft hierfür Verständnis, so begibt sie sich auf den einzigen Weg, der auf lange Sicht zur Beseitigung der ununterbrochenen Bedrohung der Gegenwart führen kann.« [23]

Hatten solche Pläne überhaupt eine Chance zur Verwirklichung? Sie wurden gewiß durch die Zustimmung beflügelt, die Jung nach der Veröffentlichung seines Buches vornehmlich aus Kreisen der deutschen Wirtschaft erhalten hatte. So ermahnte ihn Pechel, den »Weg Reusch, Vögler« ins Auge zu fassen [24] und drückte die Hoffnung aus, daß man über die Anti-Hugenberg-Parole auch den Weg zu Bosch finden könne. »Und Sie wissen, daß mit Bosch alles gemacht ist. Es handelt sich darum, sein Mißtrauen zu zerstreuen gegen jede reaktionären Bestrebungen. Das Nichtreaktionäre unseres Wollens wird am besten dadurch legitimiert, daß wir unseren schärfsten Feind in dem vollständig negativen und sterilen Hugenbergianismus sehen.« [25] Jung brüstete sich sogar damit, daß er persönliche Aufforderungen der Villa Hügel in Essen, also aus dem Hause Krupp, sowie des Industriellen Fritz Haniel erhalten habe. [26] Die Vermutung, daß die antidemokratischen und korporativen Elemente in der Ideologie Jungs besonders bei deutschen Industriellen günstige Resonanz gefunden hatten, wurde durch solche Hinweise nurmehr bestätigt. Die Chance zur direkten politischen Einflußnahme schien sich jedoch endgültig erst im Jahre 1929 im Augenblick der Spaltung der Deutschnationalen Volkspartei zu eröffnen.

b) Hoffnungen bei der Spaltung der Deutschnationalen Volkspartei (1929/30)

Die volkskonservative Bewegung, wie sie sich 1929/30 herauskristallisierte, ist nur Teil der jung-konservativen Strömung gewesen. Ihre organisatorischen Formen waren die »Volkskonservative Vereinigung«, die aus der ersten Spaltung der Deutschnationalen Volkspartei im Spätherbst 1929 erwuchs, ferner die Konservative Volkspartei, die nach der zweiten Sezession im Sommer 1930 im Blick auf die bevorstehenden Reichstagswahlen gegründet wurde. Die spätere Organisationsform war wieder die »Volkskonservative Vereinigung«, die ihr Wesen als Partei weitgehend zu verleugnen suchte und der herrschenden Ideologie einer »Überparteilichkeit« huldigte mit dem Ziel, ein »Sammelbecken junger Kräfte auf der Rechten« zu sein. [27]

[23] Dokument über die Bildung der »Neuen Front« a. a. O. S. 10.
[24] Pechel an Jung, 7. 4. 1928.
[25] Pechel an Jung, 1. 5. 1928.
[26] Jung an Pechel, 13. 1. 1930, alle BA, Mappe 77.
[27] Vgl. Jonas: Die Volkskonservativen, a. a. O. S. 2.

Das ambivalente Selbstverständnis der Volkskonservativen [28] kam den bisherigen Vorstellungen Jungs und Pechels zweifellos sehr entgegen; eröffnete sich damit doch erstmalig die Chance, die Kräfte des deutschen Konservatismus innerhalb einer neuen Rechten zu sammeln und eine Reform des parlamentarischen Systems mit Zielrichtung auf eine feste Regierungsautorität zu unternehmen. Aber das Dilemma des Volkskonservatismus wurde bald für seine neuen Anhänger virulent: zwischen seiner nicht wegzuleugnenden Frontstellung gegen die parlamentarische Verfassung und seiner ablehnenden Haltung gegenüber allen Experimenten und dilettierenden Oppositionsversuchen außerhalb dieser Verfassung hatten bald auch Jung und Pechel Stellung zu beziehen. [29]

Dieser Konflikt kam bereits im Streit um die Namensgebung für die neue Vereinigung zum Ausdruck. Wenn dem publizistischen Außenseiter Jung der Name »volkskonservativ« zu nichtssagend war und er ihn lieber in »revolutionär-konservativ« umgeändert wünschte, so artikulierte sich darin bereits ein grundlegender Meinungsstreit, der wenig später zum Bruch führen sollte. Die Vorschläge Jungs zur publizistischen Zusammenfassung aller konservativ-revolutionären Kräfte waren offenbar bei Treviranus auf fruchtbaren Boden gefallen; denn dieser hatte Jung bei dessen Eintritt in die Konservative Vereinigung im Jahre 1929 die propagandistische Leitung des neuen Unternehmens versprochen. [30] Zugleich sollte Jung eine Sammelbewegung in Bayern und Süddeutschland einleiten, wobei ihm Pechel stets als Mittelsmann gegenüber Treviranus diente. In dieser Absicht übersandte der Herausgeber der »Deutschen Rundschau« diesem einmal Aufruf, Begleitschreiben, Zustimmungserklärung und Adressenliste für die neue Vereinigung in München. Wenig später schon kommt die Mitteilung zurück, daß man in München hundert feste Mitglieder habe und sich aufgrund der Berliner Richtlinien nunmehr konstituieren könne. [31] »Die Gründungssitzung unserer neuen Bewegung in Bayern hat zunächst einen Programmausschuß eingesetzt, der zur Zeit an den Richtlinien arbeitet. Die Stimmung ist gut, nüchtern, aber zuversichtlich« [32]. So heißt es einmal optimistisch aus München. Wenig später kommt die nicht minder freudig klingende Ergänzung: »Ich bin sehr gespannt, wie sich die Dinge entwickeln werden und hoffe, daß endlich die Stunde aktiver Politik unsererseits gekommen ist, vorausgesetzt, daß die Herren Parlamentarier nicht engstirnig werden und wie die Irrsinnigen um Ministersessel streiten.« [33] Am 25. Juni 1930 ergeht die Mitteilung an Pechel, daß in München die Konservative Volkspartei entstanden sei, ferner, daß Jung mit seinen Freunden beschlossen habe, die

[28] Zur Entstehungsgeschichte vgl. den kurzen Abriß bei Klemperer: Konservative Bewegungen, a. a. O. S. 137 ff.
[29] Einzelheiten bei Jonas: Die Volkskonservativen, a. a. O. S. 4 ff.
[30] Brief Jungs an Pechel, 11. 8. 1930, BA, Mappe 77.
[31] Jung an Pechel, 2. 5. 1930.
[32] Jung an Pechel, 24. 3. 1930, BA, Mappe 77.
[33] Jung an Pechel, 27. 3. 1930, BA, Mappe 77.

Sammelbewegung in Bayern einzuleiten und die Partei auch dort zu begründen. Bald darauf läßt Jung seinen Berliner Gewährsmann wissen, daß er die Leitung der neuen Partei übernommen, ein Büro eingerichtet und die Verhandlungen mit Nachbarparteien aufgenommen habe. Zur Finanzierung des Apparates erbittet er eine größere Summe aus der Kasse von Treviranus, setzt freilich dieser Bitte hinzu, daß er nicht allzu abhängig werden und selbständig über Fonds verfügen wolle. Schon dieser Hinweis deutet auf das Selbstbewußtsein, mit dem Jung an seine neue Arbeit herangegangen war. »Ich halte meine Stellung für so stark, daß sie nur in einem ganz großen Laden eingebracht werden kann, niemals in einem kleinen, den ich unter Umständen selbst stützen müßte...«, [34] hatte er seinem Freund Pechel zu Beginn des Jahres 1930 geschrieben. Diese Selbständigkeit wurde abermals auf den Plan gerufen, als die Niederlage bei den Reichstagswahlen am 14. September 1930 die Volkskonservativen in eine ernstzunehmende Krise stürzte.

Die Analyse der Wahlniederlage am 14. September 1930 schien eine Bestätigung der Ansichten derjenigen zu bedeuten, die einem verbandspolitischen Auftreten als Partei immer ablehnend oder zumindest widerstrebend begegnet waren. Zu solchen Skeptikern gehörte zweifellos Jung, dessen Modell einer »Neuen Front« einem parteipolitischen Auftreten in eklatanter Weise zuwiderlief. Tatsächlich hat sich Jung auch nicht um ein Mandat bei seiner neuen Vereinigung beworben. Jung hatte die anschließende Diskussion über das Abschneiden am 14. September durch einen Vorschlag bereichert, wonach die verschiedenen Begriffe wie »Vereinigung« und »Partei« unter dem Sammelnamen »Bewegung« subsummiert werden sollten. In dieser Terminologie sollte die reine »Bewußtseinsbildung«, auf welche die Zielsetzung der »Volkskonservativen Vereinigung« ging, zur Agitation ausgeweitet werden, ohne daß man dabei etwa als Konservative Volkspartei erneut zur parlamentarischen Partei würde. [35] Dergleichen Vorstellungen wurden erstmals auf einer »losen Zusammenkunft in Hannover« vorgetragen, auf der »keine Beschlüsse gefaßt wurden«, bei der aber Jungs Bitte um ein Mandat zur Werbung für eine »revolutionär-konservative Bewegung« mit geringen Ausnahmen abgelehnt wurde. Jung ließ sich dadurch nicht abhalten, in eigenem Namen sein Projekt weiter zu propagieren, wodurch die Unklarheit in den volkskonservativen Kreisen noch verstärkt wurde. »Schwierigkeiten macht die Ideologie Edgar Jungs in München ... Es trat ein stark ideologischer Zug und der Gedanke einer konservativen Bewegung, die sich auf Querverbindungen beschränkt, stärker in Erscheinung, als mir zweckmäßig erscheint, und ich setzte den Jungschen Ideologien entgegen: ›Verachtet mir die praktische Arbeit nicht.‹« [36] Diese Stellungnahme Graf Westarps konnte Jungs Ambitionen freilich nicht durchkreuzen. Nach wie vor verfocht er sein Konzept einer konservativ-revolutionären Bewegung, die

34 Jung an Pechel, 13. 1. 1930, BA, Mappe 77.
35 Jonas: Die Volkskonservativen, a. a. O. S. 130.
36 Zitiert bei Jonas, a. a. O. S. 132, Fußnote 100.

sich möglichst über das ganze Land erstrecken sollte. Als Ansatzpunkte für eine politische Neuorientierung ergäbe sich als einzige Lösung die »Bildung einer lebendigen Zelle, die Sprechabende und Vorträge abhält, die von Mund zu Mund wirbt und durch ihren Aktivismus sich von den übrigen politischen Gruppen abhebt.« [37] Zu diesem Zeitpunkt läßt sich eine gewisse Entfremdung zwischen Jung und Pechel registrieren, der sich um eine vermittelnde Haltung bei Treviranus bemüht. Einer Aufforderung, der durch Jung neugegründeten »Volkskonservativen Bewegung zur deutschen Erneuerung« beizutreten, erteilt er freilich eine Absage: er könne außerhalb einer festen Bindung der gemeinsamen Sache besser dienen. [38]

Die Entfremdung zwischen Jung und Pechel war wenige Wochen vor dieser Mitteilung entstanden, nachdem Jung innerhalb der Konservativen Volkspartei unmißverständlich den Anspruch auf einen Vorstandsposten angemeldet hatte, ja sogar eine »Führerstellung«, die ihm die nötige Auswirkung erlaube. »Wenn nicht, so werde ich auch ohne diese Partei die Mittel haben, mich politisch entfalten zu können.« [39] Dieses Selbstbewußtsein wird in einem Hinweis noch deutlicher erkennbar, den Jung seinem Berliner Gewährsmann im Hinblick auf das Erstarken der nationalsozialistischen Bewegung gemacht hat. Am 23. Dezember 1930 schrieb er an Pechel: »Selbstverständlich herrscht im Westen eine nationalsozialistische Psychose und Adolf Hitler hat wieder seine üblichen Begeisterungsstürme bekommen. Daneben besteht aber die einfache Tatsache meines Einflusses, der stärker ist denn je. Noch nie hat der Industrieklub in Dortmund einen solchen Besuch aufzuweisen gehabt, als anläßlich meines letzten Vortrages. Allein beim Essen waren über 150 Herren. Tatsache ist, daß ich heute eines der wenigen Gegengewichte gegen den Nationalsozialismus darstelle. Aber nur dann, wenn ich mich nicht in einen lächerlichen Kampf gegen Adolf Hitler hineindrängen lasse. Mein Auftrag lautet genau umgekehrt.« [40]

Schon diese Feststellung verweist auf einen Sachverhalt, der in der Darstellung der Beziehungen Pechels zum Nationalsozialismus näherer Interpretationen bedarf. Jungs Stellungnahme gegenüber Hitler zeigt bereits auf, daß er selbst konkrete Pläne im Kampf um die Macht besessen hat. Seine Kritik zielte nicht auf die Grundlagen nationalsozialistischer Weltanschauung, sondern sie bemängelte, daß die Identität konservativ-revolutionärer und nationalsozialistischer Ziele nicht gegeben war. Nach wie vor wurde Hitler lediglich als lästiger Konkurrent empfunden, der die eigenen Pläne nurmehr stören konnte. Diese Vernebelung des eigenen Standorts hatte sich besonders am Vorabend der Regierung Brüning gezeigt, als sich die Volkskonservativen in der Erwartung des Auseinanderfallens der »Großen Koalition« und der damit einsetzenden »Parteidämmerung« schon als einen der

37 Rundbrief an alle, ohne Datum.
38 Pechel an Landesgeschäftsstelle der Konservativen Volkspartei, 28. 1. 1931, BA, Mappe 78.
39 Jung an Pechel, 23. 12. 1930.
40 Jung an Pechel, a. a. O. ebenda, BA, Mappe 77.

Schwerpunkte eines neuen politischen Führungsstils gesehen haben.[41] Als einen Höhepunkt der volkskonservativen Bewegung kann man den Beginn der präsidialen Regierungsform unter Brüning ansehen, die aufs stärkste von ihnen inspiriert und mitgetragen war – nicht nur für Pechel und Jung schienen die Pläne einer evolutionären Umgestaltung des Weimarer Systems in greifbare Nähe gerückt zu sein.

c) Die Unterstützung der Reichskanzlerschaft Heinrich Brünings

Die Krise der »Großen Koalition«, der letzten parlamentarischen Regierung der Weimarer Republik, war seit dem Jahreswechsel 1929/30 und dem Rücktritt Hilferdings als Finanzminister offenkundig geworden.[42] Der Zusammenfall dieser Krise mit einem gewissen Klärungsprozeß auf der konservativen Rechten gab Raum für politische Kombinationen, bei denen sich die Person Heinrich Brünings immer stärker als Schlüsselfigur profilierte.[43] Die seitherigen Veröffentlichungen beweisen, daß es zu Beginn des Jahres 1930 in den Kreisen um Hindenburg schon feste Vorstellungen über Form und Aufgaben einer allein auf die Machtbefugnisse des Reichspräsidenten gestützten neuen Regierung gegeben hat. Bei diesem Zusammenspiel hinter den Kulissen, zu dem neben General Groener auch Schleicher gehörte, war Brüning eine entscheidende Rolle zugeordnet worden.

Brüning, den später mit Pechel enge Freundschaft verband,[44] war seit 1924 Reichstagsabgeordneter, seit Ende 1929 Fraktionsvorsitzender der Zentrumspartei gewesen und hatte schon früh als Geschäftsführer des Christlichen Deutschen Gewerkschaftsbundes seine politische Begabung unter Beweis gestellt.[45] Aus jener Zeit existierte um Brüning ein Kreis rechtsgerichteter Politiker, die mit dem Generalsekretär des Deutschnationalen Handlungs-Gehilfen-Verbandes, Max Habermann, in ihm den »kommenden Mann« sahen. Sie waren ihm durch ein nach außen wenig sichtbares, aber doch politisch bedeutsames Netz zeitweilig verbunden. Eine noch unaufgehellte Rolle in diesem Kreis, der mit Brüning größtenteils über frühere Bekanntschaften aus dem Juniklub resultierte,[46] spielte Freiherr von Willisen, der als Mitarbeiter Seeckts im Reichswehrministerium die Oberleitung des 1919 gegründeten »Deutschen Schutzbundes für das Grenz- und Auslandsdeutschtum« besaß. Aus jenen Jahren war er sowohl mit Hermann Ullmann als auch mit Pechel und Jung bekannt. Ullmann, der 1922 auf Initiative Brünings und Habermanns Chefredakteur des DGB-Organs »Der Deutsche« geworden war, begründete 1924 mit entscheidender Unterstüt-

[41] Jonas: Die Volkskonservativen, a. a. O. S. 75.
[42] Zur Vorgeschichte vgl. Bracher: Die Auflösung, a. a. O. S. 364 ff.
[43] Jonas: Die Volkskonservativen, a. a. O. S. 80.
[44] Vgl. Heinrich Brüning: Ein Brief, in: Deutsche Rundschau, Jg. 70, 1947, Heft 7, S. 1. Pechel hat selbst seine »Freundschaft« zu Brüning hervorgehoben, vgl. Briefwechsel im BA, Mappe 5.
[45] Treviranus: Das Ende von Weimar, a. a. O. S. 52 ff.
[46] Boehm: Ruf der Jungen, a. a. O. S. 18 f.

zung des Freiherrn von Willisen die »Politische Wochenschrift«. Willisen soll als Intimus von Schleicher diesen als ersten auf Brüning hingewiesen haben. Da sowohl Willisen als Ullmann wie auch Treviranus und Habermann enge Kontakte zu Brüning hatten, ergab es sich zwangsläufig, daß dieser in alle Planungen, die dann zur Volkskonservativen Vereinigung führten, eingeweiht war. [47]

Selbst wenn sich das Geflecht der Beziehungen nurmehr ansatzweise rekonstruieren läßt, so ist doch eine Antwort auf die Frage wichtig, von welchen Hoffnungen die Bildung der Regierung Brüning begleitet wurde. Entsprach der neue Reichskanzler den Erwartungen seiner politischen Freunde oder waren diese von seinen Aktivitäten enttäuscht? An der politischen Haltung von Pechel und Jung hatte sich zu jenem Zeitpunkt nicht viel geändert: Der Herausgeber der »Deutschen Rundschau« sah in der Programmatik Jungs, dessen »Herrschaft der Minderwertigen« soeben in neuer Auflage erschienen war, [48] nach wie vor einen gangbaren Ausweg aus der immer wieder beschworenen Krise von Staat und Gesellschaft. Die Hoffnungen konzentrierten sich dabei zunächst auf eine Ablösung der parlamentarischen Mitwirkung des Reichstages und auf eine Festigung der staatlichen Autorität. »Aber jedenfalls wird der neue Reichstag kein Definitum, sondern nur eine wahrscheinlich kurze Zwischenstation bedeuten«, [49] schrieb Pechel damals frohlockend an den Freund Max Hildebert Boehm. Er unterstützt den unermüdlichen Jung bei dessen Plänen, außerhalb der Konservativen Volkspartei eine Sammlungsbewegung aller »konservativ-national-aktivistischen Elemente« einzuleiten. Er hofft auf ständige Fühlungnahme und verspricht seinem Münchener Mitstreiter, bei etwaigen Differenzen mit der Parteileitung klärend einzugreifen. [50] Nur selten ist die zwielichtige Rolle Pechels hinter den Kulissen, die sich fast nie öffentlich auslegen ließ, klarer hervorgetreten. Während sich Jung sogar in den Führerring der neugegründeten »Volkskonservativen Vereinigung« zusammen mit Habermann und Ullmann wählen ließ, agierte Pechel wie stets unerkannt im Hintergrund. Jungs aktiv-politisches Bekenntnis ist sogar auch nachträglich analysierbar. Bei der Bildung des Führerrings der Volkskonservativen Vereinigung hatte er zusammen mit Geheimrat Prof. Dr. Otto »im Auftrage des Landesverbandes Bayern« zu Protokoll gegeben: »Die Reichstagung der Konservativen hat in seltener Klarheit den Zwiespalt zwischen dem Wunsche, das heutige System grundsätzlich zu bekämpfen und zu beseitigen einerseits und andererseits der Notwendigkeit der positiven Mitarbeit aufgedeckt. Es ist gleichgültig, ob dieser Zwiespalt in jedem einzelnen von uns lebt oder ob er je nach dem politischen Temperament zu Gruppenbildung innerhalb der

47 Vgl. Jonas »Die Volkskonservativen«, a. a. O. S. 80 ff., und Treviranus: Das Ende von Weimar, a. a. O. S. 52 ff.

48 Edgar Julius Jung: Die Herrschaft der Minderwertigen — Ihr Zerfall und ihre Ablösung durch ein neues Reich, Berlin 1930 (2. Auflage).

49 Pechel an Boehm, 19. 8. 1930, BA, Mappe 50.

50 Pechel an Jung, BA, Mappe 77.

Konservativen Bewegung führt. Entscheidend bleibt sein Vorhandensein ...« [51]

Genau diese unklar und verschwommen ausgedrückte politische Linie entsprach den Aktionen jener Tage. Sie bot keineswegs eine eindeutige politische Lösung; denn sie schwankte zwischen der Bereitschaft, die Regierung »aus staatspolitischen Gründen zu unterstützen«, falls sie den Abbau des heutigen Systems betreibe – andererseits lief sie auf ihre Bekämpfung hinaus, falls sie solchen Erwartungen zuwiderlaufen sollte. Die Abgrenzung zum Nationalsozialismus blieb in dieser Formel denkbar weit offen. Aber es besteht kein Zweifel, daß sich Jungs und Pechels Ansichten in dieser Frage deckten. Beweis dafür ist ein sogenannter »Offener Brief«, den Jung 1931 an Brüning gerichtet hat und in dem er seine Vorstellungen klar und unverhüllt konzipierte. Jung lobte den Reichskanzler und sein Bestreben, »die Führung des Reiches von den Wünschen unverantwortlicher Fraktionsvorstände zu lösen« und ermunterte ihn, »alle nationalen und staatsbürgerlichen Kräfte für das große Planwerk deutscher Eigenhilfe heranzuziehen«. Zugleich bekannte er, daß die Reichsleitung »auf dem besten Wege sei, zum Führergedanken zurückzukehren und sich von der Unfruchtbarkeit des deutschen Parlamentarismus' loszulösen«. [52] Pechel hatte gegen solche Appelle lediglich Einwände, die formal begründet waren; ein Brief sei für alle rechtsstehenden Kreise in Berlin etwas Fremdartiges, es sei zu bezweifeln, ob der unzugängliche Brüning über eine mögliche anschließende Unterredung mit sich werde handeln lassen. Darüber hinaus müsse ein Brief nicht Bitten, sondern klare Forderungen enthalten: »Mit einem solchen Entwurf wollen wir alle gern werben gehen, da keiner hier ist, der Ihnen in solcher Sache die Gefolgschaft verweigern möchte ... Wenn Sie die Unterstützung der Rechtspresse haben wollen, die dem ganzen Brüning mit wachsender Skepsis und Ablehnung gegenübersteht, so bitten Sie nicht, sondern fordern Sie.« [53] Die Äußerungen zeigen, wie eng das Zusammenspiel zwischen Pechel und Jung zu jener Zeit gewesen ist. Die Identität der politischen Zielsetzung sollte die Ära Brüning und ihre verhängnisvolle Ablösung durch Papen und Schleicher überdauern, d. h. bis hin zum 30. Juni 1934, an dem Jung dem neuen Regime zum Opfer fiel. [54]

[51] Zitiert bei Jonas: Die Volkskonservativen, a. a. O. S. 135.
[52] Jung an Reichskanzler Brüning, Briefentwurf ohne Datum, BA, Mappe 78.
[53] Pechel an Jung, 18. 8. 1931.
[54] Zur Biographie Jungs und seiner umstrittenen Tätigkeit in der Endphase der Weimarer Republik vgl. Graß, Friedrich: Der Politiker Edgar Julius Jung, in: Pfälzische Heimatblätter, Juni 1959, Jg. 7, Nr. 6, Forschbach, Edmund: Edgar Julius Jung und der Widerstand gegen Hitler, in: Civis, November 1959, S. 82 ff. Knoll, Joachim-H.: Konservatives Krisenbewußtsein am Ende der Weimarer Republik, in: Deutsche Rundschau, 87. Jg., Oktober 1961, Heft 10, S. 930 ff. Klemperer: Konservative Bewegungen, a. a. O. S. 219 ff. Rothfels, Hans: Die deutsche Opposition gegen Hitler, Fischer-Bücherei 1969, S. 54 f. Pechel, Rudolf: Die Wahrheit in der Sackgasse, in: Deutsche Rundschau, 78. Jg., 1952, Heft 7. S. 1231 ff.

II. Die »Deutsche Rundschau« und ihre Appelle für einen autoritären Staat

Die Kenntnis jener vielfältigen Querverbindungen, wie sie etwa zwischen Pechel und Jung existierten, erleichtert die Analyse über die »Deutsche Rundschau« und ihre Appelle für einen autoritären Staat. Pechels Publizistik wurde nach wie vor von einem Selbstverständnis getragen, das sich Kriterien propagandistischer Beeinflussung zum Vorbild nahm. »Für eine Idee Propaganda zu treiben, für seinen Glauben, für seine Überzeugung, mit der man anderen zu dienen vermeint, ist nicht nur moralisch zulässig, sondern im höchsten Grade berechtigt und sogar Pflicht.« [1] Daß der Weg der Politik zum Publikum allein über die Pressepropaganda führe und daß es in diesen Tagen keine andere Möglichkeit als diese gäbe, wenn man eine politische Idee vorwärtskämpfen wolle – diese Erkenntnis stand am Beginn jener publizistischen Attacken, die ab 1925 in der »Deutschen Rundschau« geführt wurden. Frühere Skrupel im Hinblick auf das eigene journalistische Selbstverständnis waren da längst ausgeräumt: »Der Begriff Propaganda ist in Wirklichkeit nicht so schlimm – sofern der, welcher Propaganda treibt, dies im Einklang mit seiner ureigensten heiligen Überzeugung tut und sich nicht von außerhalb dieser Dinge liegenden Rücksichten leiten läßt.« [2]

1. Von der Hindenburg-Wahl zum Bruch der Großen Koalition (1925 bis 1930)

Die Wahl Hindenburgs zum zweiten Reichspräsidenten der Weimarer Republik bedeutete für die Denkkategorien Rudolf Pechels eine Entscheidung, die seinem Appell für restaurative und autoritäre Gegenbewegungen neuen Aufschwung gab. Der Publizist witterte die Möglichkeit, daß bestimmten innenpolitischen Entwicklungstendenzen ein neuer Weg gebahnt werden könne. [3] Diese Erwartung sprach er unumwunden aus. »Inzwischen haben wir ja die Wahl hinter uns. Wir wollen nur hoffen, daß es jetzt gelingt, vernünftigen Personen die engste Verbindung mit dem alten Herrn zu verschaffen. Du wirst es mir nicht übelnehmen, wenn ich auch weiterhin einigermaßen skeptisch bin, allerdings aber sehr große Möglichkeiten bei richtiger Personalbesetzung sehe.« [4] Wie immer man solche Konstellationen des Jahres 1925 beurteilen mag – die mit ihnen verknüpften Erwartungen gingen erst teilweise in Erfüllung, als sieben Jahre später das Projekt eines Wirtschaftsbeirats an Hindenburg herangetragen wurde, dem Pechel stets wohl-

[1] Mogens, Victor: Politik, Propaganda, Presse, Publikum, in: Deutsche Rundschau, Dezember 1927, S. 177.
[2] Mogens: Politik, Propaganda ..., a. a. O. ebenda.
[3] Vgl. Bracher: Die Auflösung der Weimarer Republik, a. a. O. S. 47 ff.
[4] Pechel an Wilhelm von Kries, 12. 5. 1925, BA, Mappe 83.

wollend gegenübergestanden hatte.[5] Während die »Deutsche Rundschau« den neuen Reichspräsidenten als einen Menschen rühmte, in dessen Namen »Ruhe und Sicherheit, Vertrauen und Kredit Deutschlands«[6] verbürgt sei, ging der Herausgeber Rudolf Pechel über solches Lob noch weit hinaus. Für ihn war Hindenburg der einzige Deutsche von »unbestritten internationaler Geltung« und er stellte ihn in eine Reihe mit historischen Gestalten wie Stein, Blücher, Scharnhorst, Gneisenau, Bismarck und Moltke.[7] Aber schon Pechels unkritische Eloge auf den neuen Präsidenten offenbart die Absichten, die man in bestimmten Gruppen der konservativen Rechten mit der Wahl Hindenburgs verband. Pechel forderte nachdrücklich zur Harmonie und Einigkeit auf und kritisierte scharf jenen Streit der Parteien und Meinungen, durch den lediglich »schwärendes Gift in den Volkskörper« eindringe. »Es sollte sich die Gemeinschaft der Menschen anständigen Fühlens und Wollens, die trotz allem weitaus größer ist als alle politisch organisierten Verbände, so stark in Deutschland bemerkbar machen, daß der Ruf nach Einigkeit allen Streit übertont und niemand mehr sich ihm entziehen kann«[8] – dies war erneut der Appell für eine Volksgemeinschaft, die durch das Gemeinschaftsgefühl ihrer Mitglieder vor Konflikten bewahrt bleiben sollte. Andauernd wurde dies Modell dem angeblich verderblichen Parteienstreit gegenübergestellt. Der Herausgeber der »Deutschen Rundschau« griff gerne selbst zur Feder, wenn es diesen Dualismus zu popularisieren galt. »Die ganze Mächlerei im Plenum und hinter den Kulissen, das künstliche Erschweren und die Verwicklung einfacher und klarer Dinge ... aus Rücksichten auf Parteidoktrinen und auf gar nicht vorhandene Wählerstimmungen ... kurz, das ganze Drum und Dran dieses Danaergeschenks, das uns der verlorene Krieg und unsere Feinde brachten«,[9] lautete die Rezension über ein Buch von Walter Lambach, der als prominentes Mitglied der Deutschnationalen Volkspartei seine Sympathie gegenüber dem Gedankengut der Jung-Konservativen nicht verhehlt hatte.[10] Pechel gab dem Verbündeten das Versprechen: »Wenn wir die Umgestaltung erleben sollten, so werden wir wünschen, daß so frische, schöpferische und sachliche Menschen wie Lambach auch bei einer Neugestaltung dabei sein werden.«[11]

Die Kritik der »Deutschen Rundschau« am parlamentarischen Verfassungsstaat von Weimar zielte ab 1925 zunehmend in die gleiche Richtung. Sie plädierte stets für eine stärkere Exekutivgewalt der Reichsregierung und für eine Schwächung parlamentarischer Kontrollgewalten. Am deutlichsten

5 Vgl. die späteren Ausführungen und Bracher: Die Auflösung der Weimarer Republik, a. a. O. S. 435 ff.
6 Hermann Mark: Deutsche Kraftverschwendung, in: Deutsche Rundschau, Mai 1926, S. 127.
7 Rudolf Pechel: Zum 2. Oktober, in: Deutsche Rundschau, Oktober 1927, S. 1.
8 Rudolf Pechel: Zum 2. Oktober, a. a. O. S. 3.
9 Rudolf Pechel: Ein Nachruf, in: Deutsche Rundschau, Januar 1926, S. 59 ff.
10 Vgl. den Aufsatz in dem Sammelband »Die Neue Front«: Verinnerlichung des Klassenkampfes, a. a. O. S. 220 ff.
11 Pechel: Ein Nachruf, a. a. O. S. 60.

kam diese Einstellung in verfassungspolitischen Abhandlungen zum Ausdruck, die sich immer häufiger in den Heften der »Deutschen Rundschau« wiederfinden. So bemängelte der Autor Hermann Mark, daß man überall in anderen Ländern dem Staatsoberhaupt wirkliche »Leitungsrechte« zugebilligt habe – nur auf diese Weise könne »der Jammer der Nation zu einem geschlossenen Selbstbehauptungswillen« nach außen verdichtet werden. »Der Erfolg ist, daß wirklich unabhängige Führernaturen aus dem politischen Leben ausgeschaltet sind.« [12]

Die Bildung eines »organischen Volkswillens« müsse Ziel der Reichsverfassung sein, dabei brauche man nicht unbedingt an eine Diktatur zu denken. »Für einen Faschismus fehlt dem deutschen Eigenwillen die Fähigkeit, der deutschen Nüchternheit der theatralische Schwung, für diese Art politische Hypnose eignet sich der zerspaltene Deutsche nicht.« [13] Aber es war doch unverkennbar, daß man unter dem Autorenstamm der »Deutschen Rundschau« mit dem Modell eines faschistischen Ständestaates sympathisierte und sich für das italienische Vorbild zu interessieren begann. [14] Hellmuth Schneider räumte in einem »Rundschau«-Aufsatz ein, daß der Aufbau des faschistischen Ständestaates für den Deutschen »bestechend« sei, obwohl von einer voreiligen Beurteilung abgeraten werden müsse. Das Ideal der Deutschen sei die Werksgemeinschaft – ein Ständestaat, der nicht organisch gewachsen sei, müsse erst in wirtschaftlichen Notzeiten beweisen, ob er nicht »auf Schall und Rauch gegründet sei«. [15]

In der Zeit von 1925 bis 1930 lassen sich in der »Deutschen Rundschau« nur selten Stellungnahmen zu aktuellen Anlässen registrieren. Zwar zeichnet der außenpolitische Beobachter in der Sparte »Politische Rundschau« regelmäßig die Ereignisse in der Welt und untersucht vornehmlich außenpolitische Zusammenhänge, doch die Detailkritik gegenüber innenpolitischen Geschehnissen wird zugunsten einer distanzierten, auf theoretische Grundlagen zurückgreifenden Betrachtung aufgegeben. Das zugrundeliegende Denkschema, wie es dem Leser Jahr um Jahr vermittelt wurde, war dabei relativ einfach: In außenpolitischer Hinsicht folgte die Zeitschrift den Intentionen Stresemanns, dessen Völkerbundspolitik mit eindeutigen Kommentaren versehen wurde. »Nichtsdestoweniger bedeutet die Aufnahme Deutschlands in den Völkerbund die offizielle Anerkennung des Großmachtranges. Deshalb gilt es, wieder Großmacht zu werden.« [16] Die Politik in Genf wurde aus

12 Hermann Mark: Deutsche Kraftverschwendung, a. a. O. S. 128.
13 Mark, Hermann: Deutsche Kraftverschwendung, a. a. O. ebenda.
14 Vgl. Klaus-Peter Höpke: »Die deutsche Rechte und der italienische Faschismus. Ein Beitrag zum Selbstverständnis und zur Politik von Gruppen und Verbänden der deutschen Rechten«; Beiträge zur Geschichte des Parlamentarismus und der politischen Parteien, Band 38, Düsseldorf 1968, S. 292 ff.
15 Hellmuth Schneider: Die faschistische Gewerkschaftsbewegung und der italienische Ständestaat, in: Deutsche Rundschau, September 1926, S. 253 ff. Vgl.: Die italienischen faschistischen Zeitschriften, in: Deutsche Rundschau, Januar 1930, S. 55 ff.
16 Mark, Hermann: Deutsche Kraftverschwendung, a. a. O. ebenda.

diesem Blickwinkel lediglich als Mittel für die Realisierung von Zielen gesehen, die Deutschland vom Objekt wieder zum Subjekt europäischer Konstellationen machten sollten. Dabei wurde übersehen, daß greifbare Erfolge nur aus einer ständigen Gesprächsführung mit dem Westen erzielt werden konnten, vor allem, nachdem das Ringen um die Reparationen, die Verträge von London und Locarno, die Gewinnung einer neuen Plattform in Genf nur durch ständige Verhandlungen mit den Westmächten erreicht worden waren. [17] An der publizistischen Ansprache der »Deutschen Rundschau« läßt sich die Ernüchterung ablesen, die nach den kleinen Anfangserfolgen im »Geist von Locarno« — u. a. Erleichterungen im besetzten Rheinland, Ende der alliierten Militärkontrolle — zunehmend im konservativ-nationalen Lager um sich griff. Die Politik der Verständigung verlagerte sich allmählich in Richtung auf eine begrenzte Revision des Friedensvertrages. Für jenen zögernden Prozeß des Umdenkens, der mit unverblümt vorgetragener Enttäuschung verbunden war, gibt es aus der Zeit außenpolitischen Stillstands — d. h. für die Periode von 1927 bis 1929 — einige deutliche Stellungnahmen. Der außenpolitische Kommentator der »Deutschen Rundschau«, seit Locarno ein Befürworter Stresemannscher Außenpolitik, sprach in seiner Bilanz des Jahres 1927 die Hoffnung aus, daß sich die positiven Vorteile der Völkerbundsarbeit in den nächsten Jahren auswirken würden. »Hoffentlich vertieft sich diese Zusammenarbeit im Jahre 1927 weiter, damit unsere Befriedungspolitik weitere Fortschritte erzielen kann.« [18] Sogleich wird ein Katalog von Forderungen für die nächste Zukunft unterbreitet: das deutsche Verhältnis zu Polen, die Stärkung deutscher Minderheiten in Estland und Litauen, die Fragen des Selbstbestimmungsrechts in Ost-Oberschlesien, in Ungarn und Nordschleswig, die kulturelle deutsche Autonomie in der Tschechoslowakei, die als verzweifelt apostrophierte Lage in Südtirol, schließlich die immer wiederkehrende Forderung nach einem Anschluß Österreichs an Deutschland. Vor dem Hintergrund solcher Maximalforderungen wird die Enttäuschung begreiflich, die aus einer Bestandsaufnahme Carl-Christian von Loeschs herauszulesen ist. »Gewiß, es besteht ein Völkerbund in Genf, in den auch das Deutsche Reich aufgenommen wurde. Er hat manche Probleme angefaßt und untergeordnete gefördert, aber keines der großen auch nur zu Teillösungen gebracht. Dort wo er Richter sein und Recht weiterentwickeln sollte, z. B. in Minderheitenfragen, versagte er sich oder wich aus. So wuchs die Rechtlosigkeit in Europa. Es besteht auch wenig Aussicht, daß der Völkerbund in absehbarer Zeit Kraft finden wird, Recht zu wahren und Recht zu schaffen.« [19] Wie leicht man indes bereit war, aus solcher Analyse sogleich die Forderung nach einem neuen Nationalbewußt-

[17] Vgl. Vogelsang, Thilo: Die Außenpolitik der Weimarer Republik, 1918—1933, Schriftenreihe der Niedersächsischen Landeszentrale für Heimatdienst, Heft 4, 1959, S. 23 ff.

[18] Politische Rundschau, in: Deutsche Rundschau, 1927, Band 210, Heft 1, S. 97.

[19] Loesch, Carl-Christian: Streben und Stil der Besiegten, in Deutsche Rundschau, Oktober 1928, S. 2.

sein abzuleiten, zeigt die Folgerung Loeschs wenige Zeilen darauf: »Ist der schöpferische Genius des deutschen Volkes, dessen Zerrissenheit geschildert wurde, erschöpft? Oder ist es fähig, aus ihr herauszukommen und jene einheitliche Welt- und Lebensauffassung wieder zu gewinnen, die ... als Voraussetzung für eine erfolgreiche Außenpolitik für nötig erkannt wurde, der natürlich eine gleichgerichtete Innenpolitik entsprechen müßte? Endgültige Antwort darauf kann erst die Zukunft geben.« [20]

Die Neigung zum Revisionismus, wie sie sich ab 1927 immer deutlicher im Hinblick auf die Genfer Liga der Nationen registrieren läßt, fand im umstrittenen Young-Plan eine besondere Reibungsfläche: Empörung gegen die in Kompromissen mühselig ausbalancierte Parteipolitik und Erwartung nach einer starken unkomplizierten Ordnung waren das Resultat einer Wendung, die sich besonders in der Zeitschrift Rudolf Pechels niederschlug. Eben dort formulierten sich die Appelle für einen autoritären Staat, der die Schlußphase der »Rundschau«-Publizistik beherrschen sollte.

a) Der Standortwechsel bei der Kampagne um den Young-Plan (1929)

Der Young-Plan bezeichnete als letzte Tat Stresemanns eine wichtige Etappe auf dem Weg zur endgültigen Liquidierung der Reparationen und zur Wiederherstellung der inneren und äußeren Souveränität Deutschlands. Mit ihm verbunden geschah die Aufhebung der alliierten Kontrollen und ein Jahr später die Räumung des besetzten Rheinlandes. Mochten die finanziellen Verpflichtungen noch immer schwer sein, verbürgten sie doch die unentbehrlichen ausländischen Kredite, schufen die notwendige finanztechnische Klarheit und eröffneten die Chance auf weitere elastische Handhabung und spätere Revision der Vereinbarungen. »Der Young-Plan war das kleinere Übel, mehr konnte im Augenblick nicht erreicht werden.« [21]

Von dieser Beurteilung späterer Beobachter hat sich die Stellungnahme des Zeitgenossen Martellus in der »Deutschen Rundschau« nicht grundlegend unterschieden; denn der Anhänger Stresemanns warb um Verständnis für das Vertragswerk bei seinen Lesern. Zwar räumte er ein, daß in Deutschland wohl kaum eine parlamentarische Mehrheit für die Gesetze zu finden sein werde, aber dennoch gebiete die politische Überlegung, nun auch den Weg der Dawes-Revision über die Annahme der Young-Gesetze zu gehen. »Nur wird es eben darauf ankommen, die innere Widerstandslinie so fest zu bauen, daß Verzichte von heute die Offensive von morgen ermöglichen.« [22] Ein solcher Standpunkt erfordere zwar harte nationale Disziplin – doch habe man die Pflicht, auch für das Morgen neue Wege zu weisen. Von diesem Standpunkt wich der »Rundschau«-Kommentator nicht ab, nachdem sich Nationalsozialisten, Deutschnationale, Stahlhelm und Reichslandbund im Volksbegehren gegen den Young-Plan solidarisiert und das Abkommen

[20] Loesch: Streben und Stil, a. a. O. S. 11.
[21] Bracher: Die Auflösung der Weimarer Republik, a. a. O. S. 290.
[22] Politische Rundschau, in: Deutsche Rundschau, Dezember 1929, S. 271.

als einen »Akt dauernder Entrechtung Deutschlands« bekämpft hatten.[23] Aus der »Deutschen Rundschau« bekamen die genannten Gruppen den Vorwurf zu hören, daß »unverantwortliche Parteipolitik im Hugenberg-Hitler-Lager« dem Gegner alle Argumente für ein schroffes Vorgehen geliefert habe. »Das Spiel mit den Sanktionen haben wir letzten Endes diesem Treiben zu verdanken.«[24] Dennoch werde der Plan angenommen werden müssen: Zu seinem Vorteil müsse gerechnet werden, daß die volle Souveränität zurückgegeben werde, nachteilig würde sich auswirken, daß auch der Young-Plan eine neue Vergewaltigung Deutschlands und ein »politisches Machwerk mit vielen unschönen Kompromissen« bezeichne. Solche Interpretation unterschied sich zweifellos beträchtlich von der Kampagne auf der deutschnationalen Rechten; denn trotz aller Vorbehalte wurde der Young-Plan mit vorausschauenden Überlegungen verknüpft und in den Gesamtzusammenhang einer Strategie gestellt, die von Stresemann begründet worden war. Es bedeutete eine Abkehr von den Gedankengängen Stresemanns, als im Jahre 1930 in der »Deutschen Rundschau« plötzlich zur Revision des Young-Planes aufgerufen wurde: abermals wechselte Pechels Zeitschrift in auffälliger Weise ihr Gesicht, erneut mußte sich der Leser an eine veränderte Tonart gewöhnen.

Zu jenem Meinungswechsel gehörten wiederum personelle Konsequenzen. Noch im April-Heft des Jahres 1930 hatte Kommentator Martellus die Engstirnigkeit deutscher nationaler Kreise hervorgehoben, die in angeblich trotziger und unbelehrbarer Weise gegen den Young-Plan agitierten. »Wie soll eine erfolgreiche Außenpolitik geführt werden, wenn die Nation disziplinlos die verschiedensten Ziele verfolgt und die höchste Autorität des Staates einfach verleugnet?«[25] Solches Werben war mit dem Hinweis auf den »greisen Feldmarschall« Hindenburg verbunden worden, der die Vereinbarung über den Young-Plan in einer Kundgebung an das deutsche Volk begründet und für ihre Annahme plädiert hatte.[26] Die Zeitschrift Pechels sollte wenig später jenen Mann im Stich lassen, den ihr Herausgeber kaum zwei Jahre vorher noch als den einzigen bezeichnet hatte, vor dem selbst in »heftigem Streite wenigstens bei den Menschen, die Anspruch auf Achtung vor sich erheben können, die innerdeutsche Fehde«[27] schweigen müsse. Das Pathos solcher Worte zeigte sich in der Art und Weise, mit der Pechel gerade auf die Aufforderung Hindenburgs, nunmehr alle Gegensätze zu überwinden und zu einer sachlichen Bestandsaufnahme zu gelangen,[28] in seiner Zeitschrift reagierte: er entließ seinen Kommentator Martellus und engagierte als neuen Kolumnisten Wilhelm von Kries, der bisher aus London

[23] Vgl. die Dokumente bei Huber, Ernst-Rudolf: Dokumente zur deutschen Verfassungsgeschichte, a. a. O. S. 402 ff.
[24] Politische Rundschau, in: Deutsche Rundschau, Februar 1930, S. 177.
[25] Politische Rundschau, in: Deutsche Rundschau, April-Heft 1930, S. 85.
[26] Vgl. Dokument Nr. 379 bei Huber: Dokumente, a. a. O. S. 404 f.
[27] Vgl. Pechel: Zum 2. 10., a. a. O. S. 1.
[28] Vgl. Dokument Nr. 379 bei Huber, a. a. O. S. 405.

für die »Deutsche Rundschau« berichtet hatte und nunmehr unter dem Pseudonym »Reinoldus« eine allmähliche Umdeutung bisheriger Standpunkte vorbereiten sollte.[29] Im Oktober 1930 – kaum sechs Monate nach Hindenburgs eindringlichem Appell – registrierte Reinoldus mit unverhohlener Befriedigung eine »gewisse Revisionsstimmung«, die sich hinsichtlich des Young-Planes vorbereite. »Man sieht schneller ein, als die Schöpfer des Werkes sich dachten, daß die Lasten zu groß sind, die man Deutschland aufgepackt hat.«[30] Die Erkenntnis des Kommentators Reinoldus, daß der Young-Plan zu einer Keimzelle größter internationaler Schwierigkeiten auf wirtschaftlichem Gebiet[31] geworden sei, hatte sich inzwischen bei Rudolf Pechel durchgesetzt. Mit Beginn des Jahres 1931 startete er eine Aufsatzserie, in deren Rahmen prominente Vertreter der deutschen Wirtschaft die Revision des Vertragswerks forderten und in einseitiger interessenpolitischer Betrachtungsweise auf die Nachteile der Vereinbarungen verwiesen. Ausschlaggebend war für Pechel der Gedanke gewesen, daß die notwendig werdende Revision des Vertragswerkes das deutsche Publikum nicht wieder unvorbereitet treffen dürfe und daß die Diskussion von Beginn an aus der »Parteiniederung« hervorgehoben werden müsse, wie seine Begründung etwa gegenüber Fritz Thyssen als einem prominenten Wirtschaftsführer lautete.[32] An alle Mitautoren erging die Mahnung: »In diesen Aufsätzen müßten die Tatsachen ohne direkte propagandistische Auswertung durch den Verfasser eine solch deutliche Sprache sprechen, daß jeder Einsichtige nach ihrer Lektüre keine Möglichkeit mehr hätte, aus sachlichen Gründen die Revision des Young-Planes zu verneinen.«[33] Abgesehen davon, daß die Entscheidung des Staatsoberhauptes Hindenburg eben gerade nicht akzeptiert wurde, sobald sie eigenen Intentionen zuwiderlief, bedeutet diese Hinwendung zu Vorstellungen der deutschen Industrie für die Zeitschrift erneut eine folgenschwere Verfilzung mit den Konstellationen jener Zeit. Gerade die Enttäuschung der deutschen Wirtschaft über den Ausgang der Young-Verhandlungen war stark gewesen, denn die Höhe der aufgebürdeten Lasten wurde als zu hoch empfunden.[34] Wenn Pechel nunmehr die Betroffenen dieser Entwicklung in seiner Zeitschrift zu Worte kommen ließ, dann mußte er zugleich die allgemeine Erwartung der Industriellen akzeptieren, daß sich eine einseitig wirtschaftliche Lösung gegenüber allen politischen Wünschen durchsetzen würde, daß also ein eindeutig interessenpolitischer Gesichtspunkt gegenüber allen anderen Erwägungen zu dominieren habe. Nichts anderes konnte die Absicht bedeuten, nunmehr Repräsentanten der Industrie selbst

29 Vgl. Briefwechsel mit Kries, BA, Mappe 83.
30 Politische Rundschau (Reinoldus), in: Deutsche Rundschau, Oktober 1930, S. 88 f.
31 Vgl. Politische Rundschau, Januar 1931, S. 80.
32 Brief Pechel an Fritz Thyssen, 17. 10. 1930, BA, Mappe 43.
33 Brief Pechel an Thyssen, a. a. O. ebenda.
34 Vgl. Röseler, Klaus: Unternehmer in der Weimarer Republik, Die Stellung der Unternehmer zur Entwicklung in Staat, Politik und Wirtschaft bis 1928, in: Tradition, 1968, Heft 5, S. 236 ff.

zu Worte kommen zu lassen: die Industriellen Vögler und Thyssen, ja sogar Hjalmar Schacht, der sich am 6. Dezember 1929 in einem Memorandum an Regierung und Öffentlichkeit von dem Young-Plan losgesagt und vom damaligen »Rundschau«-Kommentator Martellus noch herbe Kritik bekommen hatte.[35]

Gewiß ist die Vermutung zulässig, daß sich in jenem Kurswechsel die zögernde Annäherung an die DAZ-Finanzgruppe auszuwirken begann, welche die »Deutsche Rundschau« im Krisenjahr 1931 unternahm. Die Vertreter dieser Gruppe gehörten zu eben jenen Sachverständigen, die nach der Pariser Konferenz im Februar 1929 aus ihrer Enttäuschung keinen Hehl gemacht und für die Revision des Vertrages plädiert hatten. An ihrer Spitze standen Vögler als Vertreter der deutschen Eisenindustrie sowie Silverberg und Schlenker als Geschäftsführer des deutschen Langnam-Vereins. Aufmerksame Leser fanden unter den Ausführungen Max Hallers in der »Deutschen Rundschau« den ungewöhnlichen Hinweis auf frühere Ausführungen in der »Deutschen Allgemeinen Zeitung«, wo der gleiche Autor bereits vorher zum Young-Plan Stellung bezogen hatte.[36] Eine wohlwollende Betrachtung über deutsche Wirtschaftsführer, die zum »Sprung in die nationale Verpflichtung« aufgefordert wurden,[37] erhielt vom »Rundschau«-Herausgeber die bezeichnende Vorbemerkung, wonach man bei der Diskussion über Wirtschaftsfragen endlich die Fragestellung zurechtzurücken habe und zum Kernpunkt des Problems vorstoßen müsse. Kein Zweifel, daß der Kurswechsel bei der Kampagne um den Young-Plan von den unterschiedlichsten Intentionen begleitet war. Die tendenzielle Verselbständigung der Exekutivgewalt, wie sie sich mit dem Kabinett Brüning abzuzeichnen begann, hatte im Projekt eines »Wirtschaftsbeirats« seinen Ausdruck gefunden, dessen Organisation und personelle Besetzung vom ehemaligen Reichskanzler und Hapag-Direktor Cuno projektiert worden war. In diesem Gremium finden sich Namen, die als Hauptfinanziers der DAZ-Gruppe 1931 die Weiterexistenz der »Deutschen Rundschau« ermöglicht haben. Genannt waren von der Industrie Bosch, Klöckner, Krupp, Reusch, Siemens, Springorum, Thyssen und Vögler[38] – lauter Persönlichkeiten, deren Interessen die »Deutsche Rundschau« in jener Zeit in auffallender Weise popularisierte. War mit der

35 Vgl. die Aufsätze: »Die deutsche Wirtschaft unter dem Young-Plan«, (Max Haller), Januar 1931, sowie die gleichnamigen Abhandlungen von Reichert, Schacht und Kastenholz in den folgenden Heften.

36 Deutsche Rundschau, Januar 1931, S. 1.

37 Wilhelm von Kries: Das Schicksal des Kapitalismus, in: Deutsche Rundschau, August 1931, S. 91 ff.

38 Vgl. die Angaben bei Fritz Klein: Die Vorbereitung der faschistischen Diktatur, a. a. O. S. 897 ff., und Bracher: Die Auflösung, a. a. O. S. 438. Zur Rolle der Industrie auch unerläßlich: Sörgel, Werner: Metallindustrie und Nationalsozialismus, Frankfurt 1965, S. 5 ff. Czichon, Eberhard: Wer verhalf Hitler zur Macht?, Köln 1967, hier besonders S. 24 ff. Hallgarten, George, W. F.: »Hitler, Reichswehr und Industrie«, Frankfurt 1955, S. 93 ff. Thyssen, Fritz: I paid Hitler, London 1941, S. 163 ff. Jaeger, Hans: Unternehmer in der deutschen Politik, Bonn 1967, S. 131. ff.

Bindung zugleich jene »innere Umgestaltung« identisch, über die Pechel mit seinem Vertrauten Ernst Brandi damals hatte reden müssen? Selbst wenn diese Frage nicht eindeutig beantwortet werden kann, gibt sie doch einen Hinweis auf die vielfältigen Einflüsse, welche die »Deutsche Rundschau« in jener Zeit geprägt und in auffallender Weise verändert haben.

b) Die Rückwirkungen auf Vorstellungen zur Innenpolitik

Die Behauptung, wonach die Kampagne um den Young-Plan als erstes »Sturmzeichen der Krise und Kristallisationspunkt der grundsätzlichen Opposition gegen das ›System‹ von Weimar«[39] bewertet werden muß, läßt sich am Beispiel der »Rundschau«-Publizistik fast exemplarisch belegen. Aus der Sicht Pechels und seiner Autoren geriet die Verständigungspolitik Stresemanns nunmehr in einen Kausalzusammenhang mit der wirtschaftlichen und politischen Krise. Dies zeigte sich am deutlichsten in der Reaktion auf das Fiasko der Septemberwahlen von 1930, die mit dem großen Wahlsieg der Nationalsozialisten endeten. In einem leidenschaftlichen Appell wandte sich die »Deutsche Rundschau« an die verantwortlichen Staatsmänner des Auslandes, bei denen sie die Schuld am Wahlausgang zu erkennen glaubte. »Deutschlands Schicksal ist Europas Schicksal. Wird Deutschland keine Hilfe gebracht, dann ist das Abendland am längsten Kulturland gewesen. Wir sehen schwarz für Europa; denn sein Barometer steht auf Sturm. Nicht nur Revolution und Krieg wird es geben, seine Not wird Dämme zerreißen, die man für Bollwerke der Ewigkeit hielt. Die Wahlen vom September 1930 haben gezeigt: Europas Herz gibt kein Blut mehr an die Nachbarvölker ab, sie werden entweder mitverkümmern oder zu seiner Gesundung beitragen müssen.«[40] Diese Vorausschau wurde mit Forderungen verknüpft, die einmal mehr auf eine Umgestaltung der Reichsverfassung zielten: »Nur eine starke Führung ist eine wirksame Sicherung gegen alle den Staat von außen und innen bedrohenden Gefahren«,[41] lautet das Fazit in einer Betrachtung über die Vor- und Nachteile der konstitutionellen Demokratie, wobei die Losung ausgegeben wurde: »Es gilt jetzt zu handeln, wenn wir überhaupt noch die Möglichkeiten einer Evolution bejahen; denn die Revolution steht vor der Tür. In solcher Stunde gilt es die Zusammenfassung aller Kräfte.«[42] Solche Postulate fielen mit einer Zeit vielfältiger Belebungsversuche früheren jung-konservativen Gedankenguts zusammen. Schon 1929 hatte Werner Wirths ein gesteigertes Interesse der Deutschen an einer »breiteren, geistig-künstlerischen Auseinandersetzung mit dem Kriege und seinen Einwirkungen auf Mensch und Volk« konstatiert. Dieser Beobachtung hatte er den Gedanken über das Kriegserlebnis hinzugefügt.

39 Bracher: Die Auflösung, a. a. O. S. 291.
40 Konstitutionelle Demokratie, in: Deutsche Rundschau, Oktober 1930, S. 90.
41 Reinoldus in: Politische Rundschau, Oktober 1930, S. 90.
42 Konstitutionelle Demokratie, a. a. O. ebenda.

»Die Unterordnung des Individuums unter die naturhafte Gewalt der Schlacht, die Einfügung des einzelnen unter das Notwendige, in die Zelle der Kameradschaft.« [43] Walter Tritsch hatte das »geheime Deutschland« entdeckt – jene permanent beschworene Vision eines konservativen Aufbruchs gleich handelnder und denkender Menschen. »Das geheime Deutschland, das sind heute jene, deren Kraft groß genug ist, im Getriebe des Tages und Stundennutzes ... für sich allein zu stehen ... und dabei Träger eines unsichtbaren Reiches zu sein.« [44] Zugleich verfolgte die »Deutsche Rundschau« jene Organisationen mit Interesse, die sich um eine Revision der Weimarer Reichsverfassung bemühten: die Vorschläge des »Bundes zur Erneuerung des Reiches«, der sich unter Reichskanzler a. D. Hans Luther um eine Reichsreform bemühte, fanden in Pechels Zeitschrift eine positive Resonanz. Der »unseligen Allmacht des Parlamentarismus« würde – wie es in der Rezension einer Denkschrift des Bundes hieß [45] – die Figur des Reichspräsidenten gegenübergestellt, der in richtiger Betrachtung der politische Führer des Volkes sei. »Der Wunsch, wirklich geführt zu werden, ist allgemein und elementar. Wirkliche Befreiung – das ist der Weg zur Gesundung und Stärkung des Volkes.« Der Wunsch nach autoritären Lösungen wurde im Gefolge der Ratifizierung des Young-Abkommens in verstärktem Maße vorgetragen. Parallel zu diesem Begehren lief die Kritik an der Arbeit des Genfer Völkerbundes, von dem man sich im Umkreis der »Deutschen Rundschau« keine Alternativen mehr erhoffte. »Welches Gebiet der Völkerbundsarbeit auch immer herausgegriffen wird, überall finden wir eine gegen Deutschland gerichtete, reaktionäre Einstellung.« [46]

Die Diskussion um den Young-Plan und ihre Rückwirkungen auf Vorstellungen zur Innenpolitik kennzeichnen in der Publizistik der »Deutschen Rundschau« eine Phase, von der an die Diskreditierung jeglicher Parteipolitik an Schärfe zunahm und der Ruf nach einer entschlossenen autoritären Führung einen ersten Höhepunkt erreichte. Gewiß wurden solche Appelle durch die politischen Geschehnisse jener Zeit in wirksamer Weise unterstützt. Der Tod Stresemanns, die Krise der Regierung Müller, der Beginn der Präsidialregierung Brüning, die Spaltung der Deutschnationalen, die Wiederwahl Hindenburgs und schließlich Brünings Sturz, alle diese Ereignisse deutscher Innenpolitik von 1929 bis 1932 mußten eine Publizistik beflügeln, die sich von Beginn an gegen den parlamentarisch-demokratischen Kompromiß Weimarer Prägung gewendet hatte. Den Gedanken eines konservativ-revolutionären Aufbruchs haben in jener Periode Edgar Julius Jung und Karl Haushofer am nachdrücklichsten propagiert: ihre Aufsätze gaben

43 Werner Wirths: Bücher vom Kriege, in: Deutsche Rundschau, April 1929, S. 81 f.

44 Walter Tritsch: Das geheime Deutschland, in: Deutsche Rundschau, Oktober 1930, S. 68 ff.

45 Die Rechte des deutschen Reichspräsidenten, in: Deutsche Rundschau, Januar 1930, S. 71.

46 Politische Rundschau, Februar-Heft, 1931. S. 174.

den Appellen der »Deutschen Rundschau« für einen neuen Staat erst ihr spezifisches Gepräge. Außerdem wahrten sie jene ideologische Kontinuität, die 1920 mit der Hinwendung zum Konservativismus Moeller van den Brucks begonnen worden war.[47]

2. Der publizistische Angriff von Edgar Julius Jung

Wenn Rudolf Pechel im Jahre 1930 seinen Leser Otto Heuschele wissen ließ, daß Edgar Julius Jungs »Herrschaft der Minderwertigen« durchaus »organisch zum Gesamtstreben der ›Deutschen Rundschau‹« [48] gehöre, so wollte er mit dieser Bemerkung gewiß auf die Kontinuität der ideologischen Zielsetzung verweisen, wie sie sich in den Heften der »Deutschen Rundschau« widerspiegelt. Tatsächlich erhielt die Entwicklung der konservativen Ständelehre, wie sie in Kreisen der Jung-Konservativen propagiert und von der »Deutschen Rundschau« übernommen worden war, einen wesentlichen Anstoß durch Edgar Julius Jung, der sich zum »revolutionären Konservativismus« Moeller van den Brucks bekannte, ohne eigentlich zu dessen Mitarbeitern zu gehören.[49] Dies Bekenntnis zur Erbschaft Moellers ist deswegen ein wichtiger Bezugspunkt zum Verständnis des Konservativismus Jungscher Prägung, weil sich nur daraus sein Standort gegenüber dem »Neuen Staat« im Sinne der Regierung Franz von Papens und seine Position gegenüber dem Nationalsozialismus analysieren läßt.[50]

a) Jungs Standort in der Vorstellungswelt des revolutionären Konservativismus

Edgar Julius Jung, der sich selbst zu den schärfsten Kritikern des Liberalismus zählte, sah die Überwindung des Liberalismus nur durch eine konservative Revolution garantiert. Diese bedeutete für ihn »die Wiederinachtsetzung all jener elementaren Gesetze und Werte, ohne welche der Mensch den Zusammenhang mit der Natur und mit Gott verliert und keine wahre

47 Vgl. Klemperer: Konservative Bewegungen, a. a. O. S. 133 f.
48 Brief Pechel an Otto Heuschele, 16. 1. 1930, BA, Mappe 77.
49 Edgar Julius Jung: Sinndeutung der deutschen Revolution, Oldenburg 1933, S. 20 ff.
50 Jung hat folgende Aufsätze in der Deutschen Rundschau veröffentlicht: »Gegen die Parteien«, Mai 1926; »Reichsreform«, November 1928; »Der Volksrechtsgedanke und die Rechtsvorstellungen von Versailles«, Oktober 1929; »Frauen von heute«, Januar 1930; »Volkserhaltung«, März 1930; »Die Wirtschaft in der Zeitenwende«, Juli 1930; »Die Bedeutung des Faschismus für Europa«, Juni 1931; »Aufstand der Rechten«, Oktober 1931; »Neubelebung von Weimar?«, Mai 1932; »Das eigenständige Volk — Bemerkungen zu Boehms Volkstheorie«, August 1932; »Revolutionäre Außenpolitik«, Februar 1932; »Revolutionäre Staatsführung«, Oktober 1932; »Deutsche Unzulänglichkeiten«, November 1932; »Verlustbilanz der Rechten«, Januar 1933; »Einsatz der Nation«, März 1933; »Die christliche Revolution«, September 1933; »Deutschland ohne Europa«, Deutsche Rundschau, Februar 1934.

Ordnung aufbauen kann. Anstelle der Gleichheit tritt die innere Wertigkeit, anstelle der sozialen Gesinnung der gerechte Einbau in die gestufte Gesellschaft, anstelle der mechanischen Wahl das organische Führerwachstum, anstelle bürokratischen Zwangs die innere Verantwortung echter Selbstverwaltung, anstelle des Massenglücks das Recht der Volkspersönlichkeit«. [51] Jung machte keinen Hehl daraus, daß er das Ideal dieser »Konservativen Revolution« durch Moeller van den Bruck vermittelt bekommen hatte. Für ihn war Moeller zum »Führer« geworden: »Auf dem hier angedeuteten Wege ist er so weit fortgeschritten, daß dem Suchenden über die weiterhin einzuschlagende Bahn kein Zweifel kommen kann.« [52] Aber trotz dieses Bekenntnisses zu Moeller zeigt sich bei Jung ein Unterschied, der sich besonders in der Rezension über Moellers »Drittes Reich« artikulierte. Vor der Niederschrift dieser Abhandlung für die »Deutsche Rundschau« [53] hatte Pechel ihn ermahnt, er möge bei seiner Auseinandersetzung mit Moeller besonders auf die »Gefahren des Literatentums in der Politik« [54] aufmerksam machen. Tatsächlich hebt Jung diesen Aspekt bei seiner Rezension hervor. »Wohl spürt man vielleicht zu oft den Literaten und zu selten den Politiker. Aber die Not wird bei ihm zur Tugend, und ich weiß nicht, ob dem Politiker so wunderbare Wortprägungen geglückt wären, wie sie ›Das Dritte Reich‹ enthält.« Trotz dieser respektvollen Verneigung vor Moellers Stilkunst ist die Distanz Jungs zu dessen rein literarischen Ambitionen doch unverhüllt. Er spricht die Hoffnung aus, daß von der Metapolitik des »Dritten Reiches« erst der Weg zur politischen Wirkung, »also zur reinen Politik«, gefunden werden müsse – allerdings sei es richtig, daß der Deutsche zunächst weltanschaulich neu orientiert werden müsse, um frische Kräfte zu erschließen und sie in die Tat umsetzen zu können. Diese Erkenntnis sei das große Verdienst Moellers, dessen Werk erziehend und wegweisend für eine ganze Generation bleiben müsse. »Zwischen ›Fortschritt‹ und ›Reaktion‹ führt es die Jungen zukunftswollend zu einem neuen Deutschland.« [55]

Es besteht kein Zweifel, daß sich Jung als Publizist und Politiker als Verwirklicher dieser Ideologien gesehen hat. Die Belebung jungkonservativen Gedankenguts, wie sie ab 1929 zu registrieren war, führte Jung stets auf die organisatorischen Anfänge in der Motzstraße zurück: »Das viel gelästerte Haus in der Motzstraße läßt sich aus der politischen Entwicklung der Nachkriegsjahre nicht hinwegdenken.« [56] Unter Hinweis auf die vielfältigen Bemühungen zur Aktivierung eines revolutionären Konservativismus fügt er hinzu: »Der Geschichtsschreiber wird einmal abzuwägen haben,

[51] Vgl. Jung, Edgar Julius: Deutsche über Deutschland – Die Stimme des unbekannten Politikers, München 1932, S. 380, für den Gesamtzusammenhang ferner: Gerstenberger, a. a. O. S. 96, und Sontheimer: Antidemokratisches Denken, a. a. O. S. 283 ff.

[52] Jung: Gegen die Parteien, Deutsche Rundschau, März 1926, S. 160.

[53] Gegen die Parteien, a. a. O. ebenda.

[54] Pechel an Jung, ohne Datum, BA, Mappe 76.

[55] Gegen die Parteien, a. a. O. ebenda.

wo das schöpferische Verdienst, die neue Gedankenwelt geformt und lebendig gemacht zu haben, im einzelnen liegt, bei welchen Gruppen, bei welchen Persönlichkeiten ... er wird die besondere Situation der Arbeitskreise, Gruppen und Persönlichkeiten, in denen die geistigen Vorgänge geformt wurden, berücksichtigen müssen. Dann wird sich erst zeigen, welches Maß an Aufopferung, persönlichem Verschleiß und Tragik hier offenbar wurde.«[56a] Für Jung waren die politischen Bestrebungen der Jung-Konservativen in zwei Organisationen wirksam abgestützt worden: innenpolitisch definierte er den Juniklub um Moeller van den Bruck als Keimzelle für die Idee des revolutionären Konservativismus, außenpolitisch sah er die volksdeutschen Bemühungen des Deutschen Schutzbundes unter Max Hildebert Boehm als eine Quelle jung-konservativer Erneuerungsbestrebungen an. Genau in diesem Netzwerk organisatorischer und geistiger Wechselbeziehungen ist Jungs Standort in der Vorstellungswelt des revolutionären Konservativismus markiert. »Wir haben uns selber der deutschen Rechten zugeordnet und uns konservativ-revolutionär genannt. Alle Bewegungen, die in dieser Richtung lagen, wurden von uns gestärkt. Es kam uns auf innere Haltung an, nicht auf das äußere Gehabe. So kam es, daß unser Weg als geistige Kampfzeitschrift zwischen dem Mißtrauen unseres eigenen Lagers und dem Unverständnis der innenpolitischen Gegner hindurchführte. Jenen galten wir als unsicher, diesen als stur. Schicksal aller, die nichts wollten, als den Geist an sich gestalten in Volk und Reich!«[57]

In der »Deutschen Rundschau« wurde Jung zweifellos als der Sachwalter jung-konservativer Ideologie gesehen, als den er sich selbst gern interpretierte. Seine Schriften wurden in Pechels Zeitschrift als das »Werk eines Politikers gerühmt, das ... als erstes versucht, die von allen Seiten als notwendig empfundene Klärung aus diesem tiefsten Punkt der Neuordnung des Verhältnisses von Weltanschauung und Politik, von Idee und Wirklichkeit in Angriff zu nehmen«.[58] Deutlich wird damit die Verschmelzung von publizistischer Ansprache und politischer Aktion, wie sie sich an Jungs Beziehungen gegenüber Pechel nachweisen ließ. Die beziehungsvolle Frage, ob sich solche Gedankengänge praktisch verwirklichen lassen würden, fehlte nicht: »Sind seine Ziele zu erreichen? Das ist die große Frage, die das Buch allenthalben aufwerfen wird.« Der Autor gab die Antwort selbst: »Die junge Generation aber, die an die Tore pocht, hat in dem Verfasser dieses Werkes einen Führer erhalten, der nicht nur morsche Befestigungen niederzureißen, sondern auch neue Mauern und Türme aufzuführen verspricht des in unserer Seele lebenden ›Neuen Reiches‹.«[59]

56 Jung: Das eigenständige Volk, in: Deutsche Rundschau, August 1932, S. 86.
56a Jung: Das eigenständige Volk, a. a. O. S. 87.
57 Jung: Einsatz der Nation, März 1933, S. 157.
58 Helmbold, Konrad: Das »Neue Reich«, in: Deutsche Rundschau, Dezember 1929, S. 178, vgl. die Rezension von Grachus im Januar-Heft 1928, S. 23 ff.
59 Helmbold, a. a. O. ebenda.

b) Die Formel vom »ständischen Hoheitsstaat«

Jung hat niemals einen Zweifel daran gelassen, daß das Ziel der von ihm proklamierten nationalen Bewegung auf die Beseitigung des Parteienstaats gerichtet war. »Die Gegenbewegung gegen Weimar war für uns die Sehnsucht nach dem deutschen Staat, die Wiederbelebung der urdeutschen Reichsidee, ... wie sie sich – in unselbständiger Nachahmung westlicher Staatsideen – in den Weimarer Formen festgefahren hatte.«[60] Wie sah das Modell seines neuen Staates aus? Jung entwickelte das Ständeprinzip aus dem »organischen Gedanken«, den er wie Boehm, Brauweiler und Stadtler aus dem »Gemeinschaftserlebnis« zu begründen suchte.[61] In dem Gedanken der Gemeinschaft sei ein neues Lebensgefühl entstanden, jenes gemeinsame Gefühl, »in der nämliche Ganzheit gottgewollt zu ruhen«. Dieses neue Lebensgefühl, das sich in allen Völkern und Parteien registrieren lasse, berge die Hauptursache für die Rückkehr zum organischen Gedanken. Das Wesentliche am Organischen aber sei die »lebendige Einheit des Ganzen, widergespiegelt von Teilen, die wiederum Eigenleben besitzen, die gleichzeitige Freiheit und Dienstschaft der Teile, die Wechselwirkung zwischen vielen und Ganzen«.[62] Das Ständische und der Begriff des Standes würden auf dieser organischen Gliederung beruhen: »In der Bezogenheit des Standes auf die geordnete Ganzheit besteht überhaupt das Wesen des Organischen.« Dies Bekenntnis zum organischen Gedanken führte aber nicht zu der sonst bei konservativen Ständetheoretikern üblichen Forderung, wonach der Staat wie ein Organismus aus den Berufen als seinen »Zellen« aufzubauen sei. Vielmehr ist hier sein gesellschaftlicher Leitgedanke dominierend, wonach die Ordo das einzig wahre gesellschaftliche Strukturprinzip zu sein habe. Der Staat als Höchststand organischer Gemeinschaft müsse eine Aristokratie sein, im letzten Sinne eine »Herrschaft der Besten«, gegen die er jenen gegenwärtigen Zustand Deutschlands als »Herrschaft der Minderwertigen« projizierte. Erst in der »sozial-ethisch eingestellten« Führerschicht, die mit »Herrengefühl« eine Stetigkeit des Wollens verbindet, vollziehe sich die eigentliche Verkörperung des Staates. Dieser Höchststand Staat stelle etwas Eigenständiges, von der Gesellschaft Getrenntes dar und stünde als politische Macht den organischen Gliedern des Volkes gegenüber.[63]

In seinen nach Januar 1933 erschienenen Schriften und Aufsätzen[64] setzt Jung der Formel vom totalen Staat die Forderung nach einem Hoheitsstaat entgegen, der »die sozialen Lebensbereiche überwacht, miteinander ausgleicht

60 Jung: Einsatz der Nation, März 1933, S. 156.
61 Vgl. für das Folgende: Beyer, Justus: Die Ständeideologien der Systemzeit, a. a. O. S. 86 ff. sowie Gerstenberger, Heide: Der revolutionäre Konservatismus, a. a. O. S. 98 ff.
62 Zit. bei Beyer, Justus: Die Ständeideologien, a. a. O. S. 87.
63 Jung: Die Herrschaft der Minderwertigen, a. a. O. S. 286 ff.
64 So besonders: Sinndeutung der deutschen Revolution, a. a. O. S. 54 f. u. »Die christliche Revolution«, Deutsche Rundschau, September 1933.

und im Sinne völkischer Entfaltung lenkt, sie aber in ihrer Autonomie ungekränkt läßt und ihre Eigengesetzlichkeit schont. Dies aber ist der Grundgedanke des ständischen und die Konzeption des christlichen Staates«.[65] Eben dieser Dualismus hat Jungs politische Diagnostik in der Endphase Weimars beherrscht. In seiner Schrift »Sinndeutung der deutschen Revolution« verwies er darauf, daß sich auch Franz von Papen ausdrücklich zum Geistesgut von Moeller van den Bruck, Max Hildebert Boehm, Edgar Julius Jung und Leopold Ziegler bekannt habe. Solchen Persönlichkeiten habe die konservative Idee wesentlich ihre neuere Ausprägung zu verdanken. Tatsächlich sah sich Jung beim Amtsantritt Franz von Papens einen Augenblick lang am Ziel seiner Wünsche. Seine Auseinandersetzung mit den politischen Fragen jener Zeit, die von der verhängnisvollen Fehleinschätzung des Nationalsozialismus geprägt war, ist zugleich zu einem faszinierenden Dokument politischer Publizistik geworden. Unter Vernachlässigung anderer Denkansätze in der Jungschen Theorie, wie sie bereits von Heide Gerstenberger untersucht wurden,[66] ist diese Auseinandersetzung nunmehr zu betrachten.

c) Edgar Julius Jung und die Regierungen Brüning, Papen, Schleicher, Hitler (1930–1933)

Das Präsidialsystem unter Heinrich Brüning in den Krisenjahren 1930 bis 1931 ist von Edgar Julius Jung mit den unterschiedlichsten Erwartungen begleitet worden. Hatte er in Brüning, der für ihn ein »jung-konservativer Zentrumspolitiker« war,[67] zunächst die Hoffnung auf eine rasche Ablösung des parlamentarischen Systems gesehen, so schlug diese Euphorie bald in eine grenzenlose, von Verachtung und Kälte gespeiste Enttäuschung um. Nach Brünings Versuch, die parlamentarische Verfassung in ein präsidentielles System umzubiegen, habe sich bei vielen Gruppen der deutschen Rechten der Gedanke festgesetzt, wonach man gewissermaßen auf dem Gesetzes- und Verordnungswege eine legale Revolution herbeiführen könne. »So wurde Brüning, die letzte Reserve des parlamentarischen Systems, zur Hoffnung vieler. Man verband mit ihm die Vorstellung, er würde gewissermaßen die Opposition überflüssig machen und von Staats wegen durchführen, was man jener nicht zutraute.«[68]

Aus der Perspektive Jungs wurde freilich positiv vermerkt, daß unter Brüning die Macht des Reichstages »zu einer Abstimmungsmaschine« gesunken und die Stellung des Reichspräsidenten überragend geworden war. Dennoch sei Brüning nichts anderes als ein geschickter »Taktiker des Parlamentarismus« geblieben: Als Meisterstück solch taktischen Vorgehens

65 Sinndeutung, ebenda.
66 Gerstenberger, Heide: Der revolutionäre Konservatismus, a. a. O. S. 95 ff.
67 Edgar Julius Jung: Aufstand der Rechten, in: Deutsche Rundschau, Oktober 1931, S. 82.
68 Aufstand der Rechten, a. a. O. ebenda.

interpretierte Jung die »moralische Dezimierung der Sozialdemokratie«. Sämtliche antimarxistischen Parteien hätten zur Bekämpfung der als spießbürgerlich apostrophierten Sozialdemokraten nicht so viel beigetragen wie Brüning innerhalb eines Jahres. Aber mit welchem Ergebnis? »Er hat den Drachen zwar nicht getötet, ihn aber in Ketten gelegt, die seinen ungebärdigen Vernichtungsdrang endgültig gebrochen haben.«[69] Fast triumphierend stellt Jung in diesem Zusammenhang die Frage, wie eine solche Paralysierung des Parlaments möglich geworden sei. Seine Antwort lautete, daß nur das Eingreifen der »nationalen Opposition« jene präsidentielle Vormachtstellung herbeigeführt habe. »Gäbe es keine deutsche Rechte, so wäre das ganze Spiel unmöglich und der Reichstag redete wieder in gewohnter Frische drauflos.«[70]

Der agitatorische Stil in der Publizistik Jungs zeigt sich jedesmal, sobald er die Konsequenzen aus solcher Analyse zieht. »Brüning ist deshalb auch nicht der Mann, der das System von Weimar ausgerottet hätte.« Diese lapidare Feststellung deckt sich mit Jungs früherer These, wonach die Loyalität gegenüber der Regierung mit der Bedingung verknüpft wurde, daß sich die Verantwortlichen möglichst um die »Abschaffung des Systems« zu bemühen hätten.[71] Die Folgerungen aus jener Lageanalyse decken Jungs verhängnisvolle Fehleinschätzung gegenüber Hitler und der nationalsozialistischen Bewegung auf. Noch setzte sich Jungs optimistisch verkündeter »Aufstand der Rechten« aus allen Gruppen des nationalen Lagers zusammen – einschließlich der NSDAP um Adolf Hitler. In den Grundsatzreden »nationalsozialistischer Kämpen« erkannte Jung »das ethische Element, die ethische Deutung der Geschichte, die in ihren Versammlungen ein Volk anzieht, das des Skeptizismus und der Halbheit ebenso müde geworden ist wie der Prügelknabenrolle, die seiner Vergangenheit und seinen Leistungen stracks widerspricht. Hitler ist kein Staatsmann, sondern der Verkünder eines neuen sozialen und politischen Ethos.«[72] Das Selbstbewußtsein dieses Publizisten erlaubte es freilich nicht, daß man sich zum Anhänger der einen oder der anderen Richtung stempeln ließ: Das bedeutsame Treffen zwischen Hitler und Hugenberg in Bad Harzburg, wo sich die nationale Opposition zum Angriff auf die Republik formierte,[73] war für Jung der Anlaß, sowohl Hugenberg als auch Hitler mit den eigenen Vorstellungen zu konfrontieren. Die Deutschnationalen rückte er in die »staatspolitische Abteilung der nationalen Opposition«, ihrem Führer Hugenberg konzedierte er Beweglichkeit, eine staatspolitische Note, ja sogar revolutionäre Frische. Aber ausgerechnet Hitler rechnete er mangelndes Machtbewußtsein vor. Sicher entspreche dessen Formulierung weitgespannter revolutionärer Ziele den »ebenso gespannten Bögen der Sehnsucht nach einer neuen Gerechtigkeit und einer

69 Aufstand, ebenda.
70 Aufstand, a. a. O. S. 83.
71 Siehe die Ausführungen auf S. 238 f.
72 Aufstand, a. a. O. ebenda.
73 Vgl. Bracher: Die Auflösung der Weimarer Republik, a. a. O. S. 407 ff.

neuen Ordnung, welche die Masse des deutschen Volkes erfülle«. »Wenn man aber gleichzeitig die Macht anstrebt, so muß man in sich die Gewißheit tragen, diese Verheißungen erfüllen zu können.«[74]

Solche Äußerungen beweisen, wie unkenntlich die Grenzen zwischen dem jung-konservativen Jung und dem nationalsozialistischen Hitler bereits geworden waren: es gab Meinungsverschiedenheiten, aber niemals einen ernsthaften Konflikt. Längst hatte sich der eigene Standort dem des Gegenspielers so weit angenähert, daß eine klare Distanzierung gar nicht mehr möglich war. Dem machtpolitischen Kalkül von Hugenberg und Hitler setzte Jung lediglich seine nebulöse, kaum interpretierbare Vorstellung eines »Neuen Reiches« entgegen: »Die ›Umwertung aller Werte‹, die sich im Kulturwesen eines Volkes vollzieht, ist ... noch nicht geschehen. Das will heißen, daß das ›Dritte Reich‹ keine rein politische Angelegenheit ist, sondern erst gebaut werden kann, wenn der Reformwille von einer neuen Totalität des deutschen Denkens ausgeht.«[75]

Lediglich angesichts dieses Anspruchs erhielt die Regierung Brüning in den Augen Jungs einen politischen Sinn. »Noch muß er seinen Schild über die sich formierende kommende Macht halten. Er muß als Liquidator amten, bis die Statuten der neuen Firma feststehen, das einzuzahlende Kapital aufgebracht ist.«[76] Kein Zweifel, daß die Ereignisse des Krisenjahrs 1932 solche Prophetie in ungeahnter Weise beflügelt haben. Die Aufsätze Jungs, wie sie damals in der »Deutschen Rundschau« erschienen, sind damit zugleich Zeugnisse für jenen fatalen Irrtum, von dem der revolutionäre Konservativismus angesichts seiner entscheidenden Probe geprägt war.[77] Das Jahr 1932 treibe Entscheidungen von einer Bedeutung zu, durch welche die »revolutionäre Sendung des deutschen Volkes« innen- und außenpolitisch klargestellt werde. Dies schrieb Jung, als sich die Regierungszeit Brünings bereits ihrem Ende zuneigte.[78] Im Monat des Regierungssturzes standen in der »Deutschen Rundschau« die prophetischen Sätze zu lesen: »Diese deutsche Revolution wird eine konservative sein, also die ewigen Grundtatsachen des menschlichen Seins in Kultur, Gesellschaft und Wirtschaft wiederherstellen. Sie wird den verlorengegangenen Zusammenhang mit Gott und der Natur neu schaffen. Sie wird jene Bindungen wieder flechten, ohne die – als notwendige Ergänzung und Voraussetzung – wahre Freiheit und Persönlichkeitsentfaltung unmöglich sind. Dem Zeitalter der Masse wird das der Volkheit folgen, repräsentiert durch die heroische Noblesse einer neuen Oberschicht. Anstelle mechanischer Organisiertheit tritt allmählich das Wachstum des gesellschaftlichen Organismus.«[79]

74 Jung: Aufstand der Rechten, a. a. O. S. 85.
75 Aufstand, a. a. O. ebenda.
76 Aufstand, a. a. O. ebenda.
77 Vgl. Klemperer: Konservative Bewegungen, a. a. O. S. 210 ff.
78 Edgar Julius Jung: Revolutionäre Außenpolitik, in: Deutsche Rundschau, Februar 1932, S. 91.
79 Edgar Julius Jung: Neubelebung von Weimar?, Deutsche Rundschau, Mai 1932, S. 156.

Dies war noch einmal eine grandiose Beschwörung all jener Werte, denen sich Jung verbunden fühlte. Folgerichtig verwies er auf die Gedanken der Konservativen Revolution, wie sie in den Jahren von 1919 bis 1927 von einzelnen Kreisen und schöpferischen Menschen geformt und durchgefochten worden seien – in Institutionen wie dem Juniklub oder in publizistischen Sammelwerken wie dem 1922 erschienenen Sammelband »Die Neue Front«. »Die geistigen Voraussetzungen für die deutsche Revolution wurden außerhalb des Nationalsozialismus geschaffen«,[80] lautete Jungs Belehrung gegenüber der aus den Wahlen gestärkt hervorgegangenen NSDAP, der Jung das »Referat Volksbewegung« in der neuen Werksgemeinschaft großzügig attestierte. »Er hat es grandios ausgebaut und ist zu einer stolzen Macht geworden. Wir freuen uns darüber nicht nur, sondern wir haben das Unsrige zu diesem Wachstum beigetragen. In unsagbarer Kleinarbeit, besonders in den gebildeten Schichten, haben wir die Voraussetzungen für jenen Tag geschaffen, an dem das deutsche Volk den nationalsozialistischen Kandidaten seine Stimme gab. Diese Arbeit war heroisch, weil sie auf den Erfolg, auf die äußere Resonanz verzichtete.«[81] In solchen Sätzen deutet sich die beachtenswerte Wendung an, wonach sich Jung wie die meisten jung-konservativen Gruppierungen in der einen oder anderen Art mit dem Nationalsozialismus als verwandt betrachtete. Aber auch jene Ratlosigkeit wurde offenbar, die man plötzlich gegenüber der Massenagitation auf der ehemals geschmähten Rechten empfand. »Ich weiß nicht, wo Moeller van den Bruck heute stünde«, lautet das Bekenntnis von Jung, »da er gestorben ist, wurde ihm die Ehre zuteil, vom Nationalsozialismus reklamiert zu werden, ohne daß das Verständnis für sein Werk wesentlich gewachsen wäre... Ich habe Achtung vor der Primitivität einer Volksbewegung, vor der Kämpferkraft siegreicher Gauleiter und Sturmführer. Aber ihre Arriviertheit gibt ihnen noch nicht das Recht, sich als das Salz der Erde zu betrachten und den geistigen Vorkämpfer geringzuachten.« Mit dem Stolz und Hochmut des Gebildeten, der auf das Vorrecht einer geistigen Elite vertraut, setzte Jung solcher Warnung den Hinweis hinzu: »Wir haben bisher immer geglaubt, man diene sich empor im Kampfe um das deutsche Volkstum und um die deutsche Revolution. Wir glauben den Ritterschlag schon erhalten zu haben, auch ohne daß er von einer Parteileitung feierlich erteilt wird.«[82]

Inmitten dieses Dilemmas hat Jung in der Kanzlerschaft Franz von Papens einen akzeptablen Ausweg gesehen: das Kabinett Papen scheine von der Notwendigkeit überzeugt zu sein, »seinem völkischen Gewissen den Vorrang vor dem Saldo aller Abstimmungsbilanzen«[83] zu geben. Jung ermunterte den neuen Reichskanzler, eine Verfassungsänderung durchzusetzen,

[80] Neubelebung, a. a. O. ebenda.
[81] Neubelebung a. a. O. S. 159.
[82] Neubelebung, a. a. O. ebenda.
[83] Jung: Revolutionäre Staatsführung, in: Deutsche Rundschau, November 1932, S. 6.

die den Bestand der Regierung von parlamentarischen Mißtrauensvoten unabhängig mache. Freilich könne dieses Ziel nicht mit Hilfe der Nationalsozialisten erreicht werden. Ihnen warf Jung gerade die als verderblich apostrophierte Parlamentspraxis vor, zu der sich Hitler in taktisch kluger Wendung plötzlich entschlossen hatte. Zugleich nahm er Anstoß an den politischen Methoden der NSDAP, vor allem an ihrem Auftreten als einer Partei, deren Handlungen nicht einem »höheren Gesetz«, sondern lediglich der politischen Taktik unterstellt würden. »Auch das Kampfzeremoniell kann Rückschlüsse auf das Weltbild derer, die sich seiner bedienen, zulassen. War das Kampfzeremoniell des Nationalsozialismus im ganzen und großen heldisch, so kann, was sich in jüngster Zeit auf parlamentarischer Ebene abspielt, ebensowenig mit diesem Prädikat bedacht werden wie jene Vorfälle, die zu dem berühmten Beuthener Urteil führten, zu dem Hitler eine Stellung einnahm, die seiner nicht würdig war. Die Konzessionen des Nationalsozialismus' an die Taktik haben also eine Grenze erreicht, deren Überschreiten seinen Wesenskern bedrohen muß.« [84]

Trotz solcher Einwände hatte Jung seine Hoffnung auf eine neue Phase der Revolution neben dem Nationalsozialismus nicht aufgegeben. Der Leser der »Deutschen Rundschau« bekam die Ermahnung zu hören, wonach die Stärke des gegenwärtigen revolutionären Stromes darin gesehen werden müsse, daß sie trotz der Unzulänglichkeiten in der Person Hitlers ein solches Ausmaß angenommen habe. »Wäre Hitler geistig und menschlich von so großem Format, wie er es in seinem revolutionären Elan ist, es gäbe neben ihm keine Macht in Deutschland. Seine Gegner leben von seiner Unzulänglichkeit. Ihre Freude über diese Unzulänglichkeit ist so groß, daß sie sie übertragen auf die Betrachtung der revolutionären Bewegung schlechthin und dem falschen Glauben erliegen, die revolutionäre Bewegung stehe und falle mit Hitler. Nichts ist falscher als dieser Aberglaube. Man kann Hitler bekämpfen wegen seiner Unzulänglichkeit und die revolutionäre Bewegung bejahen, wer aber diese Bewegung negiert, vergrößert die Chancen Hitlers trotz seiner Mängel.« [85]

Jungs Aufsätze, wie sie im Jahre 1933 in der »Deutschen Rundschau« erschienen, sind noch einmal gut formulierte, mit Emphase vorgetragene Appelle für einen jungkonservativen Staat. »Der ›deutsche Staat‹ ist das Gegenteil des in Weimar gegründeten und in die Praxis überführten. Denn die Republik von Weimar ist kein Staat, sondern die Gesellschafterversammlung der pluralistischen Kräfte des deutschen Volkes, in welcher die Verwaltung der gesamten Firma mitsamt den entsprechenden Pfründen ausgehandelt wird.« [86] Die schneidende Schärfe solcher Angriffe konnte die beschämende Niederlage nicht verbergen, die im Titel des Auf-

84 Edgar Julius Jung: Revolutionäre Staatsführung, a. a. O. S. 6.
85 Edgar Julius Jung: Deutsche Unzulänglichkeiten, Deutsche Rundschau, November 1932, S. 82.
86 Edgar J. Jung: Verlustbilanz der Rechten, Januar 1933, S. 1.

satzes »Verlustbilanz der Rechten« ihren prägnanten Ausdruck gefunden hat. Dem abgedankten Franz von Papen wurde vorgeworfen, daß er nicht »ganze Arbeit« gemacht, daß er nicht gekämpft und nicht durchgestanden habe, nur so hätte er den Weg zum Herzen des Volkes finden können. »Denn einmal war der große Umschwung zu erwarten, einmal hätte das Volk die trennende Mauer des Apparates übersprungen und sich in unmittelbarer Demokratie zur Führung bekannt. Anfänge in dieser Richtung waren unverkennbar. Herr von Papen begann — jenseits der eigentlichen Publizistik — populär zu werden.« [87] Was Papen nicht gelang, sollte nun der neue Kanzler von Schleicher vollziehen. Ihm gab Jung den Rat, Papens Bündnis mit den »pluralistischen Mächten« nicht erneut zu versuchen. »Denn einmal wird auch seine Stunde schlagen. Einmal wird auch er bekennen müssen, daß dem deutschen Volke nur zu helfen ist, wenn ganz neue Wege gegangen werden, die abseits der gängigen Parteistraßen verlaufen.« [88]

Verdeckte sich in dieser Äußerung eine Aufforderung zum Putsch etwa von militärischer Seite? Eine solche Lösung der Staatskrise hätte den Intentionen Jungs zweifellos gänzlich widersprochen. Für ihn erschien Papen als »die große Chance, der Weg zur Emanzipation des Staates, die Brücke zum neuen Ufer«, auf der sich die junge Generation hätte sammeln können. Denn diese neue Welt konnte nicht konstruiert, sondern sie mußte »aus Volkstum«, konservativer Haltung, neuer Religiosität geboren werden — eben dies war das Instrumentarium, welches er den Herrschenden unter der Bezeichnung »revolutionärer Konservativismus« an die Hand zu geben wünschte. Noch einmal wurden seine Hoffnungen beflügelt, als dem Reichspräsidenten am 30. Januar 1933 eine Kabinettsliste unter Hitler und Papen präsentiert wurde. Auch Jung glaubte, daß genügend Vorsorge gegen eine alleinige Machtergreifung der NSDAP getroffen worden sei und daß die Machtmittel des Reichs und Preußens genügend gegenüber einem nationalsozialistischen Zugriff abgeschirmt worden seien. Aus solcher Auffassung plädierte er für die »Erhaltung des konservativen Flügels in dieser Regierung« — nicht, weil er die geistigen Grundlagen des Nationalsozialismus bekämpft wissen, sondern weil er alle konservativen Gruppen an der Herrschaft beteiligt zu sehen hoffte. »Wir sehen nicht deshalb in den nationalsozialistischen Tendenzen eine Gefahr, weil wir ihnen die Alleinherrschaft nicht gönnten, sondern deshalb, weil die konservativ-revolutionären Kräfte, die im Nationalsozialismus nicht organisiert sind, aus der kommenden Entwicklung nicht ausgeschaltet werden dürfen.« [89]

Freilich können solche Erklärungen nicht mehr darüber hinwegtäuschen, daß Jung selbst zum »geistigen Opfer« der Nationalsozialisten geworden war, daß seine Ideologie in eine »alle Werte zersetzende politische Verbin-

[87] Verlustbilanz, a. a. O. ebenda.
[88] Verlustbilanz, ebenda.
[89] Edgar J. Jung: Einsatz der Nation, in: Deutsche Rundschau, März 1933, S. 159.

dung« geraten war, die nicht er befruchtete, sondern die ihn auflöste[90], wie das bittere Urteil Rauschnings lautet. Jungs trügerische Hoffnung auf eine »zweite Phase der Revolution« artikulierte sich im März 1933 nochmals in einem dramatischen Appell an seine Leser. »Wir müssen ... dieses konservative Element endlich formieren, für Volk und Staat zum Einsatz bringen, damit es Mittler werde zwischen zwei Lagern, die sich sonst zu zerfleischen drohen ... Das deutsche Volk kann nicht auf Jahre hinaus unter Demagogie, Aufzügen, Flaggen und nationalen Liedern gehalten werden. Es muß zur stillen, entschlossenen Haltung zurückgeführt werden, für die das Zeitalter des großen Nationalisierungsprozesses endlich abgeschlossen ist.«[91] Wenig später schrieb Jung jene Aufsätze, in denen er eine Umdeutung der nationalen Revolution in eine christliche versuchte[92] oder die humanitäre Tradition des christlichen Abendlandes für Deutschland zu retten unternahm.[93] Gleichwohl war mit solchen Äußerungen der Höhepunkt seiner publizistischen Angriffe überschritten – die endgültige Niederlage konnte Jung nicht länger verbergen und was er nun erleben sollte, war keine »siebenfache Einsamkeit«, sondern nach stolzer Fanfare eine lange Nacht: als Sekretär Franz von Papens, zu dem er trotz der Vorbehalte Pechels eine Beziehung gefunden hatte[94], forderte er die Nationalsozialisten mit seiner berühmten Marburger Rede auf selbstmörderische Weise heraus. »Es war ein dramatisches Ereignis, ein Versuch in letzter Minute, die Fluten der Revolution in ein konservatives Fahrwasser zu lenken.«[95] Die Pose des Helden dauerte freilich nicht lange: Jung wurde am 30. Juni 1934 von der Gestapo erschossen. Pechels Bemühungen, Nachrichten über den Freund Jung zu erhalten, wurden durch den neuen Justizminister Gürtner mit dem Hinweis beantwortet, er täte am besten, Berlin zu verlassen, denn die Aktion sei »gegen den ganzen Kreis« gerichtet.[96]

Nicht nur am Schicksal Jungs lassen sich die verwickelten Beziehungen zwischen Jung-Konservativen und Nationalsozialisten einleuchtend demonstrieren. Ein anderer vielgenannter Autor der »Deutschen Rundschau«, Karl Haushofer, war in freilich anderer Weise mit Adolf Hitler und seiner Bewegung verbunden. Während Jung für die Verwirklichung des eigenen Weltbildes focht, lief Haushofer am 30. Januar 1933 widerstandslos in die Reihen der neuen Führer über. Edgar Julius Jung und Karl Haushofer, die beide zu den prominentesten Autoren der »Deutschen Rundschau« gezählt

90 Rauschning, Hermann: Die Revolution des Nihilismus, a. a. O. S. 190.
91 Jung: Einsatz der Nation, a. a. O. S. 160.
92 Edgar J. Jung: Die christliche Revolution, in: Deutsche Rundschau, September 1933.
93 Edgar J. Jung: Deutschland ohne Europa, in: Deutsche Rundschau, Februar 1934, vgl. die Ausführungen bei Gerstenberger, a. a. O. S. 106 f.
94 Pechel, Rudolf: Deutscher Widerstand, a. a. O. S. 76.
95 Klemperer: Konservative Bewegungen, a. a. O. S. 228 f. Vgl. die Zeugnisse im Sammelband von A. E. Günther: Was wir vom Nationalsozialismus erwarten, Heilbronn 1932.
96 Pechel, Rudolf: Deutscher Widerstand, a. a. O. S. 283.

werden müssen, stehen damit beispielhaft für jenen damaligen Versuch, mehr unbewußt als bewußt mit dem Dilemma des Konservativismus fertig zu werden.[97]

3. *Karl Haushofer und seine Forderungen zur deutschen Außenpolitik*

»Es ist auf diesen Blättern nicht vonnöten ..., die wissenschaftliche Leistung Haushofers zu würdigen. Sie ist den für so manche Anregung verpflichteten Lesern zur Genüge bekannt. Geistiger Schüler Ratzels und Kjelléns, deren Lehren er mit stärkster Zutat eigener Erkenntnis aufnahm und ausbaute, ist er ein Anreger größten Stils geworden, für die Wissenschaft vom Raum, die Geopolitik. Sein Werk, niedergelegt in mehreren Büchern, in einer vielgelesenen Zeitschrift, in Vorlesungen und Vorträgen führte die Deutschen unserer Tage zum unentbehrlichen Realismus ... Der Volksdeutschen Rüstkammer aber lieferte er durch seine Betrachtung der großen Zusammenhänge neue Wehr ... Ein Hort der großen Werte, ein Trost in den Stunden der Kleinmütigkeit, ein Helfer im bitteren Kampf um das deutsche Schicksal, ein Führer, zu dem die Jugend vertrauend aufblickt — d a s ist uns Karl Haushofer.«[98] Durch solche Worte würdigte Rudolf Pechel im Jahre 1929 den sechzigjährigen Karl Haushofer, welcher seinerzeit der mit Abstand am meisten beschäftigte Autor der »Deutschen Rundschau« geworden ist.[99] Die Verbindung zwischen Pechel und Haushofer war im Frühjahr 1922 angebahnt worden, als der Nachfolger Rodenbergs auf einer

[97] Klemperer: Konservative Bewegungen, a. a. O. S. 209.
[98] Rudolf Pechel: Karl Haushofer zum 60. Geburtstage am 27. August 1929, Deutsche Rundschau, Band 219/220, 1929, S. 167 f.
[99] Vgl. die folgenden Aufsätze Haushofers in der Deutschen Rundschau: Ostasiens Haltung gegenüber der Mitteleuropäischen Umwälzung, Juli 1921; Die geopolitische Tragweite der Rheinfrage, Februar 1922; Die Weichsel — eine gefährdete Wirtschaftsstraße, Februar 1923; Das Wissen von der Grenze und die Grenzen des deutschen Volkes, März 1924; Zur Beurteilung der chinesischen Frage, Dezember 1924; Die Geopolitik des Pazifischen Ozeans, März 1925; Ulrich Wille als Volkserzieher, Mai 1925; Im Bann von See und Reich, Oktober 1925; Ausstrahlungen politischer Geographie, Januar 1926; Wissenschaft und Polarbetrieb, Juli 1926; Von neuen Mächten, September 1926; Jung-China Macht und Recht, März 1927; Öldienst und Ölpolitik, Oktober 1927; Allgemeine politische Bildung und Erdkunde als ihre Grundlage, November 1927; Jugend vor den Toren, Dezember 1927; Von Flügen des Zaubermantels, April 1928; Schlafende oder erwachende Sphinx, Juni 1928; Wurzelechte und wurzellose Revolutionäre, Dezember 1928; Das Ende der Habsburger in Spanien, Juni 1929; Der Gestaltwandel des britischen Empire, November 1930; Unbestechliche Kulturwanderungszeugen, Juni 1931; Die alpenländische Gesellschaft und die mitteleuropäische Alpenpolitik, Februar 1931; Kulturpolitische Völkerbotschafter?, Februar 1931; Wie steht die Anschlußfrage?, März 1931; Unbestechliche Kulturwanderungszeugen, Juni 1931; Das britische Weltreich, November 1931; Warnende Vorzeichen u. Mahnungen zum Zusammenbruch, Juli 1932; Von deutscher Auslands- und Meeresforschung, Dezember 1932; Vom Mittleren und Fernen Osten, März 1933; Bismarcks Außenerbe, Mai 1933; Germanica aus der Bücherflut, Juni 1933; Griechische Geschichte, Oktober 1933.

Reise »zur Gewinnung neuer Mitarbeiter« in München Station machte, um sich bei Haushofer »über den damals noch ziemlich unbekannten, aber schon vielberedeten Begriff der Geopolitik zu informieren.« Anläßlich jener Unterredung kam es zu Pechels einzigem Treffen mit Hitler, über das an späterer Stelle berichtet wird. [100]

Tatsächlich hatte Pechel in seinem Geburtstagsglückwunsch für Haushofer seinen Lesern jene vielfältigen Bindungen verschwiegen, die seinen Autor mit mannigfachen Gruppierungen der deutschen Rechten und vornehmlich mit dem Nationalsozialismus verbanden. Wenngleich Haushofers persönlicher Einfluß auf Hitler bis heute umstritten bleibt, so können doch folgende Tatsachen als gesichert angesehen werden: [101] Karl Haushofer, der im Jahre 1908 als erster bayerischer Offizier nach Japan abgeordnet und nach seiner Rückkehr aus dem Militärdienst ausgeschieden war, vollendete während des ersten Weltkrieges seine geographischen Studien und wurde 1919 Dozent an der Universität München für Geographie – ein Gebiet, das er selbst bald als »Geopolitik« bezeichnete. In zahlreichen Aufsätzen und Vorträgen versuchte er dies Gebiet zu popularisieren, etwa in Rundfunkvorträgen und Abhandlungen für Zeitungen und Zeitschriften, zu denen neben der »Deutschen Rundschau« die »Deutsche Allgemeine Zeitung«, »Deutsche Republik«, »Schwäbischer Merkur«, »Volk und Reich«, »Das Neue Reich«, »Münchner Neueste Nachrichten«, »Deutsche Wehr« sowie die »Frankfurter Zeitung« gehörten. Im Jahre 1925 schrieb er einen Aufsatz für die Zeitschrift des Stahlhelms, »Die Führerschaft«, später folgten Veröffentlichungen für den »Arbeitsausschuß deutscher Verbände«, die »Reichszentrale für Heimatdienst« sowie die »Wissenschaftliche Korrespondenz« (ein Materdienst für kleine und mittlere Tageszeitungen [102]). Seine »Zeitschrift für Geopolitik«, die er Anfang der zwanziger Jahre zusammen mit Erich Obst und Otto Maull begründete, war ab 1925 mit der »Arbeitsgemeinschaft für die Interessen des Grenz- und Auslandsdeutschtums« unter Rudolf Pechel verbunden. Zugleich stand Haushofer mit dem »Deutschen Schutzbund« in regem Kontakt, dessen Vorsitzender Carl-Christian von Loesch regelmäßig in der »Zeitschrift für Geopolitik« publizierte. Natürlich fühlte er sich mit dem Kreis des Berliner Juniklubs verbunden. Darüber hinaus gab es Wechselbeziehungen mit zahlreichen anderen rechtsstehenden Verbänden. Seit 1928 galt Haushofer als politischer Berater des Freikorps

[100] Rudolf Pechel: Deutscher Widerstand, a. a. O. S. 227 f.

[101] Die Darstellung folgt der Dissertation von Geert Bakker: Duitse Geopolitik 1919–1945, een imperialistische ideologie, Diss. Utrecht, 1967; daneben vgl. folgende Abhandlungen: Dorpalen, Andreas: The world of General Haushofer – Geopolitics in Action, Washington 1966, Lange, Karl: Der Terminus Lebensraum in Hitlers »Mein Kampf«, in: Vierteljahrshefte für Zeitgeschichte, 13. Jg. 1965, S. 426 ff., derselbe: Hitlers unbeachtete Maximen, Mein Kampf und die Öffentlichkeit, Stuttgart, 1968, Winkler, Ernst: Karl Haushofer und die deutsche Geopolitik, in: Schweizer Monatshefte, Jg. 27, 1947, Heft 1, S. 29 (mit zahlreichen Literaturangaben); Bracher, Karl-Dietrich: Die deutsche Diktatur, Köln/Berlin 1967, S. 100, 139, 306.

[102] Bakker, Geert: Duitse Geopolitik, a. a. O. S. 130 f.

»Oberland«.[103] Im Jahre 1924 sprach er im Zirkus Krone auf Einladung des »Deutschen Kampfbundes gegen die Kriegschuldlüge« über das Thema »Lebensraum und Kriegschuldlüge«. Ständige Kontakte liefen ferner zum »Hochschulring Deutscher Art« und der damit verbundenen »Deutschen Studentenschaft«. Hinzu kam seine Mitgliedschaft im Senat der in München gegründeten »Deutschen Akademie.«

Bereits Pechels Begegnung mit Hitler, die auf Veranlassung Haushofers zustande kam, verweist auf dessen Kontakte mit prominenten Mitgliedern der NSDAP. Tatsächlich gehörte in München Rudolf Heß zu Haushofers bevorzugten Schülern, welcher ihm den Zugang zu Hitler vermittelte. Nach Auffassung von Lange ist sicher, daß 1924 »ein zerlesener Band der ›Politischen Geographie‹ eines der wirkungsvollsten, vielverarbeiteten Stücke der mit heiliger Glut(!) gelesenen Bücherei des Festungsgefängnisses Landsberg bildete«.[104] Über seine weiteren Beziehungen zu Hitler soll Haushofer im Jahre 1945 dem mit seiner Vernehmung beauftragten amerikanischen Offizier gesagt haben, daß unter den Büchern, die er seinerzeit in Landsberg Hitler und Heß gebracht habe, sich Ratzels »Politische Geographie« und das Werk von Clausewitz »Vom Kriege« befunden haben sollen. Er soll auch Angaben über die Studentenzeit von Heß, dessen Besuch der Haushoferschen Vorlesungen und dessen Festungshaft zusammen mit Hitler gemacht haben, während der Haushofer oft zu Besuch gewesen war.[105] Obwohl Haushofer die Mitarbeit an Hitlers »Mein Kampf« bestreitet, ist der Einfluß seiner Lehre auf die Kapitel 13 und 14 des Hitler-Buches für den späteren Biographen Bakker verbürgt.[106] Tatsächlich ist Haushofers Entrüstung gegenüber dem Verdacht einer literarischen Hilfestellung für Hitler zweifelhaft, sobald man sich die Mühe macht, seine späteren Ausführungen zu analysieren. Nach 1940 sah er eine »Bestimmung« darin, daß Ratzels Buch in die Hände Hitlers kam und erkannte eine »höhere ›Fügung‹ in der Tatsache, daß ein Gedankengut, das noch 1904 . . . von einer materialistischen Schule verspottet werden konnte, zwei Jahrzehnte später durch Adolf Hitler und die Seinen Einlaß ins Grundgemäuer eines neuen Staatenglaubens fand und weiterwirken konnte . . .«[107] Für Bracher kann kein Zweifel mehr darüber sein, daß die »geopolitische Konzeption in ihrer Haushoferschen Fassung über Heß in ›Mein Kampf‹ gleichberechtigt beziehungsweise unterstützend neben die Rassendoktrin des Nationalsozialismus getreten ist«.[108] Nach dem Urteil Bakkers hat die Geopolitik Haushofers

103 Vgl. Posse, Ernst, H.: Die politischen Kampfbünde Deutschlands, 2. Auflage, Berlin 1931, S. 72 ff.
104 Lange, Karl: Der Terminus Lebensraum, a. a. O. S. 430, vgl. Stubbe, Walter: In memoriam Albrecht Haushofer, in: Vierteljahrshefte für Zeitgeschichte, 8. Jg. 1960, S. 236 f.
105 Vgl. Lange: Der Terminus, a. a. O. ebenda.
106 Bakker, Geert: Duitse Geopolitik, a. a. O. S. 146 f.
107 Zitat bei Lange, a. a. O. ebenda.
108 Bracher, Karl-Dietrich: Die nationalsozialistische Machtergreifung, Köln/Opladen, 2. Auflage, 1962, S. 226 ff.

als »ideologische Basis zu einer imperialistischen deutschen Außenpolitik« gedient.[109] Haushofers Huldigung gegenüber Hitler im Jahre 1933, das Buch »Der nationalsozialistische Gedanke in der Welt«[110] erschien in einer Auflage von 68 000 Exemplaren. Es sollte gemäß einer Ankündigung des Verlags mithelfen, »dem kulturellen, politischen und sozialen Aufbau des neuen Staates Antrieb und Auftrieb zu verleihen ... und zugleich dem Ausland das geistige Gerüst des völkischen Neubaus in klaren Linien aufzuzeigen.«[111]

Wenn Pechel im Jahre 1929 gegenüber Albrecht Haushofer freimütig bekannte, daß »gegenüber einer geschlossenen, einheitlichen Außenpolitik für das gesamtdeutsche Volk Fragen des Parteibuches, ja selbst der Weltanschauung nur Nebensächlichkeiten«[112] sein dürften, so hat ihm zur Rechtfertigung dieser These besonders Haushofers Theorie der Geopolitik gedient. Der Leser seiner Zeitschrift bekam die Aufforderung zu hören, wonach »Schulung im geopolitischen Denken die beste Vorbereitung und eine stete Kraftquelle für weltpolitische Einstellung sei«. Im Anschluß an eine solche Belehrung wurde er sogar mit dem Appell konfrontiert: »Durch Geopolitik zur Weltpolitik.«[113] Die publizistische Unterstützung der Ideologie Haushofers, wie sie in der »Deutschen Rundschau« fast bis zum Überdruß gepflegt wurde, rechtfertigt es, das Prinzip der Geopolitik im kurzen Abriß vorzustellen.

a) Das Prinzip einer deutschen Geopolitik

Haushofers Theorie der Geopolitik knüpfte direkt an Gedanken des schwedischen Staatswissenschaftlers und Politikers Rudolf Kjellen an, der ein System der Politik errichtet hatte, in welchem im Unterschied zu früheren Thorien dem Raum, d. h. den staatlichen Territorien, eine integrierende Wirkung auf sie selbst, ihre Existenz und ihre Entwicklung zuerkannt wurde.[114] Jene Geopolitik hatte in Friedrich Ratzels »Politischer Geographie« wichtige Ergänzungen erfahren: Haushofer baute die Arbeiten beider Forscher weiter aus, wobei ihn seine persönlichen Beziehungen zu Ratzel befruchtet haben. Zunächst faßte auch er die Geopolitik als eine Wissenschaft auf und nannte sie die Lehre »von der politischen Lebensform im natürlichen Lebensraum, die sie in ihrer Erdgebundenheit und ihrer

109 Bakker: Duitse Geopolitik, a. a. O. S. 178.
110 Haushofer, Karl: Der nationalsozialistische Gedanke in der Welt, München 1933.
111 Haushofer, a. a. O. ebenda.
112 Pechel an Albrecht Haushofer, 18. 12. 1929, BA, Mappe 71.
113 Offe, Hans: Geopolitik und Volkserziehung, in: Deutsche Rundschau, Oktober 1929, S. 36.
114 Vgl. besonders Winkler: Karl Haushofer, a. a. O. S. 29 ff. Gerstenberger: Der revolutionäre Konservatismus, a. a. O. S. 24 ff., und Fischer-Lexikon, Stichwort Geographie, S. 132 ff.

Bedingtheit durch die geschichtliche Bewegung zu erfassen«[115] suche. Damit verlieh er ihr jedoch eine andere Bedeutung, als sie sie bei Kjellen gehabt hatte, denn jenem war sie nur ein Teilgebiet der Staatswissenschaften gewesen. Indem Haushofer ihr die Erkenntnis der geschichtlichen Bewegung zuerkannte, erweiterte er sie zur umfassenden Staatswissenschaft schlechthin. Schon in diesem Vorgehen deutete sich nach Meinung Winklers die Gefahr an, welche »die mehr Verschleierung als klare Formulierung verkörpernde Zielsetzung Haushofers in sich trug«.[116] Der auf praktische Verwertung politisch-geographischer Erkenntnisse zielende Gelehrte habe damit die Schranken wissenschaftlicher Selbstdisziplin durchbrochen und den verantwortungsvollen Schritt von der Theorie in die Praxis vollzogen. Haushofer hätte aus der Geopolitik eine »Mittlerin nationalpolitischer Selbsterziehung« gemacht, eine Methode also, der er die Aufgabe politischer Prognose zudiktierte. Hand in Hand damit ergab sich eine Verlagerung des Schwerpunktes geopolitischer Arbeit auf die Behandlung aktueller Tagesfragen und Gegenwartsprobleme. Diese Theorie erhielt in der »Deutschen Rundschau« seit 1922 ein einflußreiches Organ. Eigentliche Absicht der Geopolitik wurde nun »die Erhaltung, die gerechte und bessere Verteilung des Lebensraumes ... mit den letzten und größten Zielen einer wirklich vorbeugenden und vorausschauenden Außenpolitik aller verantwortlichen Volksgemeinschaften der Erde«.[117]

Für diese Umformung früherer Prämissen gibt es in der Fülle jener Aufsätze, wie sie von Haushofer in der »Deutschen Rundschau« publiziert wurden, einige einleuchtende Beispiele. In einer Abhandlung, die sich mit dem geopolitischen Naturrecht der Weichsel als einer gefährdeten Wirtschaftsstraße beschäftigte, heißt es z. B.: »Aber nicht die Wirtschaft ist das Schicksal, sondern der kluge und beharrliche, wenn auch verschleierte Wille zur Macht: ein Volk mit Herrencharakter wird von ihm geführt, ein willenloses gezogen! Der Wille überwindet schließlich auch spröde wirtschaftliche Machthemmungen.«[118] Die Grenze als das äußere Organ eines Staates war nach Meinung Haushofers keine Linie, sondern eine Zone oder ein Gürtel mit einer gewissen Breite, in Kriegszeiten sogar ein Streifen Niemandsland. Ein Staat habe dabei für solche Grenzen zu sorgen, die aus eigener Kraft leicht verteidigt werden könnten. Aus strategischem Blickwinkel seien Meere, besser noch Wüsten oder unwegsame Gebirgsmassen die besten Grenzen. Gemäß der geopolitischen Theorie versuchten sich Staaten an »Kraftlinien« entlang auszudehnen: wo sich die Kraftlinien mehrerer Staaten kreuzen, entstehe ein »Kraftfeld« mit großer Aussicht auf einen Konflikt. Immer wieder plädierte Karl Haushofer in seinen Aufsätzen für verbreitete Kenntnisse über eine derartige Grenzbetrachtung, aus deren Anwendung sich eine

115 Winkler: Karl Haushofer, a. a. O. S. 30.
116 Winkler: Karl Haushofer, a. a. O. ebenda.
117 Zitiert bei Winkler, a. a. O. ebenda.
118 Haushofer, Karl: Die Weichsel — eine gefährdete Wirtschaftsstraße, in: Deutsche Rundschau, Februar 1923, S. 117.

Lösung des deutschen außenpolitischen Problems ergeben könne. »Wenn nur das Wort ›Grenze‹ erklingt, so müßte eine ganze Fülle scharf geprägter Vorstellungen und Begriffe als Werkzeug bereitliegen, gebrauchsfertig für Wechselrede, Vortrag und Presse.« [119] Dieses Material müßte in popularisierter Form über das ganze Land verteilt und sowohl dem Mann auf der Straße wie dem Intellektuellen oder dem »Willensbildner im Reichstag« vermittelt werden. Die in solchen Ansichten zum Ausdruck kommende Bedeutung, die den Grenzen beigelegt wurde, zeigt auf, in welch starkem Maße die Geopolitik zu einem Mittel der Politik degradiert worden war: gegen die »haarspaltende, kurzsichtige Juristenauffassung«, wonach eine Ländergrenze nach den Kriterien völkerrechtlicher Übereinkunft festgelegt werden konnte, setzte Haushofer die These der Grenze als »Kampfplatz«. »Leben und Entwicklung aber bedeutet mit Gewißheit Kampf, und so muß der ehrliche Denker die Grenze als Kampfplatz sehen ...« Wer diese Auffassung des Grenzbegriffs einer Lebensform, die sich auf der Erdoberfläche behaupten muß, hinwegzutäuschen versucht, der betrügt sich um ihren Willen zu Daseinsmöglichkeit und Lebensrecht.« [120] Sowohl Pechel als auch Haushofer und seine Schüler versäumten nicht, sich selbst und andere zur nationalbürgerlichen Pflicht geopolitischer Gesinnung aufzurufen. Aus den Schriften Haushofers, so argumentierte Pechel, könne man lernen, welche Arbeit »ganzer Völker und Generationen« dazu gehöre, »das höchste Gut der Selbstbestimmung wieder zu erringen, wenn es in Dumpfheit oder verantwortungsloser, verbrecherischer Torheit verloren gegeben wurde«. [121] Haushofer selbst fügte solcher Betrachtungsweise die verheerende These hinzu: »Nicht Revanche, aber Wiederherstellung unermüdlich bis zur Erfüllung gefordert!« [122] Welcher Staat sollte auf diese Weise wiederhergestellt werden? Schon vor 1914 seien nach Meinung Haushofers die deutschen Grenzen unzureichend für die Entwicklung eines gesunden Staatslebens gewesen — der Versailler Vertrag habe die Lage noch verschlechtert. Die territorialen und wirtschaftlichen Verluste, die Besetzung des Rheinlandes und die militärischen Sanktionen waren nach seiner Meinung durch und durch verwerflich; denn sie trügen nur den Keim für baldige Auseinandersetzungen in sich: »Jenes seltsame ›Friedensinstrument‹ von Versailles, das wir mit voller Überzeugung für eine furchtbare Saat naher künftiger Kriege halten ..., erhebt doch den Anspruch, auf geraume Zeit geltendes Völkerrecht zu schaffen. Diesem Recht gefiel es, die Anlieger der großen Ströme Mitteleuropas zu enteignen.« [123] Die neue deutsche Ostgrenze wirkte für Haushofer an keiner Stelle »geographisch überzeugend«. Vor allem die Tschechoslowakei

119 Haushofer: Das Wissen von der Grenze und die Grenzen des deutschen Volkes, März 1924, S. 233.
120 Haushofer: Das Wissen ..., a. a. O. S. 237.
121 Pechel, Rudolf: Literarische Rundschau, Deutsche Rundschau, Januar 1924, S. 99.
122 Haushofer: Das Wissen von der Grenze, a. a. O. S. 239.
123 Haushofer: Die geopolitische Tragweite der Rheinfrage, Februar 1922, S. 117.

war ihm ein Dorn im Auge und ungeachtet der geopolitischen Erkenntnis, wonach die Grenzen fast alle über Gebirgszüge und nicht an Flüssen verliefen, diagnostizierte er ein Anrecht auf dieses Gebiet, weil dort zwei deutsche Siedlungskeile – Schlesien und ein Landstreifen an der Donau entlang – die Tschechoslowakei größtenteils isoliert hätten. Ebensowenig fand Polen Gnade in den Augen Haushofers, und dabei handelte es sich nicht mehr nur um die Gebiete Oberschlesien, Danzig, den Korridor, Westpreußen oder sogar Posen. Hier war der Staat als solcher im Gespräch: die richtige deutsche Grenze verlaufe nicht durch Polen, sondern weit östlich der polnisch-russischen Grenze. Dergleichen Expansionsträume wurden durch ein vermeintliches »geopolitisches Naturrecht der Weichsel« zu legitimieren versucht. »Wäre der schicksalsreiche Strom in einheitlicher, ihn pflegender Hand, statt die umstrittene Kulturgrenze zwischen Ost- und Mitteleuropa mäandernd zu durchschlängeln, so könnte er heute Rhein und Donau mit dem ältesten Ostweg der Nordgermanen vom Peipussee nach dem Pontus verbinden und darüber hinaus mit Wolga, Kaspischem und Schwarzem Meer, also alle diese Gebiete in wirtschaftsgeographischen Austausch bringen, statt wie jetzt vorwiegend im Raubbau gewonnenes Holz zu Tal zu flößen.« [124] Die seinerzeit geltende deutsche Grenze nach Süden zeigte sich für Haushofer nicht als »Scheidelinie von überzeugender Kraft«. Zwischen Deutschland und Italien schmerze die »Vergewaltigung von Südtirol«, über diese offene Wunde hinweg gebe es keine Versöhnung. Im Westen schließlich ende die Verfügungsgewalt über die eigene Lebensform östlich vom Rhein, und die »Lebensader des westlichen Deutschland« zucke »unter feindlichen Messern«. [125]

Pechels geopolitische Theorie ließ anderslautende politische Erwägungen völlig außer Betracht und folgte konsequent der These, wonach der Staat als ein Stück Organismus aufzufassen sei, dessen Handlungen »naturgegeben« und somit den Willensakten und der Verantwortlichkeit der Staatsbürger weitgehend entzogen seien. Besonders Haushofer hat diese Theorie später zur »Wehr-Geopolitik« ausgebaut, die er als Lehre von den geographischen Ursachen eines Krieges interpretierte: immer häufiger findet sich in seinen späteren Aufsätzen die Annahme, daß nur eine wirtschaftliche Autarkie eine ausreichende Versorgung der Bevölkerung garantieren könne. Wird aber Autarkie als Lebensnotwendigkeit vorausgesetzt – so die Folgerung von Heide Gerstenberger [126] –, dann wird die Alternative Weltmacht oder Untergang zwingend; denn Autarkie erfordert große Agrargebiete, somit entweder Ausdehnung in Europa oder in Übersee. Die in den Jahren des aufsteigenden Nationalsozialismus immer bestimmtere Betonung des machtpolitischen Kalküls und der Idee der »Großräume« prägten auf diese Weise die Geopolitik zu einem Instrument imperialisti-

124 Haushofer: Die Weichsel . . ., a. a. O. S. 117.
125 Haushofer: Das Wissen . . ., a. a. O. S. 239.
126 Gerstenberger: Der revolutionäre Konservatismus, a. a. O. S. 27.

scher Politik. Dieses Instrument wurde um so verhängnisvoller, weil es entscheidende Kriterien aus abwegigen Interpretationen der biologischen Wissenschaft bezog, aus mißverständlichen Schlagworten wie »Kampf ums Dasein«, »Offensive des Lebens«, »Überleben des Tüchtigsten« politische Parolen schuf und grundlegende biologische Begriffe wie »Lebensraum« oder »Organismus« zu politischen Manövern mißbrauchte.[127] So wurde die Geopolitik möglicherweise zu einem der »furchtbarsten Gifte, die dem Deutschen eingeflößt worden sind«.[128] Rudolf Pechel hat alles Erdenkliche getan, um den in seinen Auswirkungen katastrophalen geopolitischen Gedanken zu fördern und sie durch seine Zeitschrift zu popularisieren. Die Übertragung von begrifflichen Kategorien, die allenfalls unter dem Druck von Kriegshandlungen verständlich sein können, in das politische Leben des Friedens hat die Grenze der Rechtlichkeit und der Zulässigkeit von Mitteln bis zur Unkenntlichkeit verwischt. Haushofers Theorie der Geopolitik war in diesem Sinne Beweis mehr für jene nihilistischen Vorstellungen von Recht und Gewalt, in die Pechels Zeitschrift bereits mit der Propagierung der Ideologie Edgar Julius Jungs abgeglitten war. In jenem »Dunst revolutionärer Phrasen«[129] war der damalige Standort Pechels markiert: sein politisches Weltbild pendelte zwischen der korporativen Ständelehre Jungs und den geopolitischen Maximen Haushofers, und es entsprach diesem zwiespältigen Selbstverständnis, wenn er Haushofer die Gedankengänge Jungs in seiner Zeitschrift kritisieren ließ. Bereits in dieser Rezension, die im Jahre 1927 in der »Deutschen Rundschau« erschien, symbolisierte sich die Auseinandersetzung zwischen Konservativismus und Nationalsozialismus, die sechs Jahre danach unter völlig anderen Voraussetzungen von der Zeitschrift wieder aufgenommen werden sollte.[130]

b) Der Meinungsstreit mit Edgar Julius Jung

Das Bewußtsein Edgar Julius Jungs, zur deutschen geistigen Elite zu zählen und somit Privilegien bei der Auseinandersetzung über die deutsche Zukunft zu genießen, konnte ihn nicht zum Anhänger des auf die Zustimmung der Massen spekulierenden Nationalsozialismus werden lassen. Nicht nur die Formen des nationalsozialistischen Machtkampfs widerstrebten ihm, sondern auch dessen Programmpunkte konnten ihn nicht wirksam überzeugen. Immer wieder hat er deshalb darauf verwiesen, daß die geistigen Voraussetzungen für die deutsche Revolution außerhalb des Nationalsozialismus in den Gruppierungen und Zirkeln der Jung-Konservativen gelegt worden seien. Die vorgelegten Fallstudien über Jung und Haushofer wären

127 Vgl. Winkler: Karl Haushofer ..., a. a. O. S. 32.
128 Dies ist die Meinung von Wilhelm Röpke in: Die deutsche Frage, Erlenbach-Zürich, 1948, S. 128.
129 Vgl. Rauschning, Hermann: Die Revolution des Nihilismus, a. a. O. S. 177.
130 Für die geopolitischen Kriterien Haushofers vgl. die marxistische Analyse bei Günter Heyden: Kritik der deutschen Geopolitik, Berlin 1959, S. 114 f.

unvollständig, würde man die geistige Konfrontation außer acht lassen, wie sie sich zwischen beiden Autoren der »Deutschen Rundschau« in den Heften während des Jahres 1927 artikulierte. Der nachträgliche Vorwurf, wonach die Ideologie der konservativen Revolution politikfremd gewesen sei, weil sie mit »Idealen, Träumen und großen Worten«, nicht aber mit einer detaillierten Kenntnis der politischen Verhältnisse gearbeitet habe [131], läßt sich am Beispiel der Kritik Haushofers gegenüber den Gedankengängen Jungs einleuchtend demonstrieren. Der vom Nationalsozialismus kultivierte Führergedanke verblieb in den nationalsozialistischen Schriften tatsächlich weitaus weniger jener Abstraktheit verhaftet, die das jung-konservative Schrifttum weitgehend bestimmt hat. Haushofer brauchte nicht wie Jung über den Mangel an geeigneten Führerpersönlichkeiten zu lamentieren, nachdem er sich längst zum Sympathisanten Hitlers entwickelt hatte. »Welchen Sinn hat es, weit und breit die berühmte Führerfrage anzurühren, wenn die Herde in Wirklichkeit keine Führernaturen haben will, sondern nur vorausgedrängte Mitläufer, die sich beliebig von ihr herumstoßen lassen?« [132] Der schwächlichen Elite-Theorie Jungs setzte Haushofer seine realistischere Einschätzung plebiszitärer Massenbewegungen entgegen: »Wir hingegen müssen Massen mit in die Zukunft hinüberschleppen ... und wenn sie dafür Opfer bringen sollen, wollen sie dabei mitreden dürfen.« Eben in solch einer Bemerkung kommt Haushofers Geringschätzung gegenüber ideologischen Fixierungen zum Ausdruck, wie sie für den auf Massenzulauf spekulierenden Nationalsozialismus typisch gewesen ist. Die Vieldeutigkeit der nationalsozialistischen Ideologie war für den Zuwachs an Wählerstimmen eine grundlegende Bedingung und gerade in der bruchstückhaften Zusammensetzung ideologischer Einzelteile verriet sich der Massencharakter dieser Bewegung. [133] Die Kritik gegenüber der jung-konservativen Ideologie beinhaltete die unverblümt vorgetragene Erkenntnis, wonach jedes eigenständige politische Denken der guten Sache und dem Glauben an den Führer nur schaden könne; statt dessen wurde die Vorstellung vom gläubigen Gefolgsmann beschworen, der die Loyalität gegenüber dem Führer niemals durch kritische Diskussion und Meinungsstreit gefährden solle. Den konservativen »Einzelstreitern« im Sinne Jungs setzt Haushofer jene »Sammel-Rufer« entgegen, von denen er eine Rettung der deutschen Nachkriegssituation erhoffte. »Wer die Spalten erweitert statt schließt, Klüfte aufreißt statt Brükken baut – der vergiftet die Zukunft seines Volkes an den Wurzeln, aus denen sie immer wieder steigen muß.« [134] Man kann diesen Versuch Pechels, die Ideologie seines Freundes Jung durch den vom Nationalsozialismus beeinflußten Haushofer bewerten zu lassen, zunächst als Entgegenkommen gegenüber dem Leser der »Deutschen Rundschau« interpretieren. Warum sollte die jung-konservative Theorie nicht auch aus dieser politi-

131 Sontheimer: Antidemokratisches Denken, a. a. O. S. 123.
132 Haushofer, Karl: Jugend vor den Toren, Dezember 1927, S. 219.
133 Sontheimer, Antidemokratisches Denken, a. a. O. S. 138.
134 Haushofer, Jugend, a. a. O. ebenda.

schen Perspektive kritisiert werden? Aber zeigt nicht schon dieser frühe Versuch, eine geistige Auseinandersetzung zwischen Repräsentanten der Jung-Konservativen und denen der Nationalsozialisten zustande zu bringen, allzu deutlich auf, wie fließend und unkenntlich die Grenzen zwischen beiden Richtungen lange vor 1933 schon geworden waren? Im Vertrauen auf die antidemokratische Massenbewegung gegen Weimar mußte man die Nationalsozialisten als Bewegung und Element des Aufbruchs der deutschen Nation gutheißen, solange sie den verhaßten Parlamentarismus funktionsunfähig machte.

Deshalb bekam der Meinungsstreit zwischen Haushofer und Jung noch einen anderen, spezifisch publizistischen Sinn: im Jahre 1927 konnte es gewiß so scheinen, als sei der Weg zur sozialen und politischen Neuordnung auch noch neben Hitler und seinen anfänglich geringen Massenerfolgen möglich. Ähnlich wie Jung wandte sich die »Deutsche Rundschau« an ein nationales Publikum, das mit Hitlers Bewegung mehr oder weniger sympathisierte. Später konnte man dann den Versuch unternehmen, dieses Publikum auf die wahre Idee der deutschen Revolution zu verpflichten und es auf diese Weise Hitler abspenstig zu machen – wie sich am Beispiel Edgar Julius Jung demonstrieren ließ, stellte sich dieses Experiment bald schon als untaugliches Konzept heraus. Indessen hat sich der Konflikt der Meinungen, wie er sich an der Rezension Haushofers aufzeigen ließ, gewissermaßen als Beginn jener Auseinandersetzungen zwischen Konservativer Revolution und der NSDAP Hitlers in den Heften der »Deutschen Rundschau« artikuliert.

III. Rudolf Pechel und die Auseinandersetzung zwischen revolutionärem Konservativismus und Nationalsozialismus (1922–1933)

Der Versuch, inhaltliche Widersprüche und Gemeinsamkeiten im Verhältnis zwischen revolutionärem Konservativismus und Nationalsozialismus aufzuzeigen, hat mit einer Analyse der persönlichen Fühlungnahmen zwischen den Repräsentanten beider Bewegungen zu beginnen. Ist doch gerade Rudolf Pechel später zu einem prägnanten Beispiel für jene Betrachtungsweise geworden, welche die historische und moralische Bedeutung eines Publizisten allein an seiner spezifischen Einstellung zur NSDAP zu bewerten unternahm. Aber die Ablehnung Adolf Hitlers und seiner Partei, wie sie in Pechels Widerstandspublizistik später offenkundig wurde, ist noch lange kein Prüfstein für demokratische Gesinnung. Der gegenwärtig übliche Brauch, allein das Verhalten während des Dritten Reiches zum Maßstab der Beurteilung zu machen, übersieht nur allzu rasch, daß der deutsche Widerstand überwiegend von Männern getragen wurde, denen es zwar um die Beseitigung Hitlers und die Wiederherstellung von Ehre und Gerechtigkeit ging, die aber keinesfalls für eine Wiederherstellung der parlamentarischen Demokratie plädierten.[1] Pechels Opposition gegen Hitler verliert durch diesen Hinweis nichts von ihrer menschlichen und moralischen Größe. Aber eine distanzierte, unvoreingenommene Betrachtung darf auch nicht jene zahlreichen Episoden verschweigen, in denen sich selbst bei einem Manne wie Pechel häufig persönliche Schwäche und Verantwortungslosigkeit offenbarten: Rudolf Pechel bietet somit ein gutes Beispiel für jenes diffuse und mit außerordentlichen Verständigungsschwierigkeiten belastete Verhältnis zwischen Geist und Politik, wie es sich vor allem im Lager der konservativen Rechten artikulierte. Tatsächlich erweisen sich jene persönlichen Fühlungnahmen zwischen dem Herausgeber der »Deutschen Rundschau« und prominenten Nationalsozialisten, wie sie im Folgenden beschrieben werden, zugleich als eindrucksvolle Dokumente für den Mangel an geistig-politischer Verantwortung, die sich keine Rechenschaft darüber abzulegen versuchte, wie der Nationalsozialismus eines Tages seine eigenen Theorien ins Werk setzen wollte. Pechels vielfältige Versuche, mit Nationalsozialisten zu politischen Übereinkünften zu gelangen, sind vielmehr auch Zeugnisse für jenen beschämenden Irrtum, der im Kampf um die Macht auf jeden Bundesgenossen vertrauen wollte. Gewiß bleibt es notwendig, auf Pechels Widerstandshaltung zum Hitler-Regime zu verweisen. Nicht minder gewichtig ist es aber, diese Widerstandshaltung als ein falsches Alibi für Pechels angeblich wertvolle politische Gesinnung zu entlarven: Der letzte Herausgeber der »Deutschen Rundschau« wollte von der ersten Stunde seiner publizisti-

[1] Vgl. Sontheimer: Antidemokratisches Denken, a. a. O. S. 283, und die neueren Untersuchungen von Graml und Mommsen im Sammelband: Der deutsche Widerstand gegen Hitler, Köln 1966.

schen Tätigkeit an die liberale Demokratie Weimarer Prägung beseitigen – und dieses Ziel ist ihm zwölf Jahre später schon mit Hilfe auch zweifelhaftester Gesinnungsgenossen gelungen.

1. Pechels persönliche Fühlungnahme mit Nationalsozialisten von 1922 bis 1933

Die Begegnung zwischen Moeller van den Bruck und Adolf Hitler, wie sie im Frühling 1922 durch Vermittlung Pechels und Haushofers zustande kam, ist nach Ansicht Klemens von Klemperers der beste Ausgangspunkt, um die »verwickelten Beziehungen zwischen den beiden Bewegungen zu erklären«.[2] Tatsächlich bildet jene denkwürdige Zusammenkunft den Auftakt für spätere Fühlungnahmen, die von Pechel als Mitglied der »Arbeitsgemeinschaft für die Interessen des Grenz- und Auslandsdeutschtums« und als Senator der »Deutschen Akademie« unternommen wurden.

a) Das Treffen mit Hitler im Juniklub (1922)

Als Pechel im Frühjahr 1922 gemäß dem Vorbild Julius Rodenbergs auf einer Reise zur Gewinnung neuer Mitarbeiter in München bei Karl Haushofer Station machte, soll dieser den Herausgeber der »Deutschen Rundschau« gefragt haben, ob er Interesse habe, Adolf Hitler kennenzulernen.[3] Hitler hatte sich zu jenem Zeitpunkt bereits als unumstrittenes Oberhaupt in seiner Partei durchgesetzt[4] und sich durch seine Rednergabe und Kompromißlosigkeit zum Wortführer der bayerischen gegenrevolutionären Kräfte gemacht. Während in Bayern der neue Ministerpräsident Knilling und der Justizminister Gürtner die junge nationalsozialistische Bewegung offen umwarben, begann man im Norden, auf Hitler aufmerksam zu werden. Er war im Sommer 1921 in Norddeutschland gewesen und hatte dort Beziehungen zu verschiedenen nationalen Gruppen angeknüpft – was man in der Umgebung von Berlin oder Hamburg von ihm hielt, war nach Auskunft Pechels nicht sehr viel. »Von Hitler wußte man damals in Norddeutschland nicht viel, eigentlich nur, daß er mit Erfolg eine Volksbewegung zu entfesseln sich bemühte. Ich habe es immer als meine Pflicht als Herausgeber einer Zeitschrift angesehen, mich über alles Neue persönlich zu informieren. Hinzu kam mein unheilbares Interesse gerade für ausgefallene Menschen. So sagte ich ja. Darauf ließ Haushofer Heß kommen, dem er ja bekanntlich sehr nahe stand, und durch Heß wurde für den nächsten Tag eine Zusammenkunft mit Hitler verabredet.«[5] Gemäß Auskunft

2 Klemperer: Konservative Bewegungen, a. a. O. S. 210.
3 Vgl. Pechel, Rudolf: Deutscher Widerstand, a. a. O. S. 277 f.
4 Bullock, Allan: Adolf Hitler, Düsseldorf 1967, und für den Hintergrund in Bayern: Hoegner, Wilhelm: Der politische Radikalismus in Deutschland, 1919 bis 1933, München-Wien 1966.
5 Pechel: Deutscher Widerstand, a. a. O. S. 278.

Pechels sei sein Eindruck über Hitler der eines »stark ringenden, einigermaßen unklaren, aber nicht anmaßenden Menschen« gewesen. Pechel habe ihm auf Hitlers Bitte vom politischen Leben in Berlin und der politischen Arbeit des Juniklubs berichtet. Eben dafür habe der Führer der NSDAP großes Interesse gezeigt, und Pechel habe ihm deswegen das Angebot gemacht, im Berliner Kreis zu sprechen. Gegen den Widerstand Moellers und mit dem Argument, daß man sich über alle neuen Bewegungen ausführlich zu informieren habe, sei das Treffen mit Hitler schließlich durch Pechels Hilfe arrangiert worden. Es fand im Frühjahr 1922 in den Räumen des Juniklubs statt, und Hitler sprach vor einem ungewöhnlich kleinen Auditorium von etwa dreißig Personen. Nach üblichen Tiraden hätten sich Moeller, Hitler, Pechel und Lejeune-Jung zurückgezogen und die Diskussion bis in die Morgenstunden des folgenden Tages fortgesetzt. Hitler habe sich damals sehr beeindruckt von Moeller und seinem Kreise gezeigt und soll wörtlich gesagt haben: »Sie haben alles das, was mir fehlt. Sie erarbeiten das geistige Rüstzeug zu einer Erneuerung Deutschlands. Ich bin nichts als ein Trommler und Sammler. Lassen Sie uns zusammenarbeiten.« Seine Bitte wurde freilich abgeschlagen — ihm wurden lediglich einige Exemplare des »Gewissens« und anderer Publikationen des Juniklubs in Aussicht gestellt. Nachdem Hitler sich verabschiedet hatte, soll Moeller gesagt haben: »Pechel, der Kerl begreift's nie!« In der Interpretation Pechels wurde jene erste Begegnung als Mißerfolg bewertet. »Unser Bedarf an Hitler war für immer gedeckt.« Als der Herausgeber der »Deutschen Rundschau« ein halbes Jahr später nach München kam, sei ihm von allen Seiten versichert worden, daß Hitler inzwischen mit »gütiger Nachhilfe einiger politikasternder schöngeistiger Damen, so vor allem der Frau des Verlegers Bruckmann« sich in eine größenwahnsinnige Rolle hineingesteigert habe. Pechel habe sich in München selbst davon überzeugen können, in welch rüden Formen sich die nationalsozialistische Bewegung abgespielt habe und in welch »widerwärtigen aggressiven Antisemitismus« Hitlers Organisation abgeglitten sei. »Bei meiner Rückkehr nach Berlin teilte ich den Freunden des Juniklubs mit, daß irgendeine Verbindung mit Hitler für uns nicht in Frage käme.« [6]

Abgesehen von der Tatsache, daß sich diese Behauptung Pechels angesichts seiner späteren Annäherungsversuche an die NSDAP als Unwahrheit entlarven ließe, muß das erste Treffen mit Hitler vor seinem zeitgeschichtlichen Hintergrund gesehen werden. So verweist der Historiker von Klemperer darauf, daß jene Begegnung mit Hitler erst im Jahre 1947 durch Pechels Memoiren als »Mißerfolg« interpretiert worden ist. Andere Berichte über das Zusammentreffen, die Anfang der dreißiger Jahre erschienen [7], drückten sich dagegen reichlich vage und unverbindlich über den Erfolg jenes

[6] Pechel: Deutscher Widerstand, a. a. O. S. 280.

[7] Vgl. Max Hildebert Boehm: Moeller van den Bruck im Kreise seiner politischen Freunde, in: Deutsches Volkstum, 1932, Band 34, S. 696; Paul Fechter: Moeller van den Bruck — Ein politisches Schicksal, a. a. O. S. 78; derselbe: Das Leben Moeller van den Brucks, in: Deutsche Rundschau, 1934, Band 239, S. 20.

Geheimtreffens aus – als wollten sie den allgemeinen herrschenden Glauben an eine Übereinstimmung zwischen Moeller und Hitler nicht zerstören.[8] Tatsächlich muß man Zweifel daran haben, ob Hitler damals wirklich als jener verantwortungslose Desperado angesehen wurde, wie das Pechel in seiner späteren Darstellung dem Leser suggerieren will. Die Frage bleibt offen, warum der Herausgeber der »Deutschen Rundschau« gegen den Willen Moellers jenes Treffen mit Hitler arrangierte. Seine eigene Begründung, wonach er stets ein »unheilbares Interesse gerade für ausgefallene Menschen« gehabt habe, reicht in ihrer naiven Unverbindlichkeit für eine Erklärung jedenfalls nicht aus. Aber kann man es einem politisch engagierten Journalisten verübeln, wenn er sich an Ort und Stelle über eine neue Bewegung informiert? Diese Frage rührt erneut an das Zusammenspiel von praktisch-politischem und publizistischem Interesse, von dem die Aktionen Pechels bereits im Jahre 1922 geprägt waren. Konnte eine Aufklärung über die Ziele der NSDAP nur durch einen Vortrag Hitlers im Juniklub erfolgen oder hätte es nicht auch eine andere Möglichkeit gegeben, sich über den Nationalsozialismus zu informieren – zumal Pechel in Karl Haushofer stets einen Vertrauten zur Seite hatte? Im Juniklub überwog der Wunsch nach sachlicher Information keineswegs: dominierend war bei einem Teil der Mitglieder – und gewiß bei Pechel – der Wunsch, der Weimarer Republik und der Sozialdemokratie die Verachtung dadurch zu bekunden, daß man mit deren ärgsten Gegnern paktierte. Dieses Bedürfnis war zweifellos mit jenem des Hamburger Nationalklubs identisch, vor dem Hitler am 28. Februar 1926 referierte.[9]

Diese Behauptung wird durch die Bereitschaft bekräftigt, mit der die Jung-Konservativen des Jahres 1922 allen Plänen eines Staatsstreichs, eines restaurativen Putsches oder sonstiger Gewaltakte erlegen waren: Heinrich von Gleichen und Eduard Stadtler hatten sich schon früh am Gedanken einer Drei-Männer-Diktatur unter Stinnes, Seeckt und Ludendorff erwärmt, Wilhelm Stapel sah neben Ludendorff den kommenden Mann in Adolf Hitler, Martin Spahn hatte jenes »anregende Gift« gepriesen, das von den Nationalsozialisten auf die nationale Bewegung übertragen würde.[10] Gerade die Streitigkeiten darüber, wie die Macht im Staate übernommen werden solle, hatten ja nach den zerstörten Hoffnungen des Kapp-Putsches zum Zerfall des Berliner Zirkels beigetragen – und Pechel war stets betriebsamer Akteur in der Mitte gewesen. Die Behauptung ist deshalb begründet, daß jenes konspirative Treffen mit Hitler nicht allein durch journalistische Motive, sondern durch konkrete politische Absichten inspiriert worden war. Dahinter steckte die gefährliche Tendenz, sich im Umkreis der konservativ-revolutio-

8 Klemperer: Konservative Bewegungen, a. a. O. S. 212.
9 Vgl. dafür die ausführliche Analyse von Hitlers Rede vor dem »Hamburger Nationalklub von 1919« bei Werner Jochmann: Im Kampf um die Macht, Frankfurt 1960, S. 37.
10 Siehe die früheren Ausführungen über den Juniklub.

nären Zirkel, Bünde und Geheimorganisationen auf die Konspiration als ein Ersatzmittel für produktive Politik zu verlassen und dabei auf das Mittel geheimer Umtriebe zu vertrauen. Genau diese Neigung hat bei jenem Treffen mit Hitler Pate gestanden, das Pechel hinter den Kulissen arrangierte. Die These Hermann Rauschnings, wonach der Nationalsozialismus ungeachtet seiner offenkundigen Unzulänglichkeiten doch Ansatzpunkte für eine Realisierung jung-konservativer Ziele geboten habe, läßt sich deshalb schon am Beispiel des Hitler-Treffens im Jahre 1922 diagnostizieren – sie trifft erst recht für jene Begegnungen zu, die Anfang der dreißiger Jahre unternommen wurden. Seinerzeit war es zunächst die »Arbeitsgemeinschaft für die Interessen des Grenz- und Auslandsdeutschtums«, über die Pechel eine Verbindung mit dem Nationalsozialismus.[11]

b) Die Kontakte mit der »Arbeitsgemeinschaft für die Interessen des Grenz- und Auslandsdeutschtums« (1932/33)

Die vorliegenden Dokumente über die Aktionen der »Arbeitsgemeinschaft für die Interessen des Grenz- und Auslandsdeutschtums« in den Jahren 1932/33 bestätigen am besten jene Behauptung, wonach die Jung-Konservativen in der Verbindung mit der NSDAP gerade das zu gewinnen glaubten, was bisher in ihrer eigenen, mehr geistig-politischen Haltung und Gesinnung gefehlt hatte – nämlich den notwendigen Anschluß an die reale Tagespolitik und ihre Machtfaktoren.[12] Pechels Behauptung, er habe sich abgesehen von der »aufmerksamen Lektüre von ›Mein Kampf und anderer nationalsozialistischer Schriften«[13] nicht mehr mit dem Nationalsozialismus befaßt, trifft vor dem Lichte neuer, von ihm stets geheimgehaltener Quellen nicht zu: Gerade im entscheidenden Jahr 1932, als der Ernst der allgemeinen Lage zu praktischem Handeln zwang, war bei Pechel und seinen Gesinnungsfreunden ein starkes Gefühl für die notwendige Korrektur eigener Gedanken vorhanden, das sich mit einem ausgeprägten Drang für praktische Wirksamkeit verband. »In einem befanden sie sich in der Verbindung mit dem Nationalsozialismus vor allem im tiefen Irrtum, daß man Demagogie mit demagogischen Mitteln, daß man eine ständige Revolution und revolutionäre Zersetzung eben durch einen revolutionären Akt beenden könnte.[14] Daß sich Pechel trotz seiner Lektüre nationalsozialistischer Schriften um eine Zusammenarbeit mit der NSDAP bemüht hat – diese Erkenntnis belastet seine Aktivitäten und deren Bewertung mehr, als wenn er wie viele

[11] Vgl. für diesen Zusammenhang die Schilderungen bei Rauschning: Die Revolution des Nihilismus, a. a. O. S. 184 f.
[12] Rauschning: Revolution, a. a. O. ebenda.
[13] Pechel: Deutscher Widerstand, a. a. O. S. 281.
[14] Rauschning: Die Revolution, a. a. O. ebenda.

seiner Zeitgenossen Hitlers Schriften ignoriert und ihre Lektüre vernachlässigt hätte. [15]

Die ersten Kontakte zwischen der »Arbeitsgemeinschaft«, der im September 1932 nach Auskunft Pechels 78 Zeitschriften angehörten [16], und einem Repräsentanten der NSDAP lassen sich auf die Sorge im Umkreis des Auslandsdeutschtums zurückführen, wonach die NSDAP die deutschen Volksgruppen im Ausland zunehmend mit propagandistischen Methoden zu umwerben begann. Für die Partei Adolf Hitlers soll nämlich das Deutschtum außerhalb des Reiches nichts bedeutet haben: Nach der Meinung Hermann Ullmanns sei dies nachträglich durch die »völlige Verständnislosigkeit Hitlers für eine der geschlossensten und wertvollsten Volksgruppen, nämlich für die Deutschen Südtirols«, bewiesen worden, die Hitler bedenkenlos Mussolini geopfert habe. [17] Aber mit der untrüglichen Witterung für alle Möglichkeiten einer Machterweiterung habe die Partei bald auch die Volksgruppen und ihre überparteiliche Bewegung im Reich beobachtet, somit genau jene Organisationen, die sich wie die Arbeitsgemeinschaft um Pechel für die Ausgestaltung der kulturellen Selbsthilfe und Selbstverwaltung dieser Gruppen engagierten. Es artikulierte sich auf diese Weise ein Konflikt, der zweierlei Auswirkungen nach sich zog: Einerseits mag die konservative Tradition der Volksgruppen, soweit sie ins Reich hinüberwirkten, dem Totalitätsanspruch der NSDAP tatsächlich als gefährlich erschienen sein, wie Ullmann vermutet [18], andererseits mögen aber gerade bei den Initiatoren dieser Bewegung gewisse Befürchtungen vorhanden gewesen sein, daß Hitler ihnen treue Bundesgenossen abspenstig machen könnte. Dies klingt sogar in der angeführten Schilderung Ullmanns noch an. »Die Methoden der nationalsozialistischen Propaganda befolgten dasselbe Rezept wie bei der Machtergreifung im Reiche: man schlich sich ein. Zunächst arbeitete man mit einem ideologischen Programm, das man der Haltung der Volksgruppen äußerlich anpaßte ... Solange man sich nicht sicher fühlte, hielt man den Totalitätsanspruch der Partei von den Volksdeutschen fern.« [19] Die gleiche Sorge spricht aus einem Briefe Pechels an Hans Roth, der im September 1932 vor der »Arbeitsgemeinschaft« über das Verhältnis zwischen Auslandsdeutschtum und Nationalsozialismus referieren sollte. »Die Gefahr, die in einem Übergreifen der reichsdeutschen parteilichen Dinge liegt – ich denke da beson-

[15] Vgl. dafür Lange: Hitlers unbeachtete Maximen – Mein Kampf und die Öffentlichkeit, a. a. O., für die damaligen Beziehungen der Jung-Konservativen zu Hitler vgl. Max Hildebert Boehm: Baltische Einflüsse auf die Anfänge des Nationalsozialismus, Hamburg 1966, wo auf Seite 62 sogar davon gesprochen wird, Hitler sei »gelegentlich« im Juniklub gewesen.

[16] Brief Pechels an Hans Otto Roth, 23. 9. 1932, BA, Mappe 137.

[17] Ullmann, Hermann: Die volksdeutsche Bewegung und ihre Lehren, 1954, als Manuskript vervielfältigt, S. 37.

[18] Ullmann: Die volksdeutsche Bewegung, a. a. O. ebenda. Dagegen spricht freilich, daß Hitler die konservativen Klubs und Bünde niemals recht ernst genommen hat. Vgl. dafür Gerstenhauer: Der völkische Gedanke in Vergangenheit und Zukunft, Leipzig 1933, besonders S. 72 f.

[19] Ullmann: Die volksdeutsche Bewegung, a. a. O. S. 42.

ders an die Vorgänge in Südtirol –, kann gar nicht ernst genug hingestellt werden.«[20] Pechel riet dem Referenten zur Herausstellung der These, wonach das Auslandsdeutschtum in seiner »nationalen Geschlossenheit« und seinem »nationalen Selbstgefühl« das bessere Deutschtum sei und daß man von dieser Ansicht unter keinen Umständen abzuweichen habe. Aber gerade wegen dieser Haltung wirkt es verblüffend, daß zu dem beabsichtigten Referat »aus Gründen der Loyalität« ein Referent der NSDAP hinzugezogen werden sollte. Diese Verhaltensweise läßt sich nur durch den fatalen Glauben der in der »Arbeitsgemeinschaft« vereinigten Publizisten erklären, man könne Hitler seine Bemühungen um das Auslandsdeutschtum nachträglich ausreden. Pechel forderte den Referenten auf, er möge an Beispielen illustrieren, welche Gefahr durch das Eindringen des reichsdeutschen Nationalsozialismus auf das Auslandsdeutschtum provoziert werde. »Daß gegen diese reichsdeutschen Parteiübergriffe, sie mögen kommen, von welcher Seite es sei, das Auslandsdeutschtum sich abschließt aus eigenstem Lebensinstinkt heraus, muß ganz klar betont werden. Andererseits wollen wir nicht einseitig sein, und es könnte m. E. auch von auslandsdeutscher Seite aus gesagt werden, was der Nationalsozialismus als Idee dem Auslandsdeutschtum zu geben imstande ist und gegeben hat.«[21] Genau dieser Grundtenor entsprach jenem Schreiben, das Pechel am 4. 10. 1932 an Hitler gerichtet hat: »Aus Gründen der Loyalität« habe die Arbeitsgemeinschaft beschlossen, auch einem nationalsozialistischen Referenten die Möglichkeit zu einem Vortrag über das Verhältnis zwischen Auslandsdeutschtum und Nationalsozialismus zu geben. Und Pechel wies darauf hin, daß bei jenem Treffen auch Vertreter des Auswärtigen Amtes, des Reichsministeriums des Innern, des preußischen Innenministeriums und der Presseabteilung der Reichsregierung zugegen sein würden.[22]

Von Hitler wurde daraufhin Graf Reventlow für das Referat als Vortragender bestimmt, der schon früher im Dienst der NSDAP als Referent tätig geworden war.[23] Das Protokoll dieses Treffens vermerkt, daß der Referent Hans-Otto Roth in »eindringlicher Art die Einstellung der Auslandsdeutschen zum Reiche« dargelegt und sehr auf die Bedeutung verwiesen habe, die das Nationalgefühl durch die Nationalsozialistische Bewegung bekommen habe. Zugleich seien aber auch die Gefahren vermerkt worden, die durch das Eindringen des Nationalsozialismus in das Auslandsdeutschtum als Partei entstanden seien: Solchen Bedenken habe Reventlow das Argument entgegengehalten, alle vorgekommenen, unliebsamen Zwischenfälle müßten als die »Fehler einer jungen Bewegung durch unverantwortliche Leute« bewertet werden. Gleichwohl würden die »berufenen Vertreter des Auslandsdeutschtums um Fühlungnahme mit der Nationalsozialistischen Partei gebeten«, um durch – so die wörtliche Formulierung – »gegenseitige

[20] Brief an Roth, a. a. O. ebenda.
[21] Pechel an Hans Otto Roth, 24. 10. 1932, BA, Mappe 137.
[22] Pechel an Hitler, 4. 10. 1932, BA, Mappe 137.
[23] Vgl. Gerstenhauer, a. a. O. S. 79.

Belehrung Gefahren für das Auslandsdeutschtum zu vermeiden«.[24] Auf diesem Wege sind vorherige Meinungsunterschiede nachträglich bereinigt worden. Solcher Übereinkunft entsprach es, daß sich Pechel im April 1933 ohne Skrupel an Rudolf Heß mit der Bitte wandte, er möge sich für eine Förderung der Arbeitsgemeinschaft bei dem neuen Propagandaminister Goebbels verwenden. »Ich darf schriftlich wiederholen, daß hier in mehr als zehnjähriger Arbeit ein Instrument geschaffen ist, bei dem die bedeutendsten reichsdeutschen und auslandsdeutschen Zeitschriften zusammenarbeiten mit der Zielsetzung, für das am meisten bedrohte Deutschtum mehr Verständnis im eigenen Volke zu erwecken und zu gleicher Zeit dem Ausland zu beweisen, daß in der großen deutschen Zeitschriftenpresse schon seit dem Zusammenbruch 1918 jedes Denken in staatlichen Grenzen ausgeschlossen wurde und man ausschließlich und mit Energie das Denken im Volke vertritt.« Zugleich wurde diesem Loyalitätsbekenntnis das Angebot hinzugefügt, wonach nunmehr auch nationalsozialistische Zeitschriften in die »Arbeitsgemeinschaft« aufgenommen werden könnten. Gerade jene »grundsätzlichen Erkenntnisse«, die man in der Vergangenheit bei der eigenen Arbeit habe sammeln können, sollten nach der Meinung Pechels das gebührende Interesse bei dem Ministerium für Volksaufklärung und Propaganda finden.[25] Nahezu widerstandslos sollte damit das von Pechel geschaffene Instrument der »Arbeitsgemeinschaft« in den Propagandaapparat Hitlers überführt werden. Die Geringschätzung freilich, mit der Heß als Stellvertreter des Führers solchem Ansinnen begegnete, belegt abermals jenes Desinteresse, mit dem die neuen Machthaber auf die »schmollenden Klubs« im Umkreis der Jung-Konservativen reagierten. Heß sprach gegenüber dem Bittsteller Pechel die Hoffnung aus, daß diesem »unter der psychologischen Wirkung der neuen Verhältnisse in Deutschland« die Arbeit künftig erleichtert werde. Und er riet ihm gewiß nicht ohne gelinden Zynismus, seine Bemühungen »von direkten Einflüssen der offiziellen Stellen – sei es der Regierung, sei es der Nationalsozialistischen Partei – möglichst freizuhalten. »Es ist notwendig, daß das Ausland nicht nur den Eindruck hat, sondern tatsächlich Einrichtungen wie die »Arbeitsgemeinschaft« als völlig unabhängige Institutionen ansehen kann.[26]

Es bleibt rätselhaft, ja, es spricht für die Unaufrichtigkeit Rudolf Pechels, wie dieser später trotz der skizzierten Anbiederungsversuche an die neuen Träger der Macht von einem publizistischen Widerstand bis in die Anfangstage der »Harzburger Front« hat sprechen können. »Als dann durch die Gründung der Harzburger Front es deutlich wurde, daß durch Mithilfe von Hugenberg und Seldte, Papen und Schacht und der westlichen Schwerindustrie die von uns erwartete akute Gefahr eingetreten war, daß Hitler durch die Verblendung des deutschen Volkes an die Macht gelangen könnte, nahm

24 Bericht über die 21. Tagung der Arbeitsgemeinschaft, am 23. 11. 1932 in Berlin, BA, Mappe 125.
25 Pechel an Rudolf Heß, 10. 4. 1933, BA, Mappe 137.
26 Heß an Pechel, 28. 8. 1933, BA, Mappe 137.

ich öffentlich in der ›Deutschen Rundschau‹ unter geistiger Führung von Edgar Jung den Kampf auf, den ich bis zum Verbot der ›Deutschen Rundschau‹ ununterbrochen fortgesetzt habe.«[27] Es muß klar gesagt werden, daß Pechel gerade die publizistischen Angriffe Jungs, wie sie im April 1933 in der »Deutschen Rundschau« mit mehr oder weniger zweideutiger Zielsetzung geführt wurden, durch seine Handlungsweise diskreditiert hat. Während sein Autor nämlich noch für eine Stärkung des konservativen Flügels im neuen Kabinett Hitler focht, lief Pechel bereits ohne Skrupel zu den Gefolgsleuten des neuen Führers über. In jener Koalitionsregierung des »Nationalen Zusammenschlusses«, die mit Hitler als Reichskanzler am 30. 1. 1933 von Hindenburg vereidigt wurde, befanden sich nämlich die Nationalsozialisten mit ihren Ministern Frick, Göring und Goebbels noch in der Minderzahl. Die Illusionen jener Tage, in denen viele Konservative noch an eine Zähmung Adolf Hitlers glaubten, waren zumindest von Pechel durchschaut worden. Wie hätte er sich sonst zielbewußt mit seiner Offerte an den Stellvertreter Hitlers wenden können? Heß attestierte dem Publizisten denn auch, daß die Nationalsozialistische Partei »mit Recht ... vielfach als Teil der Regierung«[28] angesehen werde.

Tatsächlich ist der Amtsantritt Hitlers von einem großen Teil der Auslandsdeutschen und ihrer Propagandisten mit optimistischen Erwartungen begrüßt worden. »Die Auslandsdeutschen erwarten von der nationalsozialistischen Bewegung alles: die lebensspendende Kraft, die ihrer Erhaltung in diesen schweren Tagen der Anfechtung jeden Zweifel an der Möglichkeit der Erhaltung ihres Volkstums nimmt. Sie lassen sich von ihr tragen, wie sie dazu beigetragen haben, ihr den Anstoß zu geben. Die Bewegung gewährleistet ihre Integration oder führt sie erst durch.«[29] Mit diesem Bekenntnis verknüpfte Mannhardt als prominenter Vertreter des Auslandsdeutschtums schon im Jahre 1932 seine Hoffnungen mit der nationalsozialistischen Partei. Und Max Hildebert Boehm, seit der ersten Stunde im Juniklub ein enger Kampfgefährte Pechels, schrieb nach 1933 anerkennend von der vollzogenen Revolution. Gerade seine Voraussetzungen mußten ihn zu einer Bejahung des Nationalsozialismus führen. Schien nicht endlich durch Hitlers Politik der nationalen Sammlung die Erfüllung jener großdeutschen Hoffnungen möglich, die der propagandistischen Pflege des Grenz- und Auslandsdeutschtums zugrunde gelegt hatten? Es nimmt nicht wunder, wenn Boehm den Amtsantritt Hitlers als »Ehrentag für Volk und Reich« apostrophierte und sich in begeisterter Zustimmung für den neuen Führer engagierte: »Ein neuer Abschnitt der deutschen Geschichte hat begonnen. Zwischen den mütterlichen Kräften des Volkstums und dem männlichen Waltungsbereich echter Staatlichkeit ist auf deutschem Boden ein neuer Bund gestiftet. Und wo immer

[27] Pechel: Deutscher Widerstand, a. a. O. S. 281.
[28] Heß an Pechel, a. a. O. ebenda.
[29] Johann Wilhelm Mannhardt: Was die Auslandsdeutschen vom Nationalsozialismus erwarten, in: Was wir vom Nationalsozialismus erwarten, Heilbronn 1932, S. 73.

das neue, das Dritte Reich wirklich werden will, da ist schon in Adolf Hitlers Person der andere Deutsche nicht mehr ausgeschlossen. Die Jugend des Nachkriegsdeutschland hat diesen dritten Deutschen mit jubelndem Zuruf in unser heimliches Reich zurückgeholt.« [30]

Alle derartigen Stellungnahmen zeigen, daß eine weitgehende Verschmelzung früherer jung-konservativer Prinzipien mit der nationalsozialistischen Bewegung stattgefunden hatte; selten ging es dabei um eine grundsätzliche Klärung der eigenen Position, häufig schloß man in rascher Zustimmung seinen Frieden mit dem neuen Regime. [31] Rudolf Pechel erwies sich darin nicht als Ausnahme. Für einen »Kampf« gegen die neuen Machthaber finden sich in seiner Zeitschrift bis 1933 keinerlei Beweise – höchstens ersetzte ein milder Tadel jene rückhaltlose Loyalität, die Hitler von seiner Umgebung verlangte. Und doch wurde auch er persönlich herausgefordert: Die Gleichschaltung der »Deutschen Akademie« provozierte einen Konflikt, der den Überläufer Pechel deutlich an seine früher propagierten konservativen Wertvorstellungen hätte erinnern können.

c) Pechel und die Gleichschaltung der »Deutschen Akademie« (1933)

Pechels Rolle bei der Gleichschaltung der »Deutschen Akademie für Sprache und Dichtung« muß stets vor dem Hintergrund seiner persönlichen Kontakte zu Karl Haushofer bewertet werden. Nach seiner eigenen Auskunft wurde die »Deutsche Akademie« nach der Machtübernahme völlig mit der geheimen Absicht umgestaltet, »aus ihr allmählich ein Instrument rein nationalsozialistischer Politik und Propaganda« zu machen. Pechel sei auf Betreiben Haushofers, der neuer Präsident der Akademie geworden war, im Senat dieser Organisation geblieben, »da Haushofer versprach, daß der ursprüngliche Gedanke der Deutschen Akademie ... rein erhalten bleiben sollte«. Haushofers Bitte an Pechel sei durch den Umstand veranlaßt worden, daß Pechel in den Kreisen des Grenz- und Auslandsdeutschtums hohes Ansehen genoß und deshalb der Organisation weiterhin von Nutzen sein könne. [32]

In welcher Bewußtseinslage wurde Pechel damals durch die Gleichschaltung der »Deutschen Akademie« konfrontiert? Zu dieser Frage gibt es einen aufschlußreichen Brief Pechels an Haushofer, der manches vom damaligen Selbstverständnis des »Rundschau«-Herausgebers offenbart. Für ihn existierte das Problem, wie die jung-konservativen Kräfte aus dem Autorenkreis seiner Zeitschrift in »eine organische Form der Mitarbeit zu der neuen Regierung« gebracht werden konnten. [33] Er verweist darauf, daß es ihm auf die Fragen eines kritischen Gesprächspartners gelungen sei, bei diesem

30 Boehm, Max Hildebert: Der 18. Januar und die anderen Deutschen, S. 16.
31 Vgl. die Ausführungen über die Haltung prominenter Jung-Konservativer bei Klemperer, a. a. O. S. 220 f.
32 Pechel: Deutscher Widerstand, a. a. O. S. 281.
33 Pechel an Haushofer, 2. 6. 1933, BA, Mappe 71.

»Verständnis für das neue Deutschland auf der Grundlage von ›Blut und Boden‹ zu wecken«. Ferner sei es ihm gelungen, dem Fragenden gegenüber die ›Judenfrage‹ zu entgiften – er habe erklärt, daß die wirklich schöpferischen Kräfte unter allen Umständen in die neue Arbeit organisch eingebaut werden müßten, ohne daß man von ihnen irgendwie ein Parteizeugnis verlange. Dies Verständnis habe Pechel bei dem Kanzler Hitler, ebenso bei dem Ministerpräsidenten Göring und dem Propagandaminister Goebbels voraussetzen können. Wenn es trotz der »vorbehaltlosen Bereitschaft auf unserer Seite« bisher nicht zu einer Zusammenarbeit mit der neuen Regierung gekommen sei, könne man dies nur durch die Tatsache der »völligen Überlastung der leitenden Männer« erklären. Auf jeden Fall dürfe die »persönliche Bedeutung der Führenden« nicht durch bestimmte nicht »verborgene Schönheitsfehler der Bewegung« leiden.

Allerdings schlichen sich in dieses Loyalitätsbekenntnis erste Zweifel ein: So konfrontiert Pechel seinen Briefpartner mit der Frage, wie er das Verbot der »Deutschen Allgemeinen Zeitung« beurteile, das in jenen Tagen ausgesprochen worden war. Für eine Erklärung dieser Tatsache wußte Pechel keine Antwort – seine Skepsis mag gestärkt worden sein, nachdem Edgar Julius Jung am 30. Juni 1934 ermordet worden war. Genau das ist das Datum, wo der unheilvolle Weg Hitlers für Pechel zum brennenden persönlichen Problem wurde, wo er unausweichlich vor die Entscheidung gestellt wurde, ob er weitere Mitwirkung noch verantworten könne oder nicht. Gerade die teilweise Gemeinschaft, die Pechel mit den geistigen Grundlagen des Hitler-Regimes verband, und die anfängliche Mitwirkung an seiner Politik haben später im persönlichen Bereich erst die Voraussetzungen zu aktivem Widerstand geschaffen. Mit Recht weisen neuere Forschungen deshalb darauf hin, daß der Widerstand überwiegend unfreiwillig war und daß vielmehr das Regime die Menschen geradezu in den Widerstand gedrängt habe.[34]

Dennoch darf durch eine solche Bewertung nicht übersehen werden, daß selbst die bereitwilligen Anhänger des neuen Regimes früh mit den Fragen Andersdenkender konfrontiert wurden. Dies geschah zum Beispiel, als der sogenannte »Kleine Rat« der Deutschen Akademie auf Betreiben Haushofers mit der neuen Bewegung gleichgeschaltet wurde. Haushofer bekannte gegenüber Pechel, daß man sämtliche früheren Mitglieder des »Kleinen Rats« habe zum Rücktritt bewegen können und daß sich dieser nunmehr aus treuen Gefolgsleuten zusammensetze.[35] Pechel akzeptierte diese Mitteilung mit dem freimütigen Bekenntnis, daß es eine Notwendigkeit sei, »auch persona-

34 Vgl. Ernst Wolf: Zum Verhältnis der politischen und moralischen Motive in der deutschen Widerstandsbewegung, in: Der deutsche Widerstand gegen Hitler, a. a. O. S. 220.

35 In den Kleinen Rat wurden u. a. gewählt: Bruckmann (NSDAP), Haushofer, Rudolf Heß, Ministerpräsident Siebert (München), Helmut Steinacher, Generaldirektor Vögler und Archivdirektor Paul Wentzke, siehe Haushofer an Pechel, 30. 6. 1933 VBA, Mappe 71.

liter in der Akademie sicherzustellen, daß der nationale Auftrieb in passender Form auch in dieser Körperschaft zum Tragen«[36] komme. Damit bekannte er sich zu einer Organisationsform, deren Änderung durch politische Erwägungen bestimmt war: Er akzeptierte auf diese Weise einen Wissenschaftsbegriff, der eindeutig politischen Implikationen folgte und sich einer konkreten Ideologie verschrieben hatte. »Das Ziel wissenschaftlicher Untersuchung ist die Erforschung der Wahrheit und bleibt dasselbe unter allen Verhältnissen«[37], lautete der Kernpunkt einer Entgegnung, die den loyalen Überläufern Haushofer und Pechel von einem abgewählten Akademie-Senator zugeleitet wurde.« »Das Verlangen des Kleinen Rats erscheint mir als eine schwächliche Kapitulation der Wissenschaft und Kunst vor der gegenwärtigen politischen Konstellation.« Mit diesen unmißverständlichen Worten hielt das ehemalige Mitglied der Akademie deren neuen Ideologen ihre opportunistische Haltung vor. Der Mangel jeglichen Widerstands gegen die Vergewaltigung der Wissenschaft und Kunst erschien diesem Gelehrten unverzeihlich. Er erinnerte an die Vernichtung des Faches Mathematik an der Universität Göttingen, die ohne Protest zugelassen worden sei, und setzte solchen Hinweisen weitere Beispiele hinzu. »Nach meinem Urteil und Gefühl hätten derartige Eingriffe mit einem einmütigen Protest der Gelehrtenwelt beantwortet werden müssen.«

Weil Pechel später stets auf die Anfänge seiner Widerstandshaltung verwiesen und dabei verschwiegen hat, unter welch geistigen Voraussetzungen sie erfolgte, ist das vorgelegte Dokument eines damaligen Zeitgenossen von Gewicht. Es belegt, daß unter Gelehrten konservativer Geisteshaltung das Gefühl für politische Verantwortung keineswegs geschwunden war und daß man mit wachem Verstande durchaus eine Ahnung davon gewinnen konnte, wie der Nationalsozialismus seine Ideen verwirklichen würde.

2. Die Diskussion über Grundprinzipien nationalsozialistischer Propaganda (1931–1933)

In welcher Weise hat die »Deutsche Rundschau« die Auseinandersetzung über wichtige Grundprinzipien nationalsozialistischer Propaganda geführt? Nicht nur am Beispiel der Aufsätze von Edgar Julius Jung und Karl Haushofer, sondern anhand der Ausführungen anderer »Rundschau«-Autoren lassen sich Antworten auf diese Frage finden. Dabei läßt sich der Themenkreis auf drei Bereiche reduzieren. Die Diskussion über Grundprinzipien des Nationalsozialismus wurde in der »Deutschen Rundschau« mit einem »Briefwechsel zur Judenfrage« eröffnet, der in der damaligen Öffentlichkeit starke Beachtung erzielte und später von der historischen Forschung als eine »der

36 Pechel an Karl Haushofer, 16. 6. 1933, BA, Mappe 71.

37 Franz Boas, Columbia University, an Professor Friedrich W. Müller, Präsident der Deutschen Akademie, September 1933, BA, Mappe 145.

wichtigsten literarischen Auseinandersetzungen« bewertet wurde.[38] Unmittelbar vor der Machtergreifung Hitlers schält sich die Forderung prominenter »Rundschau«-Autoren nach einer »geistigen Neueinstellung« auf dem Gebiet der Kunst und Literatur als ein beherrschendes Thema heraus, dessen Bewältigung zwei Jahrzehnte später heftige Kontroversen über Pechels geistige Verwandtschaft zur NSDAP beschwor.[39] Schließlich ist die Darstellung jener Ausführungen nötig, mit denen Pechels Zeitschrift auf aktuelle Verhaltensweisen, Ziele und Programme der NSDAP reagierte. Hat der Nachfolger Rodenbergs die Partei Adolf Hitlers in seiner Zeitschrift begrüßt oder erkannte er in ihren geistigen Voraussetzungen eine politische Gefahr? Erst eine Antwort auf diese Fragen wird eine gerechte Beurteilung der Haltung Pechels am entscheidenden Datum des 30. Januar 1933 erlauben, die von Zeitgenossen später in äußerst kontroverser Form bewertet worden ist.[40] Die bisherige Kenntnis von Pechels persönlichen Kontaktaufnahmen mit Repräsentanten der NSDAP darf indes nicht die Notwendigkeit außer acht lassen, diese Annäherung vor dem Hintergrund der zeitgeschichtlichen Entwicklung zu bewerten. Die Endphase der Weimarer Republik ist von rechts bis links sowohl mit trügerischen Hoffnungen wie mit kritischen Warnungen begleitet worden — bis zuletzt erlebte der demokratische Rechtsstaat Weimarer Prägung einen Ansturm des Geistes gegen die politische und soziale Wirklichkeit, wie ihn kaum eine andere Phase der deutschen Geschichte verzeichnet hat.[41]

a) Die »Deutsche Rundschau« und ihr Briefwechsel zur Judenfrage

Der »Briefwechsel zur Judenfrage« wurde im Januar-Heft der »Deutschen Rundschau« 1931 durch einen Aufsatz von Paul Fechter eröffnet, dem bald verschiedene Abhandlungen folgen sollten.[42] Tatsächlich muß in jenen

[38] Eva G. Reichmann: Diskussionen über die Judenfrage, in: Entscheidungsjahr 1932, Tübingen 1965, S. 504.

[39] Dazu Kurt Ziesel: Das verlorene Gewissen, München 1958, S. 18 ff.

[40] Hauptsächlich durch Angriffe der »Weltbühne« nach 1945, die später analysiert werden.

[41] Vgl. das Kapitel bei Sontheimer: Antidemokratisches Denken, a. a. O. »Vom Geist der Weimarer Republik«, S. 306 f. Einen Überblick über die publizistische Auseinandersetzung der Rechts- und Linkspresse bietet Hans-Joachim Schoeps: Das letzte Vierteljahr der Weimarer Republik im Zeitschriftenecho, in: Geschichte in Wissenschaft und Unterricht, 7. Jg. 1956, S. 464 f.

[42] Der Briefwechsel zur Judenfrage setzt sich aus folgenden Abhandlungen zusammen: Paul Fechter »Kunstbetrieb und Judenfrage«, Januar 1931, S. 37 ff.; »Briefwechsel zur Judenfrage«, von Jakob Wassermann, Rudolf Pechel, Paul Fechter, Februar 1931, S. 136 ff.; »Zur Judenfrage«, ein Brief von Eduard Behrens, März 1931, S. 234; »Zur Judenfrage — Der Kernpunkt der Judenfrage«, von Max Naumann, April 1931, S. 66 f.; »Zur Entgiftung der Judenfrage«, von Arthur Prinz, April 1931, S. 69 f.; »Eine Entgegnung« — von Paul Fechter, April 1931, S. 72; »Zur Judenfrage — Anti-Germanismus.« Aus dem Aspekt einer Landschaft, von Hans-Friedrich Blunck, Mai 1931; »Klarheit und Wahrheit in der Judenfrage« — von Ludwig Holländer, Mai 1931, S. 159 ff.; »Abschluß« — Mai 1931 (Paul

Jahren bei Rudolf Pechel und Paul Fechter, der immer häufiger für die »Deutsche Rundschau« zur Feder griff, die Überzeugung vorherrschend gewesen sein, daß eine Erörterung der Judenfrage nicht nur möglich, sondern auch nützlich sein könnte. Vielleicht glaubte man noch an die Diskussion als taugliches Instrument zur Klärung oder sogar Bereinigung politischer Streitfragen. Es mag ein wenig wie Resignation geklungen haben, wenn Pechel ein Jahr später in seiner Zeitschrift erklärte: »Uns scheint die Zeit ... solcher und ähnlicher öffentlicher Erörterungen vorüber zu sein.« [43] Auf jeden Fall ist in der »Deutschen Rundschau« ein aktuelles Thema selten mit einer solchen Breite und Ausführlichkeit behandelt worden; weder die umstrittene Frage einer Reichsreform noch die Auseinandersetzung mit der Programmatik einzelner Parteien hat ein solches öffentliches Forum wie die Judenfrage gehabt.

Die Ausgangslage dieser Diskussion wird am besten durch ein Schlußwort von Pechel und Fechter charakterisiert, das sich gewissermaßen als Bilanz der einzelnen Abhandlungen in einem »Rundschau«-Heft findet: »Es kam uns darauf an, zu zeigen, was für Gefühle auf unserer Seite, nicht bei uns als Personen, durch unverantwortliche Entgleisungen entstehen. Es kam uns darauf an, zu zeigen, wieviel antisemitische Empfindungen ihre Quelle in Taten und Äußerungen jüdischer Menschen haben. Wir wollten für unser Teil dazu beitragen, Schwierigkeiten zu beseitigen und eine Gefahr zu beschwören, die für den Schwächeren in diesem Streit besteht.« [44] Allein diese Äußerung wirft ein Schlaglicht auf die Aktualität, die das Problem des Antisemitismus im Jahre 1931 inmitten der öffentlichen Diskussion besaß. Die Eindringlichkeit dieses Themas wurde durch die Art und Weise verstärkt, mit der Pechel sich seiner Behandlung widmete. In serienweiser Diskussion wurde von Heft zu Heft und in einem vergleichsweise kurzen Zeitraum von sechs Monaten die Judenfrage von verschiedener Seite behandelt. Auf diese Weise wurden gewissermaßen im Zeitraffer die Gesichtspunkte präsentiert, die in der »Öffentlichen Meinung« des Jahres 1931 dominierten. Gewiß liegt hier der Wert für eine historische Forschung, die dem Studium der öffentlichen Meinung für die Erkenntnis des Phänomens Nationalsozialismus einen entscheidenden Rang zumessen will. [45]

Bei der Zusammensetzung des Kreises, der in der »Deutschen Rundschau« über die Judenfrage diskutierte, fällt zunächst das Fehlen prominenter Nationalsozialisten auf: Namen wie Goebbels, Göring und Alfred Rosenberg fehlen in der Liste der »Rundschau«-Autoren. Sie lassen deshalb den Kreis der sich zur Diskussion stellenden Antisemiten nicht unbedingt als repräsentativ erscheinen. Dafür ist die jüdische Seite durch führende Repräsentanten der innerjüdischen Richtungen und durch bedeutende Einzelper-

Fechter, Pechel: »Zur Judenfrage — Ein Nachtrag außerhalb der Diskussion« Juni 1931, S. 250 ff.; »Auch die Judenfrage«, in: August-Heft 1932, S. 152 ff.

43 Pechel: Auch die Judenfrage, a. a. O. S. 158.

44 Abschluß — Rudolf Pechel, Paul Fechter, Mai 1931, S. 164.

45 Reichmann, Eva G.: Diskussionen über die Judenfrage, a. a. O. S. 50 f.

sönlichkeiten vertreten. Bereits der Aufsatz Paul Fechters, der als auslösendes Element für die spätere »Rundschau«-Diskussion gesehen werden muß und die sogar in verschiedenen anderen Organen fortgesetzt wurde[46], war auf Veranlassung des »Verbands nationaldeutscher Juden« und dessen Vorstandsmitglied Max Naumann zustande gekommen; denn Fechters Ausführungen über »Kunstbetrieb und Judenfrage« basierten auf einem früheren Vortrag bei dieser Organisation. Für den »Verband nationaldeutscher Juden« griff Naumann selbst zur Feder, ebenso wie der Direktor der damaligen zahlenmäßig größten jüdischen Organisation, dem »Central-Verein deutscher Staatsbürger jüdischen Glaubens«, Dr. Ludwig Holländer. Daneben diskutierten Rabbiner Arthur Prinz und schließlich Jakob Wassermann als Repräsentant der jüdischen Schriftsteller und Intellektuellen, die sich durch Fechters Ausführungen in besonderer Weise herausgefordert fühlten. Tatsächlich stand Fechter ebenso wie sein publizistischer Mitstreiter Pechel oder die übrigen Repräsentanten des jungen Konservativismus[47] den Juden sehr kritisch gegenüber. Dennoch fühlten sie sich als »ehrliche Makler« zwischen den Parteien und haben sich nach Auskunft einer Beteiligten »nicht ohne Erfolg« um eine Vertiefung der Aussprache bemüht.[48]

Bei der Auseinandersetzung in der »Deutschen Rundschau« geht es nicht um die Kontroversen zwischen Juden und Christen, sondern um den Gegensatz zwischen Juden und Deutschen. Besonders dieser Dualismus hat bei allen Erörterungen das entscheidende Gewicht. Selbst wenn Fechter zunächst die »umfassende Basis« akzeptieren will, auf der sich die Kontrahenten gegenüberstehen, nämlich »die Tatsache, daß sie (die Juden) und wir zunächst Deutsche sind«[49], so macht diese Terminologie bald der Unterscheidung zwischen »Juden« und »Deutschen« Platz. Auf diese Weise wird bereits sprachlich jenes Gefühl der Fremdheit hervorgehoben, das nach Fechters Ansicht zwischen Juden und Deutschen trotz des jahrhundertelangen Zusammenlebens weiterbestehe. Da die Juden somit aus dem deutschen Volke ausgeschlossen werden, läßt man die geistigen, kulturellen und wirtschaftlichen Leistungen der Juden nicht als Gegenbeweis gelten. Man leugnet diese Leistungen zwar nicht, versieht sie aber mit dem Etikett »undeutsch« und gibt ihnen auf diese Weise einen negativen Akzent.[50] Für diese Auffassung fehlt es nicht an Beispielen: Besonders Fechter hebt in seinem Aufsatz jenes Gefühl der Fremdheit hervor, die »zwischen den alteingesessenen jüdischen Familien ... und den anderen« bestehen bleibe, obwohl sich die Juden seit Generationen zum Deutschtum bekennen würden. Welche Konsequenzen zieht er daraus? Hauptinhalt in Fechters Kritik ist das Motiv des

46 Reichmann, Diskussionen, a.a. O. S. 507.
47 Vgl. dazu Wilhelm Stapel und das »Deutsche Volkstum« und die Gruppierungen der konservativen Rechten, deren Haltung von George L. Mosse analysiert wird: »Die deutsche Rechte«, in: Entscheidungsjahr 1932, a. a. O. S. 218 ff.
48 So Eva Reichmann: Diskussionen, a. a. O. ebenda.
49 Fechter: Kunstbetrieb und Judenfrage, a. a. O. S. 38.
50 Reichmann, S. 510.

angeblichen Umwelthasses der Juden, der in Analogie zum Wort »Antisemitismus« als »Antigermanismus« bezeichnet wird. »Mit dem gleichen Recht, mit dem die deutschen Staatsbürger jüdischer Rasse sich den Antisemitismus verbitten können ... mit demselben Recht können und müssen wir uns heute eben diesen Antigermanismus, diese Bekämpfung, Herabsetzung, Mißachtung all der Dinge, die uns Deutschen lieb und wert sind, von jüdischer Seite verbitten.«[51] Der Begriff des Antigermanismus wird von Fechter den Juden immer wieder anklagend entgegengehalten und mit zahlreichen Beispielen illustriert: Er zählt Zeitschriften auf, die bewußt den Kampf gegen das Deutschtum führen würden, und nennt dabei die Namen Kurt Tucholsky und Walter Mehring. Er fühlt sich attackiert, weil man Hindenburg als »Vertreter plattester Ungeistigkeit« apostrophiert und beschwert sich darüber, daß Deutsche »als Lehrer, als Offizier, als Beamter ... in übelsten Rollen dargestellt und lächerlich gemacht« würden. Solche Taktlosigkeiten und Übergriffe müßten ein Ende haben, wenn das belastete Verhältnis zwischen Deutschen und Juden bereinigt werden solle. »Gehen beide Parteien von vorneherein auf diesen gemeinsamen Boden zurück, auf die Grundlage der staatlichen Gemeinschaft, so glaube ich, daß ein Zusammenarbeiten ... zu erzielen ist.«

Das Motiv des angeblichen Umwelthasses der Juden wird in der »Deutschen Rundschau« von Hans-Friedrich Blunck aufgenommen, dessen Abhandlungen unter dem bezeichnenden Titel »Antigermanismus — Aus dem Aspekt einer Landschaft« erscheinen. Auch Blunck verbittet sich jene angeblich verletzenden jüdischen Angriffe auf die deutsche Vergangenheit und spricht die Warnung aus: »Nur ein Volk, das eine tiefe Begeisterung für seine Aufgaben und Ziele mitbringt, vermag Großes für sich und die Welt zu leisten. Und gerade hier vermag eine kleine Minderheit, die unablässig seinen Willen zu sich selbst in Zweifel zieht, niederdrückend und gefährlich auf seine Leistungen einzuwirken ...«[52] Es ist nicht notwendig, den verschiedenen Gesichtspunkten der antisemitischen Kritik nachzugehen: die jüdische Gruppe wurde von Fechter als »fremde Gruppe im deutschen Staat«, von Blunck als »kleine radikale Minderheit mit ... zersetzendem Einfluß«, von Gertraud Hasse-Beseel wenig später als »andere Rasse« und von einem anonymen »Rundschau«-Autor sogar als »Fremdkörper« bezeichnet, für deren Ausgliederung aus dem deutschen Staatsverband eine »drastische Lösungsmöglichkeit« empfohlen wurde.[53] Sämtliche Äußerungen summierten sich zu einem Vorurteil, das die Juden aus der Sicht dieser Autoren als eine Gruppe erscheinen ließ, die fremd bis zur Feindseligkeit war, schuldbeladen bis zur Verfluchung und verdächtige Möglichkeiten für einen konzentrischen Angriff gegen die Grundlagen des deutschen Volkes in sich barg. Der Hinweis Fechters erscheint für diesen Sachverhalt paradigmatisch: eine geschlossene deutsche Außenpolitik sei deshalb nicht möglich, weil den Deut-

[51] Fechter, Paul: Kunstbetrieb und Judenfrage, a. a. O. S. 43.
[52] Hans-Friedrich Blunck. Zur Judenfrage — Anti-Germanismus, a. a. O. S. 158.
[53] Zur Judenfrage, in: Deutsche Rundschau, September 1932, S. 220.

schen gegenwärtig die gemeinsame, sich summierende Kraft fehle, die zu einer aktiven Außenpolitik überhaupt erst befähige – auf diese Weise wurde die Gruppe der Juden in Zusammenhang mit dem außenpolitischen Niedergang des Deutschen Reiches gebracht.[54]

Trotz der Dämonisierung dieser Gruppe, der Fechter etwa eine verhängnisvolle Macht über den deutschen Kunst- und Literaturbetrieb zuschrieb[55], nahm auch ein Teil der Ankläger von dem Gegenargument Kenntnis, daß doch eigentlich ein so verschwindend geringer Bevölkerungsteil wie die Juden ein so mächtiges und tüchtiges Volk wie die Deutschen nicht majorisieren und terrorisieren könne. »Das große, von der ganzen Welt bewunderte und gefürchtete deutsche Volk soll nicht imstande sein, sich 1,5 Millionen Juden einzuverleiben?«[56] Mit diesem Argument stieß zum Beispiel Eduard Behrens zum entscheidenden Punkt der Auseinandersetzung vor: der Frage nämlich, wie sich das deutsche Volk des vermeintlichen Angriffs der Juden auf die geistigen Grundlagen der deutschen Nation zu erwehren habe. Der Autor kritisierte, daß sich die Deutschen unter allen westlichen Völkern am wenigsten zutrauen würden, und gab mit emphatischem Loyalitätsbekenntnis die Prophezeiung ab: »Der dereinst seiner selbst wieder sichere Deutsche wird die Kraft haben, die unwiderstehliche Kraft, sich alles, was ihm fremd erscheint, anzugleichen, es in sich zu verarbeiten, es in sich verschwinden zu lassen.«[57] Diese Theorien der Abstoßung, Einverleibung oder Ausgliederung einer als mißliebig erachteten Gruppe hatten ihren Ursprung in der Tatsache, daß Juden in Deutschland überwiegend einem anderen Staatsdenken zuneigten als das deutsche Bürgertum, dessen Mentalität durch repräsentative Autoren wie Paul Fechter und Rudolf Pechel verkörpert wurde. In den Ausführungen Fechters schimmert oft ein Angriff gegen Liberalismus und Humanismus durch, für deren Aufstieg die Juden verantwortlich gemacht werden. Jene »Unzahl kleiner Skribenten, Literaten, Geiferer und Brandstifter« habe sich zur Zerstörung »aller überlieferten Werte« verbündet, zu denen nach Fechter »die Idee des heroischen Lebens, Mannestum, Manneszucht und Mannesehre« gehörten.[58] Ihre Werke würden dem »deutschen Gefühl, der deutschen Weltbetrachtung und dem deutschen Verhältnis zur Zeit« widersprechen. Solchen Argumenten fügte Blunck den verächtlichen Hinweis auf »kapitalistische Ratio« der Juden und den Verdacht hinzu, wonach die »Propaganda gegen die germanischen Wesenszüge des deutschen Volkstums« vornehmlich aus den Reihen der Juden gespeist werde.[59]

54 Fechter: Kunstbetrieb und Judenfrage, a. a. O. ebenda. Zum Stand der Vorurteilsforschung vgl. den Aufsatz von Earl E. Davis in: Vorurteile – Ihre Erforschung und ihre Bekämpfung, Band 3, Schriftenreihe »Politische Psychologie«, Frankfurt 1964, S. 51 ff.
55 Fechter: Kunstbetrieb, a. a. O. S. 45.
56 Eduard Behrens: Zur Judenfrage, März 1931, S. 234.
57 Behrens: Judenfrage, a. a. O. ebenda.
58 Fechter: Kunstbetrieb und Judenfrage, a. a. O. ebenda.
59 Blunck: Anti-Germanismus, a. a. O. S. 159.

Die jüdischen Antworten bei diesem Streit waren überwiegend Antworten der innerjüdischen Richtungen, zu denen der »Verband Nationaldeutscher Juden« und der »Centralverein deutscher Staatsbürger jüdischen Glaubens« gehörten. Ihre Ausführungen unterscheiden sich für den ungeschulten und mit der damaligen innerjüdischen Auseinandersetzung wenig vertrauten Leser vorwiegend durch Nuancen, mit denen der eine oder andere Gesichtspunkt hervorgehoben wird.[60] Sowohl Max Naumann wie Ludwig Holländer oder Arthur Prinz verfechten das Prinzip staatsbürgerlicher Gleichberechtigung, wobei sie durchaus darauf verweisen, daß es sich bei den deutschen Juden um eine Gruppe mit spezifischem Charakter handele. Über der Frage jedoch, welche Bedeutung den einzelnen Merkmalen zuzurechnen sei und wie der Spannungszustand behoben werden könne, scheiden sich die Geister.

Für Max Naumann, der sich als Vorstandsmitglied der nationaldeutschen Juden zu seiner Organisation als der eines »Stoßtrupps für ... Deutschland ... das deutsche Volk ... und die deutsche Zukunft«[61] bekennt, bedeutet z. B. der Begriff des »Anti-Germanismus« keinen erheblichen Streitgegenstand. Weil für ihn die jüdische Eigenart keinen spezifischen Wert besitzt, sondern lediglich das verderbliche Mittel zur »Selbstabschließung« der Juden geworden ist, plädiert er für die Assimilation und geißelt mit scharfen Worten die Denkungsart derjenigen, die wie der »Centralverein« in der jüdischen Gruppe eine »Religions-, Stammes- und Schicksalsgemeinschaft« sehen. »Diese Juden haben sich mit schmerzlicher Wollust in die geistige und gefühlsmäßige Haltung des unterworfenen, verkannten, geknechteten Volkes hineingewühlt, und sie haben es als tragische Selbsterhöhung aufgenommen, als man ihnen schließlich fast überall das Sklavenschicksal der unterworfenen Völker bereitete, mit gelbem Fleck, Judenhut und Ghettomauern.«[62] Ähnlich argumentiert Arthur Prinz, der zwar gewisse Naturgrundlagen des eigenen jüdischen Wesens nicht verleugnet und sich gegen eine »krampfhafte Assimilierung« wendet, dennoch aber nachdrücklich für ein Bekenntnis zum Deutschtum plädiert. »Aus tausendfachem Erlebnis aber wissen wir, wie tief wir deutscher Kultur verhaftet sind!«[63] Seinem Plädoyer schließt er eine scharfe Abrechnung mit jenen Juden an, die angeblich »das Deutschtum und seine Geschichte« beschmutzen. Tatsächlich finden sich zwischen den Ausführungen Fechters und der beiden Autoren Naumann und Prinz keine grundsätzlichen Meinungsunterschiede. Die gemeinsame Plattform ist das nationale Fühlen und Handeln, die als einzige Basis für den Versuch einer Verständigung akzeptiert wird. Nicht ganz so leicht wie diese Autoren kann es sich der Vorsitzende des Centralvereins freilich machen: Ludwig Holländer sieht die Ursachen für die bestehenden Konflikte weit realistischer, sobald er auf die Frage eine Antwort

60 Vgl. Reichmann: Diskussionen über die Judenfrage, a. a. O. S. 516 f.
61 Naumann, Max: Zur Judenfrage, a. a. O. S. 66.
62 Naumann: Zur Judenfrage, a. a. O. S. 67.
63 Prinz, Arthur: Zur Entgiftung der Judenfrage, a. a. O. S. 70.

sucht, wo die Grenze zwischen Juden und Deutschen gezogen werden müsse. Offenbart sich diese so deutlich, wie die Schlagworte vom »Antisemitismus« und »Antigermanismus« suggerieren wollen? Holländer versucht mit tiefem Ernst, den geistigen Grundlagen eines möglichen Antigermanismus nachzuspüren. Vor allem fordert er seine Diskussionspartner auf, den Begriff »national« exakt zu analysieren. »Man stelle feste Begriffe auf anstatt der flüssigen, vermeide das Wort ›anti‹, sei es gegen die Juden, sei es gegen die Nichtjuden gerichtet, und stelle fest, was nationale Forderungen und nationaler Wille an positiven Werten von den einzelnen verlangen. Dann stehen sich klare Fronten gegenüber.«[64] Er plädiert für eine Einheitsfront von Juden und Nichtjuden zur Aufrechterhaltung des gemeinsamen nationalen Willens und fordert eine sachliche Austragung der vorhandenen Gegensätze: Damit wendet er sich zugleich gegen Fechters unverhohlenen Versuch, alle unerfreulichen Zeiterscheinungen den Juden anzukreiden. Holländer räumt ein, daß es auf der einen Seite jüdische Radikale wie etwa Kurt Tucholsky gäbe – diesen stünden jedoch zahlreiche jüdische Persönlichkeiten mit starkem und ausgeprägtem Bekenntnis für die Werte des deutschen Schrifttums gegenüber. Als bedeutsam hebt Holländer heraus, daß sich die deutsche konservative Rechte eine künstliche Verengung des Begriffs »national« hätte zuschulden kommen lassen. Durch ihre politische Exklusivität würden die Sozialdemokratie, das katholische Zentrum und überhaupt alle Andersdenkenden ausgeschlossen. Es sei unmöglich, etwa führenden Männern der Sozialdemokratie den nationalen Willen zu bestreiten, nur weil ihre Auffassungen über den Wert überkommener Anschauungen von denen der Konservativen abweichen würden.

Die radikalste und temperamentvollste Antwort hat in diesem Streit Jakob Wassermann artikuliert. Der Schriftsteller weist in seiner Stellungnahme auf die Auswüchse des bereits vorhandenen Antisemitismus hin, erinnert an die Ermordung Walter Rathenaus, an versteckte Pogrome, an »nationalsozialistische Rabaukentrupps« und deren Rufe »Juda verrecke!«. Wassermann will nicht mehr diskutieren, sondern seine Antwort ist eine mit tiefer Entrüstung vorgetragene Anklage gegen jene, die selbstgerecht Ratschläge erteilen oder mit Toleranz unübersehbar scheinende Gräben überwinden wollen. »Genug der Beispiele und der Gegenbeispiele. Mir ist, als wüchse das Jahrtausend des Bluts und der Tränen noch allzu tief in das gepriesene Jahrhundert der Befreiung hinein. Ist es denn nicht möglich, so wohlmeinenden Männern wie Ihnen die Augen zu öffnen für das Gebirge von Leid und Unrecht, das auf die Schultern schon jedes neugeborenen Kindes jüdischer Art gehäuft ist?«[65] So lautet die Frage an Rudolf Pechel, die mit dem bezeichnenden Ausruf versehen wird: »Erträgt die große deutsche Nation von allen Nationen allein keine Kritik? Helfen Wohlverhaltungsmaßregeln gegen ›Juda verrecke‹? Im Grunde ist es erschütternd, daß

64 Holländer, Ludwig: Klarheit und Wahrheit in der Judenfrage, a. a. O. S. 162.
65 Wassermann, Jakob: Brief an Dr. Rudolf Pechel, a. a. O. Februar 1931, S. 136 ff.

Sie vor die an Leib und Leben, an Geist und Herzen bedrohten Juden hintreten und sagen, sie mögen ein Einsehen haben.«

Die Art und Weise, wie Pechel auf diesen Vorwurf reagierte, zeigt jene Selbstgerechtigkeit, die in Kreisen der Jung-Konservativen längst Schule gemacht hatte. Für ihn und seinen Mitstreiter Fechter waren solche Antworten lediglich »Auswüchse«, die man möglichst nicht zu beachten habe.[66] Deshalb sind Zweifel angebracht, ob es Pechel bei jener Diskussion wirklich um eine Bereinigung der Standpunkte zu tun war: Diskussion setzt die Bereitschaft voraus, auf den anderen zu hören und gegebenenfalls das eigene Urteil zu revidieren. Von dieser Bereitschaft zur Überprüfung des eigenen Standorts war Pechel jedoch sowohl zu Beginn wie am Ende des Briefwechsels zur Judenfrage weit entfernt. Noch am Schluß dieser Auseinandersetzung spricht er von »Mißdeutungen und Böswilligkeiten«, die ihm nicht erspart worden seien und hofft auf eine »Gemeinschaft der anständigen Leute«. Aber wie war diese fiktive Gemeinschaft strukturiert? Wollte sie von Hitlers militantem Antisemitismus keine Kenntnis nehmen, oder vertraute sie auf ihn? Nicht einmal in dieser Auseinandersetzung kann Pechel den Haß verleugnen, der in diesem Chor der Angreifer deutlich wurde. Schon ein Jahr später richtet ein anonymer Autor in der Rubrik »Vor dem Schnellrichter« die öffentliche Frage an Hitler, »ob die Nationalsozialisten bei Übernahme der Herrschaft wirklich zu ihrem Programmpunkt, betreffend Judenfrage, stehen« wollen?[67] Der Autor schlägt vor, daß eine »Minderheitenregelung« alle Schwierigkeiten mit einem Schlag beseitigen könnte: etwa die Auslegung einer Matrikelliste, in die sich jeder Jude einzutragen habe. Kategorisch wird jede weitere Unterhaltung oder Diskussion mit Repräsentanten der deutschen Juden abgelehnt, da eine einheitliche Linie bei deren Zerstrittenheit nicht erzielt werden könne. Obendrein befinde sich deren Vertretung in so »hoffnungsloser Verkennung der tatsächlichen Situation, daß gegenwärtig jede Erörterung vergeudete Zeit ist«.[68]

Diese Stellungnahme zeigt, wie halbherzig, kleinmütig und im Grunde genommen verantwortungslos Pechels Zeitschrift auf das brisante Problem des Antisemitismus reagierte. Die Selbstgerechtigkeit war kaum zu überbieten, mit der der Herausgeber der »Deutschen Rundschau« ein Jahr nach jener Diskussion auf die umstrittene Judenfrage eine abschließende Antwort suchte. »Darum ist es Aufgabe der vernünftigen Köpfe der Gegenseite, im Interesse des deutschen Volkes von sich aus die praktischen Lösungsmöglichkeiten ohne jede theoretische Diskussion durchzusprechen, eine einheitliche Meinungs- und Willensbildung zu erzielen, allerdings ungewöhnlich schwierig zu findende Lösungen dann mit allen Mitteln durchzusetzen zu ver-

66 Abschluß, a. a. O. S. 164.
67 Zur Judenfrage, Deutsche Rundschau, September 1932, S. 229.
68 Zur Judenfrage, a. a. O. ebenda.

suchen.«[69] Deutlicher hätte Adolf Hitler, dessen völkisch gestimmter Propagandist Graf Reventlow bereits die ersten Kontakte zu Pechel gefunden hatte, seinen Antisemitismus nicht formulieren können. Keine nachträgliche Rechtfertigung entbindet von dem Mangel an moralischer Verantwortung, der sich in solchen Aufforderungen zu einer praktischen Lösung der Judenfrage offenbarte. In diesen Punkten waren die Stellungnahmen Pechels weitgehend mit denjenigen jung-konservativer Ideologen identisch, die über eigene Publikationen weite Kreise der konservativen Rechten beeinflußt haben.[70] Gewiß lehnte man den Radau-Antisemitismus der Nationalsozialisten in diesen Kreisen ab; aber die Gründe für eine solche Ablehnung waren nicht moralischer, sondern politischer Art: der Nationalsozialismus stelle eine Massenbewegung dar, die als Partei zu Ausschreitungen neige. Als wegweisende Elite, als die natürlichen, gebildeten Führer des Volkes, als »Gemeinschaft der anständigen Leute« habe man vielmehr die Geschicke der Nation selber in die Hand zu nehmen. Dennoch kann kein Zweifel darüber bestehen, daß vor allem die NSDAP hauptsächlicher Nutznießer jener Atmosphäre geworden ist.

Mit Recht wird man deshalb die Frage nach dem Sinn einer Diskussion zu stellen haben, die kaum ein Jahr später schon von ihren Urhebern als sinnloses Unternehmen verworfen wurde. Im Rahmen der Auseinandersetzung wurden zwar noch Ratschläge erteilt und Lösungsmöglichkeiten erwogen, aber oft doch schon mit der ominösen Versicherung, daß an die Anwendung von Gewalt nicht gedacht werde. Wirkten nicht gerade diese Versuche zur Beschwichtigung, die man für notwendig hielt und dann doch zugunsten weitschweifiger Erörterungen über eine »praktische Lösung der Judenfrage« insgeheim relativierte, unheilvoller als alle lärmenden Anklagen gegen die Juden und ihre Existenz? »Wir haben keine Veranlassung bei den offenkundigen Mißständen uns als die Schuldrichter für unsere lieben Juden zu gebärden, eine Klarstellung von unserer Seite kann nur erfolgen mit einem Angriff nach beiden Seiten.«[71] So lautete das Fazit Rudolf Pechels in einem Brief an Fechter. Gerade weil es die jüdischen Sprecher in dieser Auseinandersetzung unternommen hatten, ihre Bekenntnisse und ihren Glauben mit großer Offenheit zu diskutieren, dünkt dies nachträgliche Urteil so anmaßend und von Selbstgerechtigkeit getragen.

69 Zur Judenfrage, ebenda, vgl. die Aufsätze von Alexander Bein: Der moderne Antisemitismus und seine Bedeutung für die Judenfrage, in: Vierteljahrshefte für Zeitgeschichte, Jg. 6, 1958, S. 340 ff. Ferner die Studie von Eva Reichmann: Die Flucht in den Haß — Die Ursachen der deutschen Judenkatastrophe, Frankfurt 1956, S. 148 ff., und Massing, Paul W.: Vorgeschichte des politischen Antisemitismus, Frankfurt 1959, S. 139 ff.

70 Vgl. die Ausführungen bei Mosse: Die deutsche Rechte, a. a. O. S. 218 ff., und den gleichnamigen Aufsatz von Wilhelm Stapel: Versuch einer praktischen Lösung der Judenfrage, in: Was wir vom Nationalsozialismus erwarten, a. a. O. S. 186 ff.

71 Pechel an Fechter, 1. 7. 1932, BA, Mappe 59.

b) Forderungen zur Umgestaltung des Kunst- und Literaturbetriebes

Die Forderungen zur Umgestaltung des Kunst- und Literaturbetriebes sind in der »Deutschen Rundschau« ab 1931 vor allem durch ein neues geistiges Selbstverständnis getragen: Die Beschäftigung mit Literatur wird einem allgemeinverbindlichen Wertsystem unterworfen, dessen Mittelpunkt die Kategorien deutsches Volk und deutsches Wesen bilden.[71a] Schon 1931 sieht Pechel die deutsche Literatur »im Kampf um ihr Recht«[71b] und konstruiert ein Wertgefüge, dessen Grundpositionen Glauben und kritiklose Gefolgschaft verlangen. So heißt es zum Beispiel in einer emphatischen Besprechung über Rudolf Borchardt: »Niemand wird ihm die Gefolgschaft verweigern, der mit immer größerer Sorge den Niedergang und die Niveaulosigkeit der sogenannten gegenwärtigen ›deutschen Literatur‹ beklagt.« Für Pechel geht es um »letzte Werte«, deren Verfälschung durch die Literaturbetriebe man nicht mehr tatenlos hinnehmen dürfe. Der Herausgeber der »Deutschen Rundschau« erinnert an die »Sendung des deutschen Dichters und Denkers« und proklamiert »Kampf der niveaulosen Mittelmäßigkeit, interessenbetonten Minderwertigkeit und ihrer verschworenen Helfer gegen das vollwertige deutsche Schrifttum«. Schließlich gibt er die ominöse Versicherung ab, daß der »Kreis derer, die in diesem Kampf« zu Borchardt stehen würden, viel größer sei, als »pessimistische Schätzung« vermuten könne.[72]

Gewiß wird man dieses Loyalitätsbekenntnis gegenüber Borchardt zunächst einmal als den Versuch bewerten müssen, zu einem Kontakt mit dem prominenten Schriftsteller zu gelangen. Zu den zahlreichen Stützungsaktionen, die im Jahre 1931 eine Weiterexistenz der Zeitschrift ermöglichen sollten, gehörte bekanntlich das Experiment einer Sammelaktion mit dem Namen Borchardt an der Spitze. Aber in den Stellungnahmen zur literarischen Situation, die sich ab 1931 in der Zeitschrift Pechels finden, gibt es doch zahlreiche Beweise für diese Neueinschätzung der Lage. »Umwertung unserer geistigen Überlieferung?« – so lautet etwa die Frage, die Richard Benz an die Leser der »Deutschen Rundschau« stellt. Der Autor erlebt die Mentalität der Kriegszeit neu und will seinen Lesern das Gefühl vermitteln, »daß das echte und unwillkürliche Deutschtum der großen Schöpfer sich zu offenbaren vermöchte.«[73] Weniger kategorisch als Pechel, dennoch mit Bestimmtheit verlangt Benz, »daß in diesem Augenblick als deutscher Geist nur gefordert und anerkannt wird, was bewußt und gesinnungsmäßig den irdischen nationalen Anspruch verkündet und bejaht.« In diesem Aufsatz wird das Volk als mythische Größe von nicht weiter ableitbarer metaphysi-

71a Vgl. Karl Otto Conrady: Deutsche Literaturwissenschaft und Drittes Reich, in: Germanistik – eine deutsche Wissenschaft, a. a. O. S. 79 ff.

71b Rudolf Pechel: Deutsche Literatur im Kampf um ihr Recht, Deutsche Rundschau, September 1931, S. 259.

72 Deutsche Literatur, a. a. O. ebenda.

73 Richard Benz: Umwertung unserer geistigen Überlieferung?, Deutsche Rundschau, Januar 1932, S. 176.

scher Tiefe begriffen. Hans-Friedrich Blunck spricht von der Notwendigkeit, eine »tiefere Beziehung zwischen dem Volkstum und jener Kunst« zu schaffen, »der das Wort ihres Volkstums zu prägen gelungen sei. Sie ist nötig zur Bildung einer klaren deutschen Überlieferung, für den Zusammenhalt deutscher Volkheit und die ... Vorbereitung der Führer.« [74]

Wurden auch die Autoren der »Deutschen Rundschau« von jener Vision beflügelt, die Hugo von Hofmannsthal in seiner Ansprache über das »Schrifttum als geistigen Raum der Nation« [75] im Jahre 1927 entwickelt hatte? Jene Vorstellung von einer alle kulturellen Zerklüftungen überwindenden geistigen Einheit, von einem Aufbruch zu einem neuen Leben, der in einer Vielzahl suchender Menschen bereits sichtbar geworden sei. Aber war seine Vision einer anhebenden geistigen Gegenbewegung mit jenen dogmatischen Urteilen identisch, wie sie von den politischen Vertretern einer »konservativen Revolution« gefällt wurden? Ein Beispiel für eine vorschnelle Beurteilung der Hofmannsthalschen Erläuterungen scheint der Aufsatz von Bruno E. Werner zu sein, der im Januar 1932 in der »Deutschen Rundschau« erschien: In direkter Anknüpfung an die Rede Hofmannsthals, die fünf Jahre vorher in München gehalten worden war, sprach Werner von einem »geistigen Kampf von entscheidenden Ausmaßen«, von einem »gewaltigen Übergangsprozeß auf allen Gebieten« und von einer »sichtbaren Klärung« in allen Lebensbereichen. »Die Zeit wird zum Prüfstand, an dem sich die Geister scheiden.« [76] Diese politische Scheidung in zwei geistige Fronten ist für Werner das Abbild der politischen nationalen Bewegung, die allein aus irrationalen Quellen gespeist werde. In ihr zeige sich das Blut mächtiger als die Ratio, und es sei ihr bester Teil, der getreu der Tradition des deutschen Volkes gegen die den Zwecken dienstbar gemachte Vernunft protestiere. Aufgabe des Schrifttums sei es nun, die Ansprüche des »Massenmenschtums« zu bekämpfen, die sich unter allerlei Maskierungen und Verkleidungen in die nächste Zukunft einschleichen würden. »Es wird die Aufgabe des Geistes sein, die konservative Idee von solchen Vermischungen zu befreien.« Wer sollte nach Meinung des Autors Bruno E. Werner diese konservative Idee repräsentieren? »Die Elite derjenigen, die aus dem Frontschicksal des letzten Krieges hervorgingen, derjenigen, die ihnen geistesverwandt sind und derjenigen, die ihre legitimen Söhne sein werden.« [77]

In dieser Bestandsaufnahme wird der Anspruch erhoben, wonach man die konservative Idee von allen Vermischungen möglichst frei zu halten habe. Aus solchem Postulat werden im gleichen Heft der »Deutschen Rundschau« sogar praktische Folgerungen gezogen. Unter dem bezeichnenden Titel »Regelnde Sprachpflege?« riskiert der Autor Karl Schneider einen Aufruf

74 Hans-Friedrich Blunck, Volkstum und Dichtung, Deutsche Rundschau, Dezember 1932, S. 176.
75 Gehalten 1927 an der Universität München.
76 Bruno E. Werner: Schicksalsstunde des deutschen Schrifttums, Deutsche Rundschau, Januar 1932, S. 13.
77 Bruno E. Werner: Schicksalsstunde, a. a. O. S. 16.

»gegen Ordnungslosigkeit und Wirrwarr, gegen Verarmung, Verhärtung und Verschwächlichung unserer Sprache«. Er versteift sich zu dem Vorschlag, eine Behörde als »Reichssprachamt« einzurichten, in welcher die Uneinheitlichkeit der Ausdrücke und Wörter geregelt und für ein »möglichst reines Deutsch ohne Fremdwörter« gesorgt werden müsse. »Die deutsche Sprache ist heute in Not, in schwerer Not, und nur eine regelnde Sprachpflege kann diese Not wenden.«[78] Zwar wurde der Aufsatz im folgenden »Rundschau«-Heft durch eine Replik beantwortet, in welcher das Modell einer regelnden Sprachpflege abgelehnt und statt dessen für eine bessere Lehre der deutschen Sprache an den Schulen plädiert wurde[79], dennoch zeigt die Forderung nach einer »regelnden Sprachpflege« Affinität zur bornierten Beschränktheit nationalsozialistischen Anspruchs auf. Die Anerkennung eines Wertsystems, dessen Kriterien nicht mehr dem Bereich der Ästhetik, sondern den Gedankengängen völkisch gestimmter Ideologen entnommen wurden, mußten eine Bewegung befruchten, die wie der Nationalsozialismus vorhandene Gedanken, Hoffnungen und Vorstellungen stets für sich zu instrumentalisieren wußte. Der Konflikt blieb nicht aus: Je entschiedener die Autoren der »Deutschen Rundschau« die Literatur in den Dienst der Erziehung zum deutschen Menschen zu stellen suchten, um so dringlicher wurde die Antwort auf die Frage, welche politische Macht die Erfüllung dieser Ziele garantieren könne.

Eine der ersten entschiedenen Stellungnahmen zu dem Gedankengut des Nationalsozialismus findet sich in der »Deutschen Rundschau« Ende 1932. Man ist begeistert über jenen »Wandel der Anschauung«, der überall auf dem Sektor der Kulturpolitik zu registrieren sei, und lobt erste »Ansätze zu praktischen Folgerungen« – schließt indes den Nationalsozialismus aus dem Führungsanspruch unmißverständlich aus. Statt dessen werden die Präsidialkabinette Papen und Schleicher, deren politische Programmatik schon früher publizistische Unterstützung erhalten hatte, dazu ermuntert, »mit den lebendigen geistigen Kräften der Zeit zusammen den Weg vorwärts zu suchen«.[80] Die Nationalsozialisten hätten diesen Anschluß längst verpaßt – von »Massenagitation umnebelt«, seien sie in geistiger Hinsicht auf allen Gebieten unter die Reaktionäre gegangen. Was von ihnen zu erwarten sei, zeige ihr Kampf gegen das Bauhaus, offenbarten die Proteste des »Kampfbundes für deutsche Kultur« gegen die »wertvollen und lebendigen Werke der neuen Literatur«. »Wenn dort nicht noch im letzten Augenblick durch die lebendigen Kräfte von den Jüngeren her ein Wandel geschaffen wird, ist für eine lebendige deutsche Geistigkeit ... nichts zu erhoffen.«[81] Freilich richtete sich diese Kritik nicht gegen die geistigen Grundlagen des

[78] Karl Schneider: Regelnde Sprachpflege? Deutsche Rundschau, Januar 1932, S. 53.

[79] Ruprecht d. J.: Regelnde Sprachpflege? Gedanken über den Aufsatz von Karl Schneider, Deutsche Rundschau, Februar 1932, S. 125 f.

[80] Vor dem Schnellrichter, Deutsche Rundschau, 1932/33, Band 233/234, S. 77.

[81] Vor dem Schnellrichter, a. a. O. ebenda.

Nationalsozialismus, sondern bemängelte lediglich den Massencharakter und die als plebejisch verspotteten Auswüchse dieser Bewegung – nicht ohne Hoffnung, daß sich die Gefolgsleute Hitlers irgendwann einmal zu den Anschauungen jung-konservativer Denker würden bekehren lassen.

Wie hat sich die Zeitschrift Pechels nach dem 30. Januar 1933 entschieden, als die Alternative Anpassung oder Nichtanpassung für Herausgeber und Autoren akut wurde? Paul Fechter tritt ab 1933 bei der Auseinandersetzung zwischen Jung-Konservativen und Nationalsozialisten als Autor häufig in Erscheinung. »Die Vertreter des Bisherigen sind kampflos und ohne den leisesten Versuch, ihr Recht zu erweisen, im Hintergrund verschwunden: an ihre Stelle sind ebenso selbstverständlich die Männer getreten, die jahrzehntelang an diese Stelle gehörten und von Einsichtigen immer dorthin gestellt wurden.« Mit derartigen Sätzen begrüßte Fechter die personelle Neubesetzung, die in allen Bereichen der Kultur das System monopolisierter Propaganda [82] institutionalisieren sollte. Heinrich Mann und Arnold Zweig wurden als »westliche Leuchten« verunglimpft, Hans Grimm, Hans-Friedrich Blunck, Will Vesper und Hanns Johst als »eigentliche Vertreter deutscher Dichtung« gepriesen. Seine Leser verpflichtete Paul Fechter zu einer »Verschärfung der Maßstäbe«. »Heute ist das Ziel erreicht, und damit jede Nachsicht, jede Milderung der Ansprüche unmöglich geworden.« Wer heute mit deutscher Dichtung, deutscher Musik und deutscher Malerei auf den Plan trete, müsse gefaßt sein, mit den schärfsten Maßstäben gewertet zu werden – »um des Deutschen, um der Nation willen«. [83] Aber waren diese Forderungen nach einer autoritär-völkischen Gleichschaltung des Kulturbetriebes auch mit einem loyalen Bekenntnis für die neuen Machthaber identisch?

Die Reglementierung des ohnehin halbstaatlichen Rundfunks, der schon im Frühjahr 1933 personell wie sachlich weitgehend gleichgeschaltet war [84], wurde von der »Deutschen Rundschau« mit eher neutralen Kommentaren versehen: »Es gibt ... gar keine schwerere Aufgabe, als einem Volke einen nationalen Begriff beizubringen, den es selbst von sich aus nicht besitzt. Die Frage wäre also, ob wir ihn bei den neuen Männern vermuten dürfen. Alles, was wir heute tun können, ist abwarten, wir werden sie an ihren Taten erkennen.« [85] Entweder Umerziehung oder Ausschaltung aus dem öffentlichen Leben, nicht anders lautete nach Hitlers Machtantritt die Alternative, der sich zahlreiche Repräsentanten des Kunst- und Literaturbetriebes zu stellen hatten. [86] Vor dem Hintergrund dieser Fragestellung wurden die Stellungnahmen der »Deutschen Rundschau« bald eindeutiger. »Die Mitglieder der NSDAP hatten im letzten Jahrzehnt lebenswichtige politische

[82] Vgl. Walter Hagemann: Publizistik im Dritten Reich, Hamburg 1948, S. 55 ff.
[83] Fechter, Paul: Verschärfung der Maßstäbe, Deutsche Rundschau, Band 135/136, 1933, S. 21.
[84] Vgl. Bracher, Karl-Dietrich: Die deutsche Diktatur, a. a. O. S. 279.
[85] Vor dem Schnellrichter, a. a. O. S. 77.
[86] Bracher: Die deutsche Diktatur, a. a. O. S. 278.

Aufgaben zu lösen... Nun, da die nationale Revolution ihr Ziel erreicht hat, wird es wichtig, daß jene Männer ein entscheidendes Wort mitsprechen, die aufgrund ihrer Liebe und ihres Verständnisses für künstlerische Dinge dazu berufen sind. Wir denken da an den Reichskanzler selbst, an die Minister Goebbels, Göring, Rust und an manche andere.«[87] Mit solchen Kommentaren schwenkte die Zeitschrift Pechels auf die Linie geistiger Umerziehung und politischer Reglementierung ein, die ab Januar 1933 den Prozeß der ideologischen Gleichschaltung bestimmte. Der neue Mitherausgeber Paul Fechter lobte die Maßnahmen des neuen preußischen Kultusministers Rust, mit denen dieser die preußische Dichterakademie umgestaltet hatte – und bedauerte zugleich die Haltung Thomas Manns, der durch seine Unterschrift auf die weitere Zugehörigkeit zur Akademie verzichtet hatte. »Die preußische Dichterakademie wird sicherlich auch ohne ihn fortleben; sie hätte aber, wäre er geblieben, für das Ausland einen großen, schönen, weithin sichtbaren Wimpel mehr gehabt als jetzt – und eine große, mit dem Erzähler Thomas Mann gegebene Propagandamöglichkeit auch für sich als Gesamtheit nutzen können.«[88] Aus dieser Bemerkung wird sichtbar, wie Fechter sich interpretiert sehen wollte: den verfemten Literaten, zu denen neben Alfred Kerr Käthe Kollwitz, Max Liebermann, die Brüder Mann, Jakob Wassermann und Stefan Zweig gehörten, stellte er Namen gegenüber, die dem Mangel an genuin nationalsozialistischer Literatur abhelfen sollten: Werner Beumelburg, Hans-Friedrich Blunck, Peter Dörfler, Hanns Johst, Guido Kolbenheyer, Agnes Miegel, Wilhelm Schäfer, Emil Strauß und Will Vesper.[89]

Solchen Poeten des neuen Tages wies Fechter die Aufgabe zu, als Mitglieder der Dichterakademie »endlich einmal die geistigen Kräfte des Staates zu wirksamen Waffen im deutschen Kampf ums Dasein in der Welt zu schmieden und diesen Waffen auch die nötige Wucht und Wirksamkeit zu verleihen«.[90] Seinem Versuch, neue Namen für das Programm der nationalen Revolution zu popularisieren, war freilich die Ausschaltung der als links und kommunistisch apostrophierten demokratischen und jüdischen Literatur voraufgegangen. Ab April 1933 waren die schwarzen Listen veröffentlicht worden, die von Bebel, Bernstein, Preuß und Rathenau bis zu Unruh, Werfel, Zuckmayer und Hesse reichten. Am 10. Mai 1933 folgten als äußere Zeichen die Bücherverbrennungen vor den Plätzen der Universitäten. »Teile der deutschen Studentenschaft, jung, radikal, wie man in jungen Jahren zu sein pflegt, haben beschlossen, die bisherige sozusagen offizielle Literatur der bürgerlichen Linken, die Literatur der Psychoanalyse und der Erotik, der falschen Psychologie und der Analytik auszurotten. In Kiel, in Breslau haben sie begonnen, Bücher von Männern aus den Bereichen der bisherigen

87 Vor dem Schnellrichter, Deutsche Rundschau, Februar 1933, S. 124.
88 Paul Fechter: Was fangen wir mit den Dichtern an?, in: Deutsche Rundschau, Juni 1933, S. 168.
89 Fechter: Was fangen wir ..., a. a. O. S. 169.
90 Fechter, a. a. O. S. 171.

Demokratie und des Marxismus aus Bibliotheken und Buchläden auszusondern. Sie haben der bisher siegreichen Literatur den Krieg erklärt. Dem, wofür sich bisher Zeitschriften wie die »Weltbühne« des Herrn Tucholsky, das »Tagebuch« und ähnliche Druck-Erzeugnisse einsetzten, wird schon das Recht der Existenz in der Welt der deutschen Dichtung abgesprochen; die ganze einst so siegreiche Literatur soll ausgerottet werden, verschwinden, der bisher unterdrückten, übergangenen deutschen Dichtung das Feld räumen.« [91] Die Genugtuung gegenüber diesem barbarischen Autodafé einer Epoche war kaum zu überhören – Paul Fechter gestand ein, daß in diesem Vorgehen der Studenten »schon eine Gerechtigkeit« liege, selbst wenn gelegentlich Unschuldige mit den Schuldigen leiden müßten. Aber an der Notwendigkeit einer »Auswechslung der Literaturen«, wie sein Aufsatz programmatisch hieß, ließ der neue Mitherausgeber der »Deutschen Rundschau« keinen Zweifel. »Ein altes Bild versinkt, ist versunken – ein neues steigt herauf, zum mindesten eines, das für die meisten der Nation neu und nur für wenige längst vertraut und selbstverständlich ist.« [92]

Der Schlußpunkt eines dergestalt proklamierten Umbruchs deutscher Kultur war gewiß erreicht, als Fechter den Zusammenbruch allen bisherigen Kunstbetriebes und die geistige Kontinuität zwischen den Idealen des deutschen Humanismus mit denen des Nationalsozialismus konstatierte. [93] Im April 1933 sprach Fechter von einem totalen Zusammenbruch des bisherigen Kunstbetriebes und von der Notwendigkeit eines völligen Neuaufbaus. »Die Bewegung hat reichlichst Gelegenheit zu zeigen, ob sie die Kraft besitzt, geistige Energien und Fähigkeiten zu lösen und mobil zu machen, um hier auf einem der wichtigsten Gebiete der inneren wie der äußeren Propaganda das deutsche Leben zu verwirklichen, das ihr als das Ideal vorschwebt. Das alte Theater ist tot; wir warten des neuen, das da kommen soll.« Gewiß ist fraglich, ob sich Fechter mit dem Zugriff identifizierte, der sich im Gefolge der nationalsozialistischen Gleichschaltung auf die Personalpolitik der Theater, Museen und Kunstvereine erstrecken sollte. Der neue Mitherausgeber der »Deutschen Rundschau« ließ freilich keinen Zweifel daran, daß er ein System weitreichender Kontrolle und Reglementierung als taugliches Instrument der Gleichschaltung akzeptierte. »Man wird eine Stelle schaffen müssen, in der man mit höchster Qualitätsforderung und Strenge die wirklich lebendigen Menschen der Zeit und der Jugend herausfindet und zeigt.« [94]Waren dies nicht schon Umrisse jenes Modells, das am 22. September 1933 in der »Reichskulturkammer« eine Entsprechung finden sollte? Das Projekt einer monopolisierten Propaganda und einer Durchorganisie-

91 Paul Fechter: Die Auswechslung der Literaturen, in: Deutsche Rundschau, Mai 1933, S. 121.
92 Fechter: Die Auswechslung der Literaturen, a. a. O. S. 122.
93 Vgl. die Aufsätze: »Der Zusammenbruch des Kunstbetriebes«, Deutsche Rundschau, April 1933, S. 9 ff., und »Von Wilhelm Meister zur SA«, Deutsche Rundschau, Oktober 1933, S. 1 ff.
94 Fechter: Der Zusammenbruch des Kunstbetriebes, a. a. O. S. 11.

rung des gesellschaftlichen Lebens hatte jedenfalls in Paul Fechter einen Befürworter gefunden. Die Erfahrungen der politischen Welt versuchte er sogar mit den Traditionen deutscher Klassik zu verknüpfen. Von Goethes »Wilhelm Meister« zog er etwa eine Parallele zur Propaganda der nationalsozialistischen Bewegung: wie es bei Wilhelm Meister darum gegangen sei, ein Rollenspiel für die Allgemeinheit zu erlernen, so habe die nationalsozialistische Partei den Wert dieses schauspielerischen Einfalls für die Praxis der Gegenwart erkannt. »Hitler selbst hat offenbar für die Notwendigkeit solcher an tiefere Tiefen rührenden und im Innersten schon dramatischen Handlungen ein sehr feines Gefühl: die Fahnenweihe durch die Berührung der neuen Standarten mit der alten Blutfahne von 1923 ist ein Beweis dafür. Hier wird eine Handlung vollzogen, die Schauspiel für die Tausende ist, die sie erleben, und darüber hinaus zugleich Drama, Handlung voll tieferer Bedeutung, die verpflichtet und verbindet.« [95]

Wie begrenzt der Widerstand der »Deutschen Rundschau« war, die sich einst den Traditionen eines deutschen Humanismus zutiefst verpflichtet sah, zeigt der Aufsatz von Bruno E. Werner, der die »Kunst als Mittel der Auslandspropaganda« neu definierte: Hitlers bombastische »Kulturrede« auf dem Parteitag von 1933, in welcher er die »rassische Bedingtheit aller Kunst« proklamierte, wurde von diesem Mitarbeiter der »Deutschen Rundschau« als ein Dokument von überragender Wirkung gepriesen. »Es gilt nun, den Geist dieser Rede in der Praxis wirksam werden zu lassen. So wie Hitler sich gegen die Zerstörung unserer Erbmasse wandte, so scharf stellte er auch die Forderung auf, daß der Stil der Vorfahren ›nicht zu einem tyrannischen Gesetz erhoben werden dürfe, das jede weitere eigene Leistung begrenzt oder vergewaltigt‹. Die Künstler, vor allem die jungen, werden ihm diesen Satz danken.« [96]

Vor dem Hintergrund solch schillernder Bekenntnisse ist es nicht verwunderlich, daß die Zeitschrift Pechels auch die personellen Säuberungsaktionen respektierte, die sich nach der Machtergreifung Hitlers vornehmlich gegen jüdische Literaten wandten: Die Ausweisung Stiedrys aus der Charlottenburger Oper und das Verbot der Konzerte Bruno Walters in Leipzig und Berlin wurden mit der Bemerkung versehen: »Daß eine aktive Gegenaktion einmal kommen mußte, haben wir an dieser Stelle in unseren Diskussionen der jüdischen Vorherrschaft in Literatur und Kunst wieder und wieder betont. Wir haben gewarnt – ohne Erfolg; jetzt müssen die Folgen getragen werden. Wir nehmen an, daß es sich um unvermeidliche Übergangserscheinungen handelt.« [97] Trotz solch vermeintlichen Bedauerns wird den deut-

[95] Fechter: Von Wilhelm Meister zur SA, Deutsche Rundschau, a. a. O. S. 6.

[96] Bruno E. Werner: Wir brauchen jeden Mann, in: Deutsche Rundschau, 60. Jg. 1933, Band 237, S. 42. Vgl. Bracher: Die deutsche Diktatur, a. a. O. S. 283 ff., und Mosse, George: The Crisis of German Ideology, New York 1964, S. 12 ff. Zur Haltung Fechters und zahlreicher Rundschau-Autoren im Jahre 1933 vgl. die Dokumentation von Joseph Wulf: Literatur und Dichtung im Dritten Reich, Hamburg 1966.

[97] Politische Rundschau, in: Deutsche Rundschau, Band 135/136 (1933), Seite 65.

schen Lesern vorgehalten, daß ihr »arischer Semitismus« im Grunde diese Maßnahmen provoziert habe. »Wer hat denn Emil Ludwig in Hunderttausenden von Exemplaren gekauft? Wer hat Erich Kästner gekauft und gelesen? Wer hat ›Gigli, eine von uns‹ und ›Menschen im Hotel‹, Remarque und Peter Panter verschlungen? Nicht nur die Juden, sondern unzählige von uns ... Wir sagten: Lest Paul Ernst, lest Kolbenheyer, Barlach, Grimm, Vesper ...: Es wird sehr amüsant sein, festzustellen, wie sehr jetzt nach dem Umschwung die Auflagen der wertvollen nationalen Dichter steigen werden; wir sind sicher, daß der Unterschied gegen früher kaum zu merken sein wird. Den jüdischen Geist in der deutschen Kultur durch Entfernen jüdischer Schriftsteller, Musiker und Theatermenschen zu beseitigen, ist relativ einfach; die Lösung der Probleme, die der arische Semitismus aufgibt, ist viel schwieriger – und viel wichtiger.« [98]

Es ist weder Aufgabe noch Ziel der Darstellung, Anklagen oder Freisprüche vorzutragen. In jedem Fall ist dem späteren Versuch Rudolf Pechels, die »Deutsche Rundschau« zu einem geistigen und moralischen Forum des Widerstands zu machen, eine Phase weitgehender Verschmelzung mit dem nationalsozialistischen Gedankengut vorausgegangen. Deren äußere Symbole waren nicht Appelle für Freiheit und Toleranz, sondern eher Manifestationen eines zerstörerischen Willens, intellektueller Hybris und moralischer Verantwortungslosigkeit. Dies spiegelte sich bereits im Briefwechsel zur Judenfrage wider, und dies zeigte sich abermals in jenen Forderungen zur Umgestaltung des Literaturbetriebes, die vor allem von Paul Fechter artikuliert wurden. Die völlige Fehleinschätzung der Dynamik des nationalsozialistischen Aufbruchs, wie sie für die Analytik jung-konservativer Theoretiker in jener Zeit so typisch war [99], spiegelte sich noch deutlicher in den Stellungnahmen gegenüber Adolf Hitler und der NSDAP.

c) Stellungnahmen zu Adolf Hitler und der NSDAP

Die Forderung nach einer autoritären Regierungsgewalt, wie sie durch Edgar Julius Jung in der »Deutschen Rundschau« umschrieben worden ist, wurde ab 1931 durch zahlreiche Abhandlungen mit ähnlichem Grundtenor komplettiert. Pechels redaktionelle Maxime, wonach die Zeitschrift möglichst von einem Geist beseelt sein müsse und die Mitarbeiter sich einem beherrschenden Leitgedanken zu unterwerfen hätten [100], wurde auf diese Weise nachdrücklich realisiert. Trotz der individuellen Interpretation einiger »Rundschau«-Autoren – zu diesen gehörte sogar Ernst Robert Curtius, der die jungen deutschen Nationalisten vor dem revolutionären Mythos

[98] Politische Rundschau, in: Deutsche Rundschau, Band 135/136, 1933, S. 65 f. Vgl. auch für diese Stelle die Angriffe von Kurt Ziesel auf Rudolf Pechel, in: Das verlorene Gewissen, a. a. O. S. 18 ff.

[99] Vgl. für diesen Zusammenhang Klemperer: Konservative Bewegungen, a. a. O. S. 209 f.

[100] Vgl. die Ausführungen über Pechel als Herausgeber.

ihrer Weltanschauung zu warnen suchte[101] läßt sich in der Zeitschrift Pechels ab September 1931 eine eindeutig fixierte politische Grundlinie erkennen. Sie zielte innenpolitisch auf eine Ablösung des parlamentarisch-demokratischen Staates und plädierte für eine starke Präsidialgewalt an der Spitze, die dem Instrument öffentlicher Kontrolle enthoben sein sollte. Außenpolitisch focht die »Deutsche Rundschau« unermüdlich für die Idee eines großdeutschen Reiches – und ließ besonders bei dieser Forderung die Abgrenzung zum Expansionsgedanken des Nationalsozialismus weit offen. Die publizistische Auseinandersetzung jener Jahre offenbart, daß die Jung-Konservativen in ihrer Einstellung zum Nationalsozialismus ihren Gegenspielern immer ähnlicher wurden – ja, daß einige ihrer Wortführer deren Radikalismus sogar überboten haben.

Von den zahlreichen Spekulationen über die möglichen Chancen eines Präsidialregimes, die sich während der Kanzlerschaften Brünings und von Papens in der »Deutschen Rundschau« wiederfinden, zeugt am besten die Rezension von Otto Forst-Battaglia und dessen vieldiskutiertem Werk »Prozeß der Diktatur«, in welchem sich zahlreiche Autoren mit dem Diktaturgedanken auseinandersetzen.[102] Die Erkenntnis des »Rundschau«-Rezensenten ist trotz ihrer unverbindlich erscheinenden Aussage eindeutig genug. »Manchem der Mitarbeiter dieses gehaltvollen Buches entschlüpft mehr, als er verraten möchte. Daraus ergibt sich die Binsenweisheit, daß der Taktschritt des echten, verantwortungsfreudigen, schöpferischen, politischen Wirkens sich nicht aus starren Meinungen, sondern nach den vorliegenden Umständen richten muß.«[103] Mit welcher politischen Situation wollte sich diese Aussage identifizieren? Akzeptierte der Autor jene Verstärkung der Reichsgewalt, wie sie sich in den Krisenjahren 1930/31 unter Brüning und dessen vom Reichspräsidenten gebilligtem Mittel der Präsidialverordnung gemäß Artikel 48 der Verfassung abgezeichnet hatte? Viel spricht dafür, daß die Mehrzahl der »Rundschau«-Autoren sich folgendem Problem gegenübersah: Einerseits unterstützten die Mitarbeiter Pechels die Kabinette Brüning, Papen und Schleicher und verknüpften ihre Sympathie mit konkreten Forderungen, andererseits machten sie aus ihrer grundsätzlichen Abneigung gegenüber dem republikanischen System von Weimar keinerlei Hehl. Die Sympathie der »Rundschau«-Publizisten für die letzten Kanzler der Weimarer Republik war offensichtlich von der Erwartung getragen, daß jede dieser Regierungen durch Abschaffung der Parteiherrschaft einen autoritären Staat begründen werde.

Gleiche Grundüberlegungen waren bereits in der Publizistik Edgar Julius Jungs zutage getreten – sie lassen sich ebenfalls aus den Abhandlungen

101 Vgl. Ernst Robert Curtius: Nationalismus und Kultur, in: Deutsche Rundschau, Dezember 1931, S. 736–748. Vgl. auch Curtius: Deutscher Geist in Gefahr, Stuttgart 1932, S. 40 ff.
102 Rezension: »Prozeß der Diktatur«, hrsg. von Otto Forst-Battaglia, in: Deutsche Rundschau, August 1931, S. 250.
103 Prozeß der Diktatur, a. a. O. ebenda.

anderer Autoren verifizieren. Im September 1931 – also in einer Phase schwerer Zusammenstöße der sich bekämpfenden Parteien – schrieb Wilhelm von Kries: »Die Reichsregierung ist eine lebende Illustration zu dem Zitat aus der Walpurgisnacht: ›Du glaubst zu schieben und Du wirst geschoben.‹« Der Mitarbeiter Pechels verglich die Reichsregierung mit einem von »Peitschenhieben gedrehten Kreisel« und konzedierte ihr mit unverhohlenem Sarkasmus, daß sie ein »riesiges politisches Vakuum« regiere.[104] Wie wenig sich eine solche Diagnostik noch mit den Verfassungsgrundsätzen der Republik identifizieren mochte, zeigt am besten die Stellungnahme gegenüber den Versuchen der Sozialdemokraten, ein weiteres Ansteigen der nationalsozialistischen Wahlerfolge zu verhindern. »Die Sozialdemokraten und die Eiserne Front schwören, unter keinen Umständen die Nationalsozialisten an die Macht kommen zu lassen, weder auf legalem noch auf illegalem Wege. An dieser Ankündigung eines Verfassungsbruchs nimmt natürlich kein preußischer Minister Anstoß.«[105]

An einer derartigen Stellungnahme, die im April-Heft der »Deutschen Rundschau« des Jahres 1932 erschien, sind zwei Sachverhalte bemerkenswert: Entgegen der ständigen Versicherung Pechels, wonach allein Reichspräsident Paul Hindenburg die Autorität des Weimarer Staates garantieren könne, sympathisierte seine Zeitschrift unverhohlen mit dem Stimmenzuwachs der NSDAP. Denn der sozialdemokratische Parteivorstand hatte sich im Februar 1932 in einem Aufruf an seine Mitglieder für Hindenburg als neuen Reichspräsidenten entschieden, und auch der preußische Ministerpräsident Otto Braun trat in seinem Wahlaufruf vom 10. März 1932 nachdrücklich für die Wiederwahl Hindenburgs ein. Beide Entschließungen waren damit begründet worden, daß man einen Sieg Hitlers als Kandidat der radikalen Rechten verhindern wollte. Die Devise hieß: »Wählt Hindenburg! Schlagt Hitler!«[106] An der Bildung einer solchen Abwehrfront hat sich die Zeitschrift Pechels nicht beteiligt. Indem sie die Möglichkeit eines Verfassungsbruchs durch die Nationalsozialisten indirekt verteidigte, bezog sie die Partei Hitlers sogar in das eigene Kalkül mit ein. Jene Überlegung wird durch Äußerungen bestätigt, mit denen die »Deutsche Rundschau« die nationalsozialistischen Wahlerfolge kommentierte. Nach den Wahlen zum Preußischen Landtag, bei denen die Nationalsozialisten zur stärksten Fraktion geworden waren und die SPD eine schwere Niederlage erlitten hatte, schrieb die Zeitschrift Pechels: »Das preußische Wahlergebnis bringt die Macht an Hitler ... Besäßen wir ein englisches Wahlverfahren, dann wäre Hitler heute im Besitze einer Zweidrittelmehrheit im Preußischen Landtag und hätte die Möglichkeit, zu zeigen, was er könnte.«[107] Offensichtlich gehörte

104 Wilhelm von Kries: Die zweite Revolution, Deutsche Rundschau, September 1931, S. 183 ff.

105 Vor dem Schnellrichter, in: Deutsche Rundschau, April 1932, S. 73.

106 Vgl. Huber, Ernst-Rudolf: Dokumente zur deutschen Verfassungsgeschichte, a. a. O. S. 465 f.

107 Vor dem Schnellrichter, Deutsche Rundschau, Mai 1932, S. 123.

es zu den Überlegungen Pechels, die Pläne Hitlers wenigstens teilweise publizistisch zu unterstützen. Die NSDAP erhoffte sich vom Reichskabinett Papen vor allem eine Hilfe bei der von ihr erstrebten Machtergreifung in Preußen.[108] Vielleicht konnte Hitler die Verankerung des Präsidialsystems unter Papen wirksamer garantieren? Das Konzept, welches die »Deutsche Rundschau« im Juli 1932 propagierte, schien mit dieser Überlegung übereinzustimmen. Danach sah man die Demokratie herkömmlicher Prägung bereits als gescheitert an und empfand Gewißheit darüber, daß sich die Herrschaft der Parteien nicht mehr herstellen lassen würde. »Die Regierung des Reiches muß in Zukunft unabhängig sein. Brüning hat den ersten Schritt in dieser Richtung getan; daß er den nächsten zu tun zögerte, half mit zu seinem Sturz.«[109] In dieses Plädoyer für eine unabhängige Regierungsgewalt wurden die Nationalsozialisten einbezogen. Jene Parteien, die sich gegen diese rechtsradikale Sammlungsbewegung stemmen würden, hätten die »nationalen und sozialen Triebkräfte in dieser Bewegung« nicht erkannt und in dem Anwachsen von Hitlers NSDAP lediglich »parteipolitische Konjunkturgewinne« gesehen. »Sie bekämpften, was nicht zu bekämpfen war: den elementaren Aufruhr der Jugend, der sich, aus dem Naturtrieb der Selbsterhaltung herauswachsend, gegen das System der Unfähigkeit auf allen Gebieten wandte.« Von Wahl zu Wahl sei die nationalsozialistische Bewegung angeschwollen, von Wahl zu Wahl hätten sich die Nutznießer der Macht vor der Konsequenz gesträubt, den Nationalsozialismus und seine Forderungen unmittelbar und mittelbar für die Nation nutzbar zu machen. Für Pechels Zeitschrift war der Sachverhalt eindeutig: »Die Nationalsozialisten wollten und wollen an die Macht. Es ist völlig unverständlich, wie man ihnen daraus einen Vorwurf machen kann.«[110]

Solche Sätze wurden kaum einen Monat nach jenen Wahlen vom 31. Juli 1932 geschrieben, die erneut zu einem neuen großen Erfolg der NSDAP geführt hatten. Dank einer Zahl von 230 Sitzen im Reichstag war die Partei Hitlers zu einer Kraft geworden, ohne deren Mitwirkung eine parlamentarische Regierungsbildung unmöglich war. Der Versuch des Franz von Papen, einen Mittelweg zwischen der Beibehaltung des Präsidialkabinetts und den Wünschen der Nationalsozialisten auf Übernahme der Staatsführung zu finden, konnte der publizistischen Unterstützung der »Deutschen Rundschau« sicher sein. Die Zeitschrift Rudolf Pechels erwartete vom Kabinett Papen jene »nationale Konzentration«, die sie im Prinzip seit 1920 als akzeptables Staatsmodell propagiert hatte. Diese Konzeption beinhaltete eine Synthese aller wahrhaft nationalen Kräfte – und schloß die Nationalsozialisten konsequenterweise in alle politischen Überlegungen ein. Die »Deutsche Rundschau« und ihr Herausgeber stellten sich dem neuen Experiment zur Verfügung. »Manche Anzeichen sprechen dafür, daß die Regierung mit Energie und nicht ohne Geschick darangeht, die Institutionen

108 Huber, Ernst-Rudolf: Dokumente, a. a. O. S. 499.
109 Vor dem Schnellrichter, Deutsche Rundschau, Juli 1932, S. 70.
110 Vor dem Schnellrichter, September 1932, S. 226.

richtig zu organisieren ... Herr von Papen hat zumindest durch sein frisches Eingreifen in Preußen das Vertrauen von Kreisen gewonnen, die lange nichts von ihm wußten.« [111] So lautete der Beifall, der dem Nachfolger Heinrich Brünings für dessen Einschreiten in Preußen gezollt wurde. Papens Staatsstreich vom 20. Juli 1932 wurde als »neuer Abschnitt deutscher Geschichte« interpretiert: »Die Not unseres Volkes, ... gegen die sich die außenpolitische Front so fest wie im Weltkrieg geschlossen hat, rechtfertigt jede Maßnahme. Wir brauchen Männer, die handeln, und nicht Männchen, die sich hinter Paragraphen verschanzen.« [112]

Daß man von Reichskanzler Franz von Papen eine durchgreifende Reform des Staates und damit eine Verwandlung der parteienparlamentarischen Republik in ein überparteiliches »autoritäres« Regime erhoffte, wird an zahlreichen Stellen damaliger »Rundschau«-Publizistik demonstriert. »Jene Parteiverhältnisse, die einmal entscheidend für die Ausübung des parlamentarischen Spiels sind, haben sich eben nicht nur geändert, sondern sind einfach in Wegfall gekommen.« Zu dem publizistischen Versuch, im Kabinett von Papen das »grundsätzlich Neue« zu erblicken, gesellte sich eine fast naiv anmutende Einschätzung der NSDAP. »Die braven Rechenkünstler vergessen alle, daß der Nationalsozialismus parlamentarisch zwar nur eine Partei ist, geistig aber ein revolutionäres Prinzip.« [113] Die sich anbahnenden Konstellationen drängten die »Deutsche Rundschau« sehr früh in eine Position, von der sie sogar zu einer Verteidigung der NSDAP gezwungen wurde. Sowohl die Sozialdemokraten wie das Zentrum, die beide eine Machtergreifung Hitlers verhindern wollten, bekamen Vorwürfe zu hören. »Diese Art von Politikern, die nur nein sagen können, sind die Wegbereiter einer offenen deutschen Revolution. Sie stärken den Nationalsozialismus, obwohl sie ihn von der Macht fernhalten wollen. Denn es ist klar, daß jede Verhinderung einer organischen Weiterentwicklung des deutschen Verfassungslebens, jedes Steckenbleiben in der versumpften Weimarer Atmosphäre den Revolutionismus in Deutschland fördern muß.« [114] Kein Zweifel kann daran bestehen, daß es der Zeitschrift Rudolf Pechels gerade um diesen revolutionären Aufbruch in ein neues Zeitalter zu tun war: »Wir brauchen den unmittelbaren Appell an das Volk ... die Garnitur der alten Staatsmänner ist verbraucht.« [115] So lauteten die Kommentare, mit denen die innenpolitische Auseinandersetzung des Jahres 1932 analysiert wurde.

Es lag in der Konsequenz solcher Absichten, daß sowohl das Kabinett Schleicher als auch die Regierungsbildung unter Hitler von wohlwollenden Stellungnahmen begleitet wurden. Besonders mit dem Machtantritt Hitlers, der am 22. Januar 1933 durch Gespräche mit Hindenburg und dessen Umgebung eingeleitet worden war, erfolgte in der Zeitschrift Pechels der

111 Vor dem Schnellrichter, August 1932, S. 224.
112 Vor dem Schnellrichter, Juli 1932, S. 151.
113 Vor dem Schnellrichter, Dezember 1932, S. 225.
114 Vor dem Schnellrichter, a. a. O. ebenda.
115 Vor dem Schnellrichter, Februar 1933, S. 225.

Versuch, eine Art logischer Kontinuität zwischen den Zielen jung-konservativer Theoretiker und nationalsozialistischer Propagandisten zu konstruieren. »Daß die Nationalsozialisten ausgezeichnete ›Trommler‹ besitzen, ist unbestreitbar. Die gesunden Kräfte ihrer Rebellion sind ebenso unbestreitbar. Nun aber, nachdem sie an der Macht sind, wäre es an der Zeit, auch die sachlichen Arbeiter und Könner aus ihren Reihen zu zeigen.« [116] Eine solch zurückhaltende Kritik, wie sie nach der Bildung des Reichskabinetts Hitler in der »Deutschen Rundschau« zu lesen war, ist für die Auseinandersetzung mit dem Nationalsozialismus im Jahre 1933 typisch gewesen. Den konservativen Ideologen um Rudolf Pechel, welche die NSDAP mit in den Prozeß der nationalen Revolution eingeordnet hatten, mißfielen die äußerlichen Begleiterscheinungen, die mit der Machtübernahme Hitlers verbunden waren. Aus dieser Haltung kritisierte die »Deutsche Rundschau« jenen Ämterwechsel in der Beamtenschaft, der sofort nach Hitlers Amtsantritt eingeleitet wurde. »Was bis jetzt politische Beamte der Weimarer Koalition ablöste, scheint doch mehr dem Stoßtrupp der Agitatoren entnommen zu sein. Mit Agitatoren aber überzeugt man nicht.« [117] Zugleich bemühte sich die Zeitschrift um den Nachweis, daß der von ihr propagierte konservative Anspruch mit dem des nationalsozialistischen in zahlreichen Punkten identisch sei. »Neben die Fahne des Großen Krieges hat der Staat die Feldzeichen der nationalsozialistischen Freiheitsbewegung gesetzt. Damit ist das Verdienst dieser Bewegung um die Wiedergeburt des Volkes anerkannt. Es wird im Lager der nationalen Bewegung niemanden geben, der nicht mit dem Reichspräsidenten die Anerkennung des geschichtlichen Verdienstes Hitlers teilte. Gerade weil wir es tun und uns als seine ihm unbekannten Mitkämpfer fühlen, dürfen wir den Staatsmann Hitler vor der ungerechten Auffassung zu bewahren versuchen, als sei der Durchbruch des Januar allein der Erfolg *einer* Bewegung.« [118] Noch in solcher Stellungnahme, die mit dem provozierenden Aufsatztitel »Konservativer Anspruch« versehen war, spiegelt sich die spezifische Situation jung-konservativer Publizisten wider. Auf der einen Seite liebten die Autoren Pechels die Partei Adolf Hitlers und ihr wildes nationalistisches Auftreten sehr wenig, denn die Agitation der propagandistischen Kolonnen um Josef Goebbels erwies sich allenfalls als schwacher Abglanz jener Ideale, die man sich von einer künftigen Wirklichkeit erhofft hatte. Aber inmitten des Gewissenskonflikts, ob man die nationalsozialistische Massenbewegung nunmehr zu bejahen habe, entschieden sich die meisten Autoren doch für Hitler und seine Partei. Damit beugten sie sich der unbequemen Erkenntnis, daß der Weg zu einem neuen Deutschland nur über diese Bewegung führen könne. Diese Einsicht schloß freilich nicht aus, daß man den Totalitätsanspruch der NSDAP mit den eigenen geistigen Inhalten konfrontierte.

[116] Vor dem Schnellrichter, Februar 1933, S. 225.
[117] Vor dem Schnellrichter, Februar 1933, S. 226.
[118] Erich Müller: Konservativer Anspruch, in: Deutsche Rundschau, Band 235/236, 1933, S. 2.

Wie Edgar Julius Jung mit Mut und Konsequenz dem Anspruch der NSDAP seine Konzeption des autoritären Staates entgegengehalten hatte, so fanden sich andere Autoren Pechels zum Widerspruch bereit. »Die deutsche Revolution ist, mag sie sich im Augenblick auch noch so sehr oder gar allein als eine politische Angelegenheit darstellen, letztlich eine Umwälzung im Geistigen.« [119] Mit diesen Sätzen flüchtete sich zum Beispiel der Autor Erich Müller in die Utopie, man würde mit den eigenen Ideen endlich zum Zuge kommen, nachdem die Massenpartei Hitlers die Weimarer Republik überrollt hatte. »Eine endgültige Absetzung von den politischen Ausdrucksformen des Liberalismus ist erst mit der Preisgabe des Prinzips, das Volk in Parteien sich ordnen zu lassen, gegeben. So würde das Opfer der Selbstauflösung der Parteien der sichtbarste Ausdruck der Revolution sein.« [120] Jene fast groteske Überschätzung des »Geistigen«, die einen totalitären Faschismus auf die Prinzipien einer »Konservativen Revolution« verpflichten wollte, erweist sich als ein weiteres typisches Merkmal für die Auseinandersetzung jener Zeit. »Mit dem Ermächtigungsgesetz ist die Epoche der Machtergreifung abgeschlossen, die der schöpferischen Gestaltung beginnt. Dazu bedarf es keiner Gesinnungstüchtigkeit und keiner Abzeichen, sondern nur geistiger Kräfte und charakterlicher Stärke.«

Deutlicher konnte die Politikfremdheit, die die Nationalsozialisten zum Steigbügelhalter für die Herrschaft einer konservativen Elite machen wollte, nicht markiert werden. Aber es spricht für die Überzeugung, mit der dieser Anspruch vertreten wurde, daß Pechel eine Serie von Aufsätzen mit diesem Grundtenor publizierte: Neben den Abhandlungen von Edgar Julius Jung und denen von Wilhelm von Kries sollte eine Folge von Aufsätzen gerade auf diese Verpflichtungen der »wahren Idee einer deutschen Revolution« verweisen. Jene Artikelserie trug den bezeichnenden Titel »Die Wegbereiter der Nation – neben den Parteien« und präsentierte dem Leser noch einmal jene Autoren der Konservativen Revolution, die seit 1920 das Gesicht der »Deutschen Rundschau« entscheidend geprägt hatten. [121] Versucht man zum Schluß eine Bilanz jener Auseinandersetzung, mit der Pechel der Herausforderung des Nationalsozialismus begegnete, so lassen sich zwei Grundpositionen erkennen: Die Erwartung, daß sich in absehbarer Zeit eine breite Volkserhebung gegen das verhaßte System von Weimar ausbreiten würde, hat nach den alarmierenden Septemberwahlen von 1930 die Publizistik der »Deutschen Rundschau« beflügelt. Zu Beginn des Jahres 1931 finden sich in Pechels Zeitschrift die ersten ernsthaften Auseinandersetzungen mit dem Phänomen Nationalsozialismus – und bei ständigen Mitarbeitern wie Edgar Julius Jung, Wilhelm von Kries, Paul Fechter, Bruno E. Werner und Rudolf Pechel wird die Einsicht spürbar, daß die anwachsende Bewegung Hitlers die letzte Chance sein könnte, mit der man auch die eigenen Ideen

119 Erich Müller: Konservativer Anspruch, a. a. O. ebenda.
120 Erich Müller: Konservativer Anspruch, a. a. O. S. 4.
121 Vgl. die gleichnamigen Aufsätze von Gregor Heinrich (Deutsche Rundschau, Band 233/234), 1932/1933, S. 13 ff. und S. 95 ff.

ins Werk setzen könnte. Die spätere Konfrontation mit der erstarkten nationalsozialistischen Bewegung, wie sie akzentuiert nach dem 30. Januar 1933 einsetzt, spiegelt die komplizierte Situation damaliger jungkonservativer Publizisten wider: Nun zielten die Bemühungen darauf ab, der sich machtvoll ausbreitenden nationalen Bewegung in letzter Minute das eigene Konzept aufzudrängen. Gewiß wurden diese Anstrengungen nicht in allen Abhandlungen überdeutlich spürbar – sie lassen sich indes weder für die Aufsätze Jungs noch für die Abhandlungen der Autoren Wilhelm von Kries oder Erich Müller verleugnen. Selbst in den zahlreichen anonymen Stellungnahmen jener Zeit, wie sie in der Rubrik »Vor dem Schnellrichter« publiziert wurden, läßt sich diese Position erkennen.

Als Paradigma für jene verwickelten Zusammenhänge zwischen Konservativismus und Nationalsozialismus [122] wird Rudolf Pechel nachträglich erkennbar. Im entscheidenden Jahr 1933 trat der Herausgeber der »Deutschen Rundschau« mit zwei Aufsätzen vor seine Leser, in denen sich einmal rückhaltlose Loyalität für die neuen Führer und zum anderen unverhohlener Widerspruch gegen den Anspruch der NSDAP artikulierten. »Besseres Gedächtnis« [123] ruft Pechel den Lesern der »Deutschen Rundschau« zu, kaum nachdem sich der totalitäre Faschismus Adolf Hitlers in den Sattel geschwungen hatte. Seine Philippika gegen alle Kritiker des neuen Regimes schien eine einzige Rechtfertigung für dessen Träger zu sein. Pechel hebt in aller Breite die »Richtigkeit« der nationalsozialistischen These hervor, wonach die nationale Bewegung Hitlers in letzter Minute einem kommunistischen Umsturzversuch zuvorgekommen sei. »Es darf als geschichtliche Tatsache festgestellt werden, daß hier zwei gewaltige Bewegungen aufeinanderstießen und die kommunistische Revolution von der nationalen erstickt wurde.« [124] Mit eben dieser These schien Pechel den damaligen nationalsozialistischen Versuch zu unterstützen, über eine Ausschaltung der Kommunisten der Regierung Sondervollmachten in die Hand zu spielen, mit denen ihre Maßnahmen jeder gesetzlichen Kontrolle entzogen wurden. [125] »Es gilt also, jedes Mittel anzuwenden, um das deutsche Gedächtnis so zu schärfen, daß es als Bewußtseinsbestandteil die geschichtlichen Vorgänge einzuordnen und in Besitz zu nehmen versteht, die eine vollgültige Erklärung alles dessen sind, was im neuen Deutschland zur Unterdrückung des Kommunismus geschehen ist und noch geschehen muß.« [126] Lag darin nicht zugleich eine Aufforderung zu jenen Handlungen, mit deren Hilfe wenig später die Basis des Rechtsstaates endgültig verlassen und die ersten Instrumente für die Willkürherrschaft einer Partei geschaffen wurden? Nimmt man jene Abhandlung des Reichswehrmajors Foertsch hinzu, in

[122] Vgl. Ernst Nolte: Konservatismus und Nationalsozialismus, in: Zeitschrift für Politik, Neue Folge, 11. Jg. 1964, S. 5 ff.

[123] Besseres Gedächtnis, in: Deutsche Rundschau, Band 237, 1933, S. 99 ff.

[124] Rudolf Pechel: Besseres Gedächtnis, in: Deutsche Rundschau, Band 237, 1933, S. 100.

[125] Vgl. Gebhardt: Handbuch der deutschen Geschichte, a. a. O. S. 191.

[126] Pechel: Besseres Gedächtnis, a. a. O. ebenda.

welcher dieser die deutsche Wehrmacht auf die Prinzipien der nationalsozialistischen Revolution zu verpflichteten suchte [127], so scheint sich der oberflächliche Eindruck zu verstärken, wonach die »Deutsche Rundschau« seit Hitlers Machtantritt zu dessen gefügigem Propagandainstrument geworden ist.

Pechels mutige Auseinandersetzung mit der Kampfschrift Oswald Spenglers, die sich im gleichen Jahrgang der »Deutschen Rundschau« befindet, widerlegt freilich diese These. Spenglers Buch »Jahre der Entscheidung«, in welchem er unmißverständlich einen Trennungsstrich zwischen Konservativismus und Nationalsozialismus gezogen hatte [128], wird von Pechel in aller Ausführlichkeit rezensiert. Und fast klingt es schon wie ein geheimer Aufruf zum Widerstand, wenn Pechel seinem Kampfgefährten aus ersten Herausgeberjahren zuruft: »Spengler ist nicht so einsam, wie er annimmt und – manchmal möchte man es fast glauben – sein möchte. Auch für den großen Denker ergibt sich heute eine neue Form von Dienst, die freilich jeden Rest eines hochmütigen Individualismus ausschließt.« [129] Vielleicht spiegelt sich in jener Äußerung Pechels, die sich von früheren beträchtlich unterscheidet, bereits jene Alternative der Anpassung und Nichtanpassung wider, vor der sich Pechels Publizistik mit einem Male befand. Gewiß markiert dieser Zuruf an Oswald Spengler, der als einer der ersten zum Gegenangriff übergegangen war, den Beginn eines neuen Selbstverständnisses für Rudolf Pechel, dessen Positionen nunmehr eindeutiger markiert und dessen Ziele konkreter formuliert waren. Freilich war diese Entscheidung nunmehr eine rein persönliche Frage geworden – deren Tragweite wurde verstärkt, nachdem das Massaker vom 30. Juni 1934 den barbarischen Anspruch des neuen Regimes nachdrücklich offenbart hatte. »Edgar Julius Jung und seine Freunde ... haben dazu beigetragen, die Dinge wieder ins rechte Licht zu rücken. Ihre Denkweise, ihre offene Ablehnung des totalitären Staates und die blutige Gegenwelle des Nationalsozialismus haben den Konservativismus als eine Kraft rehabilitiert, die für Freiheit und Ehre eintritt.« [130]

Eine Darstellung dieser Entwicklung, in welcher Rudolf Pechel alsbald eine zentrale Rolle übernahm, muß nachträglich die zuweilen rätselhafte Sprache der Camouflage-Publizistik untersuchen, wie sie sich in der »Deutschen Rundschau« ab 1934 zeigte. [131] Eine solche, um letzte Erkenntnis bemühte Darstellung wäre freilich unvollständig ohne den Hinweis auf jenes Meinungsspektrum, wie es in der Beurteilung von Pechels Haltung am 30. Januar 1933 nachträglich hervorgetreten ist.

[127] Vgl. »Die Wehrmacht im neuen Staat«, in: Deutsche Rundschau, Band 237, 1933, S. 82 ff.
[128] Vgl. die Darstellung über Spengler bei Klemperer: Konservative Bewegungen, a. a. O. S. 224 ff.
[129] Rudolf Pechel: Die farbige Weltrevolution, in: Deutsche Rundschau, Band 237, 1933, S. 23.
[130] Klemperer: Konservative Bewegungen, a. a. O. S. 246.
[131] Vgl. Mirbt, Wolfgang: Methoden publizistischen Widerstands im Dritten Reich, a. a. O. S. 102 ff.

3. Rudolf Pechel und der 30. Januar 1933

Rudolf Pechel ist zum Symbol desjenigen Publizisten geworden, der auch unter dem Zwang totalitärer Verhältnisse den öffentlichen Widerspruch gewagt und durchgefochten hat. Die »Deutsche Rundschau« galt bis zur Verhaftung Pechels im April 1942 als ein publizistisches Forum, von dem aus in zuweilen imponierender Weise das nationalsozialistische System attackiert worden ist.[1] Pechels Verdienst über die organisatorische Zusammenfassung geheimer Widerstandsgruppen ist gleichermaßen unbestritten. So hebt der Historiker Werner Conze hervor, daß Pechels Aufzeichnungen über das Organisationsgefüge der deutschen Widerstandsbewegung eine Fülle von Fehlurteilen revidieren konnte[2], während Hans Rothfels die Erlebnisse Pechels als eine der Grundlagen für seine Bestandsaufnahme der deutschen Opposition gegen Hitler verwendet hat.[3] Zu solchen Untersuchungen gesellen sich jene Darstellungen, die die Widerstandsleistung Pechels aus persönlichem Erleben zu würdigen versuchen – wie etwa Wilhelm Röpke[4], Werner Bergengruen[5] oder Hermann Josef Schmitt[6], um nur einige Namen zu nennen.

Bei einem Blick auf jene Würdigungen, die Pechels Leistung vor allem vom publizistischen Anspruch zu ehren versuchen, fällt die emotionale und zuweilen unkritische Betrachtungsweise auf. »Ein Aufrechter im Kreis von Kriechern«, überschreibt zum Beispiel Siegfried Einstein seine Laudatio zum 75. Geburtstag Rudolf Pechels und nennt ihn den »unbequemen Mahner in einer mit Verlogenheit und Heuchelei untergehenden Zeit«.[7] Einen »wahrhaften Edelmann des Geistes ... einen Streiter mit scharfer Klinge aber mit ritterlichem Sinn«[8] nennt ihn Karl Schwedhelm, während der Journalist Arnold Fischer das Bekenntnis ablegt: »Wir werden mit aller Entschiedenheit für die Wahrheit eintreten, die er verteidigte und die zu verteidigen uns eine Ehre sein wird.«[9] Werner Bergengruen rühmte Pechel als denjenigen, der die »Ehre der deutschen Publizistik« gerettet habe, Golo Mann telegraphierte: »Dem tapferen Streiter, dem unermüdlichen Warner, Kritiker und Berater.«[10] Willy Brandt nannte Pechel einen »mutigen

1 Vgl. Klemperer: Konservative Bewegungen, a. a. O. S. 233.
2 Werner Conze: Die deutsche Opposition gegen Hitler – Ein Literaturbericht, in: Politische Literatur, Jg. 2, 1953, Heft 5/6, S. 210 ff.
3 Hans Rothfels: Die deutsche Opposition gegen Hitler, neue erweiterte Ausgabe 1969, S. 24 ff.
4 Röpke, Wilhelm: Die deutsche Frage, a. a. O. S. 91 ff.
5 Werner Bergengruen, Vorwort zu Rudolf Pechel: Zwischen den Zeilen, a. a. O. Zit.
6 Vgl. das Vorwort von Hermann Josef Schmitt, in: Deutsche Gegenwart (Rudolf Pechel), Aufsätze und Vorträge 1945–1952, S. 5 ff.
7 Siegfried Einstein: Ein Aufrechter im Kreis von Kriechern, BA, Mappe 19.
8 Brief an Pechel, 30. 10. 1952, BA, Mappe 16.
9 Arnold Fischer: Der Geist der Unbeugsamkeit, in: Allgemeine Wochenzeitung der Juden in Deutschland, BA, Mappe 17.

Repräsentanten des besseren Deutschland« [11], Walter von Cube bezeichnete ihn als »Ehrenretter der deutschen Publizistik« [12] und Hans Carossa rühmte ihn als »unbeirrbaren Kämpfer für Freiheit und Recht«. [13] An derartigen Würdigungen, denen zahlreiche andere hinzugefügt werden könnten, fällt zunächst die Fixierung auf Pechels Widerstandspublizistik ins Auge: der Herausgeber der »Deutschen Rundschau« wird allgemein als der mutige Repräsentant eines anderen und besseren Deutschland interpretiert, und es läßt sich die Neigung erkennen, den Widerständler Pechel in eine Linie mit der Wiedererrichtung demokratischen Verfassungslebens in der Bundesrepublik zu stellen. Soweit diese Beurteilung die mutige Haltung Pechels im Dritten Reich zum Maßstab nimmt und seine moralische Qualität hervorzuheben versucht, verbietet sich jeglicher Zweifel und jede Kritik. Einwände sind freilich dort erlaubt, wo Pechel zum Ahnherr demokratischer Gesinnung deklariert und zum Vorbild für publizistisches Handeln erhoben wird.

Gerade der deutsche Widerstand steht bis zu einem gewissen Grade in dem Zwielicht, daß nicht wenige Männer in ihm wirkten, denen es zwar um die Beseitigung Hitlers und die Wiederherstellung von Ehre und Gerechtigkeit ging, keinesfalls jedoch um eine Wiederherstellung der parlamentarischen Demokratie. [14] So verweist Hans Mommsen in seiner Analyse über Gesellschaftsbild und Verfassungspläne des deutschen Widerstands auf die Äußerungen von Romoser und Hannah Arendt, wonach der deutsche Widerstand lediglich als Fortsetzung der antidemokratischen Opposition gegen die Weimarer Republik interpretiert wird. [15] Auch wenn man seiner These folgt, wonach die historische Dimension nicht verwischt werden darf und die historische Analyse den deutschen Widerstand im Zusammenhang mit der gesamteuropäischen Krise jener Zeit zu betrachten hat, so scheint dennoch die Frage berechtigt, ob allein das Verhalten im Dritten Reich zum Maßstab einer nachträglichen Beurteilung gemacht werden kann.

Diese Frage ist mit aller Deutlichkeit von Kurt Sontheimer aufgeworfen worden: dem Argument Armin Mohlers, wonach man die Vertreter einer konservativen Revolution nicht für die schlechten Folgen des Nationalsozialismus verantwortlich machen könne, hält Sontheimer die These entgegen: »Wer wie die konservativen Revolutionäre politische Forderungen erhob, eine neue Ordnung der Gesellschaft anstrebte, in der Situation der Weimarer Republik aufs kräftigste zu wirken sich bemühte, der kann sich meines Erachtens nicht auf eine von aller politischen Wirklichkeit losgelöste Freiheit und Unverbindlichkeit des Geistes berufen. Zu Recht wird

[10] Golo Mann an Pechel, BA, Mappe 22.
[11] Brandt an Pechel, 30. 10. 1957, BA, Mappe 19.
[12] Von Cube an Pechel, 30. 10. 1957, BA, Mappe 19.
[13] Carossa an Pechel, 29. 10. 1952, BA, Mappe 13.
[14] Sontheimer, Kurt: Antidemokratisches Denken, a. a. O. S. 289.
[15] Mommsen, Hans: Gesellschaftsbild und Verfassungspläne des deutschen Widerstands, in: Der deutsche Widerstand gegen Hitler, a. a. O.

man von ihm fordern, daß er seine Ideen, da er sie ja zum Erfolg führen will, auf ihre konkrete Realisierbarkeit hin untersucht.« [16] Eben dieser Anspruch muß gegenüber Rudolf Pechel und seiner Publizistik erhoben werden. Gerade weil der Herausgeber der »Deutschen Rundschau« als unerschrockener Publizist in die Geschichte des deutschen Journalismus eingegangen ist, darf sein Versagen angesichts der entscheidenden Probe nicht unterschlagen werden: dieses liegt in dem Versäumnis, die möglichen Wirkungen der eigenen Ideen in der niederen Sphäre von Politik und Propaganda mitbedacht zu haben. Eben dies muß aber von einem politischen Publizisten gefordert werden, der mit dem Gefühl der Verantwortung vor seine Leser treten will. Und gerade deswegen kann nicht allein die Widerstandshaltung Pechels zum Alibi für dessen angebliche wertvolle Gesinnung dienen.

Hermann Rauschning kam diesem Sachverhalt ein wenig näher, als er in einem persönlichen Schreiben gegenüber Pechel bekannte: »Zweifellos haben Sie nicht an dem Irrtum teil, den ich auf mich genommen und an dem ich schwer zu tragen habe ... Das Große und Vorbildliche an Ihrer Gestalt ist die unbeirrbare innere Folgerichtigkeit, mit der Sie vom Erbe Moeller van den Brucks aus bis in die tiefste Tragik des Widerstands und im gegenwärtigen Wirken dem konstituierenden Element eines neuen Konservativismus nachgegangen sind. Wenn der Konservativismus sich dadurch von anderen politischen Kräften unterscheidet, daß er keine Doktrin haben kann, sondern Haltung ist, so sind Sie es, der ihm zur Gestalt verhalf.« [17] In dieser Äußerung Rauschnings, dem wir eine temperamentvolle Auseinandersetzung mit dem konservativ-revolutionären Geist der Weimarer Republik verdanken [18], wird Rudolf Pechel als Repräsentant einer politischen Theorie gesehen, der dem Rausch des Nationalsozialismus nicht verfiel, sondern sich einen vernünftigen Standort bewahrte. Zugleich wird auf jenes Phänomen der Konservativen Revolution verwiesen, wie es sich im Gefolge der Ideen Moeller van den Brucks in der Publizistik Pechels niederschlug. Gerade Pechels Zeitschrift hat ja jenen Gegenschlag gegen den liberalen Geist mit aller Schärfe vollzogen, der den Maßstab seiner Kritik am Rationalismus zum politischen Programm erhob und als revolutionäre Gegenideologie zum Liberalismus selber zur Ideologie geworden ist. [19] Die innere Verzweiflung jenes folgenschweren Schrittes vom kritischen-restaurativen zum revolutionären Denken spiegelte sich in den ersten Heften der »Deutschen Rundschau« in nachdrücklicher Weise wider: es lag in seiner Konsequenz, daß man die bestehenden Verhältnisse umstürzen, reinen Tisch machen und den Boden säubern wollte, auf dem das propagierte neue Reich erstehen sollte.

[16] Sontheimer, Kurt: Antidemokratisches Denken, a. a. O. S. 290.
[17] Hermann Rauschning an Pechel, 20. 8. 1957, BA, Mappe 22.
[18] Hermann Rauschning: Die Revolution des Nihilismus, Kulisse und Wirklichkeit im Dritten Reich, a. a. O. zitiert.
[19] Vgl. Martin Greiffenhagen: Das Dilemma des Konservativismus, a. a. O. S. 39 ff.

Weil er dieser Angriffsrichtung des Konservativismus zur Wirkung verhalf, muß Pechel als publizistischer Vertreter jener Theorie bewertet werden.

Solchem Anspruch werden alle jene Darstellungen nicht gerecht, die Rudolf Pechel lediglich als aufrechten Widerstandspublizisten interpretieren und zugleich die Voraussetzungen dieses Widerstands geflissentlich übersehen. Zu einer solch einseitigen Betrachtungsweise gehören all jene Auseinandersetzungen, die sich in zuweilen polemischer und persönlicher Form mit Pechels politischer Vergangenheit beschäftigt haben – allen voran die Zeitschrift »Die Weltbühne«, deren Autoren 1946 den Angriff auf Pechel eröffneten. In einer Serie von Aufsätzen, die bis in das Jahr 1949 reichten, versuchte die Redaktion der »Weltbühne« eine Analyse der Publizistik Rudolf Pechels, wie sie sich vor dem Jahre 1933 präsentierte und wie sie sich nach 1945 erneut zeigte.[20] Dabei verdeckte eine zuweilen hemmungslose Polemik auf beiden Seiten – Pechel nannte diese Attacken verächtlich »Bibliographie der Journaille«[21] – den eigentlichen Sachverhalt, um den es bei dieser Frage ging: welches Maß an Verantwortung mußte dem Publizisten zugesprochen werden, dessen Theorie in ihrer späteren Realisierung allenfalls eine schlechte Version dessen darstellte, was einmal als Zukunftsvorstellung propagiert worden war? Gewiß galt dafür die Antwort nicht, nach der man von sich sagen konnte, man habe etwas Anderes und Besseres gewollt. In dieser Arbeit wurde deshalb stets auch auf jene Beispiele verwiesen, in denen sich geistig-politische Verantwortung gezeigt hatte – als Beweis dafür, daß man mit kritischer Vernunft durchaus eine Ahnung von dem bekommen konnte, was der Nationalsozialismus ins Werk setzen wollte.

Allenfalls Fritz Klein hat zur Aufklärung dieses Sachverhalts einiges Neue beigetragen: er veröffentlichte in der »Weltbühne« Dokumente, die eindringlich das Zusammenspiel von praktischem Handeln und publizistischer Ansprache illustrieren, das für die Aktionen Pechels in der Endphase der Weimarer Republik bestimmend war. Danach soll sich Pechel schon im Jahre 1932 für eine Machtkombination von Hitler und Reichswehr erwärmt und ein Jahr später für eine Liquidierung der demokratischen Parteien durch die Nationalsozialisten geworben haben. Zugleich habe er sich öffentlich für die Ausschaltung von Heinrich Mann aus dem Kulturleben und für die Bevorzugung von Hans Grimm verwendet. Gewiß ist vor dem Hintergrund solcher Dokumente, die die publizistische Ansprache der »Deutschen

[20] Vgl. die folgenden Aufsätze der Weltbühne: Horst Lommer: Der feudale Umlernling, Nr. 4 (1946); Ceer: Der verklärte Dschingis-Khan, Nr. 5 (1946); Brief des Rudolf Pechel, Nr. 7 (1946); Rudolf Pechels Deutschenspiegel, Nr. 8 (1946); Horst Lommer: Von Papen zu Pechel, Nr. 12 (1946); Leser der Deutschen Rundschau, Nr. 2 (1947); Werner Wespe: Seelenwanderungshandikap, Nr. 6 (1947); Günther R. Richter: Die Vergangenheit spricht, Nr. 8 (1947); Fritz Klein: Dr. Pechel und der 30. Januar 1933, Nr. 1 (1949).

[21] Vgl. die Anmerkungen »Bibliographie der Journaille«, in: Deutsche Rundschau, 70. Jg. 1947, S. 52 ff., und den Aufsatz von Rudolf Pechel: Von Himmler zu Harich, in: Deutsche Rundschau, Jg. 69, 1946, S. 173 ff.

Rundschau« für jene Zeit nachdrücklich komplettieren, das bittere Urteil Kleins verständlich: »Nichts hatte Pechel begriffen von den wirklichen Absichten Hitlers, keinen Schimmer von Einsicht besaß er in die großen gesellschaftlichen Kräfte, von denen die Politik der Zeit bestimmt wurde. Wütender Haß gegen die Linke und phantastische Ideen trieben ihn voran, bis er schließlich als Betrogener dastand, geprellt von den Kräften, die er selbst herangerufen hatte.«[22] Sogar für die Anklage Kurt Ziesels kann man Verständnis haben, der gegenüber der zuweilen sehr apodiktisch vorgetragenen Abrechnung Pechels mit ehemaligen Nationalsozialisten[23] das Argument ins Feld führte, Pechel habe mit seiner Publizistik das Aufkommen nationalsozialistischen Gedankenguts mit gezüchtet.[24] Eine Bestandsaufnahme der Publizistik Pechels nach 1945 steht freilich noch aus, und gewiß wäre der Versuch nicht ohne Reiz, die Aufarbeitung der Geschichte der Weimarer Republik aus der Perspektive Pechels zu verfolgen. Deshalb gehört es zu den besonderen Versäumnissen Karl-Wolfgang Mirbts, daß er die Widerstandspublizistik Pechels ohne Bezug zu ihren gesellschaftlichen und historischen Hintergründen analysierte: durch Rekonstruktion des gesellschaftlichen Bezugssystems lassen sich die Intentionen dieser Publizistik einleuchtender illustrieren[25], und dieses Vorgehen ist am besten geeignet, die »Deutsche Rundschau« als ein Stück »lebendigen Daseins« zu erkennen und zu bewerten, das zu enträseln und sinnvoll in die verfassungs- und ideengeschichtliche Zeit ihres Erscheinens einzuordnen ist.[26]

Freilich ist damit nicht die Frage beantwortet, welche Verantwortung der Publizist Rudolf Pechel für den Anstieg nationalistischen Gedankenguts gehabt haben mag. Nachträglich kann kein Zweifel daran sein, daß Konservativ-Revolutionäre wie Edgar Julius Jung oder Rudolf Pechel den Nationalsozialismus ideologisch vorbereitet haben und daß die Duldung des Nationalsozialismus durch die publizistische Tätigkeit der revolutionären Konservativen gefördert worden ist.[27] Auf diese Vertrickungen zwischen revolutionärem Konservativismus und Nationalsozialismus ist an zahlreichen Stellen verwiesen worden. Der Publizist Rudolf Pechel muß sich freilich noch einen weiteren Vorwurf gefallen lassen: der Herausgeber der »Deutschen Rundschau«, der 1919 das Erbe Rodenbergs mit großer Hoffnung übernahm, hat den Nachlaß dieses Publizisten denkbar schlecht und unheilvoll verwaltet. Denn durch den publizistischen Feldzug gegen Rechtsstaat, Demokratie und Parlamentarismus geriet er nicht nur in einen Selbstwiderspruch mit seinem eigensten geistigen Sein, sondern verneinte auch die

22 Fritz Klein: Rudolf Pechel und der 30. Januar 1933, in: Die Weltbühne, a. a. O. S. 174.
23 Vgl. Kurt Ziesel: Das verlorene Gewissen, a. a. O. S. 18 ff.
24 Vgl. auch die Dokumentation: »Das gestürzte Denkmal«, BA, Mappe 121, das sich mit einer Privatklage zwischen Pechel und Ziesel über diese Äußerungen beschäftigt.
25 Vgl. Mirbt: Methoden publizistischen Widerstands, a. a. O. zitiert.
26 Vgl. Haacke, Wilmont: Studien zur Publizistik, a. a. O. S. 344.
27 Vgl. Gerstenberger: Der revolutionäre Konservatismus, a. a. O. S. 129 f.

Lebensbedingungen seiner eigenen gesellschaftlichen Existenz. Ohne die Gewißheit einer gesetzmäßigen Freiheit der Meinungsäußerung, der Freiheit des Religionsbekenntnisses, der Wissenschaft, Kunst und Presse – ohne diese rechtsstaatlichen Sicherungen gegen willkürliche Verhaftung und Verurteilung kann ein freiheitliches Gemeinwesen weder geistig noch ökonomisch leben. [28] Ohne diese Berechenbarkeit gesellschaftlicher Beziehungen ist jenes publizistische Handeln nicht möglich, dem Pechel sich seit seiner ersten Begegnung mit Julius Rodenberg verpflichtet fühlte. Es gehört zu den tragischen Zügen der Figur Rudolf Pechels, daß er erst zum Verteidiger eines demokratischen Rechtsstaats geworden ist, nachdem er mit der schlecht verhüllten Gewalt von Diktatoren konfrontiert wurde. Daß ohne die seelisch-sittlichen Gehalte, die das Wort Freiheit birgt, der Mensch nicht Mensch ist und nicht auf menschliche Art zu leben vermag – diese Erkenntnis des einst in der »Deutschen Rundschau« verfemten Thomas Mann gehört vielleicht zu den wichtigsten Einsichten, die das Leben Rudolf Pechels bestimmt haben. Im Sinne publizistischer Zeitschriftenforschung galt es, den »seine Zeit erkennenden, sie deutenden Publizisten« in den Mittelpunkt der Betrachtung zu rücken. [29] Dieses Postulat war auf das publizistische Bemühen eines Mannes zu übertragen, dessen politische Anschauungen sich in einer späten Phase seines Lebensweges und nach schrittweiser Annäherung an das Gedankengut des revolutionären Konservativismus verfestigt haben. Nur auf diese Weise ließ sich nachweisen, welchen ideengeschichtlichen und politischen Standort Rudolf Pechel mit seiner Zeitschrift »Deutsche Rundschau« im erregten Kampf der Ideen und Interessen der Weimarer Republik eingenommen hat. Vielleicht ließ sich gerade wegen der folgenschweren Verwicklungen Rudolf Pechels in die politischen Konstellationen seiner Zeit die »Deutsche Rundschau« als ein Medium porträtieren, das vom politischen und publizistischen Wollen seines Herausgebers getragen war und in dem sich eine Epoche deutscher Geschichte widerspiegelte, die wie keine andere um ihr geistiges Selbstverständnis gerungen hat.

28 Vgl. Heller, Hermann: Rechtsstaat oder Diktatur, Tübingen 1930, S. 23.
29 Vgl. Haacke, Wilmont: Studien zur Publizistik, in: Göttingische Gelehrte Anzeigen, a. a. O. S. 344.

QUELLEN UND LITERATUR

I. Unveröffentlichte Quellen

Der Nachlaß Rudolf Pechels ist bisher nur zu einem geringen Teil von der Forschung berücksichtigt worden. Einige Briefe finden sich in der Dissertation von Karl-Wolfgang Mirbt, die noch zu Lebzeiten Pechels geschrieben wurde. Die Mehrzahl der Nachlaßakten, die seit dem Tode Pechels im Bundesarchiv Koblenz aufbewahrt wird, wurde zum ersten Mal in der vorliegenden Arbeit verwertet. Für das Verständnis der bibliogaphischen Hinweise, die hier als Abkürzung BA und mit dem Vermerk auf eine numerierte Mappe erscheinen, ist folgende Erklärung wichtig: der Nachlaß Pechel war zum Zeitpunkt dieser Niederschrift zwar lose sortiert, befand sich jedoch in einem nicht katalogisierten Zustand. Er wird in Einlegmappen aufbewahrt, die von Nr. 1 bis Nr. 149 in einer vorläufigen Signatur numeriert sind und Dokumente des Zeitraums von 1908 bis 1962 beherbergen. Diese Akten sind nach folgenden Gesichtspunkten sortiert: sie gliedern sich in »Persönliche Angelegenheiten« (1910—1960), »Eigene Veröffentlichungen und Manuskripte« (1911—1959), »Verlag und Zeitschrift ›Deutsche Rundschau‹« 1908—1941, 1946—1961) sowie »Korrespondenz Rudolf Pechel« (Buchstaben A bis Z). Für die vorliegende Arbeit wurden alle unter diesen Stichworten sortierten Dokumente eingesehen und einige mit dem Hinweis auf die dazugehörige Sammelmappe zitiert. Das Interesse konzentrierte sich bei der Auswahl dieses Quellenmaterials hauptsächlich auf die Periode von 1908 bis 1934, die den besten Einblick in die Publizistik der »Deutschen Rundschau« von 1918 bis 1933 geben konnte. Darüber hinaus wurden auch jene Nachlaßakten eingesehen, die sich in gänzlich unsortiertem Zustand befinden und Aufschluß über Pechels politische und publizistische Aktivität nach 1945 geben. Dieses Material wurde in der vorliegenden Arbeit jedoch nicht schriftlich verwertet. Einige besonders wichtig erscheinende Dokumente, die über die Geschichte des Juniklubs, des Deutschen Schutzbundes und die »Arbeitsgemeinschaft für die Interessen des Grenz- und Auslandsdeutschtum« Kenntnis geben, finden sich im Anhang dieser Untersuchung.

II. Darstellungen und Aufsätze

Bade, Wilfried: Kulturpolitische Aufgaben der deutschen Presse, Berlin 1933.

Baecker, Paul: Die deutsche Presse, in: Der nationale Wille, hrsg. von Max Weiss, Essen 1928, S. 343 ff.

Bakker, Gert: Duitse Geopolitik 1919—1945, een imperialistische ideologie, Diss. Utrecht 1967.

Balle, Hermann: Die propagandistische Auseinandersetzung des Nationalsozialismus mit der Weimarer Republik und ihre Bedeutung für den Aufstieg des Nationalsozialismus, Phil. Diss. Erlangen-Nürnberg, 1963.

Bein, Alexander: Der moderne Antisemitismus und seine Bedeutung für die Judenfrage, in: Vierteljahrshefte für Zeitgeschichte Jg. 6, 1958, S. 340 ff.

Benda, Julien: La Trahision des clercs, Paris 1958.

Bergengruen, Werner: Zwischen den Zeilen, in: »Deutsche Rundschau«, Jg. 71, 1948, Heft 1, S. 109 ff.

Beyer, Justus: Die Ständeideologien der Systemzeit und ihre Überwindung. Forschungen zum Staats- und Verwaltungsrecht, hrsg. von Reinhard Höhn, Band 8, Darmstadt 1941.

Bibliographie zur Zeitgeschichte: zusammengestellt von Thilo Vogelsang. Beilage der Vierteljahrshefte für Zeitgeschichte, 1 (1953) bis 18 (1970).

Boehm, Max Hildebert: Moeller van den Bruck im Kreise seiner politischen Freunde, in: Deutsches Volkstum, Eine Monatsschrift, hrsg. von Wilhelm Stapel, Hamburg, Jg. 34, 1932, S. 693 f.

Deutscher Schutzbund in: Der Große Brockhaus, 15. völlig neubearb. Auflage, Band 14, Leipzig 1933, S. 395.

Ruf der Jungen — Eine Stimme aus dem Kreise um Moeller van den Bruck, 3. Auflage, Freiburg 1933 (erstmalig 1919).

Der 18. Januar und die anderen Deutschen. Rede bei der von der Universität Jena veranstalteten Feier des Jahrestages der Gründung des Deutschen Reiches, gehalten am 18. 1. 1934 (Sonderdruck).

Baltische Einflüsse auf die Anfänge des Nationalsozialismus, in: Jahrbuch des baltischen Deutschtums, Hamburg 1966, S. 56 ff.

Bracher, Karl-Dietrich: Zum Verständnis der Weimarer Republik, in: Politische Literatur, Jg. 1, 1952, Hefte 1 u. 2.

Die Weimarer Republik im Spiegel der Memoiren-Literatur, in: Politische Literatur, Jg. 2, 1953, H. 9, S. 339 ff.

Deutschland zwischen Demokratie und Diktatur, Beiträge zur neueren Politik und Geschichte, Bern-München-Wien 1964.

Die Auflösung der Weimarer Republik — Eine Studie zum Problem des Machtverfalls in der Demokratie, 4. unveränderte Auflage, Villingen 1964.

Die deutsche Diktatur — Entstehung, Struktur, Folgen des Nationalsozialismus, Köln-Berlin 1969.

Bracher, Karl-Dietrich, Wolfgang Sauer, Gerhard Schulz: Die Nationalsozialistische Machtergreifung, Köln/Opladen, 2. Aufl., 1962.

Braun, Hanns: Der Leserbrief im Lichte zeitungswissenschaftlicher Theorie, in: Publizistik, Jg. 5, 1960, H. 6, S. 10 ff.

Brecht, Arnold: Gedanken zur Verantwortung für Hitlers Ernennung zum deutschen Reichskanzler, in: Staat, Wirtschaft und Politik in der Weimarer Republik. Festschrift für Heinrich Brüning, hrsg. von Ferdinand Hermens und Theodor Schieder, Berlin 1967, S. 383 ff.

Brockhaus, Der große: 15. völlig neubearb. Auflage, Band 14, Leipzig 1933.

Broszat, Martin: Die völkische Ideologie und der Nationalsozialismus, in: »Deutsche Rundschau«, Jg. 84, 1958, Heft 1, S. 53 ff.

Der Nationalsozialismus — Weltanschauung, Programm und Wirklichkeit, Stuttgart 1960.

Brüning, Heinrich: Ein Brief, in: »Deutsche Rundschau«, Jg. 70, 1947, Heft 7. S. 1.

Brunnstädt, Friedrich: Die Weltanschauung der Deutschnationalen Volkspartei, in: der nationale Wille, hrsg. von Max Weiss, Essen 1928, S. 56 ff.

Bullock, Allan: Adolf Hitler — Eine Studie über Tyrannei, deutsch: Düsseldorf 1961

Bunzel, Julius: Der Zusammenbruch des Parlamentarismus und der Gedanke des ständischen Aufbaus, Graz und Leipzig 1923.

Bußmann, Walter: Politische Ideologien zwischen Monarchie und Weimarer Republik. Ein Beitrag zur Ideengeschichte der Weimarer Republik, in: Historische Zeitschrift, hrsg. Theodor Schieder und Walter Kienast, Bd. 190, München 1960, S. 55 ff.

Conrady, Karl-Otto: Deutsche Literaturwissenschaft und Drittes Reich, in: Germanistik, eine deutsche Wissenschaft. Beiträge von Eberhard Lämmert . . . Frankfurt/Main 1967, S. 71—109, Edition Suhrkamp Nr. 204.

Conze, Werner: Die deutsche Opposition gegen Hitler, in: Politische Literatur, 2. Jg. 1953, Heft 5/6, S. 210.

Curtius, Ernst-Robert: Deutscher Geist in Gefahr, 2. Auflage, Stuttgart-Berlin 1932.

Czichon, Eberhard: Wer verhalf Hitler zur Macht? Zum Anteil der deutschen Industrie an der Zerstörung der Weimarer Republik, Köln 1967.

Davis, Earl E.: Zum gegenwärtigen Stand der Vorurteilsforschung, in: Politische Psychologie, Frankfurt/Main 1964, Bd. 3, S. 51 ff.

Dederke, Karl-Heinz: Reich und Republik. Deutschland 1917—1933. Hrsg. in Verbindung mit dem Institut für Zeitgeschichte, München 1969.

Diesel, Eugen: Die deutsche Wandlung — Das Bild eines Volkes, Stuttgart-Berlin 1929.

Dorpalen, Andreas: The world of General Haushofer. Geopolitics in Action. Washington 1966.

Dovifat, Emil: Zeitungslehre I, Berlin 1962, Sammlung Göschen.

(Hrsg.) Handbuch der Publizistik, Band 1, Allgemeine Publizistik, Berlin 1968.

(Hrsg.) Handbuch der Publizistik, Band 2, Praktische Publizistik, Teil 1, Berlin 1969.

Elvers, Rudolf: Victor Aimé Huber — Sein Werden und Wirken, Band 1, Bremen 1872.

Erdmann, Gerhardt: Die deutschen Arbeitgeberverbände im sozialgeschichtlichen Wandel der Zeit, Neuwied/Berlin 1967.

Erdmann, Karl-Dietrich: Die Geschichte der Weimarer Republik als Problem der Wissenschaft, in: Vierteljahrshefte für Zeitgeschichte, Jg. 3, 1955, Heft 1, S. 1.

Das Problem der Ost- oder Westorientierung in der Locarno-Politik Stresemanns, in: Geschichte, Wissenschaft und Unterricht, Jg. 6, 1955, S. 133 ff.

Ersch, J. S./Gruber J. G. (Hrsg.): Allgemeine Enzyklopädie der Wissenschaften und Künste, 1. Sektion, Bd. 38, 1854, Aufsatz: Friedrich von Gentz, S. 839.

Eyck, Erich: Geschichte der Weimarer Republik, Bd. 1, Erlenbach-Zürich-Stuttgart 1954.

Neues Licht auf Stresemanns Politik, in: »Deutsche Rundschau«, 1955, Jg. 81, S. 111 ff.

Fechter, Paul: Arthur Moeller van den Bruck — Ein politisches Schicksal, Berlin 1934.

Das Leben Moellers van den Bruck, in: »Deutsche Rundschau«, Bd. 239, 1934, S. 14 ff.

Menschen und Zeiten. Begegnungen aus fünf Jahrzehnten. Gütersloh 1948.

Menschen auf meinen Wegen — Begegnungen gestern und heute, Gütersloh 1955.

Fechter, Sabine: Paul Fechter — Wege und Formen der Opposition im Dritten Reich, in: Publizistik, Jg. 9, 1964, Heft 1, S. 17 ff.
Fijalkowski, Jürgen: Die Wendung zum Führerstaat — Ideologische Komponenten in der politischen Philosophie Carl Schmitts. Schriften des Instituts für politische Wissenschaft. Berlin-Köln-Opladen 1958.
Fischer, Fritz: Griff nach der Weltmacht — Die Kriegszielpolitik des kaiserlichen Deutschland 1914/1918, Düsseldorf 1961.
Fischer-Lexikon: Allgemeine Geographie, hrsg. von Gustav Fochler-Hauke, Frankfurt 1959.
Forschbach, Edmund: Edgar Julius Jung und der Widerstand gegen Hitler, in: Civis, November 1959, S. 82 ff.
Freund, Michael: Hans Grimm und Adolf Hitler, in: Geschichte in Wissenschaft und Unterricht, Jg. 7, 1956, S. 131 ff.
Freytag-Loringhoven, Axel Frh. von: Deutschnationale Volkspartei, Berlin 1931.
Friedenthal, Elisabeth: Volksbegehren und Volksentscheid über den Young-Plan und die deutschnationale Sezession. Phil. Diss. Tübingen 1957.
Friedländer, Otto: Die ideologische Front der nationalen Opposition, in: Sozialistische Monatshefte, Jg. 35, 1929, Bd. 68, S. 207 ff.

Gebhardt, Bruno: Handbuch der deutschen Geschichte. 8. völlig neubearb. Auflage, hrsg. von Herbert Grundmann, Bd. 4, Stuttgart 1959, 4. Nachdruck 1965.
Gerhart, Walter (Pseudonym für Gurian, Waldemar): Um des Reiches Zukunft — Nationale Wiedergeburt oder politische Reaktion? Eine Analyse des deutschen politischen Bewußtseins nach dem ersten Weltkrieg. Freiburg 1932.
Gerstenberger, Heide: Der revolutionäre Konservatismus — Ein Beitrag zur Analyse des Liberalismus. Sozialwissenschaftliche Abhandlungen, begründet von der Hochschule für Sozialwissenschaften, Wilhelmshaven-Rüstersiel, Heft 14, Berlin 1969.
Gerstenhauer, Max-Robert: Der völkische Gedanke in Vergangenheit und Zukunft — Aus der Geschichte der völkischen Bewegung. Leipzig 1933.
Glaeser, Ernst (Hrsg.): Fazit — Ein Querschnitt durch die deutsche Publizistik, Hamburg 1929.
Graml, Hermann: Die außenpolitischen Vorstellungen des deutschen Widerstandes, in: Der deutsche Widerstand gegen Hitler, hrsg. von Walter Schmitthenner und Hans Buchheim, Köln 1966, S. 15 ff.
Graß, Friedrich: Der Politiker Edgar Julius Jung, in: Pfälzische Heimatblätter, Jg. 7, 1959, Nr. 6, Juni-Heft.
Grebing, Helga: Der Nationalsozialismus — Ursprung und Wesen, München 1959.
Greiffenhagen, Martin: Das Dilemma des Konservativismus, in: Gesellschaft in Geschichte und Gegenwart, Festschrift für Friedrich Lenz, Berlin 1961, Sozialwissenschaftliche Abhandlungen, Heft 9, S. 13 ff.
Grimm, Hans: Suchen und Hoffen. Aus meinem Leben 1928—1934. Lippoldsberg 1960.
Grote, Hans-Henning: Nationalismus wider Liberalismus, in: Aufstand — Querschnitt durch den revolutionären Nationalismus, hrsg. Götz-Otto Stoffregen, Berlin 1931, S. 16 ff.
Günther, Albrecht-Erich (Hrsg.): Was wir vom Nationalsozialismus erwarten — Zwanzig Antworten, Heilbronn 1932.

Haacke, Wilmont: Julius Rodenberg und die »Deutsche Rundschau«. Eine Studie zur Publizistik des deutschen Liberalismus (1870—1918), Heidelberg 1950, Beiträge zur Publizistik, Band 2.

Handbuch des Feuilletons, Band 2, Emsdetten 1952.

Die Zeitschrift — Schrift der Zeit, Essen 1961.

Publizistik — Elemente und Probleme, Essen 1962.

Studien zur Publizistik, in: Göttingische Gelehrte Anzeigen, Jg. 218, 1966, Heft 3/4, S. 343 ff.

Die politische Zeitschrift 1665—1965, Band 1, Stuttgart 1968.

Methoden zur Erforschung der politischen Zeitschrift, in: Publizistik, 14. Jg. 1969, Heft 1, S. 9 ff.

Publizistik und Gesellschaft, Stuttgart 1970.

Hagemann, Walter: Publizistik im Dritten Reich. Ein Beitrag zur Methodik der Massenführung. Hamburg 1948.

Hallgarten, George: Hitler, Reichswehr und Industrie — Zur Geschichte der Jahre 1918—1933, Sammlung »res novae«, Veröffentlichungen zur Politik, Wirtschaft, Soziologie und Geschichte, Band 13, 3. Auflage, Frankfurt 1962.

Hamel, Iris: Völkischer Verband und nationale Gewerkschaft. Der deutschnationale Handlungsgehilfenverband 1893—1933; Veröffentlichungen der Forschungsstelle für die Geschichte des Nationalsozialismus in Hamburg, Bd. 6, Frankfurt/Main 1967.

Handbuch für das Deutsche Reich: Hrsg. vom Reichsministerium des Innern, 2. unveränd. Auflage, Jg. 41, Berlin 1922.

Haushofer, Karl: Der nationalsozialistische Gedanke in der Welt, hrsg. von der Deutschen Akademie in der Reihe: Das neue Reich, München 1933.

Hartwich, Hans-Hermann: Arbeitsmarkt, Verbände und Staat 1918—1933. Die öffentliche Bindung unternehmerischer Funktionen in der Weimarer Republik, Berlin 1967.

Heinrichsbauer, August: Schwerindustrie und Politik, Essen 1948.

Heller, Hermann: Rechtsstaat oder Diktatur, veröffentlicht in der Reihe: Recht und Staat, Nr. 68, Tübingen 1930.

Herre, Paul/Jagow, Kurt: Politisches Handwörterbuch, Bände 1 und 2, Leipzig 1923.

Heyden, Günther: Kritik der deutschen Geopolitik. Wesen und soziale Funktion einer reaktionären soziologischen Schule, Berlin 1959.

Hock, Werner: Deutscher Antikapitalismus. Der ideologische Kampf gegen die freie Wirtschaft im Zeichen der großen Krise, Frankfurt 1960.

Höcker, Karla: Begegnungen mit Paul Fechter, in: Dank und Erkenntnis — Paul Fechter zum 75. Geburtstag am 14. September 1955, hrsg. von Joachim Günther, Gütersloh 1955, S. 111 ff.

Hoegner, Wilhelm: Der politische Radikalismus in Deutschland 1919—1933, Reihe: Geschichte und Staat, Bd. 113/119, München, Wien 1966.

Höhn, Reinhard: Der bürgerliche Rechtsstaat und die neue Front — Die geistesgeschichtliche Lage einer Volksbewegung. Berlin 1929.

Hoepke, Klaus-Peter: Die deutsche Rechte und der italienische Faschismus. Ein Beitrag zum Selbstverständnis und zur Politik von Gruppen und Verbänden der deutschen Rechten. Beiträge zur Geschichte des Parlamentarismus und der politischen Parteien, Bd. 38, Düsseldorf 1968.

Huber, Ernst-Rudolf: Deutsche Verfassungsgeschichte seit 1789, Band 2. Der Kampf um Einheit und Freiheit, 1830—1850, Stuttgart 1960.

Dokumente zur deutschen Verfassungsgeschichte, Band 3. Quellen zum Staatsrecht der Neuzeit, Stuttgart-Köln-Main 1966.
Hüttig, Helmut: Die politischen Zeitschriften der Nachkriegszeit in Deutschland. Von der ersten Milderung der Pressezensur bis zum Locarno-Vertrag. Leipzig. Phil. Diss. 1928 (29).

Jaeger, Hans: Unternehmer in der deutschen Politik, 1890—1918, Bonn 1967, Bonner historische Forschungen, Band 30.
Jardon, Rudolf: Geistige Strömungen der Nachkriegszeit, in: Die Tat, 1. Halbband, Jg. 21, 1929/30, S. 95 f.
Jochmann, Werner: Im Kampf um die Macht. Hitlers Rede vor dem Hamburger Nationalclub von 1919. Veröffentlichungen der Forschungsstelle für die Geschichte des Nationalsozialismus in Hamburg, Bd. 1, Frankfurt/Main 1960.
Jonas, Erasmus: Die Volkskonservativen 1928—1933, Entwicklung, Struktur, Standort und staatspolitische Zielsetzung, Diss. Kiel 1961.
Jung, Edgar-Julius: Die Herrschaft der Minderwertigen, ihr Zerfall und ihre Auflösung durch ein neues Reich, 2. Auflage, Berlin 1930.
Deutsche über Deutschland. Die Stimme des unbekannten Politikers, München 1932.
Sinndeutung der deutschen Revolution (Schriften an die Nation 55/56), Oldenburg 1933.

Kaltenbrunner, Gerd-Klaus: Von Dostojewski zum Dritten Reich — Arthur Moeller van den Bruck und die »Konservative Revolution«, in: Politische Studien, Jg. 20, 1969, H. 184, S. 184 ff.
Keßler, Heinrich: Wilhelm Stapel als politischer Publizist — Ein Beitrag zur Geschichte des konservativen Nationalismus zwischen den beiden Weltkriegen, Diss. Erlangen-Nürnberg 1967.
Klein, Fritz: Zur Vorbereitung der faschistischen Diktatur durch die deutsche Großbourgeoisie (1929—1932), in: Zeitschrift für Geschichtswissenschaft, Jg. 1, 1953, S. 872 ff.
Klemperer, Klemens von: Konservative Bewegungen zwischen Kaiserreich und Nationalsozialismus, deutsch: München-Wien 1957.
Klotzbücher, Alois: Der politische Weg des Stahlhelm — Bund der Frontsoldaten in der Weimarer Republik. Ein Beitrag zur Geschichte der Nationalen Opposition 1918—1933, Phil. Diss. Erlangen-Nürnberg 1964.
Knoll, Joachim H.: Konservatives Krisenbewußtsein am Ende der Weimarer Republik. Edgar-Julius Jung — Ein geistesgeschichtliches Porträt, in: »Deutsche Rundschau«, Jg. 87, 1961, Heft 10, S. 930 ff.
Das Verhältnis Österreich/Preußen zwischen 1848 und 1866 im Spiegel liberaler Zeitungen. Ein Beitrag zur Kooperation von Publizistikwissenschaft und Geschichtswissenschaft, in: Publizistik, Jg. 11, 1966, Hefte 3—4, S. 264 ff.
Knütter, Hans-Helmuth: Ideologien des Rechtsradikalismus im Nachkriegsdeutschland. Eine Studie über die Nachwirkungen des Nationalsozialismus. Bonner historische Forschungen, Bonn 1961.
Krell, Leo: Deutsche Literaturgeschichte, 6. Auflage, München 1958.
Krockow, Christian Graf von; Die Entscheidung — Eine Untersuchung über Jünger, Schmitt, Heidegger. Stuttgart 1958.

Lange, Karl: Der Terminus »Lebensraum« in Hitlers »Mein Kampf«, in: Vierteljahrshefte für Zeitgeschichte, Jg. 13, 1965, Oktober-Heft, S. 426 ff.
Hitlers unbeachtete Maximen »Mein Kampf« und die Öffentlichkeit. Stuttgart 1968.
Leupolt, Erich: Die Außenpolitik in den bedeutendsten politischen Zeitschriften Deutschlands 1890—1909, Leipzig 1933.
Leyen, Friedrich von der: Die Forderung des Tages — Das neue Reich. Übersicht über die deutsche Dichtung 1925/30, Jena 1931.
Liebe, Werner: Die deutschnationale Volkspartei 1918—1924, Düsseldorf 1956.
Löffler, Karl, und Kirchner, Joachim (Hrsg.): Lexikon des gesamten Buchwesens, Leipzig 1936.
Lutz, Günther: Das Gemeinschaftserlebnis in der Kriegsliteratur. Phil. Diss. Kiel 1936.

Massing, Paul W.: Vorgeschichte des politischen Antisemitismus, deutsch: Frankfurter Beiträge zur Soziologie, Bd. 8, Frankfurt/Main 1959.
Mauersberger, Volker: Victor Aimé Hubers konservativ-sozial reformerische Publizistik — nachgewiesen an seiner Zeitschrift »Janus« (1845—1848). Unveröffentlichte Diplomarbeit, Institut für Publizistik, Universität Göttingen, 1967.
Berlin W. 30, Motzstraße 22. Der Juniklub: Konservative Revolutionäre in der Weimarer Republik (1), in: PUBLIK, Nr. 34, Jahrgang 3, 21. 8. 1970, S. 19.
Offiziere ohne Heer. Konservative Revolutionäre in der Weimarer Republik (II), in: PUBLIK, Nr. 35, Jahrgang 3, 28. 8. 1970, S. 19.
Max, Hubert: Wesen und Gestalt der politischen Zeitschrift. Ein Beitrag zur Geschichte des politischen Erziehungsprozesses des deutschen Volkes bis zu den Karlsbader Beschlüssen. Essen 1942, Pressestudien, herausgegeben von Hubert Max, Reihe A, Bd. 1.
Michael, Friedrich: Liebe zur Zeitung, in: Dank und Erkenntnis, Paul Fechter zum 75. Geburtstag am 14. September 1955, hrsg. von Joachim Günther, Gütersloh 1955, S. 46 ff.
Mirbt, Karl-Wolfgang: Methoden publizistischen Widerstands im Dritten Reich, nachgewiesen an der »Deutschen Rundschau« Rudolf Pechels. Phil. Diss. Berlin 1958.
Theorie und Technik der Camouflage — Die »Deutsche Rundschau« im Dritten Reich als Beispiel publizistischer Opposition unter totalitärer Gewalt. In: Publizistik, Jg. 9, 1964, Heft 1, S. 3 ff.
Moeller van den Bruck, Arthur: Propaganda, in: Politisches Handwörterbuch, Band 2, Leipzig 1923, S. 386 f.
Das Dritte Reich, Berlin 1923.
Sozialismus und Außenpolitik, Breslau 1933.
Der preußische Stil, München 1953.
Mohler, Armin: Die konservative Revolution in Deutschland 1918—1932 — Grundriß ihrer Weltanschauungen, Stuttgart 1950.
Mommsen, Hans: Gesellschaftsbild und Verfassungspläne des deutschen Widerstands, in: Der deutsche Widerstand gegen Hitler, hrsg. von Walter Schmitthenner und Hans Buchheim, Köln 1966, S. 73 ff.
Mosse, George: Die deutsche Rechte und die Juden, in: Entscheidungsjahr 1932, hrsg. Werner E. Mosse, Tübingen 1965, S. 183 ff.
The crisis of german ideology — intellektuell origins of the third reich, London 1967.

Mosse, Werner E. (Hrsg.): Entscheidungsjahr 1932. Zur Judenfrage in der Endphase der Weimarer Republik, Tübingen 1965.
Müller, Walter: Die Stellung der Parteien und der öffentlichen Meinung zum Parlamentarismus, Phil. Diss. Gießen 1926.
Munzinger-Archiv: Internationale Biographie, Lieferung 17 (1962), Nr. 812, Rudolf Pechel.

Neumann, Siegmund: Die Parteien der Weimarer Republik. Mit einem Vorwort von Karl-Dietrich Bracher, Stuttgart 1965.
Neue Front, die: Hrsg. Moeller van den Bruck, Heinrich von Gleichen, Max Hildebert Boehm, Berlin 1922.
Neurohr, Jean: Der Mythos vom Dritten Reich. Zur Geistesgeschichte des Nationalsozialismus, Stuttgart 1957.
Nipperdey, Thomas: Die deutsche Studentenschaft in den ersten Jahren der Weimarer Republik, in: Kulturverwaltung der Zwanziger Jahre, hrsg. von Zilius Grimme, Stuttgart 1961, S. 22 ff.
Noelle-Neumann, Elisabeth: Die Wirkung der Massenmedien. Bericht über den Stand der empirischen Studien, in: Publizistik, Jg. 5, 1960, Heft 6; Festschrift für Emil Dovifat, S. 212 ff.
Meinung und Meinungsführer. Über den Fortschritt der Publizistikwissenschaft durch Anwendung empirischer Forschungsmethoden, in: Publizistik, Jg. 6, 1961, Heft 2, S. 81 ff.
Nolte, Ernst: Zeitgenössische Theorien über den Faschismus, in: Vierteljahrshefte für Zeitgeschichte, Jg. 15, 1967, S. 247 ff.
Konservatismus und Nationalsozialismus, in: Zeitschrift für Politik, Neue Folge, Köln Jg. 11, 1964, S. 4 ff.

Otto, Ulla: Die Problematik des Begriffs der öffentlichen Meinung, in: Publizistik, Jg. 11, 1966, Heft 2, S. 99 ff.

Paetel, Karl-Otto: Versuchung oder Chance? Zur Geschichte des deutschen Nationalbolschewismus, Göttingen 1965.
Pechel, Rudolf: Prolegomena zu einer kritischen Wernicke-Ausgabe. Diss. Berlin 1908.
Das Wort geht um, in: Die Neue Front, hrsg. von Moeller van den Bruck, Heinrich von Gleichen, Max Hildebert Boehm, Berlin 1922, S. 72 ff.
Französische Rheinpolitik in amerikanischer Beleuchtung. Ausgewählte Stücke aus dem Tagebuch des Oberkommandierenden der amerikanischen Besatzungstruppen Henry T. Allen, bearb. von Rudolf Pechel, Berlin 1925.
Moeller van den Bruck. Zu seinem 10. Todestag, in: Deutsche Allgemeine Zeitung, 30. 5. 1935. (Aus den Beständen des Instituts für Zeitungsforschung der Stadt Dortmund.)
Deutschenspiegel, Berlin 1946 (Zeitpolitisches Archiv).
Deutscher Widerstand, Zürich 1947.
Zwischen den Zeilen. Der Kampf einer Zeitschrift für Freiheit und Recht. Mit einem Vorwort von Werner Bergengruen, Würzburg 1948.
»Deutsche Rundschau«. Acht Jahrzehnte deutschen Geisteslebens. Hamburg 1961.

Deutsche Gegenwart. Aufsätze und Vorträge 1945–1952. Zusammengestellt und herausgegeben von Madleen Pechel und Klaus Hoche, Darmstadt und Berlin, 1953.
Pennalia 1553–1928: Passendes und Unpassendes zur Jubelfeier der Domschule am 21.–23. September, Güstrow 1928.
Petersen, Julius: Die Sehnsucht nach dem Dritten Reich in deutscher Sage und Dichtung, Stuttgart 1934.
Plessner, Helmuth: Die verspätete Nation. Über die Verführbarkeit bürgerlichen Geistes, Stuttgart 1959.
Die Legende von den Zwanziger Jahren, in: Staatsverfassung und Kirchenrecht. Festgabe für Rudolf Smend, hrsg. von Konrad Hesse, Siegfried Reiche, Ulrich Scheuner. Tübingen 1962, S. 209 ff.
Posse, Ernst H.: Die politischen Kampfbünde Deutschlands, 2. erw. Auflage, Berlin 1931.
Pross, Harry (Hrsg.): Die Zerstörung der deutschen Politik. Dokumente 1871–1933. Herausgegeben und kommentiert von Harry Pross. Fischer-Bücherei, Frankfurt/Main 1959, Reihe: Bücher des Wissens, Nr. 264.
Literatur und Politik. Geschichte und Programme der politisch-literarischen Zeitschriften im deutschen Sprachgebiet seit 1870, Olten-Freiburg 1963.
Wie die »Deutsche Rundschau« entstand, in: »Deutsche Rundschau«, Jg. 88, 1963, S. 44 ff.
Prutz, Robert: Geschichte des deutschen Journalismus, Band 1, Hannover 1845.

Quabbe, Georg: Tar – a – ri. Variationen über ein konservatives Thema, Berlin 1927.

Rauschning, Hermann: Die Revolution des Nihilismus. Kulisse und Wirklichkeit im Dritten Reich. Zürich-New York 1938.
Reichmann, Eva: Die Flucht in den Haß. Die Ursachen der deutschen Judenkatastrophe. Frankfurt/Main, o. J.
Diskussionen über die Judenfrage 1930–1932, in: Entscheidungsjahr 1932, hrsg. Werner E. Mosse, Tübingen 1965, S. 503 ff.
Reinisch, Leonhard (Hrsg.): Die Zeit ohne Eigenschaften. Eine Bilanz der Zwanziger Jahre, Stuttgart 1961.
Röpke, Wilhelm: Die deutsche Frage, Erlenbach-Zürich 1948.
Röseler, Klaus: Unternehmer in der Weimarer Republik. Die Stellung der Unternehmer zur Entwicklung in Staat, Politik und Wirtschaft bis 1928, in: Tradition, Zeitschrift für Firmengeschichte und Unternehmerbiographie, Jg. 13, 1968, Heft 5, S. 217 ff.
Roethe, Gustav: Deutsche Reden, Leipzig, ohne Jahr.
Rosenberg, Arthur: Entstehung der Weimarer Republik. Sammlung »res publica«. Veröffentlichungen zu Politik, Wirtschaft, Soziologie und Geschichte, Band 8, Hrsg. Kurt Kersten, Frankfurt/Main 1961.
Geschichte der Weimarer Republik. Sammlung »res novae«. Veröffentlichungen zu Politik, Wirtschaft, Soziologie und Geschichte, Band 9. Hrsg. Kurt Kersten, Frankfurt/Main 1961.
Rothfels, Hans: Die deutsche Opposition gegen Hitler. Eine Würdigung. Neue erw. Ausgabe, Fischer-Bücherei, Bücher des Wissens, Nr. 1012, Frankfurt/Main 1969.
Rühlmann, Paul: Kulturpropaganda, in: Politisches Handwörterbuch, hrsg. von Kurt Jagow und Paul Herre, Band 2, Leipzig 1923, S. 1032 f.

Schauwecker, Franz: Das Frontbuch. Die deutsche Seele im Weltkrieg. 6. Auflage, Halle 1927.
Schlawe, Fritz: Literarische Zeitschriften, Teil 2, 1910—1932, Stuttgart 1962.
Schmitt, Carl: Politische Theologie. Vier Kapitel zur Lehre von der Souveränität, München, Leipzig 1922.
Schmitz, Mathias: Die Freund-Feind-Theorie Carl Schmitts. Entwurf und Entfaltung. Ordo Politicus, Band 3, Köln/Opladen 1965.
Schneider, Franz: Pressefreiheit und politische Öffentlichkeit. Studien zur politischen Geschichte Deutschlands bis 1848. Reihe »Politica«, Abhandlungen und Texte zur politischen Wissenschaft, hrsg. von Wilhelm Hennis und Hans Maier, Neuwied/Berlin 1966.
Politik und Kommunikation. Drei Versuche, Mainz 1967.
Schoeps, Hans-Joachim: Das letzte Vierteljahr der Weimarer Republik im Zeitschriftenecho, in: Geschichte, Wissenschaft und Unterricht, Jg. 7, 1956, S. 464 ff.
Schotte, Walther: Die deutsche Presse und das Ausland, in: Die Neue Front, hrsg. von Moeller van den Bruck, Heinrich von Gleichen, Max Hildebert Boehm, Berlin 1922, S. 255 ff.
Das Kabinett, Papen, Schleicher, Gayl, Leipzig 1932.
Schroeter, Manfred: Der Streit um Spengler. Kritik seiner Kritiker, München 1922.
Schubert, Günther: Anfänge nationalsozialistischer Außenpolitik, Köln 1963.
Schwabe, Klaus: Ursprung und Verbreitung des Alldeutschen Annektionismus in der deutschen Professorenschaft im 1. Weltkrieg. Die Entstehung der Intellektuelleneingaben vom Sommer 1915, in: Vierteljahrshefte für Zeitgeschichte, Jg. 14, 1966, Heft 2, S. 105 ff.
Wissenschaft und Kriegsmoral. Die deutschen Hochschullehrer und die politischen Grundfragen des Ersten Weltkrieges. Göttingen-Zürich-Frankfurt 1969.
Schwierskott, Hans-Joachim: Das Gewissen. Ereignisse und Probleme aus den ersten Jahren der Weimarer Republik im Spiegel einer Zeitschrift, in: Lebendiger Geist. Festschrift für Hans-Joachim Schoeps, Leiden/Köln, 1959, S. 161 ff.
Arthur Moeller van den Bruck und die Anfänge des Jungkonservativismus in der Weimarer Republik. Eine Studie über Geschichte und Ideologie des revolutionären Nationalismus. Diss. Erlangen 1960.
Die Staatliche Domschule. 1903—1928. Hrsg. von der Alt-Schülerschaft der Güstrower Domschule, Güstrow 1928.
Stadtler, Eduard: Die Diktatur der sozialen Revolution, Leipzig 1920.
Als Antibolschewist 1918—1919, Lebenserinnerungen, Band 3, Düsseldorf 1935.
Stapenbacher, Susi: Die deutschen literarischen Zeitschriften in den Jahren 1918—1925 als Ausdruck geistiger Strömungen der Zeit. Phil. Diss. Erlangen 1961.
Stern, Fritz: Kulturpessimismus als politische Gefahr. Eine Analyse nationaler Ideologie in Deutschland, Bern-Stuttgart-Wien 1963.
Stockhorst, Erich: Fünftausend Köpfe — wer war was im Dritten Reich? Velbert/Kettwig 1967.
Stoffregen, Götz-Otto: Aufstand — Querschnitt durch den revolutionären Nationalismus, Berlin 1931.
Stubbe, Walter: In memoriam Albrecht Haushofer, in: Vierteljahrshefte für Zeitgeschichte, 8. Jg. 1960, S. 236 ff.
Sieburg, Friedrich: Schwarz-weiße Magie. Über die Freiheit der Presse, Tübingen-Stuttgart 1956.
Silex, Karl: Mit Kommentar. Lebensbericht eines Journalisten, Frankfurt/Main 1968.

Sontheimer, Kurt: Antidemokratisches Denken in der Weimarer Republik, in: Vierteljahrshefte für Zeitgeschichte, Jg. 5, 1957, S. 42 ff.
Der Tatkreis, in: Vierteljahrshefte für Zeitgeschichte, Jg. 7 1959, S. 229 ff.
Der antiliberale Staatsgedanke in der Weimarer Republik, in: Politische Vierteljahrsschrift, Jg. 3, 1963, S. 25 ff.
Antidemokratisches Denken in der Weimarer Republik. Die politischen Ideen des deutschen Nationalismus zwischen 1918 und 1933. Studienausgabe mit einem Ergänzungsteil, München 1968.
Sörgel, Werner: Metallindustrie und Nationalsozialismus. Eine Untersuchung über Struktur und Funktion industrieller Organisationen in Deutschland 1929—1933, Frankfurt/Main 1965.

Thiess, Frank: Wiedergeburt der Liebe. Die unsichtbare Revolution, Berlin-Wien-Leipzig 1931.
Thimme, Annelise: Gustav Stresemann. Legende und Wirklichkeit, in: Historische Zeitschrift, Hrsg. Theodor Schieder und Walter Kienast, Jg. 181, 1956, S. 287 ff.
Theisen, Helmuth: Die Entwicklung zum nihilistischen Nationalismus in Deutschland 1918—1933, Diss. München 1955.
Thyssen, Fritz: I paid Hitler, London 1941.
Treue, Wilhelm: Primat der Außen- oder der Innenpolitik? in: »Deutsche Rundschau«, Jg. 77, 1951, Heft 1. S. 507 ff.
Treviranus, Gottfried-Reinhard: Das Ende von Weimar. Heinrich Brüning und seine Zeit. Düsseldorf/Wien 1968.
Achtzig Jahre — Rudolf Pechel, 30. 10. 1962, in: »Deutsche Rundschau«, Jg. 88, Oktober 1962 (H. 10), S. 873 ff.
Troeltsch, Ernst: Spektator — Briefe. Aufsätze über die deutsche Revolution und die Weltpolitik 1918—1922, Bern 1924.

Ullmann, Hermann: Die Rechte ist tot — es lebe die Rechte, Berlin 1929.
Die volksdeutsche Bewegung und ihre Lehren. Als Manuskript vervielfältigt, ohne Ort 1954.
Durchbruch zur Nation. Geschichte des deutschen Volkes 1919—1933, Jena 1933.
Publizist in der Zeitenwende, posthum hrsg. von Hans Schmid-Egger, München 1965.
Unger, Erich: Das Schrifttum des Nationalsozialismus von 1919 bis zum 1. 1. 1934, Berlin 1934. Forschungsberichte zur Wissenschaft des Nationalsozialismus.

Vogelsang, Thilo: Die Zeitgeschichte und ihre Hilfsmittel, in: Vierteljahrshefte für Zeitgeschichte, Jg. 3, 1955, Heft 2, S. 211 ff.
Die Außenpolitik der Weimarer Republik 1918—1933, Heft 4, Schriftenreihe der Niedersächsischen Landeszentrale für Heimatdienst, Hannover 1959.

Weber, Max: Politik als Beruf. 3. Auflage, Berlin 1958.
Weiss, Max (Hrsg.): Der nationale Wille, Essen 1928.
Westarp, Graf Kuno von: Am Grabe der Parteiherrschaft, Berlin 1932.

Winkler, Ernst: Karl Haushofer und die deutsche Geopolitik, in: Schweizer Monatshefte Jg. 27, 1947, Heft 1, S. 29 ff.
Winkler, Heinrich A.: Unternehmerverbände zwischen Ständeideologie und Nationalsozialismus, in: Vierteljahrshefte für Zeitgeschichte, Jg. 17, 1969, Heft 4, S. 346 ff.
Wippermann, Klaus W.: Die Hochschulpolitik in der Weimarer Republik. Die politische Stellung der Hochschullehrer zum Staat, in: Politische Studien, Jg. 20, 1969, Heft 184, S. 143 ff.
Wirths, Werner: Wirtschaft und Gemeinschaft. Betrachtungen zu Jungs neuer Ausgabe der Herrschaft der Minderwertigen, in: Der Arbeitgeber, Jg. 20, 1930, Nr. 6, S. 155 ff.
Rudolf Pechel zum 50. Geburtstag am 30. Oktober, in: Berliner Börsen-Zeitung, 30. 10. 1932, Nr. 257.
Wunderlich, Wilhelm: Die Spinne, in: Die Tat, Jg. 23, 1931/32, Heft 10, S. 833 ff.
Wolf, Ernst: Zum Verhältnis der politischen und moralischen Motive in der deutschen Widerstandsbewegung in: Der deutsche Widerstand gegen Hitler, hrsg. von Walter Schmitthenner und Hans Buchheim, Köln/Berlin 1966, S. 215 ff.
Wulf, Joseph: Literatur und Dichtung im Dritten Reich, ro-ro-ro, Band Nr. 806-08, Hamburg 1966.
Zehrer, Hans: Die Revolution der Intelligenz, in: Die Tat, Jg. 21, 1929/30, 2. Hbbd., S. 486 ff.

Ziesel, Kurt: Das verlorene Gewissen. Hinter den Kulissen der Presse, Literatur und ihrer Machtträger von heute. München 1958.

III. Zeitschriften

Folgende Zeitschriftenjahrgänge wurden ausgewertet:
Deutsche Arbeit, hrsg. von Franz Röhr, Jahrgang 1922.
»Deutsche Rundschau«, hrsg. von Julius Rodenberg (ab 1914 hrsg. von Bruno Hake), Jahrgänge 1910 bis einschließlich 1918.
»Deutsche Rundschau«, hrsg. von Rudolf Pechel (ab 1934 Mitherausgeber Paul Fechter und Eugen Diesel), Jahrgänge 1919 bis einschließlich 1934; Jahrgänge 1945 bis einschließlich 1962.
Deutsches Volkstum. Eine Monatsschrift, hrsg. Wilhelm Stapel, Jahrgang 1922.
Deutschlands Erneuerung, Monatsschrift für das deutsche Volk. Hrsg. Oberfinanzrat Dr. Bang u. a. Jahrgang 1922.
Die Grenzboten. Zeitschrift für Politik, Literatur und Kunst. Hrsg. Max Hildebert Boehm, Jahrgang 1922
Literarisches Echo. Halbmonatsschrift für Literaturfreunde. Begründet von Josef Ertinger, hrsg. von Ernst Heilborn, Jahrgänge 1911 bis einschließlich 1919.
Preußische Jahrbücher, Hrsg. Walther Schotte, Jahrgang 1922.
Die Tat. Monatsschrift zur Gestaltung neuer Wirklichkeit (vorher: Monatsschrift für die Zukunft deutscher Kultur), Hrsg. Eugen Diederichs, ab 1928 Hans Zehrer, Jahrgang 1922.
Die Weltbühne. Begründet von Siegfried Jacobsohn. Jahrgänge 1919 bis einschließlich 1927.

DOKUMENTARISCHER ANHANG

1. Liste der stimmberechtigten ordentlichen Mitglieder des Juniklubs. Liste der nicht stimmberechtigten außerordentlichen Mitglieder (BA, Mappe 144).

2. Brief an Pechel über Zusammenkunft mit Hitler am 30. Mai 1921 (BA, Mappe 144).

3. Streng vertrauliche Denkschrift über die 2. Tagung der »Arbeitsgemeinschaft deutscher Zeitschriften für die Interessen des Grenz- und Auslandsdeutschtums« in Berlin am 1. November 1921 (BA, Mappe 124).

4. Brief Pechel an Rudolf Heß, 10. April 1933 (BA, Mappe 137).

5. Brief Rudolf Heß an Pechel, 28. August 1933 (BA, Mappe 137).

Liste der stimmberechtigten Mitglieder des Juniklubs

Baderreck, Kammergerichtsreferendar	N. 65, Brüsseler Str. 12
Bäcker, Chefredakteur	SW. 11, Tempelhofer Ufer 34
Behnsen, Dr. Henry	W. 9, Budapester Str. 6 (Verein deutsch. Wollkämmer u. Kammgarnspinner)
Beumelburg	W. 35, Am Karslbad 10/IV
Bode, Oberst a. D.	NW. 21, Wilhelmshavener Str. 5/IV
Boohm, Dr. M. H.	Johannisstift b. Spandau, Bugenhagenhaus
Böhmer, Geh. Reg.-Rat Rudolf	Neu-Babelsberg, Haus Lüderitzland, Neue Seestraße
Bordihn, Kammergerichtsreferendar, Dr.	Schöneberg, Merseburger Str. 10
Brettner, Polizeioberleutnant	S. 25, Dirksenstr., Pressestelle
von Broecker, Dr. Rudolf	W. 30. Politisches Kolleg, Motzstr. 22
Bruns, Dr. Carl Georg	NW. 7, Turmstr. 76 a
Croll, Dr. Walther	W. 30, Barbarossastr. 35
Deussen, Walter, stud.	Charlottenburg, Thüringer Allee 2
Dietrich, Dr. Albert	Wilmersdorf, Uhlandstr. 162
Drohmann, Referendar Carl	Potsdam, Landgericht
Ehrenforth, Fritz	SW. 11, Tempelhofer Ufer 34 b. Bäcker
Ehrenforth, Martin	W. 35, Am Karlsbad 15/II
Eucken, Dr. Walther	W. 35, Potsdamer Privatstr. 12
Evers, Franz	W. 15, Bregenzer Str. 12
Fechter, Dr. Paul	W. 30, Starnberger Str. 2
Fehr, Hauptmann Otto	Düsseldorf, Himmelgeisterstr. 60 b. do Bruyn
Fleck, Oberstleutnant	W. 15, Bleibtreustr. 13/15
Flierl	Deutscher Schutzbund, Motzstr. 22
Freundt, Dr. Friedrich	Nikolassee, Rehwiese 23
Fritzsche, Hans	Politisches Kolleg, Motzstr. 22
von Gleichen-Russwurm, Frhr. Heinrich	Politisches Kolleg, Motzstr. 22
Goesch, Dr. Heinrich	Lichtenrade-Siedlung, Waldweg 30
Goetz, Bruno	Lichtenrade-Siedlung, Waldweg 30
Grabisch, Dr. Joseph	W. 15, Knesebeckstr. 48
Greeven	Halensee, Paulsbornerstr. 1
Grieger	Stralsund, Schriftltg. des »Tageblatts«
Helferich, Dr. Hans, Assessor	N. 24, Kupfergraben 6/III b. Beyer

von Hentig, Gesandter	Reval, Deutsche Gesandtschaft
Herrfahrdt, Dr. Heinrich	W. 30, Motzstr. 22, Politisches Kolleg
Hoffmann, Dr. Karl	Friedenau, Lefèvrestr. 19
Huch, Dr. Gregor	NW. 23, Altonaer Str. 12
von Jecklin	Charlottenburg, Schlüterstr. 29
von Jorck, Kapitän	Charlottenburg 5, Fernburgstr. 26
Knappe, Eduard	Johannisstift b. Spandau, Herderhaus
Koehler, Dr. Kurt	Leipzig, Täubchenweg 21
Kraus, Felix	Dahlem, Hittorfstr. 14
von Kries, Dr. Wilhelm	Wilmersdorf, Güntzelstr. 35
Lange, Dr. Friedrich	Tempelhof, Neue Str. 10
von Laporte	Halensee, Auguste-Viktoria-Str. 3
von La Trobe	Steglitz, Schloßstr. 100
Leiffelm, Dr.	Graz, Technikerstr. 5
Lejeune-Jung, Dr.	Halensee, Joachim-Friedrich-Str. 49
von Loesch, Dr. C.-C.	Wilmersdorf, Nikolsburger Str. 8
Lunds, Wilhelm	Wilmersdorf, Prinzregentenstr.
Mannhardt, Dr. Joh. J.	Marburg/Lahn, Institut f. d. Deutschtum i. Ausland
Meissner, Carl	Wilmersdorf, Binger Str. 32
Melzer, Frithjof	Wilmersdorf, Lauenburger Str.
Marek, Dr. Walter	NW. 87, Elberfelder Str. 19
Moeller van den Bruck	Gr.-Lichterfelde, Unter den Eichen 127
Mühling, Dr. C.	Friedenau, Wilhelmshöher Str. 24
von Natzmer, Geomar, Rittergutsbesitzer	Cahry b. Simmersdorf (Krs. Sora)
Nissen, Rudolf, stud.	Charlottenburg, Niebuhrstr. 67
Nobel, Dr. Alphons	Zehlendorf, Blücherstr. 18
von Oettingen, Landrat a. D.	Wilmersdorf, Kaiserallee 219/2
Pauli, Dr. Franz	Friedenau, Schmargendorfer Str.
Pechel, Dr. Rudolf	W. 57, Lützowstr. 7
Pfeffer von Salomon	D.A.Z., SW. 48, Wilhelmstr. 30/31
Pritzkow, Dr. Walter	Grössen a. O.
Regendanz, Otto	Dahlem, Im Schwarzen Granl 7
Ritter, Pfarrer Dr. K. B.	W.O., Kronenstr. 70
Röhr, Dr. Franz	SW. 11, Tempelhofer Ufer 21
Roeseler, Dr. Hans	Lichterfelde-Ost, Bahnhofstr.
Rosenbrock, Ewald	Schöneberg, Stubenrauchstr. 3
Rosenkranz, Max	W. 30, Geisbergstr. 43
Schaeder, Dr. Hans Heinrich	Breslau XIII, Hohenzollerstr. 71

Schmidt, Direktor Paul	Schöneberg, Hauptstr. 100
Schotte, Dr. Walter	W. 30, Motzstr. 22
Schulz, Hans, Oberingenieur	Wilmersdorf, Aschaffenburger Str. 12
Schweitzer, Pfarrer Dr. Carl	Potsdam, Priesterstr. 9
von Sodenstern, Major a. D.	SW. 68, Lindenstr. 108
Spahn, Prof. Dr. Martin	W. 30, Motzstr. 22, »Polit-Kolleg«
Szagunn, Dr. Walter, Rechtsanwalt	Charlottenbg. 2, Kantstr. 20
Stadtler, Dr. Eduard	W. 35, Potsdamer Privatstr. 121
Starke, Referendar Gotthold	Drember, Dwocowa 6
Steltzer, Landrat Theodor	Rendsburg, Landratsamt
Tobler, Prof. Dr. Friedrich	Sorau (O.-L.)
von Tucher, Freiherr	W. 10, Königin-Augusta-Str. 50
Ullmann, Dr. Herrmann	Zehlendorf-Mitte
Wagner, Viktor	Zehlendorf-Mitte
Wandersleben, Intendanturrat	Steglitz, Althofstr. 10
Warmbold, Prof. Dr. Staatsminister a. D.	SW. 11, Tempelhofer Ufer 37
Wasserbäck, Dr. Erwin	Wilmersdorf
Weber, Peter, Reichszentrale f. Heimatdienst	W. 35, Potsdamer Str. 41
Wenzel, Reg.-Rat Dr. Fritz	NW. 40, Scharnherstr. 35
Weth, Fritz	Uferstr. 14
von Willisen, Oberstleutnant a. D. Freiherr	Charlottenburg, Giesebrechtstr.
Wirths, Dr. Werner	NW 7

Liste der nicht stimmberechtigten außerordentlichen Mitglieder

Bischoff, Dr., Auswärtiges Amt	W. 8, Wilhelmstr. 74
Dingeldey, Telegraphen-Union	SW. 61, Blücherstr. 12
Elster, Dr. H. M.	W. 30, Neue Winterfeldstr. 29
Fiedler	W. 35, Lützowstr. 7 (Verlag Paste)
Freyer, Dr. Cl. C., Schriftführer des Nationalen Klubs	Königgrätzer Str. 19
Frank, Herbert	Aachen, Thomasstr. 9, b. Lieberman
Graefe, Major a. D.	NW. 62, Paulstr. 28
Gross, Gerhard, Oberleutnant a. D.	W. 35, Am Karlsbad 15/II
Hack, Deutsche Tageszeitung	SW. 11, Dessauer Str. 6/7
Hamel, Referendar Walter	NO. 43, Am Friedrichshain 12/1
Hartwich, Dr.	W., Prager Str. 4
Hesse, Oberleutnant Kurt	Charlottenburg 9, Kaiserdamm 67
Hermann, Dr. Wolfgang	Grunewald, Hagenstr. 9
Hübner, Dr. Gustav	Göttingen, Hoher Weg
Hussong, Schriftleitung »Der Tag«	SW. 68, Zimmerstr. 35/11
Jakobsthal, Prof. Dr. Walter	SW. 47, Yorckstr. 89
Korselt, Reg.-Assessor Dr.	W. 10, Bendlerstr. 25/26
Lancelle, Oberstleutnant a. D.	Charlottenburg, Königsweg 11
von Lorsner, Freiherr W.	Potsdam-Wildpark, Viktoriastr. 48
Lilienthal, Direktor Erich	Wilmersdorf, Prinzregentenstr. 92
von der Linde, Oberleutnant a. D.	W. 62, Burggrafenstr. 11
von Medem, Freiherr	SW. 61, Tele-Union, Blücherstr. 112
Mosgau, Dr. Reinhold	Charlottenburg 2, Fasanenstr. 20
Müller, Löbnitz, Oberstleutnant a. D.	NW. 23, Flotowstr.
von Oertzen, Axel	Charlottenburg, Schillerstr. 114
Pflug, Prof. Dr.	Zehlendorf-West, Goethestr. 26 a
Reinicke, Dr. Carl, Referendar	Lankwitz, Hauptstr. 23
Rosen, Dr. Olaf	Stuttgart, Werastr. 61
Rosenberger, Dr.	W. 30, Motzstr. 22
Sarkar, Prof. Beney Kumar	Prinzregentenstr. 94, Indo-Europäische Handelsgesellschaft
Schasso, Stadtrat Rudolf	W., Elsholzstr. 9/III
Scheurmann, Deutsche Tageszeitung	SW. 11, Dessauer Str. 6/7

Scheibe, Freg.-Kapt. a. D., Albert	Wilmersdorf, Offenbacher Str. 8
Schulz, Walther	W. 30, Motzstr. 22
Schulze-Pfälzer	SW. 68, »Der Tag«, Zimmerstr.
Schütz, Walter	SW. 48, Friedrichstr. 226/27
Schwarz, Hans	Steglitz, Uhlandstr. 29
Schwarzer, Erich, Schriftleitung »Der Tag«	SW. 68, Zimmerstr.
von Schweinitz, Major a. D. Wilhelm	NW. 52, Schloß Bellevue
Stahlberg, Dr. Wolfgang, Referendar	Steglitz, Südendstr. 14
Stein, Professor Dr. Philipp	Frankfurt a. M., Klaus-Groth-Str. 9
Steuger, Hauptmann a. D.	NW. 40, Kronprinzenufer 30/II
Tänzler, Syndikus, Dr.	Dahlem, Wichernstr. 20
Woermann, Kurt	Hamburg, Afrika-Haus, Große Reichstr. 17/7
von Zengen, Hans Werner	Charlottenburg, Fasanenstr. 15
Zickert	Senzig b. Berlin

Herrn Dr. Pechel

30. Mai 1921

Der Münchener National-Sozialist, Herausgeber des »Völkischen Beobachter«, Adolf Hittler, ist zur Zeit in Berlin und auf Veranlassung von Dr. Pechel soll am Freitag, den 3. Juni nachmittag 2 Uhr eine Besprechung in geschlossenem Kreise bei mir stattfinden, wozu ich Sie einlade, mit der Bitte, diese Zusammenkunft vertraulich zu behandeln.

gez. von Gleichen

Herren:
Dr. Stadtler
Dr. Boehm
Moeller van den Bruck
Evers
(Dr. Pechel zur Kenntnis)

10. April 33.

Herrn
Rudolf H e s s
Berlin SW. 48
Wilhelmstraße 55, I.
Verbindungsstab der N.S.D.A.P.

Sehr geehrter Herr Hess!

Bei unserer Unterredung am Sonnabend, den 8. April konnte ich Ihnen über Sinn, Zweck und Ziel der »Arbeitsgemeinschaft deutscher Zeitschriften für die Interessen des Grenz- und Auslanddeutschtums« berichten.

Ich darf schriftlich wiederholen, daß hier in mehr als 10jähriger Arbeit ein Instrument geschaffen ist, bei dem die bedeutendsten reichsdeutschen- und auslanddeutschen Zeitschriften zusammenarbeiten mit der Zielsetzung, für das am meisten bedrohte Deutschtum mehr Verständnis im eignen Volke zu erwecken und zu gleicher Zeit dem Ausland zu beweisen, daß in der großen deutschen Zeitschriftenpresse schon seit dem Zusammenbruch 1918 jedes Denken in staatlichen Grenzen ausgeschlossen wurde und man auschließlich und mit Energie das Denken im Volke vertritt. Die Arbeit ist von jeher völlig überparteilich erfolgt und in engster Verbindung mit allen führenden Persönlichkeiten des Auslandsdeutschtums geleistet worden. Die Art der Arbeit gestattete wohl eine Fühlungnahme und eine Zusammenarbeit mit den jeweils amtierenden Regierungen, mußte aber von jedem behördlichen Eingriff, um den Sinn der Arbeit nicht illusorisch zu machen, freigehalten werden.

Die »Arbeitsgemeinschaft deutscher Zeitschriften für die Interessen des Grenz- und Auslanddeutschtums« hat neben ihrer publizistischen Arbeit sich auch die Möglichkeit geschaffen, fast alle in Europa außerhalb der Reichsgrenzen bestehenden Deutschtums-Organisationen mit deutschen Zeitschriften zu versorgen.

Ich glaube, daß die Grundlage, auf der der Zusammenschluß ohne jede statutenmäßige Bindung, sondern lediglich auf Grund der inneren Verpflichtung der einzelnen Herausgeber gegenüber der grenz- und auslanddeutschen Sache erfolgt ist, eine starke Gewähr dafür bietet, daß jede deutsche Reichsregierung eine solche Arbeit willkommen heißen und weiter fördern kann.

Aus den Ihnen bekannten Gründen war bisher eine Teilnahme nationalsozialistischer Zeitschriften nicht erfolgt. Im Interesse der grenz- und auslanddeutschen Sache erscheint es mir notwendig, den Weiterbestand und die Weiterarbeit dieser »Arbeitsgemeinschaft« möglichst in verbreiterter Form zu erhalten. Da außerdem in dem jahrelangen Zusammenwirken grundsätzliche Erkenntnisse für die Möglichkeit solcher Arbeit gesammelt und die Resonanzmöglichkeiten im Ausland auf das Genaueste untersucht sind, besteht wohl die Möglichkeit, daß diese Grundsätze gerade bei dem Ministerium für Volksaufklärung und Propaganda Interesse finden könnten. Ich wäre Ihnen daher zu außerordentlichem Danke verpflichtet, wenn Sie mir als dem Leiter und Gründer der »Arbeitsgemeinschaft deutscher Zeitschriften für die Interessen des Grenz- und Auslanddeutschtums« die Möglichkeit verschaffen könnten, Herrn Reichsminister Dr. Goebbels einmal kurz über diese »Arbeitsgemeinschaft« berichten zu können.

Mit meinem verbindlichsten Dank im voraus und dem Ausdruck meiner ausgezeichneten Hochachtung

Ihr sehr ergebener

Nationalsozialistische Deutsche Arbeiterpartei

München, Briennerstraße 45
Fernruf: 54901 und 58344

Der Stellvertreter
des Führers

H/J

München, 28. August 1933

An die
"Arbeitsgemeinschaft deutscher Zeitschriften für die Jnteressen des Grenz-und Auslanddeutschtums"
z.Hd. Herrn Dr. Rudolf Pechel

Berlin SW. 68

Ritterstraße 51

Sehr geehrter Herr Doktor !

Mir ist wohl bekannt, daß die "Arbeitsgemeinschaft" für das deutsche Volk wichtige Ziele auf dem Gebiete der Volkstums-und Minderheitenarbeit verfolgt und bereits auf gute Ergebnisse dieser Arbeit hinweisen kann. Jch gebe der Hoffnung Ausdruck, daß unter der psychologischen Wirkung der neuen Verhältnisse in Deutschland Jhnen diese Arbeit künftig erleichtert wird. Jch bin mir auch bewußt - und decke mich hier mit der Ansicht des Führers und des Ministers Goebbels - , daß diese Arbeit Jhnen umsomehr erleichtert wird, je mehr die "Arbeitsgemeinschaft" sich freizuhalten vermag von direkten Einflüssen der offiziellen Stellen - sei es der Regierung, sei es der nationalsozialistischen Partei, welche mit Recht heute vielfach als Teil der Regierung angesehen wird. Es ist notwendig, daß das Ausland nicht nur den Eindruck hat, sondern tatsächlich Einrichtungen wie die "Arbeitsgemeinschaft" als völlig unabhängige Jnstitutionen ansehen kann.

Um etwaigen Jrrtümern vorzubeugen, möchte ich ausdrücklich bemerken, daß diese Haltung der "Arbeitsgemeinschaft" gegenüber in keiner Weise eine Jdentifizierung meiner Person oder der Reichsleitung der NSDAP mit Teilzielen oder Auffassungen der "Arbeitsgemeinschaft oder einzelner Mitglieder derselben bedeutet.

Mit dem Ausdruck ausgezeichneter Hochachtung

Jhr sehr ergebener

R. Heß

(Rudolf Heß)

b.w.

N.S. Jch wäre dankbar, wenn Sie obige Stellungnahme den verschiedenen Teilnehmern der letzten Tagung zuleiten würden.

D.O.

Für zweckmäßig u. wünschenswert erachte ich selbstverständlich ein Fühlunghalten mit dem Ministerium f. Prop. u. Volksaufklärung. – Rs.

PERSONENREGISTER

Ansorge, Conrad 33, 35
Arndt, Ernst Moritz 46

Barlach, Ernst 34, 299
Bebel, August 296
Behrens, Eduard 283, 287
Bense, Max 79
Benz, Richard 292
Bergengruen, Werner 80, 308
Bernhard, Walter 218, 219
Bernstein, Eduard 296
Bettelheim, Anton 13 f., 86
Beumelburg, Werner 39, 296
Binding, Rudolf G. 80
Bischoff, Ernst 152, 184 f.
Blücher, Gebhard Leberecht von 241
Blüher, Hans 34
Blunck, Hans-Friedrich 283, 286 f., 292, 295 f.
Bode 39
Bodisco, Theophile von 14
Boehm, Max Hildebert 6, 23, 30, 32, 36, 38 f., 42 f., 47, 49, 50, 53, 63, 91, 95, 104 f., 118 ff., 130, 133, 135, 160, 164, 203, 238, 252 ff., 279
Böhmer, Ludwig 39
Bonsels, Waldemar 47
Borchardt, Rudolf 85, 216, 292
Bosch, Carl 233, 247
Brandi, Ernst 218 f., 248
Brandt, Willy 308
Braun, Otto 301
Brauweiler, Heinz 51, 118, 121 ff., 130, 132, 164, 253
Brettner 39, 42
Brod, Max 13
Bruckmann, Hugo 216, 273
Brüning, Heinrich 138 f., 203, 219, 236 ff., 247, 249, 254 f., 300
Brugger, Hans 184
Bruns, Paul 34, 39
Brunstädt, Friedrich 40
Bunsen, Marie von 14
Burdach, Konrad 85, 212
Busse, Carl 7

Carossa, Hans 309
Claß, Heinrich 138
Clausewitz, Carl von 263
Clemenceau, Georges 109
Cossmann, Paul Nikolaus 53
Creutz, Hugo 170
Cuno, Wilhelm 184, 210 f., 218 f., 247
Curtius, Ernst Rudolf 92, 170

Däubler, Theodor 34
Darwin, Charles 34
Dehio, Georg 170
Delbrück, Hans 159, 155 f.
Deutsch, Felix 209
Diederichs, Eugen 167
Diesel, Eugen 69, 85, 216, 221, 223
Dietrich, Albert 39 f.
Dix, Otto 34
Dörfler, Peter 296
Dresdner, Albert 177
Düllberg, Franz 34
Düsel, Friedrich 165, 203

Eberhard, Hans 9
Ebert, Friedrich 99 f., 138
Eichler, Adolf 177
Einstein, Albert 77
Eloesser, Arthur 13 f.
Ernst, Paul 13, 299
Erzberger, Mathias 143 ff.
Escherich, Georg 41
d'Ester, Karl 170
Eucken, Walter 39
Eulenberg, Herbert 47
Evers, Franz 33 ff., 38 f.

Falkenhayn, Erich von 77
Fechter, Paul 14, 32 f., 34 f., 39 f., 53, 69, 71, 79, 91, 100, 221 ff., 229, 283 ff., 295, 297, 299
Fehrmann, Karl 209
Fester, Richard 86, 205
Fiedler, Werner 39, 72 f., 205, 207
Fischer, Arnold 309
Fleck, August 39, 42
Foerster, Friedrich-Wilhelm 192
Forst-Battaglia, Otto 300
Freyer, Hans 80, 86
Freytag-Loringhoven, Gustav von 77, 105 f.

Frick, Wilhelm 279
Friedjung, Hans 85
Frobenius, Leo 42, 95
Fromme, Franz 51

Gayl, Wilhelm von 85, 138
Georgii, Eberhardt 216
Ginschel, Ludwig 42
Glatzel, Frank 50
Gleichen, Heinrich von 5 f., 35 ff., 40 f, 47, 49, 51, 63, 91, 95, 125, 135, 164, 229, 274
Gleichen-Rußwurm, Hans von 39
Gneisenau, August von 241
Goebbels, Joseph 278 f., 281, 284, 296
Göring, Hermann 281, 284 279, 296
Goesch, Heinrich 39, 51
Goetz, Wolfgang 33
Grimm, Hans 40, 47, 51, 53, 213, 295, 299, 311
Groener, Wilhelm 237
Grossmann, Stefan 143 f. 146, 148
Gürtner, Franz 260, 272
Gundolf, Friedrich 47

Habermann, Max 237 f.
Haensel, Carl 34
Hake, Bruno 10 f., 13, 20, 26, 55 f., 78
Haller, Max 247
Halm, Philipp 212
Hamm, Eduard 184
Hamsun, Knut 81
Haniel, Fritz 233
Harden, Maximilian 3
Hartmann, Charles L. 106, 139, 143, 148 ff., 184
Hasse, Otto 138
Hasse-Beseel, Gertraud 286
Hasselblatt, Werner 34
Haushofer, Karl 27, 34, 54, 85, 167, 169 f., 173, 177 f., 211, 214, 225, 249, 260 ff., 280, 282
Heilborn, Ernst 68
Heilbron, Friedrich 185, 207 f.
Helfferich, Karl 145
Herrfahrdt, Heinrich 39, 121, 125, 130
Hentig, Werner Otto von 39
Heß, Rudolf 167, 263, 272, 278 f.
Hesse, Hermann 296
Heuschele, Otto 81, 250
Heuß, Theodor 97
Hindenburg, Paul von 240 f., 245 f., 279, 286, 301, 303
Hitler, Adolf 38, 135, 167, 183, 193, 203, 236, 245, 254 ff., 270 ff., 279, 281, 290 f., 295, 298 f., 301, 303 f. 305
Hofmannsthal, Hugo von 77, 293
Holländer, Ludwig 283, 285, 288
Huber, Victor Aimé 18, 132
Huch, Ricarda 80
Hugenberg, Alfred 209, 231, 233, 245, 255 f., 278
Human, Hans 86, 220

Jacobs, Monty 13 f.
Jacobsohn, Siegfried 59, 143
Johst, Hanns 14, 295 f.
Jorck, von 39
Jung, Edgar Julius 6, 30, 34, 90 f., 105, 131, 158, 209 f., 213, 215, 219, 225, 228 ff., 250 ff., 268 ff., 279, 282, 299 f., 300, 305, 307, 312

Keller, Justus 177
Kelsen, Hans 128
Kern, Fritz 53
Kerr, Alfred 77, 296
Keßler, Heinrich 71, 202
Kiep, Luis Leisler 192
Kjellen, Rudolf 261, 264
Klages, Ludwig 85 f.
Klein, Fritz 218 f., 311
Klein, Tim 146
Klemperer, Klemens 19, 136
Klinkenberg, Heinrich 40
Klöckner, Florian 247
Klotz, Helmuth 151
Knilling, Eugen 272
Kolbenheyer, Erwin Guido 296, 299
Kollwitz, Käthe 296
Kraus, Kristian 170
Kreutz, Franz 42
Krieck, Ernst 40, 51
Kries, Wilhelm von 39 f., 51, 197, 245, 300, 305 f.
Krupp, Alfried 233, 247

Lagarde, Paul de 6, 64
Lambach, Walther 50, 241
Langbehn, Julius 6

Leifhelm, Hans 121
Lerchenfeld, Hans 41
Liebermann, Max 296
Lilienthal, Erich 39
Lindeiner-Wildau, Hans Erdmann von 227, 230
Lloyd George, David 109
Loesch, Carl-Christian von 39, 41 f., 49, 51, 110, 163 f., 170, 172, 177, 180, 213, 230, 243 f., 262
Ludendorff, Erich 135, 274
Ludwig, Emil 298
Luther, Hans 191, 198

Mann, Golo 308
Mann, Heinrich 295
Mann, Thomas 21, 296, 313
Mannhardt, Josef Hermann 279
Mark, Hermann 242
Martellus 201, 244 f., 247
Marx, Wilhelm 139
Maull, Otto 262
Mayne, Harry 14
Mehring, Walter 286
Meinecke, Friedrich 21, 86, 100 ff., 212
Miegel, Agnes 82, 296
Minoux, Franz 138
Moellendorf, Wichard von 122
Moeller van den Bruck, Arthur 3, 5 f., 23, 32, 33 ff., 39 f., 44, 46 ff., 53 f., 62 f., 69, 91 f., 95, 99 f., 102, 113 ff., 118, 120, 122, 125, 136, 139, 142, 152, 161, 164, 208, 225, 228 ff., 250 ff., 254, 257, 272, 274, 310
Mohler, Armin 19, 30, 309
Moltke, Helmuth von 241
Müller, Erich 249, 305 f.
Münchhausen, Börries von 47
Muth, Carl 54, 167

Naumann, Friedrich 101
Naumann, Max 283, 285, 288
Nobel, Alphons 121
Noske, Gustav 98

Obst, Erich 262
Oehler, Hans 166
Oettingen, August von 39
Onken, Hermann 86, 170, 211 f., 214
Osborn, Max 22
Otto, Erich 238
Paetel, Georg 14, 56, 67, 204 ff.
Pannwitz, Rudolf 85
Papen, Franz von 34, 203, 239, 250, 254, 257, 259 f., 278, 302 f.
Paquet, Alfons 170
Peuck, Hans 173
Peterich, August 33
Petersen, Julius 24, 64, 212
Pfeilschifter, Johannes 211, 213
Pfitzner, Hans 213
Pinder, Wilhelm 212
Plenge, Johann 21
Poincaré, Raymond 151, 153, 170, 179
Ponten, Josef 67
Poppenberg, Felix 14
Preuß, Hugo 296
Prinz, Arthur 283, 285, 288
Prinzhorn, Hans 85, 216, 217
Prutz, Robert 14

Quaatz, Georg 173

Raff, Helene 14, 204
Rathenau, Walter 289, 296
Ratzel, Friedrich 261, 264
Rauschning, Hermann 260, 310
Reinhardt, Max 33
Remarque, Erich Maria 299
Reusch, Paul 213, 233, 247
Reventlow, Ernst Graf 277, 291
Ringwaldt 92, 105, 143, 196
Ritter, Karl Bernhard 40
Roberts, William 177
Rodenberg, Julius 5, 10 ff., 55, 57 ff., 60, 62, 64, 68, 76, 78, 82, 95, 149, 198 204, 206, 215, 225, 272, 283, 284, 312 f.
Röchling, Hermann 177, 206, 209
Röhr, Franz 39, 121, 166
Röpke, Wilhelm 308
Röseler, Hans 34, 39, 50, 53, 203
Roethe, Gustav 64, 212
Röttcher, Fritz 192
Roth, Hans-Otto 276 f.
Rühlmann, Paul 170
Rupfling, Hans 86
Rust, Bernhard 296
Sauerbruch, Ferdinand 213

Schacht, Hjalmar 247, 278
Schäfer, Wilhelm 78, 296
Scharnhorst, Gerhard Johann von 241
Scheler, Max 34
Schleich, Carl Ludwig 34 f.
Schleicher, Kurt von 138 f., 237 ff., 254, 259
Schlenker, Max Martin 247
Schlüter, Willy 50
Schmidt, Erich 5, 10, 13
Schmidt, Paul 39
Schmitt, Carl 131
Schmitt, Josef 308
Schmitz, Karl Anton 170
Schneider, Hellmuth 242
Schneider, Karl 293
Schotte, Walter 39, 53, 121, 161, 164 f., 173, 185
Schreiber, Walter 42
Schwedhelm, Karl 308
Schwendemann, Karl 192
Seebohm, Ludwig 42
Seeckt, Hans von 88, 137 f.
Seldte, Franz 278
Sherwood, Clarence 33
Siemens, Carl Friedrich von 247
Silex, Karl 7
Silverberg, Paul 218, 247
Simmel, Georg 21
Smend, Rudolf 212
Sodenstern, Hermann von 165
Sollmann, Wilhelm 177
Soltau, Hellmuth 56
Sombart, Werner 21, 85 f.
Spahn, Martin 39, 40, 50, 87, 91, 137, 164, 177 f., 196, 199, 274
Spengler, Oswald 40, 41, 50, 86, 95, 99, 100, 112 ff., 307
Spiecker, Josef 42
Spörry, Robert 34
Springorum, Fritz 218, 247
Stadtler, Eduard 38 ff., 51, 115 ff., 121, 124, 135, 137, 161, 164, 208, 253, 274
Stapel, Wilhelm 6, 9, 53, 103, 135, 201 f., 274
Stein, Karl Freiherr vom 46
Stein, Philipp 152, 179, 184 f., 189, 241
Stern, Fritz 6, 19, 36
Stern-Rubarth, Edgar 49, 159
Stinnes, Hugo 53
Stolberg, Udo 40, 153 f.
Strauß, Emil 296
Strauß und Torney, Lulu von 82
Stresemann, Gustav 88, 190 f., 195 ff., 208, 243 f., 248 f.
Stülpnagel, Joachim von 138
Sylvanus 52
Szagunn, Robert 39

Tartarin-Tarnheyden, Justus 121
Thyssen, Fritz 246 f.
Tiedje, Franz 42
Traub, Gottfried 201 f.
Treviranus, Gottfried R. 24, 231, 236, 238
Triepel, Heinrich 212
Tritsch, Walter 249
Troeltsch, Ernst 21, 97, 101, 145
Tucholsky, Kurt 286, 289, 297

Uexküll, Jacob von 34
Ullmann, Hermann 39, 42, 53, 165, 201 f., 237 f., 276
Unger, Erich 177
Unruh, Fritz von 296

Vesper, Will 295 f., 299
Vögler, Albert 209, 218, 233, 247
Volz, Wilhelm 177 f.

Walter, Bruno 298
Warmbold, Hermann von 39
Wassermann, Jakob 283, 285, 289, 296
Weber, Max 101
Weber, Peter 39, 184
Wegener, Alfred von 155 f., 159
Wentzcke, Paul 73, 169 f.
Werfel, Franz 296
Werner, Bruno E. 293, 248, 305
Westarp, Kuno 235
Wetzel, Franz 121
Wiedfeld 138
Wiesbach, Werner 85
Wilamowitz-Moellendorff, Hugo von 85
Willisen, Friedrich-Wilhelm 39, 42, 139, 237 f.
Wilson, Woodrow 109, 110, 114
Winnig, August 50
Wirths, Werner 21, 26, 39 f., 51, 88,

165, 248
Wolter, Fritz 184
Wolters, Friedrich 16
Würzburger, Erich 177
Wundt, Hermann 121

Zehrer, Hans 3
Ziegler, Leopold 254
Ziesel, Kurt 312
Zisché, Kurt 40
Zobeltitz, Hans von 165
Zuckmayer, Carl 296
Zweig, Arnold 295
Zweig, Stefan 296

STUDIEN ZUR PUBLIZISTIK

MÜNSTERSCHE REIHE – INSTITUT FÜR PUBLIZISTIK

Herausgegeben von Prof. Dr. Henk Prakke

Band 1 Günter Kieslich: Das »Historische Volkslied« als publizistische Erscheinung, 1958, 162 Seiten, 1 Tafel

Band 2 Alf Enseling: Die Weltbühne. Organ der »Intellektuellen Linken« 1962, 191 Seiten, 1 Abbildung *(vergriffen)*

Band 3 Bernhard Wittek: Der britische Ätherkrieg gegen das Dritte Reich. Die deutschsprachigen Kriegssendungen der British Broadcasting Corporation 1962, 256 Seiten

Band 4 Peter Pleyer: Deutscher Nachkriegsfilm 1946–1948 1965, 490 Seiten mit Abbildungen und Dokumenten

Band 5 Carin Kessemeier: Der Leitartikler Goebbels in den NS-Organen »Der Angriff« und »Das Reich« 1967, 348 Seiten mit 26 Abbildungen

BREMER REIHE – DEUTSCHE PRESSEFORSCHUNG

Herausgegeben von Dr. Elger Blühm

Band 1 Kurt Koszyk: Zwischen Kaiserreich und Diktatur. Die sozialdemokratische Presse von 1914 bis 1933, 1958, 276 Seiten

Band 2 Günter Schulz: Schillers Horen. Politik und Erziehung. Analyse einer deutschen Zeitschrift, 1959, 232 Seiten

Band 3 Karl J. R. Arndt und May E. Olson: Deutsch-amerikanische Zeitungen und Zeitschriften 1932–1955. Geschichte und Bibliographie 1961, 796 Seiten *(vergriffen)*

Band 4 Irene Fischer-Frauendienst: Bismarcks Pressepolitik 1963, 172 Seiten

Band 5 Icko Iben: The Germanic Press of Europe. An Aid to Research 1965, 146 Seiten

Band 6 Liselotte von Reinken: Deutsche Zeitungen über Königin Christine. Eine erste Bestandsaufnahme, 1966, 154 Seiten mit Abbildungen

Band 7 Jürgen Blunck: Die Kölner Zeitungen und Zeitschriften vor 1814. Eine Bibliographie mit Standortnachweis, 1966, 53 Seiten

Band 8 Werner Vogt: Politische Karikaturen aus 120 Jahren deutscher und bremischer Geschichte, 1967, 72 Seiten mit Abbildungen

Band 9 Karl Heinz Kranhold: Frühgeschichte der Danziger Presse 1967, 284 Seiten, 21 Tafeln

Band 10 Barbara Baerns: Ost und West — Eine Zeitschrift zwischen den Fronten, 1968, 240 Seiten

Band 11 Herbert Karl Kalbfleisch: The History of the Pioneer. German Language Press of Ontario, Canada. 1835—1918, 1968, 136 Seiten

Band 12 Elisabeth Matz: Die Zeitungen der US-Armee für die deutsche Bevölkerung (1944—1946), 1969, 176 Seiten mit Abbildungen

Band 13 B. Uwe Weller: Maximilian Harden und die »Zukunft«, 1970, 480 Seiten

Band 14 Margarete Plewnia: Auf dem Weg zu Hitler. Der »völkische« Publizist Dietrich Eckart, 1970, 156 Seiten mit Abbildungen

Band 15 Heinz-Dietrich Fischer: Parteien und Presse in Deutschland seit 1945, 1971, 600 Seiten mit Abbildungen

Band 16 Volker Mauersberger: Rudolf Pechel und die »Deutsche Rundschau«. Eine Studie zur konservativ-revolutionären Publizistik in der Weimarer Republik (1918—1933), 1971, VIII und 344 Seiten

Band 17 Die deutschen Zeitungen des 17. Jahrhunderts. Ein Bestandsverzeichnis mit historischen und bibliographischen Angaben. Zusammengestellt von Else Bogel und Elger Blühm, 1971
1. Band Text, 336 Seiten
2. Band Abbildungen, 324 Seiten

Münstersche Reihe und Bände 1 bis 12 der Bremer Reihe bei Verlag C. J. Fahle GmbH., Münster/Westf.

Bände 13 bis 17 der Bremer Reihe bei Schünemann Universitätsverlag, Bremen